L'AUBE DE LA FORTUNE

DU MÊME AUTEUR

Le Château des Melville, Belfond, 1993.

ELIZABETH WALKER

L'AUBE DE LA FORTUNE

Roman

Traduit de l'anglais
par Dominique PETERS

belfond
216, boulevard Saint-Germain
75007 PARIS

Cet ouvrage a été publié sous le titre original
VOYAGE
par Piatkus Books, Londres.

Si vous souhaitez recevoir notre catalogue
et être tenu au courant de nos publications,
envoyez vos nom et adresse, en citant ce livre,
aux Éditions Belfond,
216, bd Saint-Germain, 75007 Paris.
Et, pour le Canada, à
Édipresse Inc., 945, avenue Beaumont
Montréal, Québec H 3 N 1 W 3.

ISBN : 2-7144-3195-X

Première Partie

Harriet

1

Les lustres se balançaient avec un délicieux tintement cristallin au rythme des flots de l'Atlantique que le navire fendait avec une calme autorité. Au salon, on oubliait facilement, dans le brouhaha des conversations, le ronronnement sourd des moteurs. On ne sentait les mouvements du bateau qu'à une légère pression sur la plante des pieds et une crispation de l'estomac si discrète qu'elle en était presque agréable. On pourrait être n'importe où, se dit Harriet en essuyant ses paumes humides sur sa jupe de satin. Ces gens riches et sûrs d'eux auraient très bien pu se trouver dans les salons d'un hôtel de luxe, où Harriet se serait sentie tout aussi peu à sa place. Jamais elle n'aurait dû venir.

Les stewards passaient de groupe en groupe, proposant boissons et petits fours. Quand un plateau arriva près d'elle, Harriet prit un verre qui, une fois vide, irait rejoindre le précédent derrière un pot de fleurs. Quelqu'un avait écrasé une cigarette dans la terre sèche au pied de la plante, dont les feuilles fatiguées paraissaient encore plus assoiffées que Harriet – mais la jeune femme n'avait pas l'intention de se sacrifier. Elle avala sa flûte de champagne frappé et se sécha à nouveau les paumes sur sa robe, regardant la foule avec un sourire figé et dépourvu de signification.

Tout le monde semblait avoir quelqu'un avec qui parler. On bavardait, on riait, la tête renversée en arrière, on poussait de petits cris et des exclamations perçantes. Des gens riches, beaux, vieux. Malgré les voix, on entendait distinctement, çà et là, le cliquetis d'un collier ou d'un bracelet, dont les diamants étincelaient parmi les groupes animés. Il arrivait à Harriet de reconnaître une ancienne vedette de la chanson ou la fille d'un milliardaire, un acteur plus ridé ou plus petit qu'il ne semblait à l'écran, une journaliste toisant la foule entre de longs cils fardés. Des gens charmants à qui un coup de baguette magique avait tout donné. Inutile de se demander pourquoi, nés dans le même vieux monde, ils étaient riches et célèbres alors que Harriet n'était personne.

Elle se balançait d'un pied sur l'autre dans ses escarpins inconfortables – trop neufs, aux talons trop hauts, trop jeunes de style pour elle. Que faisait-elle là? Pourquoi avait-elle pensé que le courage allait soudain lui venir, qu'elle se transformerait miraculeusement en l'être posé et sociable qu'elle aurait aimé être? La jeune fille qui restait assise dans son coin au bal de l'école était la même que celle qui se dissimulait maintenant derrière son palmier, observant avec une vive inquiétude les officiers qui arpentaient la salle à la recherche de gens comme elle : les laissés-pour-compte de la fête. C'était comme de regarder des champions de ski sur une piste alors qu'on est à peine capable de tenir debout sur ses planches.

– Tout va bien, mademoiselle Wyman?

Elle sursauta. Un des officiers, grand jeune homme dont le front se dégarnissait déjà, la regardait avec une certaine anxiété. Qu'avait-elle donc fait pour qu'il la remarque?

– Je... Je vais... Merci. Très bien. Merci.

– J'espère que vous me pardonnerez d'avoir remarqué que vous êtes un peu rouge.

– Vraiment? Il fait assez chaud, répondit-elle en rougissant plus encore.

Son fond de teint, ce stupide achat de dernière minute, avait entrepris, elle en était sûre, de couler et de se rassembler en grumeaux autour de son nez. Quelle tête pouvait-elle avoir pour que même lui l'ait remarqué?

– Voulez-vous que je vous présente à quelqu'un? Mme Thorner, peut-être. Elle vient du Maryland. C'est une dame charmante et de contact très facile.

Harriet le regarda, déchirée entre son désir d'échapper à son isolement trop ostensible et sa rage devant la pitié qu'elle inspirait à ce jeune officier. Car il la plaignait, pour sa gaucherie, sa timidité, sa robe ridicule et son maquillage bon marché.

– Je ne souhaite pas parler à quelqu'un... Je veux dire que j'aime bien regarder les autres, rectifia-t-elle pour ne pas avoir l'air trop idiote.

– Oh, c'est ça!

A l'évidence, il ne la croyait pas. Elle redressa la tête et lui lança un regard hautain, souhaitant qu'il la prenne pour un professeur de philosophie, une artiste ou peut-être une riche recluse. Elle n'en était pas au point de se joindre à n'importe quelle conversation! Ecoutez-les donc : « Salut! Jeannie Goldbloom, du Wyoming. Ne me dites pas que vous êtes américaine, parce que je n'en croirai pas un mot! Australienne? Comme c'est excitant! » On n'entendait que des variations sur ce thème dans toute la pièce, et si Harriet devait rencontrer cette charmante Mme Thorner, que dirait-elle? Harriet Wyman, de Manchester, vieille fille, désargentée, pas jolie, sans même un arbre généalogique intéressant pour sa défense.

– Je vais vous trouver un verre, dit l'officier.

Il semblait mal à l'aise, lui aussi. C'était peut-être contagieux. Elle ne bougea pas tandis qu'il appelait un steward d'un claquement de doigts professionnel. Harriet prit un verre sur le plateau et y trempa les lèvres. Le champagne, ce n'était pas si mauvais dès qu'on s'habituait aux bulles. Et quand on en buvait assez, on se sentait beaucoup plus à l'aise.

– Vous aimez faire ça? demanda-t-elle d'un air distant. Vous aimez être obligé d'aller parler aux gens? Aux gens comme moi, à qui vous n'avez pas vraiment envie d'adresser la parole?

– Mais j'ai très envie de leur parler, mentit l'officier. J'ai envie de vous parler, dit-il tout en laissant son regard s'égarer au-delà de son épaule vers le fond de la pièce.

– Et de quoi?

– Eh bien... du bateau, de New York, de toutes sortes de choses. Ecoutez, je vais vous présenter à Mme Thorner...

– Non! Je veux dire... ça va. Vraiment.

– Bon, dit-il après s'être raclé la gorge. Je dois circuler. Il faudra que nous reprenions cette conversation.

Il l'abandonna, avec soulagement sans aucun doute. Elle ne comprenait pas que l'on parle pour ne rien dire. Mais elle aurait beaucoup aimé savoir ce qu'il pensait vraiment de ce cirque flottant, avec ses créatures étranges et bruyantes, les gagnants d'un concours par exemple, ou de quelque loterie, tous en classe touriste en récompense de leur victoire. Inutile de dire qu'ils n'étaient pas invités aux réceptions du capitaine, mais ils grouillaient dans les coursives et sur les ponts, toujours ivres, semblait-il, toujours en sueur, avec une panoplie inépuisable de chapeaux ridicules et de shorts indécents. Qu'en pensaient les officiers? Leur participation enthousiaste à tout ce qu'on proposait, des jeux de pont aux massages, était-elle un soulagement ou considérait-on qu'elle faisait baisser le niveau de la croisière? Harriet ne pouvait en décider. Le matin même, un bedonnant surexcité l'avait abordée et lui avait demandé de l'aider à récupérer sa clé tombée dans son pantalon! Ce devait être un gage pour un jeu idiot. Harriet avait rougi jusqu'aux oreilles, et tout le monde avait ri. « On voulait seulement se marrer, chérie! » avait dit l'homme. Après coup, elle s'était dit qu'elle aurait peut-être dû se marrer, effectivement. Elle n'avait jamais su comment se comporter dans ces cas-là – ni dans d'autres d'ailleurs.

Sa robe était toute tachée d'auréoles de sueur, et en regardant autour d'elle, elle se dit, comme elle s'en était doutée, qu'elle avait eu tort de choisir du faux satin blanc. Et puis la robe était trop juste dès le départ; Harriet s'était dit qu'elle allait perdre ce petit kilo en trop – qu'elle n'avait naturellement pas perdu. Et même si elle l'avait trouvée chère à l'achat, sa robe, comparée aux soieries et aux dentelles qui l'entouraient, avait l'air d'un simple article de prêt-à-porter. Elle essaya de placer correctement son décolleté qui godaillait et se consola en constatant que bien des robes beaucoup plus chères étaient tout aussi mal portées que la sienne : cette espèce de tourbillon de tulle rouge qui tentait de dissimuler les formes d'une femme au moins deux fois plus large que haute, par exemple, ou bien cette création de taffetas jaune constellée de boutons de rose, qui aurait déjà semblé ridicule sur une gamine de six ans – et qu'arborait une vieille dame déraisonnable au point de la porter avec une tiare, deux bracelets et un collier de chien en diamants!

Harriet s'inquiéta soudain de ses boucles d'oreilles. Est-ce qu'elles ne lui donnaient pas un air d'arbre de Noël, à elle aussi? Elle ne savait jamais de quoi elle avait l'air, et c'était là l'ennui : elle ne savait jamais si son classicisme n'était que timoré, ou ses moments plus téméraires franchement ridicules. Elle ne doutait cependant pas une seconde que sa robe de faux satin blanc, sale, fût un désastre. Elle allait quitter cette horrible fête, regagner sa cabine, retirer la robe et la mettre en lambeaux.

Elle pivota brutalement sur ses talons – trop hauts, si bien qu'elle trébucha. Une main secourable la retint par le coude.

– Tout va bien, on ne coule pas encore!

Harriet rougit, comme toujours. Contrairement à ce que sa mère lui avait promis, elle n'en avait jamais perdu l'habitude, pas plus qu'elle n'avait perdu ses rondeurs de beau bébé.

– Excusez-moi. Je dois partir. Je le dois vraiment.

L'homme à la silhouette râblée et puissante lui sourit, ses dents très blanches brillèrent soudain dans son visage hâlé. Il ne lui lâcha pas le coude.

– Mais je ne fais qu'arriver, et vous êtes l'unique jolie fille seule de moins de soixante-dix ans dans cet immense salon. Vous n'allez pas m'abandonner comme ça! Jake Jakes.

Harriet se tortilla pour libérer son coude, mais il raffermit son emprise, plus que ne l'aurait voulu la simple politesse. Il était peut-être ivre. En tout cas, *elle* l'était, comme le lui prouvaient les vagues glacées puis brûlantes qui l'inondaient alternativement.

– Il faut que j'y aille, insista-t-elle sans se présenter à son tour.

– Pourquoi ?

– Parce que... Parce que je ne suis pas vêtue comme il convient. Je ne savais pas. C'est la première fois que je fais une croisière et je dois retirer mes boucles d'oreilles.

– Pourquoi ? demanda l'homme en écarquillant les yeux. Elles sont cassées ? Elles m'ont l'air intactes, à moi.

C'étaient les boucles d'oreilles de sa mère, des diamants taillés à l'ancienne et mal montés.

– Elles n'ont l'air de rien, dit-elle faiblement.

L'homme la regarda longuement, et elle rougit à nouveau.

– J'admets qu'elles ne sont pas les plus belles au monde, dit-il, mais je ne crois pas que quiconque le remarque. Qui pourrait en regarder autant à la fois ? Voyez un peu autour de vous !

Elle ne voulait pas, mais elle tourna la tête pour regarder la salle. Cette fois, tout lui parut différent. Il y avait ce duc un peu bohème, qu'on disait homosexuel, en veste de velours vert sur un gilet rayé rouge et blanc qui avait du mal à contenir à la fois sa bedaine et une montre de gousset. Riant à gorge déployée, une actrice de feuilleton télévisé dont le décolleté descendait jusqu'au nombril avait certainement trouvé un moyen inédit d'arrimer à ses épaules sa poitrine tombante.

– Si vous portiez ça, ils vous regarderaient, dit Jakes.

– Je ne pourrais jamais !

Il jeta un coup d'œil à l'opulente poitrine de la jeune fille, écrasée et rendue informe par cette robe si peu flatteuse.

– Non, vous ne pourriez pas. Vos formes sont bien trop généreuses. Mais enfin ! Qu'est-ce qu'on boit ici ?

Il leva un bras et cria « Oï ! ». Comme le génie de la lampe, un steward apparut, portant un plateau de verres pleins. Jakes en prit quatre qu'il mit en réserve derrière la plante.

– Je vois que quelqu'un a pris une bonne avance sur moi, dit-il en découvrant les verres vides.

Il sourit à Harriet. Il avait les yeux gris clair, et Harriet remarqua qu'elle devait légèrement baisser les siens pour les regarder. Satanées chaussures à talons ! Elle lui rendit un petit sourire prudent.

– Je ne participe pas souvent à ce genre de réunions, confessa-t-elle.

– Je l'avais compris. Vous avez gagné la croisière au jeu ? Ne vous en faites pas, je ne vous ferai pas mettre à la porte. Je ne pense pas que ce qui se passe en classe touriste en ce moment vous convienne mieux : ils jouent à qui boira le plus vite un litre de bière, et une grosse dame, malgré les protestations de son mari, veut faire un numéro de strip-tease !

Mortifiée, Harriet se détourna.
– Je n'ai pas gagné cette croisière, dit-elle sèchement. Et je vais partir, maintenant. J'ai mal aux pieds.
– Oh, Seigneur, ne partez pas! Je ne sais pas ce qui m'arrive ce soir, mais je ne plais à personne. Ecoutez, je sais que cette croisière est mortelle, mais nous, les gens vrais, nous devons nous serrer les coudes contre les androïdes. Bien sûr, que vous ne jouez pas à la loterie! Je le vois à vos boucles d'oreilles.
– Et comment ça?
– Ce sont des boucles d'oreilles de vieille dame en cure à Bath.
– Ce sont celles de ma mère, en fait.
– Ah oui? Elle est du voyage?
– Non. Elle n'est... pas très bien en ce moment.
Etait-ce son imagination ou la regardait-il avec plus qu'un intérêt poli? Elle aurait préféré que non. Cela lui donnait la chair de poule. Mais, comme les mouvements du bateau, si cela durait assez longtemps, elle pourrait y prendre goût.
– On s'inquiète toujours quand elles sont malades, dit Jakes. Il y a quelqu'un pour veiller sur elle?
– Oh, oui! C'est une très grande maison... Elle n'avait pas le choix. Elle bénéficie de soins médicalisés de jour comme de nuit.
Harriet but une grande gorgée de champagne. Son imagination lui montra une scène charmante : sa mère en robe de chambre de dentelle traversait une pièce au parquet ciré en s'appuyant sur une canne d'ébène. Une infirmière arrivait en courant, sa petite coiffe blanche bien amidonnée. Harriet regarda l'homme à côté d'elle. La vérité n'avait pas sa place ici.
– Il fallait que je parte un moment, dit-elle du ton de la confidence. Avec le jardin et les chiens... et puis, les personnes âgées peuvent être si exigeantes! Je me demandais où aller, et New York m'a attirée. Alors quand l'agent de voyage m'a suggéré d'y aller en bateau, je me suis dit...
– Que ce serait amusant, termina Jakes. Tout le monde peut se tromper. C'est peut-être drôle quand on a quatre-vingts ans. C'est votre mère qui aurait adoré ça.
– Et que faites-vous ici? demanda Harriet en étouffant un petit rire.
Elle ne l'aurait jamais cru cinq minutes plus tôt, mais elle s'amusait, et Jake Jakes semblait s'amuser aussi. Elle aurait bien aimé retirer ses chaussures et arrêter de le regarder d'en haut.
– Je suis marin, dit Jakes.
– Mais... pas sur ce bateau! Il n'y a rien d'autre à faire que mettre les moteurs en marche et garder le cap.

– Je suis bien d'accord. C'est une longue histoire. Il y a ce type qui possède un yacht – vous l'avez probablement vu, celui qui a les cheveux gris et une Rolex aussi grosse que l'importance qu'il se donne – et il veut que j'aille voir si je peux régler un problème pour lui. Son yacht est neuf, vous comprenez, et il a été construit dans trois chantiers différents. On aurait aussi bien pu essayer de le faire au tricot ! Entre autres problèmes, il semblerait que le gréement soit mal conçu. Une vraie catastrophe. Enfin, j'étais à Blighty, et ce type a remué ciel et terre pour me trouver. « Jake, il m'a dit, j'ai besoin de vous, vous êtes le seul à pouvoir me sauver. » Je me suis senti très flatté... jusqu'à ce que je me rende compte qu'il avait demandé à tout le monde avant moi, et que tous avaient refusé de regarder seulement le rafiot à la jumelle. Il a ajouté cette croisière comme bonus et, en bon paon vaniteux que je suis, j'ai accepté. Je ne savais pas que j'aurais à faire la conversation à sa femme et à impressionner tous ses copains plaisanciers qui ne connaissent rien de plus petit que le yacht d'Onassis. Ma pauvre – au fait, comment vous appelez-vous ?

– Harriet. Harriet Wyman.

– Appelez-moi Jake. En tout cas, Harriet, j'ai vu que vous aviez l'air aussi malheureuse que moi, et je me suis dit : « Allons parler à Harriet. »

Elle rit de bon cœur et tenta d'essuyer à nouveau ses mains moites sur sa jupe.

– Ne faites pas ça, vous abîmez votre robe. Si vous avez trop chaud, allons plutôt respirer sur le pont.

– D'accord, dit Harriet d'une voix soumise.

Le couloir, à la sortie du salon, était délicieusement frais, mais Jake l'entraîna plus loin, lui fit monter un escalier, en descendre un autre, ouvrir des portes, emprunter d'autres couloirs jusqu'à ce qu'enfin ils débouchent sur un pont découvert. Loin en dessous d'eux, les vagues léchaient la coque, tandis que les énormes superstructures du bateau les dominaient de leur masse sombre. Les lumières se reflétaient dans l'eau noire, et la lune semblait avoir été suspendue dans le ciel pour que les passagers aient quelque chose à regarder. Harriet en eut les larmes aux yeux. C'était exactement ce qu'elle avait imaginé, peut-être mieux encore : le bateau semblait être le centre du monde et elle pouvait penser que la vie allait lui offrir tout ce qu'elle désirait.

– Il fait assez frais pour vous ?

Jake s'était placé derrière elle, tout près.

– Oui, merci, murmura Harriet.

Elle regarda le pont. Dans l'ombre, un homme avait enfoui sa tête dans le décolleté de l'actrice, et celle-ci secouait la tête en poussant de petits cris.

– Elle espère un Oscar, dit Jake en s'emparant à pleines mains des fesses rebondies de Harriet.

– Que faites-vous ? s'offusqua-t-elle.

– Que croyez-vous que je fasse ? Quel âge avez-vous, Harriet ?

– Vingt-six ans.

– Vraiment ? Vous vous habillez comme une femme de cent huit ans. De toute façon, vingt-six ans, c'est assez vieux pour aimer se faire peloter.

Il se pressa contre son dos et elle sentit quelque chose de dur. Non il n'allait pas... Elle regarda plus loin sur le pont. L'actrice et son compagnon en étaient déjà là.

– Arrêtez ! dit-elle en essayant de lui échapper.

Elle n'avait pas bu au point de ne pas se rendre compte qu'on se servait d'elle.

– Quoi ? demanda-t-il en la retenant.

Il ne quittait pas des yeux l'autre couple qui s'abandonnait sans retenue. Soudain, une porte s'ouvrit et le pont fut inondé de lumière. Le couple disparut précipitamment.

– Alors, c'est comme ça qu'elle espère s'en sortir à New York ! dit Jake d'un air songeur.

– Vous la connaissez ? demanda froidement Harriet qui tentait toujours de s'échapper de l'étroit espace laissé par Jake entre son ventre et la rambarde.

– Je l'ai rencontrée la première nuit.

Harriet ressentit un choc : il avait essayé tout le monde avant elle.

– Je crois que j'aimerais boire un verre, dit-elle.

– Bonne idée. Venez dans ma cabine. J'ai ce qu'il faut. Du gin et d'autres trucs.

– Je ne bois pas de gin.

– Il est temps de commencer. Venez, Harriet. Inutile de rester à frissonner ici toute la nuit.

Chez elle, elle avait passé des nuits entières à imaginer ce que serait ce bateau. L'image qu'elle avait le plus chérie était celle d'une belle cabine, avec un séducteur suave et expert – et elle. Généralement (pas toujours), elle lui résistait, mais soit elle était sûre d'elle et contrôlait parfaitement la situation, soit c'étaient les vagues de la passion qui l'emportaient. Ce qu'elle vivait aujourd'hui était très différent. Elle ne savait même pas si Jake avait l'intention de la séduire.

– Asseyez-vous, dit-il en lui montrant le lit. Gin et jus d'orange. Ça vous plaira.

– Et que prendrez-vous ?

– Du gin sans orange. Poussez-vous. Voilà, c'est bien. Vous

avez une très belle peau claire, Harriet. C'est le signe d'une vie propre. Vingt-six ans de pureté. D'où venez-vous?

– De Manchester, dit-elle avec un hoquet.

Non! Elle n'allait pas avoir le hoquet, pas maintenant!

– Je n'y suis jamais allé. Il y pleut beaucoup, non? Ecoutez, Harriet, je vais vous confier un secret.

Pour lutter contre le hoquet inexorable, elle avala un peu du breuvage à l'odeur pénétrante que Jake lui avait préparé.

– Je vous en prie.

– Eh bien voilà. Je suis un peu coincé. Ce n'est pas permanent, non, c'est seulement pour ce soir. Vous avez vu les salles de jeu? Tous ces beaux fauteuils de daim et de cuir vert, très confortables. J'ai joué aux cartes, et j'ai perdu un peu plus que prévu. Vous savez comment c'est... Enfin, peut-être ne le savez-vous pas. Pensez à une sorte de jeu de petits chevaux avec votre vieille maman. Ce n'est pas important, mais j'aimerais me refaire d'ici au matin, et naturellement, la banque n'est pas ouverte à cette heure de la nuit. Les gentlemen doivent honorer leurs dettes, sinon ça fait mauvaise impression sur les étrangers. Qu'en dites-vous, Harriet?

– De – hic – quoi?

– De me remettre en selle.

Elle le regarda bêtement, toujours secouée de hoquets. Jake passa une main dans ses cheveux noirs.

– Seigneur! Vous devez bien savoir ce que je veux dire. Je vous demande de me prêter de l'argent.

Harriet arrondit les yeux. Elle comprenait maintenant pourquoi il avait pris la peine de s'intéresser à elle.

– Vous en auriez voulu beaucoup?

– Non, seulement quelques billets, et seulement jusqu'à demain matin. Allez, Harriet, vivez un peu! Je vous rembourserai au déjeuner, au pont promenade.

Elle pourrait mettre sa robe bleue toute neuve. Les gens la verraient déjeuner au pont promenade avec un homme, cet homme si troublant, si terrifiant. Elle aurait des souvenirs pour des années. Il ne s'agissait pas d'une telle somme. Ce n'était pas si grave.

– Il faut que vous veniez à ma cabine, dit-elle d'une petite voix.

Elle sentit la respiration de Jake, qui soulevait ses cheveux bruns décoiffés, tout près de son oreille. Elle sentit son odeur, chaude et dangereuse.

– Vous êtes une gentille fille, murmura-t-il. Et vous êtes bien jolie, Harriet!

Comme ils approchaient de sa cabine, le sol sembla onduler sous leurs pieds.

– Une tempête est annoncée. Il y aura trop de vent sur le pont promenade, dit Harriet.

– Alors, on ira au Véranda-Grill, dit Jake.

C'était le plus grand restaurant du bord, avec une carte hors de prix. Jake soutint les pas chancelants de Harriet.

– Ma robe bleue n'est pas assez habillée, dit Harriet.

– Venez comme vous êtes, dit Jake en fouillant lui-même dans le sac de la jeune femme que l'alcool commençait à endormir pour en sortir la clé de la cabine. Voilà, entrez, Harriet, ce n'est pas le moment de vous écrouler. Où est l'argent, Harriet ? Comme vous êtes gentille !

Harriet montra la commode et s'effondra sur le lit. Jake entreprit de fouiller les tiroirs.

L'argent se trouvait sous un amas mêlé de ceintures et de médicaments. Il se redressa, deux paquets de billets entre les mains. Elle devait être pleine aux as pour transporter autant d'argent liquide. Il avait su dès le premier regard qu'elle valait de l'or. Voyage en première classe, timide, mal fagotée, forcément son papa lui avait laissé un gros paquet. Des dollars et des livres, et le tiroir n'était même pas fermé à clé ! Elle avait sûrement des chèques de voyage au coffre.

Il se retourna. Harriet, assise sur le lit, le regardait avec des yeux de chouette. En un instant de joyeuse gratitude, il prit son visage dans ses mains et l'embrassa violemment sur la bouche.

– Vous êtes une fille formidable ! A demain.

La porte se referma derrière lui. Harriet leva la main et toucha ses lèvres.

2

Harriet se réveilla nauséeuse. Elle resta immobile pendant quelques horribles secondes puis se précipita dans la salle de bain. Alors qu'elle restait penchée sur le lavabo, le mal de tête commença à se frayer un chemin comme un marteau-piqueur dans son crâne. Je meurs, se dit-elle; bientôt je serai morte, mais ce sera sans importance, à cause d'hier soir. Il m'est enfin arrivé quelque chose.

Elle retourna au lit en titubant et se réfugia en hâte au creux de ses oreillers.

Dieu merci, le bateau avait cessé de tanguer. La veille, il était si difficile de tenir debout ! Dans un moment, quand elle n'aurait plus mal à la tête, elle repenserait à sa soirée et en savourerait chaque minute. Elle sombra dans une somnolence pénible entrecoupée de frissons.

On frappa à la porte. Harriet agrippa nerveusement son drap et ne répondit pas. Mais on frappa à nouveau.

– Entrez ! croassa-t-elle.

Elle se redressa péniblement et vit la femme de chambre arriver avec le plateau du petit déjeuner. Divorcée, le visage tanné par la vie en mer, la femme regarda Harriet d'un œil exercé.

– Oh, Seigneur ! dit-elle. Je vais vous apporter quelque chose. Vous vous êtes bien amusée au moins ?

– Je crois... J'ai rencontré un homme...

La femme de chambre leva un sourcil. Ayant déjà entendu dire que sa cliente du 431 était dans la ligne de mire de Jake-le-Noir, elle avait préparé quelques mots de mise en garde. Mais elle décida d'abord de servir le petit déjeuner.

– Vraiment ? Asseyez-vous mieux que ça et buvez un peu de thé. Après, vous vous sentirez mieux.

– Il s'appelle Jake. Il est très gentil...

La femme de chambre grogna, dans l'expectative. Harriet ne s'était quand même pas laissé séduire dès le premier soir ! Elle aurait dit que Mlle Wyman était trop convenable, beaucoup trop timorée pour ça – mais en croisière, il arrivait que les gens perdent la tête.

– Il a roulé sa bosse, celui-là, à ce qu'on m'a dit. Il est célèbre dans toutes les Caraïbes. Nous l'avons beaucoup vu, l'an dernier, quand nous étions en croisière par là-bas. Vous ne croirez pas le nom qu'on lui donne : Jake-le-Noir ! Un vrai pirate !

Harriet prit une gorgée de thé dont elle suivit la trajectoire jusqu'à son estomac.

– Pourquoi l'appelle-t-on ainsi ? Il a été gentil.

– Vraiment ? Penchez-vous, je vais retaper vos oreillers. J'imagine que c'est juste un nom comme ça. Mais il a une drôle de vie : jamais d'argent et une nouvelle fille chaque semaine. Il paraît quand même que c'est un bon marin. D'ailleurs, il a fait partie de l'équipe olympique, mais on l'a renvoyé. J'imagine qu'il ne voulait pas obéir aux ordres.

Un soupçon naissait dans le cerveau embué de Harriet et l'agaçait comme un moustique. Peu à peu, toute la soirée de la veille lui revenait.

– Mais il a quand même de l'argent, non ? Sinon, il ne serait pas ici.

– Je ne sais pas comment il est ici, mon petit, mais j'imagine qu'il fait partie du groupe de M. Derekson. Vous ne lui avez pas prêté d'argent, au moins ? demanda-t-elle soudain en regardant Harriet droit dans les yeux. Croyez-moi, ce ne serait pas raisonnable.

– Non, non. Je ne lui en ai pas prêté, mentit Harriet par réflexe.

– Eh bien alors, il n'y a pas de mal ! Je vais vous apporter de quoi vous remettre et vous vous sentirez bien dans moins d'une heure. Vous ne voudriez pas gâcher votre voyage !

Un sourire stupide resta sur les lèvres de Harriet, même après que la femme de chambre fut partie. Elle ne lui avait pas vraiment donné l'argent... Si elle se levait et regardait dans le tiroir, elle verrait qu'il était toujours là, bien en sécurité, et en totalité. Elle faisait attention à l'argent, se montrant même économe, mettant chaque semaine de côté les pennies et les livres nécessaires à l'électricité, au gaz, à l'eau. Harriet Wyman était trop vieille et trop raisonnable pour prêter de l'argent à un homme qu'elle venait de rencontrer à une fête... Et puis qu'est-ce que cette femme de chambre savait de lui ?

Beaucoup plus que moi, se dit Harriet. Elle se sentit soudain gelée, gelée et effrayée. Elle aurait dû se confier à la femme de chambre, mais elle n'avait pas voulu passer pour une idiote. Et puis il avait dit qu'il la rembourserait.

Elle n'eut pas la force de se lever avant l'heure du déjeuner. Toute la matinée elle avait attendu qu'il vienne la voir, ou qu'il lui fasse porter un message. Elle finit par se lever péniblement et s'approcha de la commode. Son passeport y était bien... mais seul. Alors elle lui avait vraiment donné l'argent. Tout l'argent. Pendant un moment, elle resta assise par terre et regarda l'endroit où les billets auraient dû se trouver, puis elle se rendit compte que si elle ne se préparait pas, la femme de chambre reviendrait et l'interrogerait – et il faudrait qu'elle admette sa bêtise.

Comme un automate, elle gagna la salle de bain et prit une douche. Sa peau se crispa sous l'agression de l'eau, mais Harriet frotta ses bourrelets flasques, comme si elle avait décidé de laver toute trace de la nuit précédente et de son comportement imbécile. Puis elle mit sa robe bleue, la boutonna sans regarder, se passa une brosse dans les cheveux et partit à la recherche de Jake.

Comme elle ne se souvenait pas du numéro de sa cabine, elle dut le demander, rougissante, à un steward.

– Il m'a emprunté quelque chose que je dois lui réclamer, confia-t-elle, comprenant trop tard qu'il aurait été bien plus malin de ne donner aucune explication.

– 364, madame, répondit le steward avec un sourire que Harriet interpréta comme une critique.

Elle rougit plus encore, mais trouva sans peine la cabine. Il y avait des gens partout, qui bavardaient, prenaient des dispositions pour la soirée. Elle passa trois fois devant le 364 avant de se décider enfin à frapper. Pas de réponse. Elle frappa plus fort, puis beaucoup plus fort, avant de tambouriner.

– Jake, laissez-moi entrer!

Alors qu'elle allait renoncer, elle entendit un long grognement de douleur, des chocs et des grincements, et finalement la porte s'entrouvrit. Jake la regarda d'un œil gris mi-clos.

– Bon sang, fiche le camp!

– Laissez-moi entrer. Il faut que je vous parle.

– Plus tard. Dégage. Laisse-moi mourir tranquille.

Il allait refermer la porte, mais Harriet se jeta contre elle. Surpris, Jake tomba à la renverse sur le lit. Harriet, pour sa part, se retrouva à genoux dans la cabine. Elle leva les yeux vers lui comme une religieuse en prière.

– Il faut que je vous parle, supplia-t-elle.

Il roula sur le lit. Il ne portait que son caleçon. Son corps était couvert de courts poils noirs, en boucles plus denses sur la poitrine et les cuisses.

– J'ai une cuite historique et j'ai pas envie de parler, grogna-t-il. Fous le camp ! On se verra demain.

– Mais on arrive, demain, gémit Harriet. Et je dois récupérer mon argent. Levez-vous, Jake. Je vais vous accompagner à la banque. Si vous ne vous levez pas, elle va fermer, et il me faut mon argent.

Les yeux gris regardèrent le visage anxieux, puis se fermèrent. Jake se passa la main sur la figure.

– Je ne sais pas ce qui t'ennuie tant. C'était pas une si grosse somme.

– Eh bien... oui. Je sais que ce n'était pas une grosse somme, mais je veux la récupérer. Vous me l'avez promis.

– Je vais m'en occuper dans une heure, ça va ? Ecoute, je me suis couché à cinq heures et demie. Fais-moi plaisir, dégage !

– Et qu'avez-vous fait jusqu'à une heure pareille ? demanda Harriet d'une voix hystérique.

Elle se leva et se dressa au-dessus de lui, presque prête à le frapper.

– J'ai joué. Et j'ai perdu. Alors dégage un moment. Je t'ai dit que je te rembourserai.

– Vous allez le faire ? dit Harriet soudain radieuse. Parce que je sais que ce n'est pas beaucoup d'argent, quand on voit ce que tout coûte à bord, mais pour moi, c'est beaucoup. Enormément même.

– On tient à chaque petit billet, hein, même quand on en a des millions !

– Mais... je n'ai pas de millions... Jake, vous allez me le rendre, n'est-ce pas ? Aujourd'hui ?

– Ecoute, j'ai dit que je le ferais, non ? Alors, dégage, ma vieille. Va te coucher, ou je ne sais quoi. Tu as l'air encore plus mal en point que moi. Va te faire foutre !

Il ramena un oreiller sur sa tête et l'ignora.

Harriet s'en alla. Du moins avait-il dit qu'il la rembourserait. Elle reviendrait dans l'après-midi, quand il se sentirait mieux. Dans le couloir, elle pensa au déjeuner et repoussa l'idée d'y aller. Elle était trop nerveuse pour manger. Elle décida plutôt d'arpenter le bateau en long et en large. Perdue et effarée, elle arriva à la lourde porte capitonnée de cuir vert de la salle de jeux. Elle n'avait jamais osé la pousser jusqu'ici, mais elle le fit alors : juste un peu d'abord, puis toute grande quand elle comprit qu'il n'y avait personne à l'intérieur.

La salle n'avait pas de hublots et seules les lampes suspendues au-dessus des tables de jeu l'éclairaient. Les murs étaient tendus de daim vert, et les fauteuils capitonnés de cuir vert. C'était une petite pièce, et le décor l'interdisait aux claustrophobes. Elle ouvrit un des meubles de bois sombre et y trouva des paquets de cartes, un échiquier, des dés dans des gobelets de cuir. Il lui fut impossible d'imaginer qu'on pût jouer de l'argent dans un lieu aussi cossu et imposant. Le capitaine s'y opposerait, certainement. Alors qu'est-ce que Jake avait pu faire de ses billets ?

La porte s'ouvrit derrière elle et Harriet se retourna d'un air coupable. C'était un officier.

– Puis-je vous aider ? Cette pièce est réservée aux passagers de première classe.

Parfaitement consciente de son aspect pitoyable, Harriet tira sur sa jupe froissée, et se rendit compte qu'elle en avait décalé le boutonnage. Elle avait aussi oublié de se peigner.

– Je suis en première classe, dit-elle froidement. Je suis venue par curiosité. On m'a dit qu'on jouait de l'argent, ici. Est-ce vrai ?

– En effet, répondit l'officier. Surtout lors de la traversée de l'Atlantique. Je peux vous assurer que beaucoup d'argent circule sur ces tables.

Harriet opina du chef et se dirigea vers la porte que lui ouvrit l'officier. Elle sentit qu'il la regardait partir. Si elle n'y prenait garde, ils allaient tous penser qu'elle était toquée. En fait, s'ils découvraient ce qu'elle avait fait, ils n'en douteraient plus une seconde !

Elle retourna à sa cabine mais, ne réussissant pas à se reposer, elle se releva et se planta devant le miroir pour scruter son visage : yeux bruns aux striures indéterminées, nez épaté un peu busqué, petit menton pointé vers l'avant... Aujourd'hui, sa peau semblait sans vie – et pas fraîche. Quant à ses cheveux, coupés court pour qu'ils se tiennent pendant la croisière, ils se dressaient en tous sens sur sa tête. Comment avait-elle pu penser que Jake fût attiré par elle ?

Elle finit par décider de retourner à la cabine de Jake. Elle frappa. Pas de réponse. Elle frappa plus fort, et plus fort encore, mais personne ne répondit. Il devait être sorti. S'il avait été là, il aurait dit quelque chose. Elle entreprit donc de fouiller le bateau, découvrant des bars obscurs et des discothèques où des groupes joyeux s'étaient rassemblés. Il ne semblait être ni en première, ni en deuxième classe.

Soudain, elle se souvint qu'il avait passé un moment, la veille, avec les joyeux gagnants de la classe touriste. Il pouvait y être retourné. Ses pieds fatigués volèrent dans les couloirs, dans les escaliers, luttant pour monter quand le bateau plongeait au creux d'une vague, pour descendre quand il se redressait. Avant même d'atteindre la salle à manger de la classe touriste, elle entendit qu'on chantait :

Renverse-moi dans le trèfle,
Renverse-moi, baise-moi et recommence.

Si elle voulait trouver Jake, il faudrait qu'elle affronte la troupe des gagnants. Le désespoir l'envahit.

Jake sirotait sa bière et chantait avec le chœur. La douleur aiguë qui lui traversait la tête au réveil avait cédé la place à un malaise plus diffus, adouci par l'idée que dans moins de vingt-quatre heures il échapperait à cet enfer sur l'eau et retournerait dans le monde réel.

Seigneur, quel voyage! Dès le début, Derekson ne l'avait pas lâché, exigeant un rapport écrit sur ce qu'il comptait faire pour son bateau. Comme si Jake pouvait se prononcer avant de l'avoir vu! Il fallait procéder à des essais en mer. Quand on se retrouvait avec une théière hybride en plastique, catalogue des brillantes idées de plusieurs constructeurs, on ne pouvait savoir tout de go ce qui était nécessaire. Il eût été déraisonnable de suggérer un changement de mât sans connaître l'ensemble du problème. Mais dès le début, Derekson avait voulu des réponses. Jake ne se rendait pas compte de ce que ce bateau avait coûté, depuis combien de temps il était en chantier... Au diable! Derekson pouvait se le permettre, et il pouvait aussi payer Jake pendant le voyage vers New York. Derekson savait qu'il était fauché. Il savait aussi que c'était justement la raison pour laquelle il était prêt à perdre son temps afin de faire d'une cuvette percée un bijou qui glisserait sur les flots comme la main sur de la soie. Mais Derekson n'avait pas casqué, et Jake se retrouvait maintenant poursuivi dans ce palais du gin par une héritière qui aurait pourtant pu sans douleur lui abandonner une partie de sa fortune. La mère vivait dans une propriété somptueuse, à l'en croire. Elle n'était pas à court.

Jake prit une autre gorgée de bière. Il aurait préféré du scotch, mais c'était un « touriste » qui payait, et il ne pouvait se montrer trop exigeant dans la mesure où il n'avait pas l'intention de lui rendre la politesse. Qu'est-ce qui lui avait pris de jouer cette partie? S'il était allé se coucher, il se serait réveillé frais comme un gardon, alors qu'il se retrouvait maintenant complètement vanné et devait se cacher ici dans l'espoir que Harriet Wyman n'oserait pas y venir. Drôle de créature. Comment n'avait elle pas compris dès le départ qu'il ne la rembourserait jamais? Elle ne pouvait être stupide à ce point! Le spectacle de la jeune femme, ce matin, livide, à genoux dans sa cabine, s'imposa à lui. Elle aurait pu au moins montrer un peu de fierté. Quel horrible spectacle! Ce n'était que de l'argent, bon sang!

C'est la troisième fois et elle est sur mes genoux.
Renverse-moi, baise-moi et recommence...

La grosse dame s'était remise à danser. Elle retirerait ses vêtements avant la fin du voyage, Jake en était sûr, bien qu'à cet instant, il ne fût pas convaincu que son estomac pût supporter un tel choc. Sa tête lui faisait terriblement mal, et s'il n'y avait pas eu Harriet, il serait retourné à sa cabine pour se recoucher. Il regarda la porte avec convoitise... et il y vit Harriet, qui le regardait avec convoitise.

Elle traversa lentement la pièce jusqu'à lui, renversant presque la grosse dame qui se dandinait toute seule au milieu. On aurait dit qu'elle avait pleuré.

– Salut, dit Jake. Asseyez-vous.

– Merci, dit-elle en s'installant à côté de lui.

On en est à dix coups et on reprend du début
Renverse-moi, baise-moi et recommence...

– Vous n'avez pas l'air content. J'ai pourtant promis de vous rembourser.

– Et vous vous cachez ici. Vous n'avez pas l'argent, n'est-ce pas?

– Oh, écoutez... je l'aurai. Il faut juste que je termine ce travail. Je suis désolé que vous n'ayez pas compris. Je ne vous ai pas forcée à me le donner. Je vous le dois. Je finis toujours par payer mes dettes.

... Aux hommes, ajouta-t-il en lui-même. Les choses semblaient toujours différentes avec les femmes.

– J'ai besoin de cet argent maintenant, murmura Harriet d'un ton de désespoir.

– Allons, vous pouvez toujours tirer quelques chèques de voyage. C'est de toute façon très dangereux de transporter trop de liquide, vous risquez d'être la proie d'escrocs dans mon genre. Donnez-moi votre adresse, je vous l'enverrai dans quelques mois. Je ne peux pas faire mieux.

Harriet le regarda fixement, humectant ses lèvres sèches du bout de sa langue.

– Mais je n'ai pas de chèques de voyage. C'était tout ce que j'avais, tout. Je l'ai emporté comme ça parce que... eh bien, je me suis décidée un peu précipitamment, et quand mon père était en vie, il me disait toujours que rien ne valait l'argent liquide. Et puis à la banque, ils m'ont dit que je n'avais plus le temps pour des traveller's... Je n'avais pas les idées claires hier, sûrement à cause de l'alcool et tout ça... Je ne peux pas rentrer chez moi sans cet argent, conclut-elle en refoulant ses larmes.

– Pour l'amour de Dieu, épargnez-moi ces sanglots! dit Jake

avec impatience. Vous avez bien votre billet de retour! Envoyez un télégramme à votre vieille mère dans sa belle demeure, et elle vendra un Rembrandt ou deux pour vous offrir votre séjour à New York.

Harriet se moucha bruyamment.

– Elle n'est pas dans une belle demeure... ou plutôt si, mais c'est une maison pour vieilles dames séniles. Nous n'avons pas de Rembrandt. Je n'avais que ce que vous avez perdu dans cette horrible petite pièce hier soir. Et je ne peux pas rentrer parce que j'avais l'intention de prendre l'avion et qu'on m'a dit que ce serait moins cher si j'achetais un billet sans réservation à New York!

Sa voix s'était élevée jusqu'à un aigu hystérique.

– Chut! Ne le dites à personne. Allons dans ma cabine boire un verre de gin. Je crois que vous en avez besoin.

Ils partirent en silence. De temps à autre, Harriet étouffait un sanglot dans un mouchoir en papier déchiré. Jake finit par lui tendre son mouchoir couvert de taches brunes de whisky, mais elle le prit et s'en servit. Dans la cabine, Jake servit deux verres et ils s'assirent côte à côte sur le lit pour boire.

– Vous êtes complètement stupide! dit enfin Jake. Vous n'en avez pas l'air, mais vous l'êtes. On n'aurait pas dû vous lâcher toute seule dans la nature.

– Je ne savais pas que le monde était plein d'escrocs. Ou du moins, je ne pensais pas que j'en rencontrerais un à la fête du capitaine. J'ai cru que vous étiez riche.

– C'est bien ce que je dis. Vous êtes stupide. Vous ne savez donc pas reconnaître un costume d'occasion?

– Et vous, vous ne savez pas reconnaître une robe bon marché? Vous n'avez vu que les boucles d'oreilles.

– Voilà la solution! Vendez les boucles d'oreilles! Elles valent au moins cinquante livres. C'est mieux que rien. Ecoutez, ce n'est pas ma faute si vous êtes stupide avec l'argent, vous ne pouvez pas me mettre ça sur le dos.

– Bien sûr que si! Qui d'autre? Je vais aller voir le capitaine. Je vais le dire à tout le monde, même à ce monsieur Je-ne-sais-quoi qui vous a proposé ce travail. Ils sauront tous quel genre d'homme vous êtes : un voleur. Vous êtes un affreux et méchant voleur, et vous vous moquez bien de ce qui arrive aux autres. Vous prenez ce qu'ils ont et... Oh!

Jake, d'un coup de pied, venait de la faire tomber du lit. Son gin-orange éclaboussa tout le devant de sa robe.

– Je suis désolé, marmonna Jake.

Deux larmes roulèrent sur les joues de Harriet.

– Tu vas arrêter de pleurnicher! Tu peux bien aller raconter ton histoire à qui tu veux, ça ne te ramènera pas ton fric. Il faudra que tu t'en sortes toute seule. Essaie l'ambassade de Grande-Bretagne ou une maison pour crétins congénitaux ! Mais maintenant, arrête de geindre et laisse-moi tranquille !

Il se leva et passa dans la salle de bain, dont il claqua la porte. Harriet, encore sous le choc de ses paroles et de ce tutoiement qui revenait chaque fois qu'il lui tenait ces propos totalement méprisants, entendit la douche couler. Elle se leva et sortit de la cabine.

3

Ultérieurement, quand elle essaierait de reconstituer les événements de cette dernière journée, elle n'arriverait pas à savoir si elle avait vraiment vécu tout cela ou si elle l'avait seulement imaginé; s'il s'était passé quelque chose, et elle ne doutait pas que ce fût le cas, elle n'en saisissait plus ni le déroulement ni la signification. Elle ne gardait le souvenir que d'un rêve brumeux, sans pensée claire ni sens de la réalité, et l'attitude des autres n'avait pu que renforcer cette impression. Personne ne lui avait parlé, personne ne lui avait adressé un mot ne fût-ce que pour montrer que, oui, elle était bien présente. Elle avait erré dans le bateau, comme invisible, témoin des réjouissances frénétiques des autres. Il y avait comme une attente dans l'air, qu'elle sentait aussi, même si pour elle cela ne se traduisait pas par la volonté de profiter au maximum du bord avant l'arrivée du lendemain. Harriet comptait les minutes la séparant de son exécution.

Elle revoyait dans sa tête le salon à l'avant du bateau, très haut sur les flots. Elle y était allée pour regarder l'océan scintillant et houleux jusqu'à la ligne sombre de la côte, à l'horizon. Vu de cette pièce chaude emplie d'odeurs de nourriture d'où elle avait contemplé les crêtes mousseuses des vagues tout semblait lointain et irréel. A ce moment-là, tandis que les oiseaux tournoyaient autour du paquebot, elle avait eu le sentiment d'être face à la vérité quant à sa vie. Elle était enfermée, et dehors, il y avait le monde.

Le désespoir l'envahit, charrié par son propre sang, à partir d'un point minuscule mais douloureusement tendre, tout au fond d'elle-même. Soudain il n'y eut rien qu'elle désirât davantage que tout quitter, s'enfuir. Mais elle aurait beau s'acharner contre les fenêtres, s'élancer à corps perdu contre son destin, elle n'arriverait jamais à ce lieu où les autres vivaient, respiraient, étaient heureux.

Bien qu'elle n'eût pas faim, elle alla dîner ce soir-là. Elle voulait voir Jake, parce que lui seul semblait lui donner le sentiment de sa propre réalité. Lui seul savait ce qui lui arrivait. Mais il n'était pas là. A côté de sa chaise vide se trouvait Derekson, lui qui avait plus d'argent que Harriet pouvait l'imaginer, qui pouvait dépenser pour une paire de chaussures plus que tout ce que Harriet avait perdu. Il était grand, enrobé, vieux, et il émanait de lui cette indéfinissable impression d'autorité qui accompagne la réussite et la richesse. Tous les hommes, en première classe, produisaient la même impression, si bien qu'il ne pouvait ni ne devait jamais y avoir de file d'attente puisque chacun était convaincu de devoir passer le premier. Pas étonnant que l'équipage fût si obséquieux.

Harriet pignocha dans son assiette : ce mets était une création très colorée, mais fade. Sa voisine, Mme Benowitz, leva un sourcil. Ce soir-là, après trois jours de repas pris en commun, elle avait enfin décidé de remarquer Harriet.

– Vous avez le mal de mer ! déclara-t-elle triomphalement. J'aurais juré que vous n'aviez pas le pied marin. Qu'auriez-vous dit si vous aviez fait la traversée à l'automne ! J'ai été toute seule pour prendre le petit déjeuner pendant une semaine. Même le steward tournait au vert quand je demandais du bacon !

Harriet garda les yeux fixés bêtement sur son assiette, mais Mme Benowitz n'avait pas besoin d'encouragements.

– Il faut avoir une paroi stomacale bien épaisse, exactement ce que j'ai hérité de mon grand-père Daley, qui commandait le *Buckskin* – un vaisseau qui a battu le record de la traversée entre Hawaii et San Francisco. Record battu à son tour une semaine plus tard, mais c'est seulement à cause de sa santé que mon grand-père n'a jamais pu le reconquérir. J'ai hérité de sa constitution et...

– Je ne connais rien aux bateaux, dit brusquement Harriet. Jamais je n'avais navigué auparavant et plus jamais je ne le ferai. Ce... Ce n'est pas ce que j'aime.

– Des ancêtres sédentaires, affirma Mme Benowitz. Cela se voit tout de suite !

L'air hautain, elle se tourna vers son autre voisin, un Autrichien muni d'un appareil auditif, qui sembla ne pas la remarquer. Il absorba son monologue avec la tranquillité d'un homme tout occupé par son assiette et ses pensées. Harriet regarda en direction de la table de Derekson.

M. Derekson semblait irrité, il ne ratait aucune occasion de lancer des piques à sa femme. De temps à autre, d'autres hommes, à sa table, risquaient une phrase qu'il approuvait sans enthousiasme ou ignorait totalement. Je ne peux aller lui parler, se dit Harriet. Il est déjà de mauvaise humeur, et y ajouter ne me servirait à rien. Il croirait tout ce que Jake lui dirait avant même de m'écouter, et je n'ai aucune chance que cet individu rébarbatif me rende l'agent volé.

Quant à sa femme, elle avait renoncé à toute conversation et mastiquait consciencieusement son repas. Elle n'avait pas une ride, pas une expression non plus. On aurait dit une balle de ping-pong. Harriet la regardait sans se rendre compte qu'elle analysait là un lifting raté. Cette femme pouvait être la bonté même : personne ne s'en serait aperçu.

Tout à coup, le cliquetis des couverts dans les assiettes et le ronronnement des conversations s'amplifia dans la tête de Harriet. Des vagues de bruits tonitruantes succédaient à des instants de quasi-surdité. La peur la prit à la gorge et elle eut du mal à retrouver son souffle. Frappée de panique, elle inspira brutalement et craignit d'être malade. Jamais elle ne survivrait à une telle humiliation.

– Veuillez m'excuser. Je dois... pas bien, marmonna-t-elle en se levant.

– Je vous l'avais bien dit, triompha Mme Benowitz. Elle n'a pas le pied marin!

Harriet tituba jusqu'au calme relatif du couloir. Elle se sentait très mal, elle avait froid, elle avait peur. Mais elle ne pouvait rester là, avec les stewards qui passaient constamment. Elle portait les chaussures de la veille parce que c'était tout ce qu'elle avait pour le soir, et elles lui semblaient encore plus hautes et inconfortables que les autres jours. Pas très stable, comme ivre, elle partit à la recherche d'un des nombreux bars du bateau.

Elle faillit tomber en ouvrant une des portes et, en rétablissant son équilibre, elle cassa l'un de ses talons. Elle se sentit stupide, mais il n'y avait personne pour la voir, pas même un barman. Heureusement pour elle, c'était un des lieux les plus discrets du bord. Elle se glissa sur le cuir d'une banquette et enleva enfin ses chaussures. Le plaisir qu'elle ressentit fut si intense qu'elle put presque en savourer le goût. Curieux qu'elle fût capable d'une telle joie alors que le désespoir l'étreignait, se dit-elle. Peut-être que l'esprit ne pouvait supporter qu'une certaine dose de peur et saisissait ainsi la première chance qui s'offrait d'y échapper. Elle pressa violemment ses tempes entre ses mains pour se forcer à réfléchir à la situation dans laquelle elle se trouvait. Elle n'avait plus d'argent. Elle n'avait jamais eu d'amis. Elle ne pourrait même pas régler sa note pour les boissons prises à bord. Peut-être accepteraient-ils ses bagages en garantie, mais après? Que faisait-on aux gens qui arrivaient à New York sans le sou? Rien d'agréable, elle en était certaine. Les autorités pourraient même l'envoyer dans quelque horrible prison pour femmes le temps d'enquêter sur son passé. Harriet ferma les yeux et frissonna. Tout était la faute de Jake, et il allait partir sans une pensée pour elle et son triste sort. Mais quelque chose la mettait plus en rage encore : qu'il se soit arrangé pour rejeter toute la faute sur elle. Il avait même réussi à ce qu'elle se sente coupable de l'importuner avec ses histoires!

– Madame? s'enquit le serveur, qui était allé fumer une cigarette à l'office et se tenait maintenant près d'elle.

– J'attends quelqu'un, dit Harriet.

– Très bien.

Il partit vers une autre banquette où quelqu'un devait être assis, mais elle ne voyait pas qui. Elle entendit une voix d'homme, puis elle vit aparaître une main d'homme aux doigts courts et puissants. Jake! C'était forcément Jake. Dès que le serveur se fut retiré derrière le bar, Harriet avala sa salive et se leva.

– Salut!

Il était en train de noter quelque chose sur une feuille de calepin toute gribouillée de croquis et de calculs. Dès qu'il la vit, il fit claquer ses dents.

– Tu ne me lâcheras jamais, hein? grogna-t-il.

– Je n'ai nulle part où aller, répondit-elle en s'asseyant face à lui.

– Au moins tu ne pleures pas.

– Je garde mes larmes pour demain. Que vont-ils faire de moi, à votre avis? Vont-ils m'envoyer en prison?

– Quoi? J'en sais rien. Est-ce qu'ils mettent les gens fauchés en prison?

– Je ne sais pas. Il me semble que c'est possible. Que peuvent-ils faire d'autre de moi? Je ne peux même pas payer ma note sur le bateau.

Il soupira et se passa la main dans ses cheveux noirs en bataille.

– Il doit bien y avoir quelqu'un vers qui tu puisses te tourner! Mais qu'est-ce qui t'a prise de tout consacrer à une croisière comme celle-ci? Qu'espérais-tu en tirer?

– Je crois, dit Harriet en haussant les épaules, que je voulais goûter à la vie. Mais je ne savais pas qu'elle avait aussi mauvais goût.

Jake ignora sa philosophie.

– Emprunte à quelqu'un. Tu dois bien travailler; et ton patron?

– Je ne travaille pas. Je m'occupais de ma mère jusqu'à ce qu'elle parte dans cette maison.

– Tu aurais dû y aller avec elle, à mon avis. S'il te plaît, arrête de faire cette tête misérable. Ce n'est pas un tel désastre. Il arrive à tout le monde d'avoir des ennuis de temps à autre – à moins d'être Derekson, bien sûr... J'aurais cru qu'il serait un peu plus large... Ecoute, dit Jake à Harriet qui avait l'air perdue dans ses pensées, je vais essayer de t'aider. Prends ta note tôt le matin, et je la passerai à Derekson. Je me débrouillerai. Au moins, comme ça, tu pourras débarquer.

– Et après?

Elle se vit soudain sur le quai, sans même de quoi prendre un taxi. Jake lui sembla tellement plus chaleureux que cette vision qu'elle lui fit un petit sourire.

– Il faudra que tu te débrouilles.

Elle sentit son irritation. Il s'agitait sur son siège comme s'il voulait se lever, partir et ne plus jamais la revoir. Elle n'était pour lui qu'une emmerdeuse crédule et pleurnicharde.

Harriet n'eut pas le temps d'arrêter ses larmes, qui se remirent à couler de ses yeux. Elle marmonna quelque chose et se leva, heurtant comme une aveugle le serveur qui apportait le verre de Jake sur un plateau. Le serveur sursauta, Jake jura, et Harriet leva les mains dans un geste hystérique.

– C'est pas vrai! hurla-t-elle. C'est pas à moi que ça arrive! J'en ai marre! C'est pas vrai!

– Là, là, du calme, dit Jake en poussant le serveur. De toute façon, cette robe était horrible.

– Et qu'est-ce que ça peut faire? En quoi ce qui me touche a-t-il la moindre importance pour vous? Tout ce que vous voulez, c'est que je parte et que je cesse de vous embêter. Je pourrais tout aussi bien me tuer! Vous seriez bien débarrassé, si on me faisait des funérailles en mer, puisque de toute façon je ne peux même pas me payer un cercueil. Comme ça, plus personne n'aurait à s'occuper de moi.

Elle frottait sans arrêt les marques brunes sur sa robe, jusqu'à en déchirer le tissu. Sans ses chaussures, elle faisait une demi-tête de moins que Jake.

– Ne sois pas ridicule, soupira-t-il en lui prenant le bras. Tu commences à être vraiment stupide.

Harriet le regarda, des larmes de rage et de frayeur coulant sur ses joues.

– Oh, non! C'est hier soir que j'ai été stupide. Maintenant, je suis très logique : il vaudrait mieux que je sois morte!

Elle dégagea son bras de sa poigne et partit en courant vers la porte. Les premiers convives arrivaient, et elle les bouscula sans même prendre la peine de s'excuser.

– Harriet! hurla Jake en courant après elle.

Est-ce qu'elle allait vraiment se tuer? Les possibilités ne manquaient pas sur un bateau : on montait sur le pont le plus haut, on passait par-dessus la rambarde, et adieu Berthe! Tuée par le choc avec l'eau, à coup sûr. Elle ne serait pas la première à choisir cette sortie.

Un vieux monsieur appuyé sur deux cannes s'efforçait de franchir la porte, et Jake dut attendre quelques secondes vitales. Quand il arriva dehors, les pieds nus de Harriet couraient dans l'escalier. Elle montait bien.

– Harriet! rugit Jake. Arrêtez cette femme, elle va se tuer!

Des têtes se tournèrent, mais personne ne fit rien. Jake prit les marches deux à deux. Harriet avait beaucoup d'avance. Elle était déjà au milieu de l'escalier suivant.

– Stop! cria Jake d'une voix d'officier. Arrêtez cette femme!

– C'est vraiment amusant, mon gars, dit une vieille dame avec toute la nostalgie du monde dans la voix.

Seigneur, se dit Jake, c'est un cauchemar. Plus jamais je n'emprunterai d'argent, plus jamais.

– Stop! hurla-t-il à nouveau.

Mais Harriet avait passé une porte et se trouvait déjà sur le pont supérieur. Il fonça derrière elle. Il n'était plus qu'à deux pas. Et il la coinça contre la rambarde. L'air qu'il inspirait et expirait précipitamment faisait un bruit de forge dans ses poumons.

– J'ai bien envie de te lancer moi-même par-dessus bord!

– Je n'attends que ça, allez-y!

Il regarda la silhouette frémissante de Harriet, ses paupières serrées dans son visage gris. Des gouttes de sueur perlaient sur sa lèvre et ses cheveux lui collaient au front. Elle sentait le whisky et la misère.

Il se rendit alors compte qu'il se moquait totalement qu'elle se tue, mais pas si c'était à cause de lui. A l'exception de son travail, presque rien ne le touchait, ces temps-ci, parce qu'il n'avait pas besoin du fardeau des autres, pas besoin du poids de leur culpabilité. Elle se croyait un droit sur lui simplement parce qu'elle avait été naïve. Il lui saisit les bras avec toute la violence que lui inspirait sa colère désespérée.

– Maudite sois-tu, Harriet! siffla-t-il entre ses dents.

Mais elle se contenta de gémir et de frissonner un peu plus. Il soupira, relâcha légèrement sa poigne.

– Retournons à ta cabine, dit-il avec résignation.

Il était encore très tôt, et les rires et la musique les suivirent jusqu'à la porte. Harriet s'assit sur son lit et regarda Jake fouiller pour trouver quelque chose à boire. Mais il n'y avait que de l'eau minérale.

– Tu pourrais au moins te déshabiller!

– Et pourquoi ?
– Parce que ta robe est foutue et que, vu ton état, tu devrais être au lit. T'en fais pas, je vais pas te violer. T'es pas mon type.
– Je le serais si j'étais assez riche ! Tout ce qui vous intéresse, c'est ce que vous pouvez tirer des gens.
– Déshabille-toi !
Elle prit sa chemise de nuit et s'enferma dans la salle de bain. Son cœur ne battait plus de cette façon irrégulière et terrifiante, elle pouvait dilater ses poumons et respirer. Elle était presque certaine qu'il s'occuperait d'elle, à condition qu'elle ne lui donne pas l'occasion de s'échapper. Elle aurait cependant été stupide de lui faire confiance. Elle se brossa les dents avec son application habituelle et enfila sa chemise de nuit en pilou rose à col Claudine avant de retourner dans la chambre. Jake la regarda se coucher.
– Tu as payé ces vêtements ? On dirait qu'ils t'ont été légués par une vieille tante.
– Inutile d'être grossier, dit-elle en ramenant les couvertures jusqu'à son menton. Vous pouvez partir, maintenant.
– Non, je ne le peux pas. Tu n'arrêtes pas de menacer de te tuer.
– Je ne l'ai fait qu'une fois.
– Deux. Tu le pensais vraiment ?
– Quand je l'ai dit, oui. Mais je ne sais pas si je l'aurais fait.
Jake se jeta sur l'autre lit en un curieux mouvement à la fois détendu et contrôlé, comme tout ce qu'il faisait. Harriet se dit qu'on ne l'imaginait pas maladroit, cassant quelque chose.
– Inutile de croire que je veillerai sur toi toute la vie, dit-il d'un ton aigre.
– Je n'ai besoin de personne pour veiller sur moi. Je n'aurais pas besoin de vous si vous ne m'aviez pas volé mon argent.
– Tu me l'as donné, idiote ! Bon sang, t'es pas plus capable de te débrouiller toute seule qu'un chaton aveugle. Ving-six ans dans ce monde et pas un grain de bon sens ! Reste pas là à ouvrir des yeux ronds. Dors, lis quelque chose !
– Je ne peux pas dormir tant que vous êtes là, dit Harriet. Et il est trop tôt.
Il grogna. Elle était embarrassée par la conscience qu'elle avait du corps de Jake, de son visage noirci par la barbe naissante, de la courbe des muscles arrondissant ses jambes de pantalon, de la bosse à la braguette. C'était la première fois de sa vie qu'elle était aussi près d'un homme attirant, seule, dans une situation d'une telle intimité – à l'exception, naturellement, de leur rencontre. Mais ce soir-là, elle était trop ivre pour s'en rendre compte. Il retira sa veste, détacha son nœud papillon et

s'allongea, les bras repliés sous la tête. Ce mouvement paresseux et confiant fit frissonner Harriet.

– On ne peut pas rester allongés comme ça!

– Ne me dis pas que je te rends nerveuse! Détends-toi. Tu te serais pas mise dans un état pareil si tu avais appris à te détendre. Sauf que tu étais plutôt détendue hier soir et pour cause! Combien est-ce que tu avais bu?

– Je ne sais pas. Cela m'aidait à me sentir mieux.

– Vraiment? Quel merdier!

Il roula sur le côté et s'appuya sur son coude pour la regarder d'un air maussade. Harriet se redressa d'un bond.

– Je ne peux pas rester allongée à ne rien faire... Si on jouait aux échecs?

– Tu joues aux échecs? demanda Jake d'une voix presque joyeuse.

– J'ai un petit échiquier de voyage avec des pièces aimantées. Je jouais avec mon père, et il était très bon.

– T'en fais pas. Je te donne un avantage de deux pions, dit Jake en se frottant les mains. Les noirs ou les blancs?

Ils se réveillèrent au matin, les yeux lourds. Abrutie de sommeil, Harriet le regarda bouger dans la cabine et se demanda vaguement qui il était. Puis elle se souvint des échecs, jusqu'à quatre heures du matin, Jake bien décidé à la battre au moins une fois.

– Dépêche-toi de t'habiller, dit Jake en sortant de la salle de bain comme s'il était dans sa propre cabine. Je veux te présenter à Derekson.

– Je ne crois pas que ce soit une bonne idée.

– C'est la seule que j'ai, alors on ferait mieux d'y aller. Mais ne lui propose pas de partie d'échecs : sa vanité pourrait en souffrir.

– Contrairement à la vôtre, j'imagine.

– Ce n'est pas ma vanité qui a souffert, seulement ma confiance dans mon jugement. Comment peux-tu être aussi stupide et aussi bonne aux échecs?

Elle sortit du lit et gagna la salle de bain. Cette nuit, elle n'avait pas seulement voulu montrer qu'elle jouait bien, elle avait voulu le battre parce que c'était tout ce qu'il méritait pour l'opinion qu'il avait d'elle. Le choc qu'avait accusé le visage de Jake quand elle l'avait battu en cinq coups lui avait procuré autant de délices que s'il lui avait rendu l'argent. Enfin, presque. Son estomac se contracta à nouveau. Si seulement rien n'était arrivé, si seulement elle pouvait avoir assez d'argent pour une nuit d'hôtel et un billet de retour... Si la vie c'était cela, c'était bien trop effrayant.

Elle s'habilla très soigneusement : tailleur de tweed et foulard autour du cou, désireuse malgré tout de tirer un compliment de la bouche de Jake.

– Tu n'as rien de moins indigeste? dit-il dès qu'il la vit.

Il portait encore son costume de la veille, avec le col de la chemise ouvert. Les poils noirs de sa poitrine en sortaient sous une gorge d'un brun profond. Il a l'air d'un pirate, se dit Harriet en tripotant son foulard. Etait-elle moche à ce point? Peut-être fallait-il être beaucoup plus mince pour avoir de l'allure.

Ils gagnèrent ensemble la salle du petit déjeuner, mais quand Harriet voulut se diriger vers sa table habituelle, Jake lui prit le coude et l'entraîna de force vers celle de Derekson.

– Vraiment, Jake, je ne crois pas... s'affola-t-elle.

– Ferme-la, ordonna-t-il. Laisse-moi parler.

Derekson leva sur eux un regard surpris. Sa femme les regarda aussi, mais son visage resta sans expression. C'était irréel et horrible à la fois. Harriet se sentit rougir, naturellement.

– Bonjour à tous, dit Jake d'un ton joyeux. Est-ce que ça ennuie quelqu'un si Harriet se joint à nous? Sheila, Angus, je vous présente Harriet Wyman. Harriet, M. et Mme Derekson.

– Enchantée, murmura Harriet en s'asseyant sur la chaise que lui proposait Jake.

– Et où étiez-vous, la nuit dernière? demanda Derekson sans un autre regard pour Harriet.

– J'étais... occupé. Désolé.

– J'ai fait fouiller tout le bateau. Vous saviez que je voulais que nous discutions, et vous vous êtes délibérément caché je ne sais où! Qu'est-ce que cela signifie? Eh bien?

Jake posa ses coudes sur la table et regarda la nappe. Il fallait qu'il mette immédiatement fin à ce tir de barrage, et il ne savait pas comment s'y prendre. Il se tourna vers la femme de Derekson.

– Comment allez-vous, ce matin, Sheila? Vous avez l'air en pleine forme.

Le masque se fendit difficilement en un petit sourire.

– Très bien, merci, Jake. Je suis ravie que vous nous ayez rejoints. Vous nous avez manqué, hier.

– Vraiment? C'est gentil. Je n'avais pas les idées très claires quant aux modifications à apporter au bateau. J'avais besoin de temps.

Il sourit à Mme Derekson, sauvant ainsi la face en lui présentant ses excuses plutôt qu'à son mari. Elle tourna son regard gelé vers Harriet.

– Avez-vous aimé ce voyage, mademoiselle Wyman? Ce fut très calme.

– Oui, très calme, répondit Harriet qui pensait plutôt qu'elle n'avait jamais traversé pire tempête.

Derekson se servit une seconde tasse de café.

– C'est une de vos blagues, Jake?

– Cela dépend de votre point de vue, répondit Jake en haussant les épaules. Je crois que nous devrions regarder les plans ce matin, tant que nous sommes frais. J'y ai beaucoup réfléchi.

Derekson grogna et posa sur Harriet un regard mauvais.

– Je l'espère.

Ignorant l'atmosphère lourde de la tablée, Jake s'absorba dans la lecture du menu et commanda un petit déjeuner anglais complet pour Harriet et lui. Quand on le leur servit, Harriet eut du mal à y toucher, tant l'impressionnaient les regards de ce multimillionnaire et de sa femme impassible.

– Qu'allez-vous faire à New York? demanda Mme Derekson avec ce qu'on pouvait ou non prendre pour de la gentillesse.

Harriet faillit s'étouffer.

– Elle n'a pas de projets définis, répondit Jake. Nous avons pensé qu'elle pourrait venir avec nous à Boston et jeter un coup d'œil au bateau.

Derekson arrêta brusquement de s'essuyer la bouche de sa serviette.

– Je crois avoir mal compris, dit-il lentement.

Jake prit le temps d'avaler sa bouchée de bacon.

– Il m'a semblé que ça pourrait lui plaire. Elle n'est encore jamais venue aux Etats-Unis, mais elle voulait visiter Boston. Je me suis dit que ce serait une bonne idée qu'elle occupe une des places libres dans l'avion.

– Dans... mon avion?

– Oui, si ça ne vous ennuie pas.

Jake lui adressa son plus large sourire, exprimant ainsi qu'il savait s'être montré présomptueux, mais que, comme il était Jake, il pensait qu'on pourrait lui pardonner. Il y avait quelque chose de canaille, mais aussi d'attendrissant dans ce sourire, se dit Harriet qui sentait aussi le torrent d'émotions contradictoires qui bouillonnait en Derekson à ce moment précis. Si on ne connaissait pas bien Jake, il était facile de succomber à son charme.

– C'est-à-dire que je suis certain que Mlle Wyman préférerait un voyage indépendant, dit Derekson.

– Justement non, dit Jake. Elle ne semble pas bien se débrouiller toute seule. Je crois que Harriet a besoin de voir ce que signifie vraiment l'hospitalité américaine. Et je lui ai dit qu'on ne trouvait nulle part au monde des gens plus généreux que les Américains. Nous, les Britanniques, ne faisons pas le poids.

Derekson promena un regard noir de Jake à Harriet. Pendant un bref instant, elle croisa ce regard, et elle baissa précipitamment les yeux vers son assiette. Derekson savait qu'on le manipulait, et n'avait pas encore décidé s'il devait se laisser faire ou envoyer Jake au diable.

– Je suis certaine que Mlle Wyman adorera Boston, dit Mme Derekson derrière son masque.

– Oui, j'en suis certain aussi, dit Derekson en faisant une boule de sa serviette.

Le bateau accosta peu avant le déjeuner. Harriet attendait, avec ses deux valises, que Jake ait fini sa discussion avec Derekson et vienne la chercher. La structure de ce qui avait constitué la vie à bord se désagrégeait sous ses yeux. Ici, tout était terminé. Elle se sentait déjà perdue, alors que ressentirait-elle après avoir passé les guichets gris de la douane et de l'immigration de New York? Déjà, la silhouette de Manhattan, tant de fois vue à la télévision et dans les magazines, se dressait devant elle, et les gratte-ciel lui parurent menaçants.

Au bout d'un moment, Mme Derekson arriva, en manteau et toque de fourrure, et s'assit près de Harriet.

– Et de quelle région d'Angleterre venez-vous? demanda-t-elle.

– De Manchester, dit Harriet en torturant ses gants.

– Est-ce joli? Je n'y suis jamais allée.

– Il y pleut beaucoup, répondit Harriet pour répéter ce que les gens disaient, car pour sa part elle n'avait jamais rien remarqué de spécial.

– Ici aussi, il arrive qu'il pleuve beaucoup.

– Oh!

– Trouvez-vous que j'ai un visage bizarre? demanda soudain Mme Derekson.

– Non, dit Harriet en rougissant, non, pas du tout.

– Moi si. C'est mon troisième lifting, et le chirurgien a beaucoup trop tiré. Il m'a dit que la peau se détendrait. Peut-être, mais combien de temps devrais-je ressembler à une momie? lui ai-je répondu. Est-ce que le résultat vous semble étrange, à vous?

– Pas étrange du tout, mentit à nouveau Harriet.

– Jake dit que ça me rend mystérieuse. Jake est un gentil garçon. Vous avez une aventure avec lui? Je n'aurais jamais pensé que vous étiez son type. Mais de toute façon, personne ne l'est bien longtemps, dit-elle en tentant un petit rire que sa peau lui interdit.

– Nous avons... des intérêts communs.

– Ma chère, il ne s'intéresse qu'aux bateaux. J'ai eu une idée en pensant à lui : vous savez que les hommes pensent toujours que les bateaux ont une âme? Eh bien, je crois que Dieu a commis une erreur de distribution : il y a quelque part un yacht qui aspire à un foyer et une famille tandis que nous avons Jake qui ne songe qu'à mettre les voiles. Est-ce qu'il vous rend malheureuse, mon petit? C'est ça?

Harriet eut désespérément envie de se confier à cette femme, mais quand elle regarda le visage impénétrable de Sheila Derekson, elle se dit qu'elle pourrait lui dire n'importe quoi sans que cela change rien. Elle lissa ses gants froissés et répondit :

– Ça va très bien, merci. Tout le monde a été très gentil.

Le débarquement des passagers avait enfin commencé. Il semblait que le flot ininterrompu sur l'échelle de coupée ne cesserait jamais. Enfin Derekson apparut, en grande conversation avec Jake. Ils s'interrompirent à peine en voyant les deux femmes.

– Content que vous soyez prêtes toutes les deux. Et que se passera-t-il s'il ne résiste pas? S'il casse? Walter dit que ça ne peut pas arriver.

– Oh, ça peut arriver! affirma Jake en fronçant le nez d'un air dégoûté. Et si ça doit arriver, il faut qu'on le sache. Qui voudrait se retrouver en plein océan avec une course à gagner et s'apercevoir que le gréement n'est pas correct? Et pourquoi changer le gréement si la coque ne tient pas? Alors je vais le pousser. Espérons qu'on aura du gros temps.

Derekson rit, brève étincelle qui le transforma totalement. Soudain, il était enthousiaste, comme jamais il n'aurait cru pouvoir l'être à nouveau.

– Seigneur, j'aimerais bien naviguer avec vous! Ce serait une expérience.

– Facile à dire. Vous seriez malade à en crever, comme tout le monde. Mais je vous ferai faire un essai, si vous voulez, et si vous trouvez une journée libre. Mais il ne faudra pas demander à débarquer à mi-route!

– Bien sûr. Merci.

Harriet les regarda, stupéfaite. On aurait cru que le bateau appartenait à Jake et qu'il accordait à Derekson le privilège d'y poser le pied de temps en temps.

– Walter nous suivra plus tard, dit Sheila Derekson.

– Bien, alors nous sommes prêts? demanda Jake.

Ils l'étaient. Il prit la tête de la petite colonne, qui descendit à terre.

4

Harriet rata New York. Elle n'y resta que le temps de l'émerveillement, emportée par les Derekson dans une grosse limousine qui les déposa devant un restaurant surchauffé.

Il lui était difficile de savoir comment se comporter. Jake s'attendait à l'évidence à ce qu'elle joue le rôle de la dame de compagnie discrète comme une souris, parlant peu, mangeant moins encore, ne buvant pratiquement pas et, pour l'essentiel, c'est ce qu'elle fit. Mais intérieurement, elle brûlait, elle bouillait, elle se sentait l'envie d'agir de la plus choquante façon. Ici, tout semblait permis; il suffisait de regarder autour de soi : par exemple, cette immense jeune femme noire qui avait des plumes de paon piquées dans les cheveux, portait des cuissardes rouges et parlait avec un homme si impeccablement vêtu qu'il aurait pu – si l'on exceptait son joli sac de cuir – sortir d'une banque anglaise.

– Il y a un homme avec un sac à main, dit Harriet.

– Effectivement, mon petit, dit Sheila. Buvez votre Martini. Si nous ne nous pintons pas, nous ne supporterons jamais d'entendre parler de bateaux pendant les six heures à venir. Vous êtes sûre que vous voulez nous accompagner?

La question troubla Harriet. Il *fallait* qu'elle les accompagne, mais le voulait-elle? Il serait très possible, et probablement très logique, qu'elle se confie à Sheila. Celle-ci lui prêterait l'argent, et ce ne serait qu'un petit moment d'embarras à passer. Mais alors... Pas d'avion, pas de Boston, pas d'incertitude si excitante. La veille, elle avait voulu mourir. Maintenant, soudain, elle était sur le seuil de quelque chose. Elle vivait le moment le plus excitant de toute son existence.

– J'aimerais vous accompagner, dit-elle dans un souffle.

Elle but une autre gorgée de son « Martini » et ses yeux se remplirent de larmes : c'était du gin presque pur.
– Je ne peux pas vous promettre que ce sera drôle, lui dit Sheila en lui donnant une petite tape dans le dos.
Le repas était étrange : morceaux de poisson cru dans des sauces épicées, légumes à peine cuits sur des plaques chauffées au rouge.
– Pouah! C'est horrible, dit Jake en piquant de sa fourchette un bout de ce qui aurait pu être de la seiche. Vous aimez vraiment ça, Angus?
A l'évidence, c'était une question que ne s'était pas posée Derekson qui, depuis des années, avait été rassasié de ce que les meilleures cuisines du monde pouvaient offrir de plus succulent. Il avait à peine faim en se mettant à table, et la nourriture ne l'intéressait guère.
– Je peux vous commander un steak, si vous préférez.
– Non, merci. Ils seraient capables de le servir cru. Tu n'es pas obligée de manger ça, Harriet, on n'est pas à la cantine.
– Tout n'était pas mauvais, dit Harriet qui avait réussi à vider son assiette grâce aux gorgées de « Martini ».
– Cet endroit est censé être très chic, dit Sheila. Oh, regardez, voilà le sénateur White. Fais-lui signe, Angus. Sinon, avec mon visage dans cet état, il va croire que nous avons tout découvert sur ses impôts.
– Qu'y a-t-il, avec ses impôts? demanda Harriet.
– Je n'en sais rien, ma chère, mais il y a certainement quelque chose; il y a toujours quelque chose. Prenez un autre « Martini ».
– Ne te soûle pas, Harriet, dit Jake. Prends plutôt de l'eau.
– J'aime le « Martini ».
– Très bien, approuva Sheila. Moi aussi.
Pendant le trajet jusqu'à l'aéroport, les deux femmes étaient un peu ivres.
– Regardez ce spectacle, Harriet, ordonna Sheila. C'est la Grosse Pomme, pleine de vers!
Ils roulaient dans des rues encombrées de détritus. Une vieille femme vêtue d'un manteau sale passa en traînant les pieds.
– Cela pourrait être moi, murmura Harriet.
– Ne dites pas de bêtise, mon petit. Cela n'arrive pas aux gens comme nous.
– C'est possible. Vous ne le savez pas, mais c'est possible.
– Harriet, tais-toi un peu, dit Jake en se retournant sur le siège avant. Regarde plutôt autour de toi.
Elle fut blessée, à l'excès d'ailleurs. Pourquoi la traitait-il d'aussi horrible façon, comme si elle était une enfant, un chien, une malade mentale? Pour la faire paraître stupide devant les autres? Elle examina les boucles de cheveux bruns retombant

sur le col de chemise, moins que propre et déjà élimé. Maudit Jake. Maudit soit-il.

Les hommes parlaient de membrures. Harriet crut comprendre qu'il s'agissait de la coque. En tout cas, Jake n'aimait pas la façon dont Derekson avait conçu le bateau, et c'était chez lui une attitude systématique.

– C'est ce que recommande Walter, déclara Derekson en guise d'ultime argument.

– N'en dites pas plus, lança Jake d'un air méprisant.

Ce qui mit fin à la conversation. Les panneaux indiquant l'aéroport se faisaient plus nombreux. Jake se retourna vers Harriet et rencontra son regard furieux.

– Qu'est-ce qui ne va pas?

– Vous! Vous êtes désagréable avec tout le monde. Ne pourriez-vous pas au moins être poli de temps en temps?

– Bravo, Harriet, dit Angus Derekson en éclatant de rire. Faites son éducation.

– Tu es vraiment soûle.

– Je préfère être soûle qu'impolie.

La voiture stoppa. Avant qu'on vienne lui ouvrir la porte, Harriet trouva la poignée et fut accueillie par une gifle d'air glacé. Jake arriva juste à temps pour lui prendre le bras et lui éviter de tomber.

– Je ne me sens pas bien, dit-elle tristement.

– Non? Oh, Harriet, que vais-je faire de toi?

– Offrez-lui un autre « Martini ». En votre compagnie, elle en aura bien besoin.

L'avion rouge et blanc attendait en bout de piste comme une mouche sur un gâteau, entouré d'avions de ligne gigantesques qui en comparaison avaient l'air d'albatros vrombissants. Il n'y avait que six places.

– Je croyais que Walter allait venir, dit Sheila.

Les Derekson parlaient sans arrêt de Walter, un homme d'environ dix ans leur cadet qui avait passé tout le temps de la traversée de l'Atlantique à exposer avec vigueur ses théories sur la navigation.

– Mais oui. Il devrait être là, dit Derekson en consultant avec rage sa Rolex.

– Il a peut-être été retenu, dit Jake. On ferait mieux d'y aller si vous ne voulez pas rater votre tour de décollage.

– Nous allons encore attendre quelques minutes, dit Derekson.

Jake haussa les épaules.

– Venez vous asseoir près de moi, dit Sheila à Harriet en montrant un siège et en tentant un timide sourire.

Jake, qui venait de la placer le plus loin possible, à côté d'un hublot, la laissa se relever mais grogna :

– Ne bois pas !

– Rabat-joie, dit Sheila. Harriet et moi, nous nous comprenons.

Elle ouvrit une bouteille du petit bar proche de son siège et versa du brandy dans deux verres pour Harriet et pour elle.

– C'est un médicament, dit Sheila. J'en ai grand besoin depuis ce fichu lifting.

– Pourquoi vous l'être fait faire ? demanda Harriet en regardant le pilote qu'elle trouvait bien jeune pour avoir la responsabilité de toutes ces manettes.

– Mon petit, quand on est mariée depuis aussi longtemps que moi et que tous les amis de votre mari ont trente ans de moins que vous, on se fait faire un lifting. Je ne veux pas me retrouver avec une simple pension alimentaire pour me tenir chaud au lit : il ne me resterait personne à qui me plaindre.

– Il ne divorcerait certainement pas pour quelques rides ?

Elle toucha ses joues rondes, consciente qu'au cours de la dernière année, de petites pattes d'oie s'étaient formées au coin de ses yeux.

– Oh, ce ne sont pas les rides, c'est de voir sa femme vieille. Cela fait comprendre à l'homme qu'il est vieux aussi. Et maintenant que ça n'a pas marché, je n'ai pas l'air vieille, mais stupide. Oui, je ne serais pas surprise de voir une fille de votre âge arriver bientôt dans les parages, quand il se sera lassé du bateau. Il en a marre de la bonne vieille Sheila.

Il y avait quelque chose de flatteur à recevoir ces confidences, mais elle ne firent que confirmer Harriet dans son rôle d'observateur neutre. Jamais il ne fut sous-entendu qu'elle puisse jouer un rôle actif dans la vie de Derekson, même si elle avait l'âge de la prédatrice inconnue. Les femmes avaient toujours su que Harriet n'était pas une concurrente.

– Monsieur, dit le pilote, il va falloir décoller dans une minute. La tour ne peut plus attendre.

– Et merde ! s'écria Derekson en s'asseyant. D'accord. Décollez. Walter nous rejoindra plus tard.

– Très bien, monsieur. Merci.

Le pilote mit en marche les deux réacteurs. Dans l'espace confiné du petit avion, ce fut comme un cri. C'est alors que Harriet vit sous l'aile le pauvre Walter qui courait vers eux, son manteau volant derrière lui et son sac lui battant les genoux.

– Attendez, attendez, le voilà ! s'écria-t-elle.

– J'aimerais mieux que tu te taises, Harriet, dit Jake d'une drôle de voix.

On ouvrit la porte et Walter entra en titubant.

– J'ai failli vous rater, dit-il hors d'haleine. Désolé, Angus. Jake m'avait dit que vous partiez demain matin.

Il jeta un coup d'œil accusateur à Jake qui se contenta de sourire, ses yeux gris ne trahissant aucun remords.

– Vous avez dû mal comprendre, dit-il d'une voix de plomb.

Walter s'essuya le front, et ils jouèrent aux chaises musicales dans l'avion. Harriet se retrouva à nouveau reléguée à l'arrière près du hublot et Sheila s'allongea sur les deux sièges. Walter s'installa près de Derekson. Les moteurs se remirent à hurler.

– Pourquoi vouliez-vous qu'on le laisse ici ? demanda Harriet dans un murmure.

– Parce que c'est un emmerdeur qui ne cesse de me contredire. Je ne peux pas travailler avec ce crétin dans les pattes. Il a gagné une course il y a vingt ans, et depuis il vit sur ses lauriers. Il ne connaît rien à rien, mais Derekson l'écoute. Qu'est-ce qui t'a prise de crier qu'il était là ?

– Je ne l'aurais pas fait si vous m'aviez mise dans la confidence et si vous ne me traitiez pas toujours comme une idiote.

– Alors arrête de te comporter comme une idiote. Tu n'as pas à accepter tous les verres qu'on t'offre. Sheila Derekson s'intoxique le foie depuis des années, elle est blindée. Suis son rythme, et tu seras à l'hôpital dans deux jours.

– Oh, ça suffit !

Ils se turent. Harriet ne tenait plus en place, l'alcool courant dans ses veines l'incitait à l'action alors qu'elle ne pouvait pas bouger. Elle s'agita sur son petit siège, sa cuisse contre celle de Jake, et aussi grosse. Mais lui, s'il avait de grosses cuisses, c'était à cause des muscles. Il faudrait vraiment qu'elle perde un peu de poids, se dit-elle, conseil qu'elle ignorait depuis dix ans. Le petit avion se mit à rouler, lentement, doucement, pour ce qui semblait devoir être une très longue route. Soudain, ils tournèrent à gauche et s'engagèrent sur la piste de décollage, prenant de la vitesse avec une rapidité effrayante. Harriet laissa échapper un petit cri et s'accrocha à Jake.

– Tout va bien. Ne me dis pas maintenant que tu as peur de l'avion !

– Je ne sais pas, je n'en ai jamais pris. Je veux un parachute.

– Il faudra que tu te contentes de gonfler ta petite culotte. Ne regarde pas par le hublot. Même moi, ça ne me réussit pas. Ouah ! On a décollé. OK, tu peux regarder maintenant.

Harriet desserra son étreinte sur le bras de Jake et regarda par le hublot. Le sol s'éloignait rapidement, mais l'engin dans lequel elle était assise, dans lequel elle était entrée sans se poser de questions, semblait soudain tellement léger...

– Je ne crois pas que je vais aimer ça, dit-elle en avalant péniblement sa salive.

– Trop tard, comme disait la danseuse à l'archevêque. Fais comme si ça t'était égal. Tu fais tout le temps ça chez toi, non? Et ne t'avise pas de te confier à Sheila! J'ai fait ça pour toi, après tout.

– Vous ne voulez pas que Walter vous prenne pour ce que vous êtes.

– C'est possible. Sois une chic fille, Harriet, dit-il en lui tapotant la main.

Ils devaient atterrir sur un terrain d'aviation privé près de Boston. Il faisait déjà assez sombre, et Harriet, en regardant les lumières et le rideau noir du sol, se remémorait tous les bulletins d'information où on avait annoncé des accidents d'avions de tourisme. Le pilote marmonna quelque chose dans le micro de sa radio et regarda le tableau d'indicateurs lumineux. Jake changea de position dans son siège, près d'elle.

– J'aimerais bien que ce soit terminé, dit Harriet.

– Je sais. Je déteste que mon destin repose entre les mains de quelqu'un d'autre.

– Les autres n'ont pas l'air d'avoir peur.

– Ils n'ont aucune imagination. S'il avait été prévu qu'on vole, Dieu aurait fait les montagnes en caoutchouc. J'ai toujours mon petit moment de repentir, dans ces circonstances.

– Alors repentez-vous pour mon argent.

– Et pourquoi, maintenant que tu es collée à moi comme mon maillot de corps? Non, je me contente des attentats à la pudeur et des viols, comme ça je peux les revivre. Ma vie passée se déroule devant moi en un instant comme un film porno. A propos, que vas-tu faire à Boston?

– Que voulez-vous dire?

– Je veux dire, quels sont tes projets? Je t'ai amenée jusqu'ici, et avec un certain style, ajouterais-je, alors qu'as-tu l'intention de faire ensuite?

– Mais c'est votre problème, non? s'exclama Harriet, qui avait jusque-là maintenu sa voix au niveau d'un murmure. Jusqu'à ce que vous me rendiez mon argent. Ou bien dois-je dire à tout le monde ce que vous avez fait? Que M. Derekson voie combien vous êtes digne de confiance.

– Chuuttt! J'ai dit ça comme ça. Je m'étais imaginé que tu avais peut-être des envies d'indépendance. Je ne me rendais pas compte que tu t'étais engagée dans une carrière de crampon.

Elle lança son pied qui vint frapper Jake à la cheville.

– Recommence et je te rends le coup, fulmina-t-il.

Il le pensait vraiment. Ils se posèrent comme une plume près du tarmac, et un soupir de soulagement collectif parcourut la cabine. Harriet commença à rassembler ses affaires. Son estomac gargouillait à nouveau. Jake l'avait rejetée tout droit dans son anxiété.

– La voiture est là, dit Derekson en voyant approcher une limousine blanche. Où voulez-vous qu'on vous dépose, Harriet?

Elle tourna vers Jake un regard désespéré, mais il n'avait visiblement pas l'intention de voler à son secours.

– Euh... Je ne sais vraiment pas.

– Je peux vous recommander quelques bons hôtels.

– Merci. C'est...

– Mais enfin, Angus, dit Sheila, Harriet peut rester chez nous. Walter pourra lui servir de guide. Il en sera ravi, n'est-ce pas, Walter?

Walter regarda Harriet, à qui il n'avait pas encore accordé la moindre attention.

– C'est à dire que... Je risque d'être très occupé avec le bateau... Peut-être pourrais-je l'amener chaque jour au port avec moi.

C'était dire clairement qu'il irait inspecter le bateau quotidiennement.

– Ce ne sera pas nécessaire, intervint soudain Jake. Je m'occuperai de Harriet ce soir, il y a un hôtel près du port. Très confortable, le genre d'atmosphère qu'elle aime, à mon avis. Une fille comme Harriet ne supporte pas trop de mouvement, ce n'est pas son genre. On parlera de la suite de son voyage quand elle aura vu le bateau. Je te l'ai promis, hein, Harriet?

Il glissa son bras autour de la taille de la jeune fille. On aurait dit de l'acier.

– En effet, dit-elle froidement. Si vous insistez, Jake...

– J'insiste.

Il pencha un peu la tête, saisit le haut de son oreille entre ses dents et la mordit, juste un peu trop pour que ce soit amical. Elle dut serrer les paupières pour ne pas pleurer. Jake demanda qu'on le dépose au port avec Harriet. Ils se retrouvèrent dehors, leurs bagages à leurs pieds.

– Vous n'auriez pas pu faire demi-tour plus loin. On est à quelques pas. Angus, Sheila, merci beaucoup!

– Oui, merci beaucoup à tous les deux, ajouta Harriet. C'était très gentil de votre part...

– Ce n'est rien, mon petit, dit Sheila. Venez nous voir bientôt. On bavardera entre filles. On ne sait rien de vous, Harriet. Amenez-la bientôt à la maison, Jake.

– C'est promis.

La voiture partie, ils se retrouvèrent seuls dans le vent. Il faisait très sombre et très froid entre les hauts immeubles et l'eau qui clapotait contre le quai.

– Quelle heure est-il? demanda Harriet.

– Deux heures, environ. Viens, prends tes valises.

Elle les souleva, Jake hissa ses sacs sur son épaule. Il n'y avait que quelques lumières çà et là, et Harriet sentit l'odeur de la mer et des algues. Dans l'obscurité, à sa gauche, se dressaient des mâts, et plus loin scintillaient les lumières de bateaux à l'ancre. Elle trébucha sur un pavé.

– L'hôtel est encore loin?

– Je n en ai pas la moindre idée.

– Alors, où allons-nous?

– Au bateau, bien sûr! Seigneur, Harriet, où crois-tu que je trouverais l'argent pour nous offrir l'hôtel? Derekson ne m'a pas encore donné un centime en liquide.

– Mais je ne veux pas aller sur un bateau! Il est gros?

– Suffisamment. Viens, donne-moi une de tes valises. Le seul problème sera de le trouver.

Harriet était trop fatiguée et perdue pour se plaindre. Elle le suivit en trébuchant, se demandant ce qui se passerait si on les attaquait. Tout le monde se faisait attaquer, en Amérique, le soir venu; les agents de voyage le prévoyaient presque dans le programme : « Mardi soir : agression. Ne résistez pas. »

Elle se mit à rire toute seule et Jake se retourna.

– Qu'est-ce qu'il y a de si drôle?

– Oh, tout. Je ne peux pas l'expliquer. Oh!

Un homme sortait d'une allée et se dirigeait vers eux. L'agression qui se préparait ne lui semblait plus aussi drôle. Elle se cacha derrière Jake. L'homme approchait, barbu et terrifiant.

– Où est le *Fidèle Sheila*? demanda Jake sans s'inquiéter.

– Quoi? Vous voulez quoi?

Le vieux marin, ses longs doigts refermés sur une bouteille, était maintenant tout près d'eux.

– Le *Fidèle Sheila*. Il est ancré quelque part ici. Il me faut un bateau pour y aller.

– Je peux vous trouver un bateau. Le *Fidèle Sheila*, je peux vous y conduire.

– Alors on y va, mon vieux.

L'homme les précéda. C'était presque surréaliste, se dit Harriet : la jetée sombre, quelques lumières aux fenêtres et, devant eux, la silhouette cauchemardesque de l'ivrogne. Le froid la fit frissonner. La fatigue lui donnait l'impression qu'un brouillard s'insinuait dans les circonvolutions de son cerveau. Si seulement elle pouvait dormir, elle arriverait à reprendre la situation en main. Au matin, elle pourrait réagir, elle saurait que dire à Jake. Pour le moment, il semblait autant faire partie du cauchemar que l'ivrogne. L'oreille qu'il avait mordue se rappela douloureusement au souvenir de Harriet.

– Voilà, dit l'homme en s'arrêtant près d'une échelle métallique descendant dans l'eau.

En bas, un canot attendait, son moteur relevé.

– Ça ira, dit Jake. Je barre. Dites-moi seulement où est le *Fidèle Sheila.*

L'homme grogna. Il se retourna en un mouvement lent et commença ce qui sembla être une descente mortelle vers les abysses, serrant toujours sa bouteille d'une main tremblante.

– S'il tombe dans le canot, il le fait couler, dit Jake.

– On ne peut pas y aller dans l'obscurité, protesta Harriet.

Dès qu'un nuage dissimulait la lune, la nuit était d'un noir de poix.

– Et alors, on reste sur le quai? Non merci! Envoie-moi les bagages dès que je serai en bas.

Il descendit l'échelle comme un singe. Harriet lui passa les sacs et sa petite valise, laissant la grande pour la fin.

– Le dinghy est plein, lui cria doucement Jake. Range celle-là dans un coin, on viendra la prendre au matin.

– Mais j'y ai presque toutes mes affaires!

– Si tu la mets dans le canot, il coule. Alors gare-la et descends, Harriet!

Elle n'avait plus la force de lutter. Elle regarda autour d'elle et vit une bâche recouvrant un petit canot retourné sur le quai. Elle souleva les lourds plis de toile huilée et poussa sa valise dessous. Il ne lui restait plus qu'à se réjouir de n'être qu'à quelques minutes d'une couchette. Elle hésita sur les premiers barreaux de l'échelle, s'accrocha, et finit par sauter lourdement dans le dinghy.

– Assieds-toi, fée Clochette, dit Jake. Très bien, allons-y!

L'ivrogne s'installa à la proue, l'air serein, comme s'ils partaient en promenade. Le moteur fendit la nuit comme un coup de tonnerre.

– *Fidèle Sheila,* oui, une vraie beauté, dit-il. Un vrai beau bateau.

– Ravi de l'entendre, dit Jake. Détache l'amarre, Harriet.

Elle avait trop froid aux mains. Le nœud ne voulait pas céder. Finalement, Jake lâcha quelques jurons et vint faire le travail lui-même. Le petit dinghy s'écarta du quai.

Jake ne s'attendait pas à ce que l'ivrogne le guide tout droit au *Fidèle Sheila,* mais il était prêt à suivre ses directives. Le dinghy affrontait vaillamment les vaguelettes. De temps à autre, la brise les éclaboussait d'écume. Harriet se recroquevillait, tout à fait misérable, les pieds trempant dans une mare de plus en plus profonde. Elle était trop frigorifiée et épuisée pour s'intéresser à son destin.

– Le *Fidèle,* le voilà! s'écria bientôt le vieux marin.

Il montrait du doigt un yacht fin, étonnamment étroit, qui tirait sur ses amarres. Ils l'entendirent craquer et gémir dans le vent qui faisait vibrer les gréements contre le bois.

– Dieu soit loué, s'écria Jake sincèrement surpris. Salut, *Fidèle Sheila*! Réveille-toi, nous voilà!

5

Le dinghy, moteur arrêté, cogna contre le flanc du *Fidèle Sheila.*

– Pare les coups, Harriet, aboya Jake. T'endors pas!

Comme si elle pouvait s'endormir avec ses pieds changés en blocs de glace et le vent qui lui plantait ses aiguilles dans la peau! Quand le dinghy s'approcha à nouveau de la coque du bateau, elle tendit les mains et poussa contre une surface de plastique lisse et mouillée. Il ne lui avait pas fallu y mettre beaucoup de force, si bien que chaque fois que le dinghy se soulevait, elle parait le coup rythmiquement. Un visage apparut par-dessus la rambarde du *Fidèle Sheila.*

– Mais c'est ce foutu docteur Livingstone! Tu montes, Jake, ou tu restes en bas toute la nuit?

– Mets la bouilloire à chauffer, Mac, dit Jake en lui lançant un filin. Mais envoie-nous d'abord une échelle.

L'homme les tira jusqu'à la poupe et lança une échelle de cordage.

– Monte, Harriet, dit Jake d'un ton joyeux.

Elle regarda d'un œil mort les échelons qui se balançaient énergiquement dans le vent et les vagues, puis l'eau noire dans laquelle elle risquait de tomber si elle faisait un faux mouvement.

– Une tasse de thé t'attend en haut, Harriet!

Elle tendit la main vers l'échelle et la rata. Jake se mit à jurer comme un charretier.

– Elle ne veut pas arrêter de bouger, gémit Harriet.

– Monte! Je ne vais pas rester ici toute la nuit pour te regarder avoir tes vapeurs. Attrape-la!

Elle l'attrapa. Puis, tandis que l'échelle s'immobilisait et que le canot bougeait sous ses pieds, elle émit un cri étranglé et tenta d'assurer un pied sur un barreau. Sa chaussure tomba à l'eau. Recroquevillant ses doigts de pied comme un singe, elle s'accrocha de son mieux.

– C'est bien, Harriet, dit Jake.

– Je crois qu'il est venu avec sa vieille tante ! entendit-elle dire au-dessus d'elle.

Harriet monta encore trois échelons avant que des mains se tendent et la saisissent pour la hisser à bord.

– Je n'ai aucun lien de parenté avec Jake, dit-elle d'un ton furieux. Si c'était le cas, je me suiciderais.

– Pas besoin de vous énerver comme ça, dit un homme au fin visage barbu en la regardant de près.

Jake sauta sur le pont derrière elle.

– Monte les sacs, Mac, s'il te plaît. Lewis est là ?

– A tes ordres, patron !

Un grand jeune homme aux cheveux clairs sortit de l'habitacle avec une lampe torche et s'approcha d'eux.

– On va faire la fête ou quoi ?

– Jake a amené son fan club, dit Mac avec un léger accent écossais. Mais elle n'a pas l'air très contente.

– Harriet n'est jamais contente, hein, Harriet ? Je te présente Mac et Lewis, l'équipage de cette baignoire.

Harriet envoya balader son unique chaussure et avança en silence. Elle entra dans le cockpit et descendit dans la cabine, accueillie par une lueur jaune qui lui parut chaleureuse après le vent mordant et la mer noire. Quand les cloisons se refermèrent autour d'elle, elle se sentit tout à fait en sécurité. La bouilloire chantait sur la cuisinière. Elle s'assit sur une couchette qui venait visiblement d'être abandonnée par son occupant et sentit sa jupe rugueuse et mouillée contre ses jambes. Ses épaules s'affaissèrent d'épuisement.

– Bienvenue, Harriet, dit Mac en inclinant la tête dans sa direction. Tu es assise sur mon lit.

– Je vais lui trouver une place dans une minute, dit Jake qui entrait en baissant automatiquement la tête. Lewis le suivait. Il sortit des tasses et un paquet de biscuits. Les trois hommes se mirent à parler sans s'arrêter, s'apercevant à peine de la présence de Harriet. Elle s'en moquait, contente de se reposer, loin du vent et de la mer. Elle prit un biscuit et une tasse de café mais ne parvint pas à cesser de frissonner. Elle claquait des dents sur le biscuit qu'elle tentait de croquer.

Soudain, Jake se souvint d'elle.

– Seigneur ! Regardez cette fille ! Je ne sais pas quoi faire d'elle.

Il lui prit sa tasse vide et lui retira sa veste. Elle ne résista pas.

– Qui est-ce? demanda Lewis.
– Juste Harriet. Je n'arrive pas à me débarrasser d'elle. C'est comme une malédiction.
Il entreprit de lui déboutonner son chemisier avec une facilité d'expert.
– Arrêtez! dit Harriet en repoussant faiblement sa main. Vous pouvez très facilement vous débarrasser de moi si vous me rendez mon argent. Laissez-moi tranquille, Jake! Je veux seulement aller me coucher.
– Et c'est exactement ce que je t'aide à faire. Lève-toi et enlève ta jupe. Tu mouilles la couchette de Mac.
– Arrêtez!
Rouge et au bord des larmes, elle s'accrocha à sa jupe. Jake se passa la main dans les cheveux.
– Bon sang, qu'est-ce que je dois faire, te laisser mourir de froid? On ne va pas te violer, rendus fous par la vue des jambes d'une femme. Ecoute. Je vais te faire un paravent d'une couverture. Tu pourras enlever tes vêtements jusqu'à ta combinaison, et ensuite tu iras dans la couchette de l'avant, celle-là. Si quiconque est saisi d'une passion incontrôlable, je l'assommerai de mon poing puissant. Ça va?
– Je vous déteste, Jake, dit-elle en lui jetant un regard de haine.
– Qu'est-ce que c'est, ce cirque? Une nouvelle pièce de théâtre? demanda Lewis en riant.
– J'aimerais bien, dit Jake.

Harriet se réveilla au milieu d'un rêve au réalisme désagréable. Elle parlait avec sa mère dans le salon que la vieille dame ne quittait plus, et il s'agissait de Jake.
– Je ne sais pas où tu as la tête, Harriet, disait sa mère avec énergie. Cet homme est un coquin. Tu as eu l'occasion de le quitter, alors pourquoi ne te conduis-tu pas comme un être raisonnable? Enfin, j'ai toujours su que tu serais incapable de mener ta vie seule. Mon médicament, Harriet, tu as oublié mon médicament!
– Tu l'as pris, maman, répondait Harriet d'un ton las.
Elle était toujours fatiguée.
– Non, je ne l'ai pas pris. Tu l'as oublié, Harriet. Tu oublies toujours tout.
– Non, maman, ça va. Je ne l'ai pas oublié. Tiens, voilà ton tricot, pourquoi ne pas le continuer?
– Pas quand je n'ai pas eu mon médicament. Tu veux mon argent! s'exclamait soudain la vieille femme en fixant sur sa fille des yeux que l'âge n'avait pas ternis. Qui es-tu? Tu veux mon argent. Et tu ne m'as pas donné mon médicament.

– C'est moi, Harriet, maman. Et je t'ai donné ton médicament.

Des larmes commençaient alors à rouler sur les joues pâles de la vieille femme, soudain silencieuse, de façon si imprévue qu'il était impossible de savoir si c'était de la tristesse sincère ou quelque curieux réflexe. La voix continuait :

– Je n'aime pas cet homme, Harriet. Jamais on n'a pu te faire confiance. Pourquoi ne me donnes-tu pas mon médicament?

Harriet se réveilla en sursaut sur l'étroite couchette et regarda le plafond à trente centimètres de sa tête. Son cœur battait à tout rompre. Où était-elle? Pas chez elle, en tout cas. Le rêve avait été si réaliste qu'elle voyait encore les mains de sa mère, agitées par un cerveau où sévissait le désordre. La verrait-elle toujours ainsi? C'était comme si, ayant possédé jadis une merveilleuse limousine, elle ne se souvenait que d'une vieille carrosserie en train de rouiller dans un cimetière de voitures. Aucun souvenir des sièges de cuir, de la vitesse, des vacances qu'elle avait permises. Il ne restait que la rouille, le métal tordu et les désillusions. C'était bien la véritable tragédie de sa vie : le souvenir de sa mère était oblitéré par l'image de celle que la maladie avait transformée en vieille femme acariâtre et méchante.

Quand la confusion mentale s'était installée, ç'avait presque été un soulagement, comme une preuve tangible des changements qui avaient tant étonné à leur première apparition. La mère aimante, presque protectrice, était soudain devenue méchante et inlassablement critique. Au début, c'était seulement l'assombrissement progressif d'un tempérament plutôt joyeux. La mort d'un cerveau, c'est comme l'extinction des lumières dans un grand immeuble de bureaux : d'abord quelques fenêtres s'éteignent çà et là, puis tout un étage, et toute la façade devient noire, ne répond plus, à l'exception de quelques petites lueurs qui scintillent encore dans l'obscurité, dernières parcelles de vie reconnaissables dans ce qui est maintenant un immeuble presque désert.

Harriet s'assit brutalement et se cogna la tête au plafond de la cabine. Elle poussa un cri et se frotta le crâne, évaluant d'un œil furieux l'espace que Jake avait jugé convenable pour elle. Il n'y avait pas même assez de place pour un chat contorsionniste. Et il faisait sombre, la seule lueur provenant d'une veilleuse au plafond. En plus, on gelait. Maudit Jake! Maudit soit son cœur de pierre.

Elle s'enveloppa dans une couverture et monta d'un pas maladroit jusqu'à la cabine principale. Mac, l'Ecossais, se coupait les ongles des pieds. Il avait de gros orteils noueux avec des touffes de poils à chaque articulation. Jamais Harriet n'avait vu de si vilains orteils.

– Bonjour, dit-elle timidement.

– Bonjour. Jake a dit que vous deviez manger quelque chose au réveil. La poêle à frire est là-bas.

Il avait l'air inutilement morose. Harriet resserra la couverture autour de ses épaules, se faufila entre l'homme et la table en désordre et s'approcha de la cuisinière. La poêle avait à l'évidence fait frire bien des repas avant le sien, et une rognure d'ongle s'était laissé prendre dans la graisse noircie du fond. Une nausée prit Harriet à la gorge, et elle ne la contint qu'en pressant sa main sur sa bouche.

– Cet endroit est répugnant, murmura-t-elle quand elle put parler. On peut mourir de maladie, quand on vit de cette façon.

– On a un boulot à faire, dit Mac en projetant par terre d'un revers de la main les rognures d'ongles. On joue pas à la dînette.

– On n'a jamais d'excuse pour ne pas se laver. Même Jake ne sent pas mauvais.

– Inutile d'être agressive, rétorqua Mac.

– Vraiment? Pouvez-vous me prêter des vêtements, s'il vous plaît? Les miens sont encore à terre. J'ai besoin d'un pantalon et d'une chemise. Il va me falloir des heures pour nettoyer cet endroit répugnant.

– Ravi de voir que vous allez nous servir à quelque chose, dit Mac en glissant de nouveau ses pieds dans ses chaussettes puantes. Vous pouvez prendre des affaires à moi – à condition que vous les trouviez assez propres...

Harriet le regarda. Comme toujours, elle avait dit ce qui lui venait à l'esprit, sans penser à l'effet que ses paroles pourraient produire.

– Je suis désolée, s'excusa-t-elle en rougissant. Je me suis levée du mauvais pied. Je ne voulais pas vous offenser. Je me rends compte que ce doit être difficile, ici.

– Oui, enfin, c'est-à-dire qu'on ne s'attendait pas à recevoir une dame.

Harriet se rendit compte qu'il était aussi embarrassé par sa présence qu'elle l'était par la sienne, et cela la rassura. Quand il lui proposa un pantalon de toile taché, un pull marin troué aux coudes et de vieilles espadrilles, elle les accepta de bonne grâce.

– Merci. Ce sera très bien.

– J'ai bien peur de ne pas avoir de chaussettes propres.

– Je me débrouillerai sans chaussettes, merci, dit précipitamment Harriet en se retirant dans sa cabine pour se changer.

Elle ressortit avec le pull bien tiré sur le pantalon qu'elle n'avait pu fermer jusqu'en haut. Le bassin étroit de Mac n'avait rien à voir avec les hanches généreuses de Harriet, et une fois de plus, elle décida de perdre du poids. La croisière avait ajouté au problème en lui présentant à chaque repas des montagnes de calories. Elle avait toujours aimé manger, et même maintenant, malgré l'ongle dans la graisse, elle avait une faim de loup.

Mac avait mis de l'eau à chauffer pour qu'elle puisse faire la vaisselle, et il se préparait à sortir.

– Où est Jake?

– Lewis et lui sont allés à terre. On l'accuse d'avoir volé le dinghy dans lequel vous êtes arrivés hier soir.

– Oh, Seigneur! On va le mettre en prison.

Elle retroussa les manches du pull jusqu'aux coudes et décida de commencer par les piles de vaisselle qui encombraient l'évier. Les assiettes, casseroles et autres couverts portaient les traces de nombreux passages rapides à l'eau froide, au point qu'on pouvait reconstituer les menus des jours passés, mais c'était de la bonne qualité et elle pourrait tout récurer. En regardant autour d'elle, Harriet vit que c'était le cas pour l'ensemble de la cabine : le yacht était aménagé avec style. Les rangements hauts et le réfrigérateur dissimulé à côté de la cuisinière seraient magnifiques une fois nettoyés. La table de bois pouvait se plier et se ranger de côté quand on ne l'utilisait pas, et dans le coin un bureau, éclairé par une lampe, portait les cartes et les instruments de mesure. Harriet décida de redonner à l'ensemble l'aspect qu'il aurait toujours dû avoir : propre et bien rangé.

Deux heures plus tard, quand elle eut admiré la métamorphose de ce trou à rats en intérieur agréable, elle entreprit de se faire frire du bacon et des œufs. L'odeur excitait déjà son estomac quand la porte s'ouvrit. Jake dégringola l'échelle, suivi de Lewis et Mac.

– Formidable, Harriet! Deux œufs pour moi, s'il te plaît.

– Je les préparais pour moi, rétorqua-t-elle. J'ai tout nettoyé, je mange.

– Et je viens de t'éviter d'aller en prison! Je n'ai pas dit un mot sur toi. Quelle ingrate tu es!

– Mais regarde un peu ce qu'elle a fait, Jake! s'exclama Lewis en montrant la cabine. C'est un palace! Cette femme que tu nous as amenée est un trésor. Merci beaucoup, Harriet!

– Je vous en prie, dit-elle en rougissant un peu, mais sans cesser de disposer les lamelles de bacon dans la poêle.

Ils mangèrent de bon appétit puis, en sirotant leur café, ils se mirent à bavarder.

– Derekson a toujours ce Walter accroché à ses basques, dit Jake. Il va nous gêner.

– J'aurais cru qu'il avait fini par comprendre, dit Mac. Ce

bateau est comme un chat sauvage sur une mer déchaînée, même par temps calme.

– Walter n'aime pas que les bateaux soient trop charpentés. On devrait l'inviter à bord par gros temps.

– Il ne viendra pas, dit Lewis. Il sait qu'il ne serait pas en sécurité. Ce bateau ne me dit rien qui vaille, Jake. On ne l'a sorti que deux fois, et on n'arrive pas à le tenir. Il s'affole au moindre changement de vent. *Fidèle Sheila* mon cul! Vrai bâtard, plutôt.

– Il y a une dame à bord, déclara Mac d'un ton paternel.

– Ça te choque, Harriet? demanda Jake avec un sourire. Notre langage de vieux loups de mer offense tes chastes oreilles?

– Ne sois pas idiot.

Elle posa les coudes sur la table et but une gorgée de café. Elle se sentait bien dans la cabine, doucement bercée, avec un repas qui lui calait l'estomac et des hommes qui semblaient non seulement l'accepter, mais apprécier sa présence. Etait-ce pour cela qu'elle s'était décidée à tutoyer Jake?

– Comment vois-tu la suite, Jake, pour moi et pour mon argent?

– Je n'en sais rien. Je pourrai te rembourser quand le travail sera fait, dit-il en haussant les épaules. D'ici là, tu peux être notre galérien en chef, si tu veux, mais il faudra bien sûr que tu ne te montres pas à Derekson.

Elle réfléchit. La vie à bord ne semblait pas si terrible, maintenant qu'elle avait tout rangé, et Boston serait certainement une ville fascinante à explorer pendant ses moments de liberté. Ce pourrait être une très bonne façon de passer ses vacances. Comme s'il lisait dans ses pensées, Jake intervint :

– Il y a des gens qui payent des fortunes pour une excursion sur un bateau comme celui-là.

– Je suis désolée de te le rappeler, mais c'est ce que j'ai fait.

Mac grogna et Lewis se cacha le visage dans les mains.

– Ne sois pas peste, Harriet. De retour chez toi, tu me seras reconnaissante du bon temps que je t'aurai fait passer.

– D'où êtes-vous? demanda Lewis.

– De Manchester, dit Harriet d'une voix lointaine. Il y pleut. Oh, Jake, tu as oublié ma valise! Peux-tu aller la chercher, s'il te plaît?

– Bien sûr. Au fait, une de tes tâches, c'est le blanchissage. Mac va te conduire à la laverie automatique.

– Au Laundromat, dit Lewis, c'est comme ça que ça s'appelle, à Boston.

Harriet sourit en portant la tasse à ses lèvres. Contre toute attente, les choses ne se présentaient pas si mal, avec ces trois types – bien que l'un d'entre eux fût Jake – et elle pourrait visiter Boston et faire de formidables sorties en mer. Se charger des détails domestiques dont les hommes ne voulaient pas lui était égal, tout à fait égal.

Mac l'amena à terre pour la lessive. Boston lui parut à la fois très étranger et très britannique. Les gratte-ciel à l'arrière-plan, c'était l'Amérique; mais ici, sur le port, à voir les rues, les entrepôts, les cafés et les immeubles d'appartements, on aurait pu se croire en Europe. A l'évidence, les Bostoniens avaient réservé leur port en eau profonde aux activités industrielles et relégué les yachts et leurs marinas ici, où les immeubles anciens ajoutaient charme et atmosphère au paysage. Sur le peu d'argent que Mac lui avait donné, Harriet s'acheta un guide de la ville. Elle aurait bien aimé avoir d'autres vêtements que ceux de Mac.

– J'ai l'impression d'être une clocharde, lui confia-telle. Est-ce que Jake va me rapporter mes vêtements?

Mac marmonna quelque chose d'inintelligible.

– Nous pourrions passer par là en revenant à bord, continua Harriet. Si on ne récupère pas ma valise, quelqu'un pourrait la voler. Mais je ne me souviens pas de l'endroit exact où je l'ai laissée.

– Il vaut mieux que Jake s'en occupe, dit Mac en regardant à quelque distance avec l'air d'un artiste contemplant une perspective.

Harriet ne le trouvait pas très causant, mais ils s'entendaient plutôt bien. Ni l'un ni l'autre n'avait l'habitude d'attendre beaucoup d'autrui.

La belle journée de printemps touchait à sa fin, et il commençait à faire frais. Tandis que leur embarcation rebondissait sur les vaguelettes du port en direction du *Fidèle Sheila,* les courses et la lessive propre et sèche dans des sacs à leurs pieds, Harriet frissonna. La perspective de la petite cabine était rassurante, c'était un havre protecteur contre les orages et les nouvelles expériences. Elle avait un peu mal à la tête. La présence de Mac et celle, imminente, de Jake et Lewis lui pesait. Elle n'était pas habituée à la compagnie constante d'autres personnes, et cela l'épuisait. La solitude lui était familière depuis si longtemps qu'elle ne s'était pas rendu compte de son importance pour elle.

– Vous ne trouvez pas difficile d'être toujours avec d'autres gens sur un si petit bateau?

Mac grogna. Ses petits yeux restèrent fixés au large, sa barbe ondulant dans le vent.

– Je suis avec Jake depuis très longtemps. J'y suis habitué.

Le fait qu'il n'ait pas fait mention de Lewis n'était pas sans signification. Le jeune Américain bien propre avait-il fait des remarques à l'Ecossais négligé, ou bien était-ce plus profond, comme un préjugé de marin?

La mer était agitée de vagues courtes. Le dinghy dansait beaucoup au pied de l'échelle, mais cette fois, Harriet savait ce qu'il fallait faire et elle y réussit assez bien. Lewis lui tendit la main, puis prit les sacs que Mac lui passait. Elle descendit dans la cabine. Jake, assis à la table, écrivait au crayon sur un grand bloc de papier. Il a une écriture très régulière, remarqua Harriet, avec des verticales bien affirmées.

– Jake, tu as oublié ma valise?

– Hummm... Demain. Ne t'en fais pas.

– Mais si, je m'en fais! J'y ai toutes mes affaires, et j'en ai besoin. Quelqu'un pourrait les voler.

Comme il ne levait pas les yeux, elle prit la bouilloire et la remplit, faisant venir l'eau au robinet grâce à une pompe à pied, tâche qui nécessitait une certaine habitude.

– Jake! cria-t-elle presque pour le forcer à la regarder.

– Je suis désolé, Harriet, dit-il en posant son crayon et en levant les yeux vers elle. Je voulais te le dire, mais j'hésitais à te bouleverser. Quand j'y suis allé ce matin, la valise n'y était plus. Quelqu'un l'a prise. Ça n'a pas d'importance. Tu n'aurais de toute façon pas eu l'usage de tes affaires sur un yacht. Tu as tous tes papiers.

– Mais c'est impossible! Elle n'a pas pu disparaître si vite. Et si c'est le cas, nous devons alerter la police.

– Pas en Amérique, Harriet, répondit-il en retournant à son travail. Si tu ne veux pas qu'on te vole tes affaires, tu n'as qu'à pas les laisser traîner.

La rage qui l'envahit fut si soudaine et si violente que même elle en fut surprise. Elle regarda la tête baissée de Jake.

– Espèce de salaud! Tu le savais, hier soir. Tu m'as fait laisser ma valise en sachant que je ne la retrouverais pas. Et comment est-ce que je vais circuler dans Boston sans vêtements? On ne me laissera entrer dans aucun musée avec cette allure de clocharde!

Elle montra son jean taché, mais Jake ne la regardait pas. Cela lui rappela quelque chose. Elle l'avait déjà vu fuir de cette façon quand il se sentait coupable – bien plus coupable qu'il ne voulait l'admettre, elle en était sûre. La veste de Jake était accrochée près de la porte coulissante menant à l'avant et au cabinet de toilette. Elle s'en approcha d'un pas décidé et en fouilla les poches sans hésiter.

– Qu'est-ce que tu fais?

Elle se retourna, brandissant l'argent, une petite liasse de billets qu'il s'était procurés Dieu sait comment, étant donné son état de dénuement total de la veille. Mac ou Lewis auraient pu les lui donner, mais elle en doutait.

– Tu as vendu mes affaires, dit-elle dans un souffle que la rage faisait trembler. Tu as tout pris : d'abord mon argent, et maintenant ça! J'ai envie de te tuer, Jake, parce qu'en plus, tu n'as aucun remords. Tu es le plus horrible...

Elle ponctua son discours de coups, mais Jake, qui l'écoutait enfin, lui saisit les poignets. Elle n'arriva pas à se libérer, mais réussit presque à lui mordre le bras quand il fut à portée de sa bouche.

– Calme-toi, tu veux! C'est pas du tout ça! Pourquoi ne veux-tu pas m'écouter?

Mac, qui descendait l'échelle, observa la scène et dit sèchement :

– Tu as encore mis la dame en colère, Jake?

– Elle s'imagine que j'ai vendu ses vêtements.

– Ah oui? dit Mac avec un vague sourire.

– Je savais bien que ça ne lui plairait pas, Jake, dit Lewis en arrivant.

– Il y en a au moins un ici qui a quelque sens de ce que doivent être des relations humaines décentes, cria Harriet en tentant de donner un coup de pied à Jake.

– Tu vas arrêter? Reprends-toi, Harriet. On avait besoin d'argent, et on n'avait que ta valise à mettre au clou. Tu la retrouveras quand je serai payé. De toute façon, tu n'avais pas besoin de ces vêtements – et il n'est pas question que tu te balades dans Boston, on a bien trop de travail à bord.

Harriet, qui se fatiguait, s'affaissa un peu.

– Je veux voir la ville, dit-elle les larmes aux yeux.

– Bon, je suis certain qu'on pourra organiser quelque chose, dit Jake pour la calmer. Tu vas te tenir tranquille, si je te lâche?

– Oui, dit faiblement Harriet.

Il la lâcha. Elle attendit qu'il soit certain qu'elle ne réagirait pas et lui donna une grande claque sur l'oreille.

– C'est tout ce que tu mérites, salaud, cria-t-elle en filant de l'autre côté de la table.

– Sorcière! hurla-t-il en se frottant l'oreille. Elle serait capable de me couper la gorge!

– C'est ce qui arrivera si tu ne me rembourses pas.

– Bon, ça va, on arrête là, dit Lewis en s'interposant.

– Et depuis quand un simple marin donne-t-il des ordres? demanda Mac. Tu prends bien des libertés, mon gars.

– Bon, ça suffit, dit Jake. On est tous sur la même galère, y compris toi, Harriet, et c'est moi qui donne les ordres! Je ne tolérerai plus d'écarts. On a chacun sa place dans l'équipage, et on la garde. Harriet, prépare le dîner!

– Tu n'es qu'un affreux pirate ! Et si je n'obéis pas, tu me jettes aux requins ?

– Bien sûr que non. Il suffira de te laisser à terre. Mais si tu fais ce qu'on te dit, tu t'amuseras bien et tu auras tout ton argent. Alors pourquoi ne pas te calmer et préparer le dîner ?

Elle le regarda d'un œil torve, les cheveux en bataille, puis elle se redressa d'un air crâne et partit éplucher les pommes de terre.

6

Au matin, une brise fraîche faisait danser les bateaux dans le port sous un soleil souriant. Des vaguelettes se faisaient écrêter par le vent avant de claquer contre les coques comme la joue de vilains enfants rencontrant la main de leur père. Harriet sortit par l'écoutille une tête ensommeillée et ne put s'empêcher de se sentir heureuse. Pourquoi irait-elle traîner dans les musées de Boston alors qu'elle avait à regarder le monde si nouveau et si délicieux qu'on lui proposait ? Elle ne put pourtant pas sourire à Jake quand il lui entoura la taille de son bras.

– Et si je m'excusais ?

– Tout ce que tu veux, c'est ton petit déjeuner.

– C'est vrai. Il faut qu'on parte. Derekson va venir ce matin, et je veux qu'on soit en mer.

– On va vraiment partir ? demanda Harriet que cette nouvelle empêcha de feindre plus longtemps l'indifférence. Je veux dire... Est-ce que ce n'est pas affreusement dangereux ? Le vent a l'air de souffler fort.

Jake partit d'un fou rire et ne put s'arrêter. Il semblait la trouver incroyablement drôle. Elle leva les yeux vers ses dents blanches acérées et le trouva redoutable, tellement à l'aise dans sa sauvagerie ! Il serait capable de n'importe quoi si ça l'arrangeait.

– Va préparer le déjeuner, chérie. Il faut qu'on y aille.

Il la fit avancer d'une tape sur les fesses, et elle ne put retenir un élan vers lui. C'était si agréable d'être traitée comme une des leurs. Ce n'était qu'à ces moments-là, quand cette petite corde vibrait en elle, qu'elle savait que cela lui avait manqué, peut-être depuis toujours.

Elle donna à Jake du pain frit, qu'il adorait, mais que Lewis trouvait barbare. Lewis était fanatique des nourritures saines, il étalait des graisses végétales sur du pain complet et buvait un café décaféiné infect. A l'autre bout de l'éventail, on trouvait Mac, sucre blanc et pain tartiné d'un centimètre de beurre, méprisant ouvertement ce qu'il considérait comme les habitudes de femmelette de Lewis.

– Tu mourras un jour, comme nous, dit-il en prenant de généreuses bouchées. Tu vivras pas plus vieux, et t'en auras moins profité.

– Il n'y a rien de mal à mener une vie saine, protesta Lewis.

– Je te remercie de m'épargner tes leçons, rétorqua Mac. Et pour qui tu te prends, avec ton petit sourire prétentieux, à parler de graisses animales dès que je demande des côtes de porc ? Qu'est-ce qui dit que ce que tu bouffes est plus sain, hein ?

Harriet regarda le corps élancé et musclé de Lewis, puis la poitrine étroite et les bras fluets de Mac et cacha un sourire. Lewis fut assez stupide pour répondre et se lança dans une terrifiante description des artères de Mac qui s'engorgeaient, de son foie qui verdissait...

– Tu devrais en prendre de la graine, Harriet. Tu es beaucoup trop forte.

Elle rougit jusqu'aux oreilles et sa main, qui allait porter à sa bouche un sandwich au bacon, se figea.

– J'ai essayé de maigrir..., dit-elle pour s'excuser.

– Laisse la gamine tranquille, c'est une belle fille bien bâtie, annonça Mac.

Harriet était déchirée par son désir de les apaiser tous les deux, ce qui supposait qu'elle mange *et* qu'elle ne mange pas son sandwich. Ils la regardaient. Elle ouvrit le sandwich, en retira le bacon et mangea ce qui restait.

Jake avait écouté d'une oreille tout en étudiant une carte.

– Tu m'amuses, Harriet ! dit-il avec un petit rire. Bien. On y va. Attache tout ce qui bouge, Harriet, s'il te plaît. Ce n'est pas un ordre en l'air. Tu auras vite fait de comprendre. Tu verras un peu si je descends et que je trouve des haricots partout.

– Les haricots, c'est plein de fibres ! dit gravement Lewis, qui ne comprit pas pourquoi Jake et Harriet éclataient de rire.

Ils quittèrent le port au moteur. Son ronronnement rassura Harriet, mais avant même qu'elle s'habitue au mouvement du bateau, qui se mit à tanguer dès qu'ils sortirent du port, Jake ordonna qu'on coupe le moteur. Elle entendit qu'on marchait au-dessus de sa tête, et le *Fidèle Sheila* gîta dangereusement. Tout le nouveau petit monde bien en ordre de Harriet s'écroula autour d'elle. Une porte de placard s'ouvrit, la frappant à la tête, et des boîtes de conserve tombèrent en cascade sur le sol.

Un paquet de lessive éjecté de sa place dissémina sa poudre, comme du sable blanc, dans les interstices du revêtement de sol en caoutchouc. De la cabine, qu'elle avait oubliée, lui parvinrent d'horribles bruits de casse. La tête de Jake apparut en haut de l'escalier.

– Qu'est-ce que je t'avais dit, Harriet ?

– Tu ne m'avais pas dit que tu allais renverser le monde cul par-dessus tête !

Elle s'accrocha à la table. Quelques minutes plus tôt, elle maudissait encore son rebord en caoutchouc, qui gênait le nettoyage, mais maintenant, elle en comprenait l'utilité.

– Quand est-ce que ça s'arrête ? demanda-t-elle.

– Ça ne s'arrête pas. Range et monte sur le pont, ça va te plaire.

Il disparut et Harriet se passa la main dans les cheveux. Comment allait-elle remettre de l'ordre dans ce chantier alors que rien n'était immobile ni horizontal ? C'était comme pendant un tour en train fantôme, à la foire, quand on ne pense plus qu'à une chose : ça ne tardera pas à s'arrêter. Mais à en croire Jake, ça n'était pas près de s'arrêter.

– C'est sa faute ! marmonna-t-elle.

Alors qu'elle pourchassait des boîtes de conserve par terre, son déjeuner se rappela à elle dans son estomac, et avec de plus en plus d'insistance. Elle aurait bien voulu aussi que le bruit s'arrête : les cris sur le pont, l'éclaboussement de l'eau, les gémissements qu'elle imaginait provenir des poulies et des cordages, bien qu'elle fût la seule à gémir vraiment. Il était évident qu'elle ne pouvait rester en bas. Elle monta en trombe l'escalier, trébucha sur Mac et s'effondra sur le garde-corps. L'eau, très loin en contrebas un instant plus tôt, se trouva soudain très commodément à quelques centimètres de son nez.

– Donne une bouée de sauvetage à Harriet, cria Jake.

– Je ne veux pas de bouée de sauvetage, je veux mourir, grogna-t-elle.

– Inspirez profondément, conseilla Lewis en l'écartant du garde-corps pour lui passer une ceinture. Pensez au poids que vous allez perdre, Harriet !

Quand elle se fut depuis longtemps délestée par-dessus bord de tout ce qui lui restait dans l'estomac, Harriet rampa jusqu'au poste de navigation et se recroquevilla derrière Jake. Il était à la barre, les jambes écartées pour contrôler le roulis, totalement absorbé par la surveillance du compas et des voiles. Soudain, sans raison apparente, la poupe du voilier chassa violemment. La bôme changea de côté, les voiles craquèrent et Mac et Lewis, sur le pont avant, se jetèrent à plat ventre. Mais personne, hormis Harriet, ne sembla s'émouvoir outre mesure.

– Je t'avais prévenu que c'était une saloperie, cria Lewis en manœuvrant l'écoute de la grand-voile.
– Ouais. Soit le lest est mal réparti, mais j'en doute, soit on prend de l'eau. Il a fait ça, la première fois que tu l'as sorti?
Mac se glissa dans le poste de navigation, sa carrure chétive apparemment taillée pour l'étroitesse des lieux.
– C'était pas à ce point, Jake. On s'inquiétait surtout qu'il puisse pas supporter le vent debout.
– C'est une voie d'eau, probablement assez haut, une installation qui n'est submergée qu'à cet angle de gîte. On va virer de bord. Lewis, tu prends la barre pendant que je vais voir en dessous.
Quand il se retourna, il vit les yeux de Harriet, agrandis par la peur, dans son visage affolé.
– Qu'est-ce que tu as?
– Est-ce qu'on va couler? murmura-t-elle.
– Que tu es bête! C'est juste une petite voie d'eau. Tu n'as pas d'inquiétude à te faire tant que tu ne vois pas des trucs qui flottent hors de la cabine, et même dans ce cas, seulement si tu as oublié ton portefeuille en bas. Crois-moi, Harriet, on ne va pas couler! Et même si on coulait, on a la radio, le canot de sauvetage et des fusées de détresse. Il y aura bien deux gamins de dix ans dans une barque pour venir nous sauver. On n'est qu'à un ou deux milles de la côte. Regarde, c'est l'Amérique!
Il montra la terre, par-delà le garde-corps du yacht. Harriet, agrippée au siège pour ne pas tomber, tenta de sourire.
– Alors, on ne risque rien, admit-elle en tremblant.
– Absolument rien. Au fait, mets ton gilet de sauvetage.
Il disparut en bas, laissant Harriet troublée et presque en colère. On ne pouvait jamais se fier à Jake. Il ne disait jamais la vérité et elle doutait qu'il sût ce qu'était une vérité, mais les autres avaient confiance en lui. Pendant que Mac lui montrait comment mettre le gilet, elle demanda :
– Jake est-il un bon marin?
– En quelque sorte, répondit Mac avec ce qu'on pouvait prendre pour une ébauche de sourire. Par gros temps, il est probablement le meilleur, je dirais. Peut-être moins bon par temps calme – il se barbe, à moins qu'il y ait de l'argent à gagner. Et pour savoir ce qu'un rafiot dans ce genre a dans le ventre, personne ne lui arrive à la cheville.
– Alors, pourquoi n'a-t-il pas d'argent?
– Il retient jamais son argent plus d'une semaine, répondit Mac en haussant les épaules. Il a toujours un projet, ou un voyage à faire, ou une fille à impressionner. Comme maintenant : il faudra qu'il vous donne tout ce qu'il va gagner pour ce travail.

– Il me le doit, dit Harriet d'un ton menaçant. Il ne peut pas s'en sortir comme ça.

– Vraiment ?

Un rugissement leur parvint d'en bas, et en réponse, Mac descendit aider Jake. Avec Lewis à la barre, Harriet commença à se détendre. Le soleil brillait, la brise lui rafraîchissait le visage, la nettoyait jusqu'aux orteils, et son mal de mer cédait la place à une sorte d'indolence. Elle se demanda de quoi elle pouvait avoir l'air sans maquillage, les cheveux sales, un gilet de sauvetage accentuant son embonpoint. Elle devait essayer d'être à son avantage. Les hommes la considéraient à peine comme une femme, elle était simplement Harriet qui faisait la cuisine. Le vent lui faisait pleurer les yeux et elle avait envie d'aller aux toilettes. Elle descendit.

Jake était dans la cabine.

– N'utilise pas les toilettes, c'est là que ça fuit. La prise d'eau à la mer est mal réglée. J'avais bien dit à Derekson qu'on ne pouvait pas avoir la plomberie d'une villa sur un yacht de course, mais ce cher Walter, qui sait toujours tout mieux que personne, n'a pas mis de robinet. Un simple robinet aurait tout changé. Et maintenant, c'est la merde.

– Alors, qu'est-ce que je fais ? demanda Harriet en serrant les cuisses.

– Le seau, ma mignonne. T'en fais pas, on regarde pas. Je parie que t'as un joli derrière rose, de quoi bien remplir les deux mains !

– Tu le sais bien, tu l'as peloté, rétorqua Harriet. Est-ce que je dois comprendre que tu veux quelque chose, Jake ?

– Pas vraiment, dit-il d'un air surpris. Mais du café et des sandwiches ne seraient pas de refus.

Elle grogna et mit la bouilloire à chauffer, la regardant avec terreur rester droite sur le feu, en dépit de l'angle fou adopté par le bateau. Comment allait-elle tenir en équilibre sur le seau dans de telles conditions ? Pour les hommes ça allait, il leur suffisait de défaire leur braguette et de pisser par-dessus bord ; et de toute façon, ils avaient une attitude toute différente vis-à-vis de ces choses. C'était de la pruderie d'être gênée, elle le savait, mais l'idée de parader dans le bateau avec son seau pour aller le vider dans la mer l'emplissait d'horreur. Quelqu'un ne manquerait pas de faire une plaisanterie douteuse. Jake, sûrement.

Il fallut bien qu'elle s'exécute. Pendant qu'ils mangeaient leurs sandwiches, elle se retira dans la cabine avec son seau. Quand elle ressortit avec, titubant pour lutter contre les mouvements du bateau, Jake la mit en garde :

– Tiens-le bien, Harriet, sinon il va t'échapper.

– Ta gueule ! cria-t-elle avec une véhémence inutile.

Comme il l'avait prédit, la mer lui arracha le seau des mains et elle le vit s'éloigner au sommet d'une vague.

– Bravo, Harriet, dit Jake.

Elle s'assit avec eux et tenta de manger un sandwich, mais il refusa de descendre. Le ciel s'assombrissait et la matinée lumineuse laissait place à un après-midi froid et maussade. Les mouvements du bateau se faisaient de plus en plus irréguliers. Il semblait frissonner à chaque impact de vague.

– On va prendre un ris, dit Jake. Je n'aime pas du tout ce gréement. C'est n'importe quoi. Derekson a intérêt à commander une nouvelle trinquette, pour commencer.

– La coque est bien trop étroite, enragea Mac, c'est le défaut de base.

– Et ça, justement, on ne peut pas le changer. Mais je m'inquiète surtout de la façon dont la coque a été construite. Il va falloir qu'on la pousse quand la voie d'eau sera réparée, pour voir ce qu'elle supporte.

– C'est ce jour-là que je visiterai Boston, dit Harriet avec fermeté.

– Bien sûr, bien sûr. On est d'accord. Bon, les gars, prêts?

Le *Fidèle Sheila* cabriola jusqu'au port comme un cheval sauvage, fuyant le vent et refusant parfois tout net de garder l'arrière dans l'eau. De temps à autre, une vague passait par-dessus le cockpit, et lançait une eau verte dans la cabine avant qu'ils aient eu le temps de fermer les écoutilles. Recroquevillée dans le poste de pilotage, Harriet, terrifiée et misérable, regardait l'avant du *Sheila* poussé d'un côté et de l'autre, totalement immergé par moments. L'eau vint lécher les bottes qu'on lui avait prêtées, mais le bateau finit par ressurgir des flots, et l'eau s'écoula du cockpit. Elle commençait à comprendre que les défauts dont Jake se moquait n'étaient pas dangereux en eux-mêmes : le bateau ne répondait pas aux normes rigoureuses qui étaient les siennes, c'était tout. Il voulait qu'il gagne des courses; elle ne lui aurait demandé que de rester sur l'eau et de garder plus ou moins le cap.

C'est en épongeant la cabine que tout à coup elle se fit pitié. Ce n'étaient pas les vacances qu'elle avait imaginées. Mais il ne servait jamais à rien de s'accrocher à ce qui aurait dû se passer, et encore moins d'envier la vie des autres. Elle pensa à Sheila Derekson, avec ce bateau risible qui portait son nom, son penchant pour la boisson et son lifting raté. Si Harriet voulait que les choses soient différentes, elle devait faire ce qu'il fallait pour ça. C'était ce type de philosophie qui lui avait fait entreprendre cette croisière. Et voilà! Au moins les choses étaient-elles vraiment différentes.

Ils n'avaient pas plus tôt jeté l'ancre qu'un hors-bord quitta le quai et fila vers eux.

– C'est Derekson, annonça Lewis.

Les trois hommes se regardèrent.

– Laissez-moi lui parler, dit Jake. Va dans la cabine, Harriet.

– Non.

– Comment ça, non? dit-il avec surprise. Fais ce qu'on te dit!

– Je ne me cacherai pas comme quelque chose dont tu as honte. Je suis membre de l'équipage, c'est toi qui l'as dit. Je travaille. Je ne suis pas une poule.

– Elle a raison, Jake, dit Mac. Personne peut prendre Harriet pour une fille à marins. C'est pas comme si on organisait des orgies à bord. Il s'en rendra bien compte.

– Ouais, bon, dit Jake après une seconde de réflexion. C'est sans doute sans importance. Et puis j'ai d'autres soucis pour le moment. Hisse ce con à bord, Lewis, tu veux bien?

Derekson était venu avec Walter. Les deux hommes grimpèrent l'échelle pendant que le conducteur du hors-bord, avec sa casquette blanche, restait sur son embarcation. Ils portaient tous les deux des tenues de yachtmen très distinguées, jolies chaussures blanches, casquettes à visière, pantalons au pli impeccable et pulls rayés qui n'avaient rien à voir avec les pantalons et les pulls tachés de Jake et de ses hommes. Un petit crachin s'était mis à tomber; ils descendirent tous.

– Je pense que vous vous souvenez de Harriet. Elle nous fait la cuisine, dit Jake pour prendre le taureau par les cornes.

Derekson regarda Harriet fixement. Elle s'essuya les mains le long de son pantalon et fit un petit sourire, consciente de son horrible apparence.

– Je suis ravie de le faire, mentit-elle.

– Je ne me souviens pas de vous avoir entendue dire que vous souhaitiez naviguer sur le bateau. Je pensais que vous aviez d'autres projets, mademoiselle Wyman, dit Derekson d'un ton glacial.

– En effet, intervint Jake, mais je l'ai convaincue d'attendre. Elle nous a fait un repas et nous avons tous été si impressionnés que nous l'avons suppliée de rester. Je prends ses gages à ma charge, naturellement.

– Vraiment? s'étonna Derekson. Il ne s'agit pas d'argent, Jake, mais de priorités. C'est un bateau de haute mer. Si vous vous souvenez bien de notre dernière conversation, vous avez refusé que Walter ou moi nous joignions à vous, alors que nous sommes tous deux des marins avertis. Si vous poussez le bateau comme vous le devriez, Harriet sera très malheureuse à bord du *Fidèle Sheila*. Et si vous ne le poussez pas, c'est moi qui serai mécontent. Je crois que nous nous comprenons, Jake.

Jake regarda Derekson un moment, puis baissa les yeux. Ce n'était pourtant pas un signe de soumission.

– Je crois que vous pouvez compter sur moi pour savoir ce qu'il y a de mieux pour ce bateau, dit-il d'un ton ferme. Harriet et moi avons décidé qu'elle resterait à terre les jours où le temps sera tel qu'elle risquerait de souffrir de la sortie. Elle s'avère un membre d'équipage très compétent, et nous en sommes très satisfaits.

Elle se sentit rougir des orteils à la racine de ses pauvres cheveux emmêlés. Comme pour fournir une preuve visuelle de cette description de la vie à bord, elle alla remplir la bouilloire et fit du café pour tout le monde.

– Je vois, dit Derekson d'une voix neutre.

Rien ne laissait deviner s'il avait été convaincu.

– Que veut dire Lewis avec cette voie d'eau? demanda Walter que cet échange avait laissé indifférent. Y a-t-il vraiment une voie d'eau? Est-ce grave?

– Tout dépend de ce qu'on pense des robinets, dit Jake. J'ai besoin d'un plombier pour une matinée, c'est tout. Envoyez-en un, Angus, s'il vous plaît. J'ai établi la liste de ce que nous devons faire, certains points sont plus urgents que d'autres. Pour commencer, on a besoin de nouvelles voiles.

Les hommes se penchèrent sur la table, entourant Jake. Harriet n'arrivait pas à analyser le soulagement qu'elle ressentait du fait qu'on l'autorisait à rester dans cet endroit où jusque-là elle avait cru ne pas vouloir rester.

La discussion adoucit Derekson. La façon dont Jake avait immédiatement et sans hésitation mis le doigt sur les problèmes du *Fidèle Sheila* le rassurait, alors qu'avant il n'y avait eu que questions et doutes. Le bateau avait été conçu dans l'enthousiasme, mais presque dès le départ il y avait eu des problèmes, des discussions, des erreurs. On n'avait pas compris que, pour les bateaux, comme pour la plupart des choses, on doit accepter des compromis, et on n'aurait de toute façon pas su comment les faire. Fallait-il sacrifier la navigabilité à la vitesse, la stabilité à la sensibilité? Si on avait choisi la meilleure quille et le meilleur mât, pourquoi ne jouaient-ils pas leur rôle une fois réunis? Si un expert dessinait l'épure d'une coque et qu'un autre, d'aussi grande réputation, la jugeait mauvaise, qui devait-on croire? Les problèmes s'étaient accumulés jusqu'à ce que Derekson ne tire plus aucun plaisir de ce bateau. Il en était même arrivé au point où son estomac se serrait quand il y pensait le matin au réveil. Mais il avait vraiment fallu qu'il touche le fond du désespoir pour s'adresser à Jake Jakes. Tout le monde savait que Jake n'avait terminé aucun travail depuis au moins deux ans : il s'en désintéressait, il se disputait avec le propriétaire, il partait pour se lancer dans on ne savait quel autre projet fantastique. Derekson savait qu'il devrait le tenir serré, et il savait aussi que Jake n'était pas un homme qu'on pouvait contraindre impunément. Leurs relations étaient très inconfortables.

Le problème de Harriet travaillait Angus. Il sentait qu'elle leur causerait des ennuis, mais à la voir aussi pitoyable et dépourvue d'attrait, il trouva cette idée ridicule. Il n'aimait pas les femmes qui ne prenaient pas soin d'elles.

– Si vous avez besoin de vous rafraîchir, dit-il tout à coup, vous pouvez aller au club du port. J'y ai pris des arrangements pour l'équipage.

– Merci, c'est très gentil. J'ai grande envie d'un bain, dit Harriet qui avait fort bien analysé le regard méprisant qu'il posait sur elle.

Derekson était si incroyablement propre, et elle si manifestement sale... C'était très mauvais pour sa confiance en elle.

7

Si on pouvait mettre des tresses dorées à un immeuble, se disait Harriet, ce serait au club de Derekson. Jamais elle n'avait vu d'endroit suer à ce point l'argent, de l'extérieur, blanc avec ses marches en marbre, jusqu'au vaste hall lambrissé de chêne cérusé. Misérable et sale, elle suivit Jake comme un chien des rues qui se serait égaré dans un palace.

– Je suis le skipper du *Fidèle Sheila*, annonça Jake au type en uniforme qui vint à leur rencontre. Mon nom est Jakes.

Tout à coup, des têtes apparurent dans l'embrasure des portes, les yeux écarquillés, mais Jake sembla ne pas les voir.

– Viens, Harriet, dit-il en s'engageant dans l'escalier. On va se faire tout beaux.

Alors qu'ils montaient, ils croisèrent deux élégantes. Harriet se fit toute petite et murmura à Jake :

– J'ai affreusement honte. J'ai l'air d'une clocharde !

– Mais non ! s'insurgea Jake. Nous avons l'air de gens qui naviguent vraiment, pas de plaisanciers snobinards. Détends-toi, sinon ils croiront que tu sors d'un ouragan. Si quelqu'un te pose des questions, dis que la brise a fraîchi, mais que tu ne t'en es pas inquiétée avant que le cockpit se remplisse d'eau, noyant ton poulet cocotte. Après, plains-toi de la taille des tuyaux qui évacuent l'eau du cockpit.

– Escroc !

– Poule mouillée !

Il ferma la porte de la chambre derrière eux et alla inspecter les lieux.

– Tu prends un bain, et je prendrai une douche, ça nous fera gagner du temps.

– Mais... tu me verras !

– Seulement quand je serai hors de la douche, et je promets de ne pas regarder. Ne sois pas si pudique, Harriet!

Il alla ouvrir le robinet de la douche et entreprit de se déshabiller. Harriet le regardait avec horreur, et quand il la vit, il s'arrêta juste avant de retirer son slip. Elle pouvait le voir, *lui.* Il éclata de rire.

– J'oublie toujours comme tu es innocente, chérie. Et où as-tu passé ces dix dernières années, dans un couvent?

– Je m'occupais de ma mère, bredouilla Harriet.

Elle en avait le vertige. Elle pouvait le sentir, chaud et vivant, avec une odeur de sueur et de sel, et quelque chose d'autre, d'indéfinissable. Il avait les jambes fortes et bien musclées, et des poils à profusion à la jonction avec le torse.

Il s'approcha d'elle.

– Tu n'as jamais vu un homme nu, c'est ça?

Elle secoua la tête. Ses cheveux sales caressèrent l'épaule hâlée de Jake.

– Tu veux que je te dise, Harriet? demanda-t-il en l'enlaçant.

– Quoi? dit-elle toujours consciente de la chaleur qu'il dégageait.

– Je trouve les vierges très excitantes.

Elle leva la tête et vit ses yeux, clairs comme de l'eau. Il l'attira contre lui. Ses seins, gonflés et tendus, rencontrèrent la poitrine de Jake.

– Tu me trouves grosse, dit-elle d'un ton grognon.

– J'ai dit ça? Tu as de si jolies fesses, Harriet, je m'en occuperais bien.

Il les prit dans ses mains et elle le sentit contre elle. Pendant une seconde ce fut délicieux. Il appuyait à un endroit qui avait infiniment besoin qu'on le touche. Elle gémit. D'un seul coup, il lui retira son pull et sortit un de ses seins de son soutien-gorge pour y coller les lèvres. Elle ferma les yeux tant ce qu'elle ressentait risquait de lui faire perdre l'équilibre. Quant il devint trop brutal, elle rouvrit les yeux, regarda cet homme qui la tétait et le repoussa violemment.

– Arrête! C'est révoltant.

– Ne sois pas stupide, Harriet, dit-il en tentant de la retenir.

Elle vit une excroissance horrible, dégoûtante, qui enflait le slip de Jake. Rien de cette taille ne pouvait être normal, se dit-elle, il devait être malformé.

– Ne t'approche pas de moi!

Elle couvrit de ses mains son sein humide et douloureux, qui ne semblait plus faire partie de son corps. Jake restait planté là, jambes écartées, les mains à nouveau sur ses fesses.

– Allons, Harriet, laisse-moi...

– Non!

Elle se détourna et se recroquevilla par terre. Il continua à la caresser. Elle se disait qu'elle devrait l'arrêter, mais elle ne pouvait s'y résoudre. Il ne chercha pas à la convaincre et se contenta de lui prendre la main et de la guider jusqu'à ce qu'il gémisse de plaisir.

– Tu es un horrible pervers, murmura-t-elle.

– Frustré serait plus exact. Je suis désolé, Harriet. Je ne voulais pas en arriver là.

– Tu ne m'as conduite ici que pour ça, dit Harriet dont les yeux s'emplissaient de larmes. Tu me trouves grosse et laide, mais tu voulais une femme, et il n'y en avait pas d'autre de disponible. Tu n'as même pas... tu ne t'es même pas donné la peine...

Elle n'était pas très sûre de ce qu'il n'avait pas fait et qu'elle aurait souhaité qu'il fît, mais elle se sentait tout à fait abandonnée.

Jake s'effondra dans un fauteuil et se passa la main sur le front.

– Prends les choses du bon côté : au moins tu n'as pas perdu ta virginité avec un salaud de mon espèce. Et je n'avais rien prévu. C'est de penser à ta poitrine dans le bain qui a tout déclenché. Quoi que tu en dises, tu as une fantastique paire de seins. Tu devrais les montrer un peu plus.

Elle se lavait frénétiquement les mains au lavabo.

– Je ne veux plus jamais que tu me regardes. N'essaie plus jamais ça, et ne m'en parle plus jamais. Tu n'as aucun droit de te servir de moi.

– Chérie, dit-il en secouant la tête d'un air presque blessé, ne prends pas ça de cette façon. Ce n'est pas vrai. Tout ça n'est pas si grave, après tout.

– Pour moi, si. Sors, Jake. Je veux prendre un bain.

Ils restèrent silencieux par la suite, Jake incapable de dissimuler sa satisfaction paresseuse, Harriet ruminant sa rage. Il s'en rendit compte et l'emmena boire un verre au bar, saluant des connaissances çà et là. Mais il évita d'engager la conversation et se concentra sur Harriet.

– Bois ton « Martini », tu te sentiras mieux.

Elle écarta ses cheveux de ses yeux. Ils avaient poussé, et sa coupe n'en était plus une, si bien que sans séchage approprié, ils avaient bouclé doucement autour de sa tête.

– Cette fois, tu m'as vraiment mise en colère, dit-elle froidement.

– Je sais. J'ai eu tort, et je le sais. Ce n'étaient pas des façons. Ecoute, on va aller t'acheter d'autres vêtements, juste quelques trucs pour retrouver une allure plus soignée. Je voudrais t'en offrir plus, mais... je n'ai pas d'argent, Harriet, je te le jure.

Elle se demanda si elle se laisserait fléchir ou pas. Quand il lui parlait ainsi, elle le trouvait instinctivement sympathique, mais Jake savait comment charmer les gens. Il pouvait très bien mentir et cacher des paquets de billets de banque quelque part. Pourtant, elle ne le pensait pas. Elle commençait à saisir un de ses traits de caractère permanents : il ne pouvait garder d'argent, et s'il ne lui achetait pas de vêtements maintenant alors qu'il en avait un peu, demain il serait trop tard : ses poches seraient vides.

Elle regarda les quelques femmes présentes. Assises devant les fenêtres, face à la mer, elles portaient des couleurs printanières, du bleu clair, du jaune. Harriet savait très bien que jamais elle ne leur ressemblerait, que jamais elle ne serait aussi élégante, aussi subtilement maquillée, mais elle pouvait tout de même avoir l'air moins minable. Elle termina son « Martini ».

Elle ne s'attendait pas à aller acheter des vêtements chez un marchand de fournitures pour bateaux, mais Jake l'assura que c'était le lieu où trouver les meilleures tenues pour la vie à bord. Pendant qu'elle regardait les bottes et les pantalons imperméables, les pulls en laine rugueuse et les bonnets de tricot, elle dut admettre que c'était sans doute vrai. Comment avait-elle pu s'imaginer ressembler à ces femmes entrevues sur des yachts, en pantalon blanc et chemisier bien repassé?

– C'est pour les gens qui ne naviguent pas vraiment, avait dit Jake d'un ton méprisant quand elle lui en avait fait la remarque. Tu as besoin de choses pratiques. Regarde, voilà ce qu'il te faut! s'exclama-t-il en lui tendant une veste qui aurait pu tenir debout toute seule.

– Je croyais que tu voulais que je montre... ma poitrine.

– Pas dans un vent de force 7. C'est exactement ce qu'il te faut. Essaie-la.

Elle était ample, et Harriet se trouva énorme. Jake dit qu'elle était faite pour qu'on puisse la porter sur un gros pull. Elle ne voulait pas mourir de froid, quand même? Il en avait porté une comme celle-là pendant une tempête au large d'Ouessant. Elle était chaude et bon marché, son prix ayant été réduit plusieurs fois, à voir l'étiquette, car aucune plaisancière, de toute évidence, n'avait eu follement envie de cette carapace pourtant taillée pour une femme. Comme toujours, d'autres forces vinrent balayer les vagues idées que Harriet se faisait de ce qu'elle voulait. Elle ressortit avec un choix de vêtements indubitablement chauds.

La bonne humeur de Jake s'évapora pendant qu'ils traversaient le port pour regagner le yacht : il avait reconnu le hors-bord, ancré à la poupe, et sur le pont il ne put manquer la casquette de Walter.

– Oh, Seigneur! Prépare-toi pour l'évangile selon le *Cutty Sark.*

– Le *Cutty Sark*? Qu'est-ce que c'est?

– Un bateau qui a battu des records. Grande voilure et équipage énorme pour le faire naviguer. Tout ce qu'aime Walter. Attends un peu, tu vas voir.

Walter fouinait autour du pont, observé dans un silence hostile par Lewis et Mac. Quand Jake apparut, ils s'approchèrent immédiatement de lui.

– Il veut une grand-voile plus grande.

– Il pense que le hauban a besoin d'être ajusté.

– Ah, tiens, vraiment? Bonjour, Walter, ravi de voir que vous êtes de revue. Fais chauffer la bouilloire, Harriet, on veut du café.

Elle se hérissa, mais personne ne lui prêta attention. Elle descendit et mit de l'eau à chauffer pendant que les hommes arpentaient le pont au-dessus de sa tête et faisaient semblant de discuter poliment. Quand ils descendirent enfin, Walter était tout rouge.

– De toute ma vie de marin, je n'ai jamais entendu parler d'un tel plan, dit-il avec véhémence en prenant sans un regard pour Harriet la tasse qu'elle lui tendait. Aucun bateau n'a un tel gréement.

– Derekson ne me paie pas pour copier les autres bateaux, dit Jake d'une voix étonnamment calme. Tout l'art de la navigation est d'adapter la forme des voiles au vent, pas d'alourdir le bateau au sommet et de compter qu'il foncera. Celui-ci aura une voilure telle qu'un équipage de course puisse la manœuvrer sans difficulté, et je peux vous assurer qu'il avancera.

– C'est pas le *Cutty Sark*, affirma Harriet.

– Harriet a tout à fait raison. Et il n'a pas non plus besoin d'un équipage de dix personnes.

– S'il y avait plus d'hommes, ce serait beaucoup plus efficace, dit Walter. J'ai dit à Angus combien il était ridicule d'essayer de le manœuvrer avec trois hommes seulement...

– Mais il n'y en aura pas que trois en course! Bon Dieu, est-ce que vous vous imaginez ce que ce serait d'essayer de l'étudier avec huit hommes à bord? Tels qu'on est, on peut voir ce dont on a besoin. J'admets qu'on a des sueurs froides quand on est à court d'hommes, et vous aurez eu raison s'il coule. Allons, Walter, on peut travailler ensemble! Vous avez beaucoup d'expérience, et quand on en sera un peu plus loin, on appréciera que vous sortiez avec nous un jour. Mais je veux qu'il soit clair que la décision m'appartient, d'accord?

Walter le regarda avec le mépris d'un vieil homme buté repoussant le rameau d'olivier qu'on lui tend.

– Je dois vous informer qu'Angus n'est pas du tout content

que vous naviguiez avec votre jolie fille à bord, dit-il nerveusement.

– Faut pas exagérer, dit Mac en riant.

Harriet sentit que son sang montait à ses joues et s'installait en deux ronds rouges sur son visage livide.

– Ne soyez pas grossiers, Harriet a des oreilles! protesta Lewis.

– Et elle a bien plus que ça, dit Jake sans éclaircir l'ambiguïté de son propos. Inutile de vous en faire, Walter, Harriet est ici pour travailler. Et même dans le cas contraire, je me réserve le droit, en tant que skipper de ce bateau, de faire les choses à ma façon. La présence de Harriet ne nuit pas au travail, et dans ces conditions, ni vous ni Angus n'avez rien à y redire. Bien! Je ne voudrais pas rater la marée, alors, au revoir!

Walter prit sa casquette et s'en fut d'un air offensé. Personne ne dit rien et tous entamèrent les préparatifs pour partir en mer. Seule dans la cabine, Harriet se demanda pourquoi Jake l'avait défendue. Elle repensa à la salle de bain du club et frissonna. Il avait été horrible. De toute sa vie, jamais elle n'avait imaginé que quiconque pouvait prendre ces choses avec tant de désinvolture. Dans l'obscurité du lit, elle pouvait imaginer des gens faisant des choses impensables, mais en plein jour... Elle en eut des tremblements. Et pourtant, elle savait qu'elle aurait pu l'arrêter, si elle l'avait voulu. Elle baissa la tête de honte, et rougit d'embarras quand Jake ouvrit la porte et cria :

– Sois gentille, Harriet, fais-nous des sandwiches!

Une semaine s'écoula, sept jours pendant lesquels le bateau longea la côte en tous sens, sept jours pendant lesquels Harriet trima sous le pont. Une fois, ils restèrent en mer toute la nuit, par un vent féroce, soufflant en rafales qui arrachaient presque le yacht hors de l'eau, puis le rabattaient d'un coup, à en donner la nausée. Harriet dormit peu, allongée sur une couchette trop étroite, avec un drap qui la recouvrait à peine. Le bruit des vagues se fracassant sur le pont ne cessait de la réveiller. Elle était au-delà du mal de mer, mais pas au-delà de la peur. Quand au matin elle se leva, elle ne trouva personne d'autre en bas et eut soudain peur qu'ils eussent abandonné le bateau en la laissant. Elle courut à l'escalier et ouvrit l'écoutille. Une vague en profita pour la gifler et dégouliner joyeusement en bas.

– Ferme, Harriet, cria Jake.

Ce qu'elle fit, mais en restant du mauvais côté, sur le pont. Le vent lui tira les cheveux. Le gris de la mer se fondait dans le gris du ciel, en un monde à mille lieues de la cabine humide qu'elle venait de quitter. Quand elle regarda par-dessus bord, elle eut l'impression que des milliers de vagues les poursuivaient.

– Contente d'avoir cette veste, hein, Harriet? dit Jake. Attache-toi, voilà, tu es une bonne fille. Lewis, tu es sûr que tu sais où on est? On aurait dû voir ce phare il y a une demi-heure.

Lewis, le visage fermé, disparut en bas pour tracer des traits sur les cartes en marmonnant.

– On est perdus? demanda Harriet en essayant de garder une voix détendue.

– Bien sûr que non! Voilà la mer, voilà le ciel, et par là, il doit y avoir un gros rocher qu'on préférerait ne pas rencontrer. Quand on verra la lumière, on saura...

– Droit devant, skipper, cria soudain Mac. Lumière droit devant.

Jake tourna violemment la barre et cria à Lewis de remonter sur le pont.

– T'as failli nous couler, navigateur à la manque!

Harriet se fit toute petite dans le cockpit, souhaitant ne pas être renvoyée en bas où, bien qu'on s'y sentît en sécurité, on pouvait se retrouver piégé si le bateau se mettait à couler. Elle avait les yeux au niveau des instructions pour le canot de sauvetage, mais elle ne les lisait pas assez bien pour les comprendre vraiment. Le vent l'assourdissait. Elle était sûre que rien ne pourrait plus les sauver maintenant, en dépit de toutes ces manivelles qu'on tournait et de tous ces virements de bord.

– Ce putain de cabestan s'est bloqué, cria Mac.

Harriet n'arrivait pas à comprendre pourquoi ils ne renonçaient pas et ne mettaient pas le canot à la mer. Les fusées de détresse étaient en bas, on n'y pouvait plus rien. C'était le moment d'envoyer un SOS à la radio. On pourrait encore les sauver. Jake jurait à propos du cabestan.

– Y a rien de bon sur ce rafiot. On fera changer les cabestans en rentrant. Derekson recevra la facture quand il sera trop tard pour discuter.

Comment pouvait-il penser à ce genre de chose à un moment pareil?

– Pourquoi est-ce qu'on n'abandonne pas le bateau? demanda-t-elle par simple besoin d'entendre une voix raisonnable.

Jake baissa les yeux vers elle. A sa grande surprise, il ne rit pas.

– Pauvre vieille Harriet. Ecoute, quand on rentrera, tu pourras prendre une journée de tourisme dans Boston. Ça te ferait plaisir, hein?

– On ne rentrera pas. Tu dis ça pour éviter que je devienne hystérique.

– Mais si, je le pense. On va se retrouver sans rien avoir à faire pendant les quelques jours de réparations. Va faire des sandwiches, chérie. Je te promets de te prévenir si on coule.

– Je ne descendrai pas. Je serais piégée.

– En tout cas, tu ne resteras pas là. Alors, ou bien tu descends, ou bien je te jette par-dessus bord. En bas, Harriet ! Tout de suite !

– Brute !

Elle descendit à contrecœur. En dépit de l'humidité et de la gîte que lui imposait le vent, le ventre du bateau lui sembla très rassurant, baigné dans une chaude lumière jaune. Elle eut envie de pleurer et s'absorba dans la confection des sandwiches.

Ils regagnaient le port quand Derekson les appela sur le radiotéléphone. Jake et lui parlèrent presque vingt minutes, et bien qu'elle ne pût entendre qu'une moitié de la conversation, Harriet eut l'impression que cela se passait mal. Derekson avait interrogé Jake à propos des cabestans, et Jake lui avait tout dit. Il semblait que Derekson les avait choisis lui-même. Ils reparlèrent des voiles et, à l'évidence, Walter avait fait son travail, convainquant Derekson qu'on allait bientôt lui demander de financer une idée totalement nouvelle et probablement désastreuse. Jake, frustré et furieux, réaffirma son opinion. Quand la conversation se termina enfin, il s'effondra sur la banquette.

– A quoi ça sert ? murmura-t-il. A quoi ça peut bien servir ?

– Il ne veut rien faire ? demanda Harriet.

– Je n'en sais rien. C'est possible. Dans six semaines, quand je serai aphone à force de répéter la même chose. Si j'avais de l'argent, je construirais un bateau de course... Et il faut que je perde ma vie à réparer les erreurs sur ce genre de rafiot. Je ne vois aucune raison de continuer.

– Six semaines, ce n'est pas si long, dit Harriet. Tu es toujours trop pressé. On ne peut pas lui demander de tout changer d'un coup. S'il voit qu'une ou deux de tes idées marchent, ensuite tout ira bien. Et si tu transformes ça en un bon voilier, tous les autres te laisseront faire ce que tu voudras sur leurs bateaux, non ?

– Je vois que maintenant, on a une autre autorité à bord, dit-il en la regardant. Pourquoi tu ne nous cuisinerais pas quelque chose ?

Il resta assis quelques minutes, sombre et de mauvaise humeur. Elle croyait qu'il pensait à Derekson, mais soudain il leva la tête.

– Qu'est-ce qu'on entend ?

– Rien de plus que d'habitude.

Mais il faisait déjà le tour de l'habitacle, dégrafant de grandes feuilles de plastique des murs pour pouvoir regarder la coque et y coller son oreille. Il finit par appeler Mac et Lewis pour qu'ils écoutent aussi.

– Délamination, dit-il d'une voix grave. Je le jurerais.

– On ne voit rien, dit Lewis. Je ne crois pas que M. Derekson te croira, Jake.

– Il a raison, approuva Mac.

Jake réfléchit de longues minutes. S'il rentrait maintenant et confiait ses soupçons à Derekson, il avait bien peu de chances d'être cru. S'il ne disait rien et mettait en route quelques-unes des modifications nécessaires, mineures mais onéreuses, l'argent serait fichu en l'air.

– Il faut que je le prouve, dit-il. Désolé, Harriet, pas de tourisme aujourd'hui. Le vent souffle en tempête, et avec un peu de chance, on aura quelques belles déchirures à montrer à Angus Derekson dans un jour ou deux.

– Mais je veux descendre! hurla Harriet. Je ne veux pas rester. Ce n'est pas juste, Jake!

– Tu peux prendre le dinghy, proposa-t-il. Je n'ai pas le choix.

– Si, tu l'as, dit-elle en jetant son torchon par terre. Tu l'as! Tu peux rentrer et dire à M. Derekson ce que tu soupçonnes, me laisser à terre et ressortir. Tu fais ta tête de mule, c'est tout. Tu es pire que le capitaine Bligh. On devrait voter.

– On ne vote pas sur un bateau. C'est le skipper qui décide. Bon sang, Harriet, tu pourras aller voir les musées n'importe quel autre jour. Ne sois pas si compliquée.

Il la poussa pour passer et gagner le pont. Mac et Lewis le suivirent, aucun n'osant croiser le regard furieux de la jeune femme. Elle se sentit trahie.

Le bateau n'avait pas emporté de provisions pour plusieurs jours en mer, et ils durent se rabattre sur du chocolat chaud fait avec du lait en poudre, des boîtes de thon et de la soupe aux haricots. Lors de ses rares apparitions sur le pont, habituellement pour apporter à manger, Harriet ne vit jamais aucun bateau au loin, juste l'étendue gris acier de la mer qui se soulevait autour d'eux. Ils avaient de trop grandes voiles qui faisaient souffrir le bateau, et la cabine ne tarda pas à devenir un capharnaüm, pleine de vêtements mouillés, d'assiettes sales et d'eau. Epuisée et souffrant de la tension musculaire nécessaire pour vivre penchée à un angle impossible, Harriet essayait vainement de mettre de l'ordre. Elle était trop fatiguée pour être en colère.

– Quand est-ce qu'on rentre? demanda-t-elle à Mac quand il descendit pour soigner un doigt entaillé.

– Quand le bateau commencera à tomber en miettes. T'énerve pas, ça agace Jake.

Il remonta. Une demi-heure plus tard, Jake descendit. Il fila droit sur les affaires de Harriet, rangées sur sa couchette, et les lança par terre. Comme il avait arrêté les pompes pour mieux entendre les bruits de la coque et que l'eau entrait dans la cabine, l'humidité s'étendait inexorablement, et il fallait éponger.

– Je veux rentrer, je veux rentrer, gémit Harriet.

– Pas encore, mon canard, dit Jake en remontant. Viens un peu en haut. On a vu un pétrolier il y a un moment qui nous a proposé de nous secourir. J'ai répondu qu'on s'entraînait pour l'America Cup.

– Je ne veux pas m'entraîner, marmonna Harriet. Je veux être secourue.

Jake laissa Harriet en bas. Soudain elle se rendit compte que ses vêtements trempaient dans un centimètre d'eau grasse. Quand elle s'approcha pour mieux voir, elle découvrit que même ses sous-vêtements étaient trempés.

Pendant un instant, elle crut s'étouffer de rage. Non seulement Jake lui avait volé son argent, l'avait fait travailler comme un galérien sur le bateau, lui avait fait faire des choses dégoûtantes, l'avait forcée à supporter des tempêtes, n'avait pas tenu sa promesse de la débarquer... mais il avait rendu ses petites culottes inutilisables. Cette fois, c'en était trop. Délibérément, presque religieusement, elle ouvrit le sac de marin qui contenait les vêtements secs de Jake, et le vida résolument par terre. Ses propres vêtements avaient épongé presque toute l'eau, si bien que ceux de Jake restèrent comparativement secs, situation à laquelle elle décida de remédier. Elle ouvrit une boîte de soupe et en versa consciencieusement le contenu sur les vêtements de Jake. De la soupe de légumes, lut-elle après coup avec satisfaction, bien indélébile.

Personne ne descendit voir. Elle était dans un tel état de rage qu'il lui vint l'idée d'enlever la bonde du bateau. Comme ça, ils remarqueraient son existence! Mais il n'y avait probablement pas de bonde dans ces engins à la pointe de la technique. Alors elle ouvrit les placards, l'un après l'autre, et regarda avec intérêt la vaisselle dégringoler par terre. Le bruit, comme mille plateaux de thé tombant d'un coup, l'emplissait de joie. Une boîte de poudre à laver s'envola avec élégance, laissant une pluie de grains bleu pâle dans sa trajectoire.

La tête de Lewis apparut en haut des marches.

– Vous êtes devenue folle! cria-t-il.

– Oui, répondit Harriet.

Elle lança une boîte de thon dans sa direction. Il l'évita et disparut, remplacé une seconde plus tard par Jake.

– Nom de Dieu de bordel de merde!

– Ne blasphème pas, dit Harriet en cherchant un projectile.

– Lance ça et ce sera la dernière chose que tu feras.

Elle visa soigneusement et lança un sac de tomates dans sa direction. Il explosa contre le mur.

– Mais qu'est-ce que tu fais ? hurla Jake. Tu veux qu'on te mette aux fers ?

– Tout ce que je veux, c'est rentrer, dit Harriet. Tout ce que je voulais, c'étaient des vacances. Tu avais promis que je pourrais aller visiter la ville. Tu as pris tous mes vêtements, et maintenant tu as bousillé ceux qui me restaient... Alors j'ai bousillé les tiens. Et j'ai mis le chantier dans ton sale bateau. Ça te plaît ?

Elle ouvrit une autre porte de placard, et fut elle-même stupéfaite quand une grosse bonbonne de gaz tomba sur le sol. Mac et Lewis arrivèrent, comme un chœur antique.

– Il va falloir la calmer, dit Lewis.

– Tu parles, on n'a que de l'aspirine, dit Mac.

– Retournez à la barre, dit Jake. Je m'occupe d'elle.

Il fit un pas menaçant en avant, et Harriet recula derrière la table. Soudain, le bateau se souleva violemment et sembla rester suspendu hors de l'eau. La gîte, à laquelle ils s'étaient tous presque habitués, sembla soudain si forte qu'elle ne pouvait être que dangereuse. Le bateau ne bougeait plus et, pendant un moment, terrifiant et interminable, ils attendirent qu'il se redresse. Puis, alors qu'il revenait en frémissant à la verticale, les trois hommes foncèrent jusqu'au pont. Lentement, avec le sentiment qu'elle était à l'origine d'un grand malheur, Harriet enfila son énorme veste et les suivit.

Elle découvrit une scène d'apocalypse. Cordages et voiles semblaient amassés partout, mais alors qu'elle essayait de comprendre, elle prit une vague dans la figure. Elle s'accrocha au côté du cockpit, toussant et crachant de l'eau salée, et vit qu'une voile pendait sur la filière, comme une main gigantesque qui retenait le bateau penché, tandis que la mer frappait et que la grand-voile battait. Jake lui saisit le bras et la tira jusqu'à la barre.

– Tiens-la comme ça ! Si tu la lâches, tu n'imagines pas les ennuis que tu vas avoir !

Harriet s'agrippa à la barre tandis que les hommes luttaient avec la voile. Elle ne pouvait la tenir immobile, et Jake le savait bien, mais du moins pouvait-elle garder à peu près le cap. Il lui sembla que des heures s'écoulaient. J'ai cassé un bateau, se disait Harriet. J'ai perdu la tête et j'ai cassé le bateau. Tout à coup, la barre s'agita dans ses mains, s'allégeant au fur et à mesure que la voile glissait par-dessus bord. Le bateau sembla se cabrer hors de l'eau dans son désir de continuer sa route.

– Il y a une foutue déchirure à l'avant, annonça Mac alors que Jake reprenait la barre.

– Merci, Harriet, dit Jake.

L'après-midi se fondait dans la nuit quand ils rentrèrent cahin-caha au port. Ils jetaient à peine l'ancre que le hors-bord de Derekson fendit l'écume pour les rejoindre. Harriet était assise, tremblante, dans la cabine. Tout était sa faute.

Derekson descendit une marche et regarda en bas.

– Quelle tempête! dit Jake d'un ton joyeux. On a perdu une voile, et un mât a cassé, mais ça valait le coup. On a ce qu'on cherchait : délamination.

– Vous avez délibérément brisé ce bateau, dit lentement Derekson. Walter a reçu ce matin d'un pétrolier un message disant que vous filiez toutes voiles dehors. C'était du vandalisme délibéré, et tout ça parce que je n'ai pas voulu accéder à vos idées farfelues.

– Je crois que nous avions conclu que si la coque...

– Je me moque de ce que nous avions conclu, répliqua Derekson. J'ai su qu'on aurait des ennuis à la minute où vous vous êtes acoquiné avec cette Marie-couche-toi-là. On s'est battu, dans ce bateau. Il y en a pour des centaines de dollars de dégâts.

– Disons cinquante, admit Jake, et je ne vois pas pourquoi on devrait mettre ça sur le dos de Harriet alors que...

– Pourquoi pas? intervint Mac. C'était elle...

– Quand je voudrai ton avis, je te le demanderai, coupa Jake.

– Je veux qu'elle quitte ce bateau! déclara Derekson. Sur l'instant!

Il y eut un silence pénible.

– Je crois que nous devrions discuter de ce qui importe vraiment, finit par dire Jake, c'est-à-dire de l'état de la coque.

– Je ne discuterai de rien tant qu'elle sera à bord. Vous êtes obsédé par cette femme.

– C'est à moi de congédier l'équipage, dit Jake.

– Elle n'est pas membre de l'équipage, elle est...

– Membre de l'équipage, dit Jake. Si vous insistez pour la débarquer, je pars aussi. De toute façon, j'ai fait mon travail. Vous avez mes conclusions. Mon conseil : coulez cette baignoire et utilisez ce que vous avez appris pour construire le prochain.

– Partez! Et sans un sou de ma part, dit Derekson.

– Allons, Angus, dit Jake avec un soupir, vous vous montrez tout à fait déraisonnable. Je ne tiens pas du tout à perdre patience.

– Je déduirai les dégâts de votre paye.

– Vous me devez un mois, et vous allez me le régler.

Jake regardait Derekson droit dans les yeux, inflexible. Derekson était trop vieux pour se battre. Il sortit son chéquier.

– Je veux que vous et cette fille ayez quitté le bateau d'ici une heure.

Sur le quai, sous la pluie, portant tout ce qu'elle possédait d'une main, Harriet ressentit comme une nette impression de déjà vu. Comme pour l'approuver, Jake dit :

– Tu ne peux pas imaginer combien de fois ça m'est arrivé.

– Oh, si ! Tu es suicidaire.

– Je déteste qu'on me bouscule.

Il la précéda dans des rues luisantes d'humidité. Les pavés réfléchissaient la lumière des réverbères qui éclairaient la pluie fine. Harriet avait froid, elle était épuisée et, tout au fond d'elle-même, elle craignait que Jake ne l'abandonne.

– Où va-t-on ?

– J'en sais rien. Il doit bien y avoir un hôtel pas cher quelque part.

Ils déambulèrent dans les ruelles, passèrent devant des enseignes joliment peintes et de belles portes jusqu'à ce qu'ils trouvent un porche assez minable pour être à la portée de leur bourse. Et c'est sans enthousiasme qu'ils entrèrent et refermèrent la porte sur la pluie.

8

La pièce était petite et trop meublée. Si on voulait ouvrir la porte de l'armoire, il fallait s'agenouiller sur l'un des lits bosselés. Au bout du couloir, la salle de bain, sale et malodorante, semblait toujours occupée. Harriet réussit pourtant à se baigner et à se laver les cheveux, et revint dans la chambre de meilleure humeur. Jake était allongé sur son lit, les mains derrière la tête, et regardait le plafond. Il faisait froid, mais il semblait ne pas le remarquer. Harriet vit quelques centimètres de peau brune au-dessus de la ceinture de son pantalon.

– J'aurais préféré qu'on ait deux chambres, dit-elle d'un ton distrait.

Elle se rendait à nouveau compte qu'être seule avec lui la mettait mal à l'aise, que le calme qu'il arborait n'était pas contagieux. Elle se voûta dans son gros pull de laine et s'assit sur son lit, menton dans les mains.

– Tu as faim? demanda Jake en s'asseyant.

Elle se demanda si elle devait le nier, parce que c'était son argent à elle qu'ils dépensaient, après tout. Elle ne savait pas quand aborder le sujet, et décida que ce serait mieux devant un bon repas.

– Oui, j'ai faim.

– Parfait. Mets ta veste, nous allons célébrer notre libération. Allez, viens, ne reste pas assise là avec ton air bougon!

Harriet enfila sa grosse veste et le suivit dans l'escalier. La nuit était horrible, faite sur mesure pour rester chez soi devant un bon feu et écouter la pluie. Et les voilà qui arpentaient les rues désertes. Au moins n'étaient-ils pas en mer, se dit Harriet avec soulagement. Il fallut qu'elle se remémore son incarcération sous le pont pour trouver merveilleusement rassurantes les rues froides et mouillées. Même le vent lui sembla doux, parce qu'il en menaçait peut-être d'autres, mais pas eux.

– Courons! dit Jake en lui prenant la main.

Ils coururent sous la pluie, vivants, en bonne santé et libres. Ils ne s'arrêtèrent que lorsque Jake eut repéré un petit bistrot dans une ruelle, avec des fenêtres en œil-de-bœuf couvertes de buée. Sur une ardoise, à l'extérieur, la pluie avait presque effacé le menu, mais on lisait encore le mot « soupe ».

Il n'y avait que peu de monde à l'intérieur. Ils s'assirent près du radiateur et Jake commanda deux whiskies, qu'ils sirotèrent en réfléchissant à ce qu'ils mangeraient. En quelques minutes, Harriet se sentit éméchée.

– Je n'avais jamais bu de whisky, confia-t-elle.

– Tu ne t'es jamais amusée, Harriet. Tu ferais mieux de prendre une soupe. Je vais en prendre aussi, et après une crêpe aux fruits de mer. Tu ne veux pas de steak, j'imagine?

Elle n'aurait pas craché sur un steak, mais elle était trop fatiguée et déjà trop ivre pour imposer son choix.

– Tu ne dois pas dépenser tout mon argent, s'entendit-elle dire.

– Tu ne renonces jamais, hein? dit Jake en levant les yeux du menu. Ce n'est que de l'argent!

– Ce n'est que *mon* argent, tu veux dire. S'il te plaît, Jake... On était convenus...

Elle eut soudain l'impression d'avoir tort, de s'être montrée agressive sans raison. Jake la regardait froidement. Elle se sentit rougir.

– Et qu'en ferais-tu? Tu rentrerais tout droit à la maison, ou quoi?

– Je... je ne sais pas. Je n'y ai pas pensé. Je prendrais des vacances, je crois. Est-ce que ce ne serait pas le mieux?

– Si c'est ce que tu veux... Si c'est tout ce que tu veux.

Elle ne savait plus où elle en était. Jake tendit la main vers elle et replaça avec un geste très doux une boucle de cheveux qui lui tombait sur les yeux.

– Tu n'as aucune ambition.

Le whisky perçait un trou brûlant dans son estomac. C'était délicieux, destructeur, divin. Elle avait une ambition, si on pouvait appeler ainsi le besoin vague et fruste qu'elle avait de changer de vie. Elle n'était pas résignée à son destin, jamais elle ne l'avait été. Simplement, au fil des années, elle avait perdu courage. Ou peut-être était-ce simplement que dans sa tête la vision qui n'avait jamais été claire était devenue franchement brumeuse et indistincte. Maintenant, elle n'arrivait plus à se souvenir de son rêve, mais il y en avait eu un, ça, elle s'en souvenait très bien.

La soupe arriva, épaisse et chaude, avec de grosses tranches de pain. Harriet l'avala avec avidité, soudain consciente de n'avoir presque rien mangé depuis plusieurs jours.

– Que vont faire Mac et Lewis? demanda-t-elle. J'ai été surprise qu'ils restent.

– Ils ne resteront pas longtemps. Ils ne peuvent pas se sentir. Quand Derekson comprendra que son bateau est bon pour la casse et quand la saison commencera dans les Caraïbes, ils ficheront le camp. Je retrouverai Mac tôt ou tard. C'est toujours comme ça que ça se passe.

– Il ne m'aime pas.

– Ah bon? Je crois qu'il n'aime pas grand monde. C'est ce qui arrive quand on passe sa vie à ne penser qu'au fric. Il a un bon gros compte en banque. Un jour, il prendra sa retraite à Glasgow, et il finira sa vie seul dans une maison pour vieux, pas parce qu'il ne pourra pas s'offrir mieux, mais simplement parce qu'il aura pris l'habitude d'être un rat.

– Je ne suis pas un rat!

– Si, tu en es un. Pas pour le fric. Pour toi. Tu ne donnes rien – ni ton temps, ni ton enthousiasme, rien. C'est toujours : ce qui est à moi est à moi. Tu te conduis comme si tu avais un sac de pierres précieuses et que le monde entier essayait de te le voler. Les gens ne sont pas comme ça, Harriet. Pas même moi. Si tu ne donnes pas un peu, tu n'auras rien.

Elle resta à regarder son assiette en se demandant s'il avait raison. Jamais elle n'avait eu assez de quelque chose pour se montrer généreuse – ni un assez beau physique, ni assez d'amis, rien.

– Tu n'es pas si merveilleusement donneur non plus.

– Peut-être pas. Mais je ne me rends pas la vie impossible comme toi. Je fais ce que je veux. Tu vois ce que tu veux, mais tu ne peux pas l'atteindre : tu es retenue par la peur, les doutes, le manque d'assurance. Regarde-toi! Tout cet argent, et malgré tout tu retournes dans ta roue, comme un hamster, tu vas retrouver ce que tu connais – et que tu détestes. C'est quoi? Un boulot de dactylo dans un bureau de Manchester? Harriet, Harriet, vis un peu!

Elle ne savait à quel moment il lui avait saisi la main, il la serrait dans ses doigts forts et chauds. Il ne la lâcha pas même quand le serveur arriva, et ce fut Harriet qui la lui retira – geste qui lui sembla extrêmement important.

La pluie avait cessé quand ils rentrèrent à l'hôtel. Il faisait encore froid, mais les étoiles luisaient très haut dans le ciel bleu nuit. Une odeur de verdure flottait dans l'air, et même de floraison, en cette fin de printemps, pleine d'espoir et de foi. Elle se demanda s'il avait envie de lui faire l'amour. Quelque chose se passerait-il dans cette chambre sinistre? Y aurait-il deux personnes dans un des lits défoncés, peau contre peau, se touchant, se léchant, faisant des choses dissimulées par la nuit? Elle se souvint comme il avait été grand, fort, décidé. Elle ne savait rien de cela avant, personne ne lui avait rien dit, on ne parlait pas de ces choses. Il lui prit le bras, et elle sentit son ventre se réchauffer.

Quand ils arrivèrent dans la chambre, elle attendit. C'était à lui de lui demander et à elle de donner. Mais il attendait aussi. Il la regardait avec ses yeux gris, clairs, cet homme puissant, costaud, au cou aussi épais que celui d'un taureau. Peut-être dirait-elle que, d'accord, elle voulait bien... elle le voulait. Mais demain, qu'arriverait-il, quand il saurait qu'elle avait besoin de lui, que son besoin était plus grand encore que celui de Jake? Elle ne devait pas demander. Ce serait mal. Il jeta son manteau sur le lit et elle vit brièvement gonfler les muscles de son dos. Est-ce qu'il la trouverait grosse? Si la lumière était éteinte, elle pourrait lui demander, mais pas alors qu'il pouvait la voir.

– Je vais aller me déshabiller dans la salle de bain, si tu veux, dit-il en la regardant.

– Est-ce que ce serait mieux... tu crois?

– Ça dépend de ce que ça te fait.

Pourquoi fallait-il que ce soit toujours sa faute, toujours à elle de prendre les décisions? Ne savait-il pas combien c'était dur pour elle? Elle resta plantée à tripoter les boutons de sa veste, sans rien dire, le regard vague. Jake soupira et sortit. Harriet, misérable, se coucha.

Malgré tout, elle dormit bien cette nuit-là, après dix minutes de nervosité où elle ne put penser à rien d'autre qu'à la respiration de Jake, aux mouvements de Jake, à ses quelques ronflements. Dès qu'elle eut la certitude qu'il dormait, elle se détendit, à nouveau en sécurité, et quelques instants plus tard, elle dormait elle aussi. Bien nourrie, bien au chaud, dans un vrai lit sur la terre ferme, elle pouvait s'enfoncer dans les rêves.

Quand elle se réveilla le lendemain matin, Jake n'était pas là, et il n'était pas non plus dans la salle de bain. Elle ressentit à nouveau la morsure de la terreur, si familière. Il l'avait quittée. Il avait pris son argent, et il l'avait laissée avec la note d'hôtel impayée. Il l'avait abandonnée parce qu'elle n'avait pas voulu... parce qu'elle ne lui avait pas dit... parce qu'elle n'avait pas... C'était tout Jake, cruel, égoïste et brutal. Soit on marchait totalement avec lui, soit il vous laissait tomber. Les larmes noyèrent ses yeux et elle se recroquevilla sur le lit, pressant le poing dans sa bouche pour étouffer ses gémissements, se persuadant que tout irait bien. Elle n'était pas si mal partie, puisqu'elle avait des vêtements maintenant, des vêtements de navigation, et elle pourrait toujours aller au consulat, elle n'aurait pas à tout leur dire. Quelqu'un l'aiderait. Mais en dépit de tous ses beaux raisonnements, l'angoisse montait, et elle se jeta sur l'oreiller, le frappant, le mordant, se faisant mal aux mains à force de les ronger tant elle souffrait, tant elle était en colère, tant elle était seule.

La porte s'ouvrit. Harriet se figea sur le lit, le visage toujours enfoui dans l'oreiller.

– Mais qu'est-ce que tu fais?

Elle passa ses mains tuméfiées sur son visage et s'assit, tentant d'avoir l'air normal.

– J'étais désespérée et furieuse.

– Pourquoi? T'as parlé à quelqu'un?

Il semblait sincèrement stupéfait, et Harriet s'essuya à nouveau le visage.

– Non, non. C'est juste que... J'ai cru que tu m'avais laissée.

– J'imagine que je ne devrais pas avoir la présomption de penser que c'était moi que tu regrettais? dit-il avec un sourire.

Il avait apporté un sac plein pour le petit déjeuner-café bien chaud dans des verres en polystyrène et beignets glacés au sucre. Ils mangèrent de bon appétit et Harriet réfléchit aux diverses façons d'aborder le sujet de l'argent. Il ne semblait pas possible d'en parler sans se heurter à une différence d'opinions fondamentale entre eux parce que Jake semblait penser que, s'il lui avait emprunté quelque chose, la dette était maintenant remboursée.

– Au sujet de l'argent, dit-il soudain.

Harriet sursauta, parce qu'il avait exprimé sa pensée.

– Faut-il que nous en parlions maintenant? dit-elle avec une lâcheté totale.

– Il vaut mieux. J'ai acheté un bateau.

Sa bouche s'ouvrit, puis se referma. Elle regarda le plancher, puis le plafond, puis Jake. Il avait l'air très nerveux.

– Salaud! dit-elle lentement.

– Je savais que tu dirais ça. C'est ce qu'il y avait de mieux, Harriet. Maintenant, on peut partir dans les Caraïbes retrouver le soleil. On peut sortir de cette foutue pluie et vivre un peu. Tu ne vas quand même pas rentrer à Manchester!

– Tu aurais pu me demander mon avis, dit-elle faiblement.

– Tu aurais dit non, convint-il avec un sourire.

– Bien sûr que j'aurais dit non! Je déteste les bateaux. Je ne veux pas monter sur ton horrible rafiot. De toute façon, il va couler. Tu n'as rien pu acheter de bon pour si peu d'argent.

– Il est un peu vieux, dit Jake après réflexion, mais je crois qu'il tiendra le coup. Tu sais, ta façon de penser commence vraiment à me déprimer, Harriet. Tu raterais les portes du paradis pour chercher ton mouchoir.

– Je ne suis pas si étroite d'esprit.

– Tu n'es pas non plus exactement libre d'esprit. Ecoute, prends tes affaires. Fourre tout dans tes poches. On a besoin de chaque sou pour acheter à manger. On ne peut pas en plus payer la note.

– Et si on se fait prendre?

– On ne se fera pas prendre. On n'a qu'à avoir l'air d'aller faire des courses.

Harriet mit sur elle presque tous ses habits et fourra le reste sous sa grosse veste. Jake mit ses affaires dans le sac du petit déjeuner, mais jeta sur son épaule une paire de chaussures de sport, reliées par les lacets. Ils descendirent. Harriet rasant les murs, Jake sifflant. La femme, à la réception, les regarda comme des serpents à sonnette.

– Vous savez où je pourrais faire réparer ces chaussures? demanda Jake d'un ton guilleret.

La femme le regarda, puis se tourna pour allumer une cigarette.

– Elle a compris, murmura Harriet quand ils furent dehors.

– Je crois que tu as raison. Tu vois, il y a des gens dans ce monde qui ne pensent pas qu'à l'argent.

– Elle est probablement en train d'appeler la police.

Harriet accéléra le pas. Elle trottait presque. Elle n'arrivait pas à croire qu'on pût être aussi décontracté que Jake dans de telles circonstances. Toute sa vie, Harriet avait soupesé le pour et le contre, laissé passer la nuit sur un problème avant de prendre une décision, et cette attitude cavalière la stupéfiait. Maintenant, elle comprenait comment il avait fait pour lui emprunter son argent : cela lui avait juste semblé une bonne idée sur l'instant. Jake, c'était ça : sitôt qu'il avait une idée, il l'exécutait, même si ça le mettait dans le pétrin. Et dans ce cas, il s'en sortait. Elle ne pouvait s'empêcher de l'admirer.

C'était un de ces matins où la pluie gouttait comme du linge mal essoré, un soleil délavé n'illuminant que de temps à autre l'atmosphère. Deux bateaux glissaient dans le port, un véritable palais à double moteur et aux vitres teintées, et une goélette qui avait dû passer cinquante ans en mer. Jake et Harriet soupirèrent de désir, chacun pour un rêve différent.

– Viens, dit Jake alors que la goélette jetait l'ancre et que ses voiles s'affalaient sur le pont. Allons voir notre canard en plastique.

Ils passèrent devant les magasins de shipchandlers et les cafés de luxe et arrivèrent au chantier de réparation et d'épaves qui s'accrochait aux basques de la richesse. Les meilleurs bateaux, les beaux yachts vont dans le port des riches. Les bateaux moins bons se font réparer dans le chantier de seconde catégorie où règne un homme qui en sait long mais n'a pas accès au meilleur.

Harriet osait à peine regarder les coques rouillées exposées en cale sèche dans la boue, les coques en plastique avec leurs trous, les coques en bois qui pourrissaient. Ils s'arrêtèrent près d'un bateau dont la coque portait les marques de réparations récentes, le bois clair alternant avec les anciennes planches peintes en vert. C'était un très petit bateau.

– Comment s'appelle-t-il? demanda sèchement Harriet.

– Qu'est-ce que ça peut faire? s'étonna Jake. Ça n'a aucune importance.

Mais Harriet grimpa sur une caisse pour regarder les lettres presque effacées à l'avant.

– Il s'appelle *Fuite rapide,* cria-t-elle. Pas mal trouvé, non?

– On va le mettre à l'eau et lui donner un mât aujourd'hui. Tu veux bien faire les courses, Harriet?

Il la regarda grimper bêtement sur une échelle pour regarder la cabine, les cheveux en épais buisson mouillé sur la tête, le nez luisant et le corps carré et massif dans la veste qu'il lui avait achetée. Existait-il au monde une femme moins gracieuse? S'il avait eu toute sa raison, il l'aurait laissée tomber sur-le-champ, mais il savait qu'il ne le ferait pas. Il y avait quelque chose de curieusement attirant dans sa brusquerie, dans sa vulnérabilité. Il y avait aussi quelque chose d'excitant dans son inexpérience, comme un escargot rare trouvé sans coquille.

Ultérieurement, Harriet n'arriva pas à croire qu'elle avait pu monter avec une telle docilité sur cette coque de noix et qu'elle se fût laissé entraîner sur l'océan. Son ignorance ne pouvait être une excuse devant tous les signes qui lui disaient de ne pas y aller – un canot de sauvetage dont les instructions de gonflage étaient rendues illisibles par l'usure, l'odeur de pourriture dans la petite cabine dont Jake promit qu'elle disparaîtrait dès que l'intérieur sécherait... Pourquoi n'avait-elle pas demandé par quel miracle la cabine pourrait sécher sur l'océan? Elle voyait la pluie couler à travers le pont. Elle avait été ensorcelée par Jake, et elle savait aussi ce qu'il dirait si elle se plaignait.

De plus, on lui avait rebattu les oreilles de ces récits de navigateurs solitaires qui semblaient faire le tour de globe aussi facilement qu'un voilier miniature le tour du bassin dans le parc. Elle en était venue à croire qu'une baignoire munie d'une voile pouvait passer le cap Horn avec un chien à la barre. Elle fut pourtant un peu surprise de découvrir que le *Fuite rapide* n'avait pas de pilote automatique.

– Quand est-ce qu'on dort? demanda-t-elle avec anxiété. Est-ce qu'on s'arrête?

– Pas exactement, dit Jake avec un sourire tordu. Les tours de quart sont la meilleure méthode.
– Tu voudras que je t'aide? demanda-t-elle en arrondissant les yeux.
– Tu as dit que tu voulais m'aider, que ça avait l'air drôle.
Il faisait quelque chose avec une voile qui, même aux yeux inexpérimentés de Harriet, semblait avoir connu des jours meilleurs. Elle s'assit près de lui sur la pierre rugueuse du quai et posa son menton dans ses mains.
– Tout ira bien, dit Jake en lui passant la main dans ses cheveux déjà ébouriffés. Le bateau est sain. Pense un peu aux bains de soleil sur le pont, à la fin de ce temps affreux.
Le crachin repartait de plus belle, et une petite brise balayait la baie. Harriet était impatiente qu'ils partent.
Le *Fuite rapide* n'était pas dépourvu de charme quand ils larguèrent les amarres et hissèrent la voile. Il avait l'air d'une pièce de musée égarée dans une comédie musicale moderne, et son allure cahotante rappelait le dandinement d'un canard. Ils passèrent à quelques encablures du *Fidèle Sheila,* à l'ancre, sans trace de vie à bord.
– J'espère qu'ils vont le couler, dit Jake en se déroutant un peu pour mieux regarder. C'est un bateau de malheur, qui va tuer quelqu'un un jour.
Alors qu'elle se recroquevillait dans le cockpit pour échapper au vent, son genou effleura la cuisse de Jake et elle s'en écarta aussi discrètement que possible. Ils vivaient dans une horrible promiscuité.
– Je n'aurais jamais cru que tu étais superstitieux, dit Harriet.
– Tous les marins sont superstitieux. Il y a tant de choses qu'on ne peut pas contrôler! Tu peux tout faire comme il faut sur le meilleur bateau du monde, et pourtant, si c'est ton tour, tu vas rejoindre les sirènes. La plupart du temps tu t'en sors, mais parfois, ça passe assez près pour que tu apprennes ce qu'est la chance. Parfois... parfois, c'est comme si quelqu'un voulait te mettre à l'épreuve, te montrer comme il serait facile de te tuer. D'autres fois, c'est tout à fait impersonnel. La mer fait son boulot, comme si tu n'existais pas. On n'a vraiment pas besoin d'un bateau qui a le mauvais œil.
– ... Est-ce que le nôtre a le mauvais œil? demanda Harriet en se faisant plus petite encore.
– Impossible, à son âge! T'en fais pas, chérie, là où l'on va, ce n'est pas dangereux.
Elle sourit de soulagement et le regarda à travers ses cheveux emmêlés. Il lui sourit en retour.
– Tu as un sourire adorable, Harriet. Pourquoi le garder pour de si rares occasions?

Ce compliment l'énerva.

– Tu peux me montrer comment barrer? Je crois qu'il vaut mieux que j'aie un peu d'entraînement.

Il s'écarta pour qu'elle puisse prendre la barre, elle passa devant lui et les cuisses de Jake se pressèrent contre ses fesses.

– Tout s'améliore avec un peu d'entraînement, dit-il d'un ton ambigu. Garde-le au plus près du vent, il ne voudra pas vraiment, mais maintiens-le aussi serré que tu peux.

Comme ils devaient barrer à tour de rôle, ils n'étaient pas souvent ensemble dans la cabine. Harriet se dit que c'était un soulagement. Leurs couchettes étaient de part et d'autre de la cabine et, dans un aussi petit bateau, il n'y avait pas de table centrale. Quand le bateau gîtait, l'une ou l'autre des couchettes était inutilisable, à moins de placer les planches de protection, et alors on avait vraiment l'impression de dormir dans un cercueil. Ils partageaient donc la même, l'un l'abandonnant quand l'autre arrivait, ce qui, comme disait Jake, la gardait toujours au chaud.

– Je vais rêver de toi, Harriet, dit-il alors qu'ils se croisaient.

Il avait barré la seconde moitié de la nuit, et elle prenait son quart au petit matin.

– Assure-toi seulement de te réveiller si je crie, dit-elle.

Elle n'en était pas encore au point de se détendre à la barre, même quand le vent n'était qu'une petite brise et qu'il n'y avait aucun obstacle sur l'eau. En fait, ce vide l'énervait, si elle prenait la peine d'y réfléchir. Elle mit au point une technique qui lui faisait regarder la mer dix secondes, puis le bateau vingt secondes. Le bateau n'était peut-être pas grand, mais c'était chez elle, et elle n'avait rien d'autre. Si elle le regardait assez attentivement, elle pouvait presque oublier la mer.

Un petit matin gris, trois jours après le départ, elle regardait la grand-voile et comptait les attaches de bas en haut. Soudain, sans qu'elle pût s'y attendre, une vague jaillit par-dessus bord et retomba sur elle. Elle cria. Dans le cockpit, elle eut de l'eau jusqu'aux genoux. Jake jaillit d'en bas en criant :

– Tourne-le face au vent, vite, si tu ne veux pas en recevoir une autre!

Le bateau vira tandis que l'eau clapotait dans le cockpit, qui se vida peu à peu. Jake y aida avec un seau, puis il prit la barre des mains de Harriet.

– Tu n'as pas remarqué que le vent avait tourné?

– Mais pourquoi la vague est-elle entrée? demanda-t-elle en regardant la mer qui ne semblait pas avoir de vagues assez grosses pour monter à bord.

– Regarde, dit Jake en souriant.

Il tourna la barre et le yacht se présenta de côté aux vaguelettes. Comme il voulait le lui démontrer, une d'entre elles les frappa, et sa crête plongea droit dans le cockpit. Harriet retint sa respiration en sentant l'eau froide lui couler dans le cou.

– D'accord, j'ai compris, dit-elle en prenant le seau pour écoper. Tu peux redescendre, je ne recommencerai pas.

– Non, va te sécher. Et fais une tasse de quelque chose de chaud, ça ne sera pas de trop.

Elle descendit avec soulagement.

Jake barrait assis, réfléchissant à l'incident. C'était beaucoup demander à une novice que de barrer pendant son sommeil, surtout que la pression chutait et que le vent fraîchissait. Un orage menaçait. Ils pourraient très bien s'échouer sur un haut-fond, et il préférait avoir un peu plus d'eau sous la quille, surtout que le bateau ne naviguait pas bien. Les bordages neufs laissaient passer l'eau et il devait pomper toutes les deux heures. Il avait dit à Harriet que c'était normal, et elle – bénies soient ses petites socquettes en coton ! – l'avait cru. Sa confiance aveugle en son talent de marin l'étonnait et l'émouvait aussi, jamais elle ne remettait en question ses affirmations. Et maintenant, il s'apprêtait à lui faire traverser une tempête dans un vieux rafiot percé avec un mât suspect. Quand elle remonta avec une tasse de chocolat au lait en poudre, il l'enlaça soudain et la serra contre lui.

– Tu es une bonne fille. Tiens la barre pendant que je vais prendre un ris, tu veux bien, chérie ?

La tempête arriva sur eux vers deux heures de l'après-midi. Ils étaient prêts – du moins Jake l'était-il. Le vent soufflait avec rage, force 8 peut-être, mais la mer n'était pas méchante, elle se soulevait en une grosse houle que le *Fuite rapide* attaquait avec courage. Le mouvement était épuisant au point que Jake envisagea de déhaler, mais il se dit que ce serait pire. Il attacha la barre, hissa le foc et se plaça face au vent.

Ils s'installèrent en bas, côte à côte sur une couchette, les pieds calés contre la couchette d'en face.

– Redis-moi que tout va bien, dit Harriet quand un autre coup de vent les secoua comme un chien l'aurait fait d'un lapin.

– Tout va bien. Au moins, tu n'as pas le mal de mer. Ce serait pire.

– Quand j'ai le mal de mer, j'ai envie de mourir. Maintenant j'ai peur de mourir ! Tu n'as pas peur, Jake ?

Il tendit le bras et l'attira contre lui. Ils portaient tous deux tant de couches de vêtements qu'ils ne sentaient pas le contact du corps de l'autre, mais c'était réconfortant.

– Ça m'arrive, admit-il. Mais ça, ce n'est pas effrayant, seulement très inconfortable. Et on fait un temps fantastique. Bien sûr, on ne va pas vraiment dans la bonne direction, mais on ne peut pas tout avoir.

– Dis-moi encore comment ce sera, demanda Harriet en fermant à demi les yeux.

Malgré tout, c'était bien, très bien...

– La mer bleue, le ciel bleu. Toi qui découvriras un peu ta peau. Les bras bruns, les épaules brunes... une poitrine d'un beau brun lustré, des bouts de seins foncés comme des cerises.

Il frottait rythmiquement sa jambe contre celle de Harriet, qui laissa échapper un long soupir. Son monde était plein de bruit, de chaleur, et de la jambe de Jake qui montait, descendait, montait...

– Le vent a tourné, dit-il en la lâchant. Je vais aller voir.

Il disparut sur le pont et laissa Harriet à elle-même. Elle glissa une main sous sa veste et se toucha la poitrine. Ce n'était qu'une masse amorphe sous son pull, molle et sans aucun intérêt. Que ferait Jake quand le temps s'améliorerait? Que voulait-elle qu'il fasse?

Le vent retomba vers minuit. Il étaient tous deux couverts de bleus et épuisés. Comme il avait été impossible de faire de la cuisine, ils s'étaient nourris de fruits séchés et d'eau. Il n'y avait rien d'autre à faire qu'attendre que cela se termine, et Jake ne tarda pas à somnoler contre l'épaule de Harriet sur la couchette. Mais pour Harriet ce fut plus difficile. De toute sa vie elle n'était jamais restée assise à supporter la dure réalité : il y avait toujours quelque chose à faire, à manger, à regarder, à penser. Et là, elle ne pouvait même pas lire, parce que les caractères qui tremblaient devant ses yeux lui donnaient mal au cœur. Les fruits secs ne faisaient guère plus qu'apaiser les crampes d'estomac les plus aiguës, et il n'y avait rien à regarder que la lampe qui se balançait. Et pourtant le temps passa, les heures, les unes après les autres, pendant une éternité, lui sembla-t-il, jusqu'à ce qu'enfin Jake se réveille.

– C'est fini, je crois. Espérons qu'il y aura du soleil au matin. J'ai besoin d'y voir, on pourrait être n'importe où.

– Je vais faire cuire quelque chose, dit vaguement Harriet.

– Ne t'en fais pas. Je vais m'occuper du bateau. Mets-toi au lit et dors un peu.

Jake ouvrit la trappe. D'un seul coup, la nuit, exclue depuis si longtemps de la cabine, se précipita à l'intérieur avec ses cris et ses embruns. Quand Jake referma, Harriet retira sa veste. Il avait suffi de ces quelques secondes pour que le sol soit trempé, ajoutant aux gouttes qui tombaient inexorablement du plafond. Le lit était humide, mais il faudrait s'en contenter. Harriet se glissa tout engourdie sous les couvertures.

Jake était inquiet. Extrêmement inquiet. Le pataras n'était plus tendu, et même sans ce signe, il voyait bien que le mât bougeait à la base. Et pourtant, ils n'avaient essuyé qu'une petite tempête. Devaient-ils gagner un port ou continuer et espérer en réchapper? Il se demanda ce qui se passerait s'ils démâtaient. La coque fuyait, mais pas gravement. Le seul ennui, c'était sa propre résistance physique, puisqu'il devait pomper deux heures le jour et chaque fois qu'il se réveillait la nuit. Et Harriet qui croyait toujours qu'il contrôlait parfaitement la situation!

Mais au déjeuner, elle se rendit bien compte qu'il était préoccupé. Elle avait préparé avec grand soin un ragoût que Jake mangeait sans y penser.

– Tout va bien? demanda-t-elle.

– Tout dépend de ce que tu entends par là.

– On ne va pas couler?

– Non, on ne va pas couler.

Il mâcha un morceau de pomme de terre. Il ne servait à rien de dissimuler. Il posa sa fourchette.

– On fait de l'eau. On peut la pomper, mais c'est crevant, et ça peut devenir pire si le vent se lève à nouveau. Le mât donne des signes de faiblesse. Je le savais avant de partir, ce n'est pas tragique, on peut toujours regagner la côte, mais ça ne sera pas bien drôle. Pour le moment, je vais essayer de faire quelques petites réparations pour soulager les éléments vitaux. Mais, pour te parler honnêtement, je ne sais pas si on doit rebrousser chemin ou continuer.

Harriet contempla son assiette, aligna deux morceaux de viande, puis leur ajouta un petit pois et une rondelle de carotte. Une chose en amenait toujours une autre. Quand elle s'était arrêtée de travailler pour s'occuper de sa mère, elle n'avait jamais imaginé que ce pas serait le premier de tant d'autres qui l'entraîneraient dans un escalier en spirale.

– Tu rebrousserais chemin, si tu étais seul, ou tu prendrais le risque?

Jake saisit sa fourchette. Il avait les mains plus grandes qu'il n'était naturel pour un homme de sa taille.

– La question ne se pose pas. Je ne serais jamais parti seul sur ce bateau. Il n'est pas équipé pour être manœuvré par un seul homme. Mais sur un autre bateau avec le même type de problèmes... oui, je continuerais. Pour commencer, ce sera beaucoup moins cher de faire réparer le bateau à Nassau, et je pourrai aussi gagner l'argent pour le faire. Mais ce n'est pas une raison pour que ça t'influence, Harriet. Le bateau fuit, le temps est dégeulasse... Si tu veux faire demi-tour, on fait demi-tour.

Elle se leva, posa son assiette près de la cuisinière et monta sur le pont. Le vent fraîchissait. Déjà le *Fuite rapide* semblait trop chargé en voiles. Elle se dit soudain que jamais elle ne s'en serait rendu compte avant. Jake ne la faisait pas marcher, dans ce voyage, du moins plus maintenant, et elle avait un curieux sentiment à ce sujet. Elle était restée trop longtemps enfermée dans son cocon, et s'en extraire était un acte solitaire et froid. Peut-être avait-elle besoin du danger, d'une expérience cathartique qui la contraigne à se soulager des derniers vestiges de son ancienne vie. Elle ne voulait pas revenir en arrière, pas d'un seule mille. Elle voulait continuer, vers le ciel bleu, la mer bleue, et le soleil. Elle redescendit.

– Je crois qu'on devrait réduire les voiles.

– A vos ordres, capitaine! dit Jake d'une voix stupéfaite. Prête pour l'aventure?

– Tu as promis qu'on ne coulerait pas.

– Dieu me protège d'une femme aussi confiante, dit Jake en riant.

Au bout d'une semaine, Harriet avait l'impression d'avoir toujours navigué. Sa vie avait toujours été humide, froide, douloureuse, épuisante, et elle ne se demandait même plus pourquoi il devait en être ainsi. Les coups de vent se succédaient, et elle regardait maintenant sans émotion particulière les vagues chasser la poupe du petit bateau, la soulever, puis la laisser retomber inexorablement dans les flots. Ils parlaient à peine, sauf quelques mots pour les manœuvres du bateau. Jake passait des heures chaque jour à ajuster le système complexe qu'il avait conçu pour étayer le mât, et Harriet apprit à pomper. Les deux fois où ils durent se mettre en panne, tentant de stabiliser le bateau à l'aide d'une ancre flottante, Harriet passa son temps à rouler de la graisse en minces boudins pour en obstruer les interstices du plafond. Ce ne fut pas d'une grande efficacité, mais cela l'occupa.

Elle ne connut qu'une fois la véritable terreur. Jake travaillait sur le pont, fixant de ses mains enflées un nouveau filin au mât. Il l'avait refait quatre fois ces trois derniers jours, les mouvements du mât donnant du mou aux cordages comme si c'était de la laine à tricoter. Harriet, à la barre, tentait de garder le bateau bien en ligne sur la mer agitée. Elle vit la vague fatale, mais elle ne lui porta pas vraiment d'intérêt. Celle-ci était grosse, mais les autres aussi. Son cerveau fatigué ne comprit que trop tard qu'elle arrivait sur eux à la vitesse d'un train express.

– Jake ! cria-t-elle enfin.

Il leva les yeux, vit la vague et cria quelque chose qu'elle n'entendit pas. Une seconde plus tard, il n'était plus sur le pont, maintenant noyé sous des tonnes d'eau. Le *Fuite rapide* remonta à la surface comme un chien après une plongée. Harriet ressentit soudain le désir de se précipiter au lit, et quand elle se réveillerait, Jake serait de retour à bord, et tout irait bien. Elle fit alors un effort de volonté qui la laissa toute tremblante : elle se retourna pour regarder derrière le bateau. Jake était là, agrippé à son filin de sécurité, surnageant à peine.

– Jake ! Jake ! cria-t-elle en agitant le bras comme on salue un baigneur.

Il leva péniblement un bras au-dessus de son visage d'un gris bleuté. Abandonnant la barre, elle saisit le filin et tira de toutes ses forces, mais elle n'arrivait pas à rapprocher Jake du bateau. L'eau l'emprisonnait comme de l'argile. Il fit deux autres signes du bras, et finalement elle comprit. Elle tourna la barre. Le bateau vira violemment de bord, d'horribles craquements et des chocs plus horribles encore se firent entendre dans les voiles. Une autre vague passa par-dessus bord, remplissant le cockpit et renversant Harriet. Mais soudain, Jake fut contre la coque, agrippé par ses grosses mains vidées de leur sang. Harriet se dit qu'il avait l'air à moitié mort, puis elle se rendit compte que c'était plus grave encore. Abandonnant la barre, elle courut au bastingage, attrapa Jake et s'efforça vainement de le hisser à bord. Il était lourd comme du plomb et son ciré lui glissait des doigts. Encore une vague, encore de l'eau, le bateau était presque plein. Harriet arriva enfin à tirer au moins le filin de sécurité. Elle le passa autour d'un taquet, tira, fit un autre tour, tira, un autre tour, tira... Jake roula par-dessus le bastingage et resta affalé dans le cockpit.

Le soir, le bateau enfin presque sec et le vent retombant, ils calculèrent qu'il n'avait pas pu être dans l'eau plus de trois minutes. Au début, Harriet n'arriva pas à le croire. Elle aurait dit un quart d'heure au moins.

– En un quart d'heure, je serais mort, dit Jake qui frissonnait encore et tentait de rendre le toucher à ses doigts toujours gourds. C'est très froid. Merci, Harriet. Tu t'es vraiment bien débrouillée.

– C'est ma faute si tu es tombé, admit-elle d'un air penaud. J'ai vu la vague, et je n'en ai rien pensé de particulier.

– Quand on emmène quelqu'un sans expérience en mer, dit Jake en haussant les épaules, on risque des problèmes. On ne peut pas tout apprendre en quelques jours. Dieu que j'ai froid ! Ouvre une bouteille de brandy, tu veux bien ?

Ils avaient emporté deux bouteilles de brandy et une de whisky, soigneusement enveloppées dans des serviettes. Harriet servit deux petits verres, mais Jake prit la bouteille et doubla les rations.

– On l'a bien mérité, affirma-t-il.

Ils burent en écoutant les gémissements du mât.

9

Un bateau dans la tempête n'est jamais sec. Il arrive un moment où il semble ne plus y avoir de confort ni de chaleur nulle part. Les vêtements sont mouillés, les lits sont humides, la nourriture n'est jamais assez chaude et le vent n'arrête pas de souffler. Harriet était au-delà de la fatigue, et même au-delà de la peur. Elle vivait dans un état de misère engourdie, accomplissant ses tâches comme une machine. Une fois, alors qu'elle barrait dans un monde de brume grise, assise avec son ciré que l'âge et les multiples immersions avaient rendu poreux, elle regarda Jake travailler et resta stupéfaite : elle savait qu'elle n'aurait pas pu trimer davantage. Hisser les voiles, affaler les voiles, attacher ce cordage, détacher cet autre, et encore, et toujours. Elle se demanda si Jake était vraiment là, parce qu'on racontait plein d'histoires de gens seuls sur des bateaux qui s'imaginaient avoir de la compagnie. Peut-être que Jake était mort, peut-être qu'elle ne l'avait jamais hissé à bord, et que cette silhouette travaillant sans cesse n'était que son ombre. Elle serra ses doigts raides sur la barre et se voûta plus encore, recherchant une illusion de chaleur.

Au bout d'un moment, il vint et prit la barre. Il l'envoya en bas pour éponger. C'était la première fois qu'elle se trouvait confrontée à la différence essentielle entre l'homme et la femme, c'est-à-dire la force physique, et elle en fut impressionnée au-delà de toute raison. Jake lui sembla invincible. Elle se stabilisa contre son genou.

– Est-ce que tu veux que j'essaie de préparer quelque chose de chaud à boire ?

– Si tu veux, mais laisse tomber si c'est trop difficile. Le temps s'arrange, tu sais. On est dans un ciel de traîne. Le vent tombe et il fait plus chaud.

– Vraiment ? s'étonna Harriet entre deux claquements de dents.

Il sourit de toutes ses dents, d'un blanc étonnant au milieu de la barbe noire qui avait poussé, et toucha sa joue glacée.

– Pauvre vieille, quelle vie ! Je te promets que ça va s'arranger. Dans un jour ou deux, on aura tellement chaud qu'on priera pour qu'il pleuve. Et le vieux rafiot tient le coup. On a encore un mât – tout juste.

Il leva les yeux vers la forêt de cordages au-dessus de sa tête et se demanda comment le tout était encore solidaire. Mais il était peut-être plus merveilleux encore que Harriet tienne le coup, parce qu'il savait ce que cela pouvait représenter pour un débutant – ne rien comprendre, se retrouver piégé entre ciel et mer, ne côtoyer que la nouveauté et l'inconfort. Il admirait son courage et sa résistance. Peu de filles auraient fait aussi bien.

Cette nuit-là, il assura deux quarts pour qu'elle dorme. La mer était plus calme, et malgré son épuisement, son esprit restait clair. Il adorait de tels moments en mer, quand il avait été mis à l'épreuve et que les éléments n'avaient pas voulu de lui. Un jour où l'autre se poserait une question à laquelle il ne saurait pas répondre, cela, il en était certain ; mais jusqu'à présent il avait relevé chaque défi, prenant des risques de plus en plus grands et triomphant toujours. Il aimait la terreur inattendue qui vous tombe dessus en mer quand tout va bien. Les bons bateaux et le beau temps ne l'intéressaient pas, inutile de le nier. Il leva les yeux vers les étoiles blanches, situées à des distances trop grandes pour qu'il les conçoive, et se demanda ce qu'il faisait de sa vie. Un regard rationnel en conclurait qu'il essayait de se tuer.

Harriet s'étendit sur le pont, les yeux clos pour ne pas les brûler aux rayons du soleil. Quel dommage que ses lunettes de soleil aient été perdues avec tout le reste, se dit-elle dans un demi-sommeil. La chaleur n'était pas vraiment agréable : son pantalon incrusté de sel lui irritait les jambes et son pull avait tout d'une haire. S'il devait faire plus chaud encore, il lui faudrait trouver des vêtements plus légers. Elle regarda la rangée de ceux qui séchaient sur la filière et ne vit rien qui ferait l'affaire.

Se protégeant les yeux de la main, elle regarda discrètement Jake. Dans le cockpit, où il s'était assis les jambes en l'air, il ne portait rien d'autre qu'un short. Il la gênait. Le matin, il avait ouvert sa braguette et pissé par-dessus bord, comme si c'était naturel, comme si maintenant ils se connaissaient si bien qu'ils n'avaient plus de secrets ni d'inhibitions. La sueur coulait en lentes gouttes entre ses seins, passant d'une terminaison nerveuse à l'autre, chacune lui envoyant des frissons électriques à travers le corps. Son soutien-gorge se balançait sur la filière.

Jake attacha la roue du gouvernail et s'approcha d'elle.

– Tu dois bouillir, Harriet. Va mettre mon autre short. Il est dans mon sac. Tu y trouveras sûrement aussi une ou deux chemises.

Il resserra quelques nœuds, feignant ainsi de n'être pas venu là exprès pour lui parler. Harriet fit celle qui somnolait.

– Je n'ai pas trop chaud, marmonna-t-elle.

– Tu parles! Tes joues sont rouges comme des tomates. Descends et change-toi. Je te demande pas de remonter torse nu, bon Dieu! Ou... peut-être que je devrais? Qu'est-ce que tu en dis?

Elle s'assit et se passa les doigts dans les cheveux. Sa poitrine oscilla, se frottant à la laine rêche de son pull.

– Ne sois pas dégoûtant, dit-elle sèchement.

– Quelle vieille fille! fit Jake.

Elle descendit, furieuse contre lui et contre elle-même. Elle aurait dû remonter torse nu, juste pour voir sa tête. Cette simple idée lui donna une bouffée de chaleur et elle partit à la recherche du short. Elle était sûre qu'il ne lui irait pas. Comme ce serait embarrassant! Et pourtant elle l'enfila, et découvrit que non seulement il lui allait, mais qu'il y avait plusieurs centimètres de trop à la taille. Elle se tâta. Sans balance et sans ses vêtements habituels, il lui était difficile de savoir si elle avait maigri, mais c'était possible. Elle se pinça les fesses et le ventre, puis regarda ses joues dans le petit miroir à raser de Jake. Après tout, ce ne serait pas surprenant qu'elle ait perdu du poids, les vrais repas étaient devenus si rares! Quel dommage que ce short de toile soit si peu seyant!

Elle enfila une des vieilles chemises de Jake et en roula les manches jusqu'aux coudes. Pour voir, elle noua les pans sous sa poitrine. Ses seins se lovèrent voluptueusement dans le fin tissu, les aréoles plus sombres paraissant à travers. Et si elle montait comme ça? Que dirait-il? Elle dénoua les pans d'un geste brusque et laissa la chemise flotter hors du short. Quand elle monta sur le pont, Jake fabriquait une ligne pour pêcher. Il la regarda sans émotion apparente.

– Parfait! C'est quand même plus raisonnable! Tu veux bien accrocher ces hameçons ici, s'il te plaît? Je n'arrête pas de voir des poissons, et on pourrait en attraper quelques-uns, avec un peu de chance.

En silence, les jambes bien rassemblées sous elle, Harriet accrocha les hameçons. Ils les enduisirent de graisse comme appât et lancèrent les lignes d'un côté et de l'autre, dans l'espoir que cela ferait tomber la méfiance des poissons. Le soleil monta haut dans le ciel, transformant la mer en verre bleu saphir. Le *Fuite rapide* semblait rire en avançant, faisant éclater des bulles dans son sillage. Harriet s'étendit et surveilla les lignes, se demandant si Jake la regardait, mais chaque fois qu'elle levait les yeux vers lui, il observait les voiles, ou la mer, ou le compas.

Elle regarda ses jambes qui sortaient toutes blanches de son short. Elles étaient assez belles, et seraient encore mieux un peu bronzées. Peut-être étaient-elles un peu courtes, mais plus longues, elles la rendraient plus grande que Jake. Elle regarda Jake. Il avait les épaules incroyablement larges, et pourtant elles n'avaient l'air de rien avec des vêtements. D'autres parties de son corps étaient-elles aussi d'une taille inhabituelle? Comme elle n'avait aucune expérience à laquelle se référer, elle ne pouvait le dire, et à cette pensée, une vague de chaleur l'inonda. Cela ferait mal. On disait que ça faisait toujours mal la première fois. Elle rassembla ses jambes sous elle et regarda les lignes.

– Jake! Jake! On en a pris deux!

Jake déclara qu'ils allaient faire un festin. Le bateau avançait bien, et ils étaient secs et bien reposés.

– On va boire un coup, dit-il en sortant une bouteille de brandy de son nid pour la mettre à la place d'honneur au beau milieu du cockpit.

– C'est toi qui videras les poissons, dit Harriet. Je demande toujours au poissonnier de le faire pour moi.

– Une chance que j'aie de nombreux talents, dit-il en glissant en expert un couteau dans le ventre du premier poisson.

Harriet approuva en silence. Jamais elle n'avait rencontré personne comme Jake. Il lui donna les poissons, et quand elle s'enfonça dans la cabine, ses fesses frôlèrent la cuisse de Jake.

– Par pitié, ne les fais pas brûler! cria-t-il.

Ils mangèrent sur le pont, regardant le soleil s'éteindre dans la mer. Le ciel était mauve, vert et d'un orange profond, et pourtant l'horizon était marqué par une ligne noire. Pour une fois, Harriet se laissa submerger par un sentiment de grand isolement, consciente qu'ils n'étaient vraiment qu'une miette flottant sur un grand bassin, qu'il n'y avait rien d'autre qu'elle, Jake et le *Fuite rapide*. Elle prit une nouvelle gorgée de son demi-verre de brandy.

– Tu cuisines bien, dit Jake d'une voix paresseuse en s'adossant au mât.

– Non, c'est faux. Je ne fais que des choses simples.

– J'aime les choses simples. Mais j'aime aussi les jolies choses, dit-il avec un sourire qui ne semblait s'adresser qu'à lui.
– Jake, dit soudain Harriet, est-ce que tu as eu beaucoup de femmes?
Il ouvrit les yeux et la regarda.
– Tout dépend de ce que tu veux dire par beaucoup.
– Combien? demanda Harriet en se redressant. Combien de femmes as tu...
– Baisées? C'est ça le mot que tu cherches, Harriet. Voyons voir... Oh Seigneur, j'en sais rien. Une nuit, à Manille, je me suis retrouvé avec trois filles, et je ne sais pas si j'ai baisé la même trois fois ou chacune d'elles, mais je sais qu'il m'a fallu une semaine pour me remettre.
Il rit et prit une autre gorgée de brandy.
– Je ne l'ai jamais fait, dit Harriet d'une voix haute et tendue.
– J'aurais jamais deviné, déclara Jake en levant un sourcil.
– Mais je pourrais, tu sais, je ne suis pas... je veux dire... je pourrais.
– Je sais que tu pourrais, chérie. Tout le monde peut. La question est de savoir avec qui, hein?
Il avait l'air presque endormi contre son mât, une jambe levée, aucune bosse révélatrice sur le devant du short. Pourquoi ne voulait-il pas le lui faire? se demanda Harriet avec une folle inquiétude. Il l'avait voulu, un jour.
– Certains ne le font jamais?
Pourquoi ne la remarquait-il pas?
– On l'écrira sur ta pierre tombale : renvoyée sans avoir été ouverte! Tous ces fluides, toutes ces hormones toute cette chair rose perdus à jamais. Tu te dessécheras, Harriet, mais au moins tu n'auras rien fait de dégoûtant.
Il la regardait, maintenant, dans la pénombre. Il y a des moments où il faut prendre un risque, se dit-elle confusément. Parfois, il faut se montrer vulnérable. Ses doigts, gourds et inhabituellement lents, commencèrent à déboutonner sa chemise. Jack la regardait, les yeux farouches et pâles. Le silence était aussi palpable qu'une barre d'acier. Harriet arriva au dernier bouton et ouvrit la chemise. Jake se contentait toujours de regarder.
– Je ne suis pas encore desséchée, murmura-t-elle.
Il se lécha les lèvres, et soudain elle entendit sa respiration. Elle s'enhardit, prenant ses seins dans ses mains et s'agenouillant, les épaules en arrière, pour qu'il pointent vers Jake. D'une voix de gorge qu'elle ne reconnut pas, elle dit :
– Je croyais que tu aimais les vierges.

Quand il bougea, elle fut surprise tant il avait rapidement quitté sa position contre le mât pour se retrouver debout au-dessus d'elle, la soulevant pour qu'elle se mette à sa hauteur. Il pencha la tête et l'embrassa, sa langue cherchant sa bouche, mais ce n'était pas ce qu'elle voulait, et elle s'écarta de lui.

– Je ne suis pas encore desséchée, répéta-t-elle en tentant de déboutonner son short.

Il tomba à ses pieds et elle resta ainsi, nue hormis la chemise qui lui pendait toujours des épaules. Jake la toucha, la caressa, et elle cria, presque de douleur, quand il arriva à des nerfs tendus depuis des jours.

– Oh, Harriet, dit doucement Jake. Je m'étais juré de ne pas te faire ça!

– Tu as fait tout le reste, dit-elle.

Il lui mordit l'épaule.

– Vraiment?

– Est-ce que ça va faire mal? demanda-t-elle en se pressant contre lui.

– J'en sais rien.

Il enleva son short et elle le vit. Elle poussa un cri qui se termina en rire nerveux.

– C'est trop gros!

– Tu ne sais pas ce que c'est, trop gros!

Il tira un coussin du cockpit et y allongea Harriet. Puis il vint sur elle. Elle cessa de penser jusqu'à ce qu'il lui fasse mal et qu'elle crie. Par-dessus son épaule, elle vit le ciel noir, et la voile. Il était en elle et c'était le paradis.

Après, ce fut très étrange. Elle saignait et ne savait pas comment se comporter. Jake lui tendit un rouleau de papier toilette et lui dit de se coucher. Elle s'allongea, la tête étourdie par le brandy, pas très sûre de ce qu'elle ressentait, incapable d'imaginer ce que lui ressentait. Au bout d'un moment, elle regarda par la trappe et le vit à la barre, calme et détaché. Il baissa les yeux vers elle.

– Dors, Harriet! dit-il doucement.

– Je ne peux pas dormir.

Elle monta et s'assit derrière lui. La nuit, éclairée par la lune, rendait les vaguelettes phosphorescentes, mais le vent était capricieux. Les voiles se gonflaient comme des oreillers, et une seconde plus tard elle pendaient, flasques contre le mât.

– Tu vas bien? demanda Jake au bout d'un moment.

– Je n'en sais rien, dit-elle après réflexion. Je... je n'arrive pas à comprendre pourquoi je n'ai pas connu ça avant. C'étaient des sensations nouvelles, mais aussi des sensations que j'ai l'impression curieuse d'avoir toujours connues.

– Il me semble que j'ai un peu ressenti ça aussi, bien que ce soit différent pour les hommes. Ils sont beaucoup plus portés sur la chose.

– Ah, oui?

Harriet ne savait rien des hommes, elle eut même l'impression de ne pas du tout connaître Jake. Ce qui était pour elle un événement majeur ne semblait pas grand-chose pour lui.

– Je suis désolée de ne pas avoir su quoi faire, dit-elle.

Il rit et se tourna vers elle.

– Je n'attendais pas de toi que tu saches! De toute façon, le sexe, ce n'est pas pour les performances, c'est pour s'amuser. Je t'ai trouvée formidable, et maintenant qu'on a brisé la glace, si on peut dire, on peut vraiment profiter du voyage. On sera à Nassau dans une semaine environ. D'ici là on sera tous les deux tout bronzés et tu ne manqueras pas d'expérience.

Harriet sentit un frisson d'excitation monter de son ventre. Sans réfléchir, elle se leva et entoura le cou de Jake de ses bras, se serrant contre son dos. Il rit à nouveau et l'attira devant lui, écartant la couverture dont elle s'était couverte pour toucher ses seins. Elle lui tendit ses lèvres.

– Détends-toi, Harriet! Tu dois apprendre à aller lentement, doucement, patiemment. Sinon c'est terminé en cinq minutes et personne ne s'est amusé. Tu vaux la peine qu'on t'explore, ma fille. Une si jolie chair qui n'a jamais vu la lumière du jour! C'est sans risque, hein? Pour l'époque, je veux dire? Je ne vais pas être père?

– Oh, je suis sûre que ça va, dit Harriet qui voulait seulement qu'il continue à la caresser.

Il sentait le brandy, et elle se dit que jamais elle ne goûterait rien de plus excitant.

Les jours passèrent, dorés et chaud, avec une bonne brise qui poussait le *Fuite rapide* en avant. Explosant d'énergie, Harriet fit le grand ménage de la cabine, lava les vêtements, en reprisa certains, cuisina aussi bien qu'elle le pouvait, et fut toujours disponible quand Jake voulait lui faire l'amour. Quant à Jake, il n'arrivait pas à croire à sa chance. Harriet la râleuse, Harriet si difficile, bonne partenaire, mais acerbe, s'était transformée en la plus parfaite des geishas. Le bateau avançait tout seul presque tout le temps, et il se serait ennuyé s'il n'y avait pas eu Harriet et sa nouvelle passion. Parfois, elle l'embarrassait tant elle voulait lui faire plaisir; c'était presque comme avoir une esclave à sa disposition.

On aurait dit que Harriet avait été transformée d'un coup de baguette magique. Il faisait maintenant si chaud qu'ils ne s'habillaient plus du tout, et alors qu'elle traversait le pont, les seins oscillants, les fesses rondes et fermes, il essaya de se souvenir de la pauvre Harriet toute flasque aux épaules voûtées – et n'y parvint pas. Il n'avait qu'à demander, et cette douce créature s'offrait à lui; jamais elle ne disait non, et, aussi incroyable que cela puisse paraître, il arrivait que Jake eût préféré qu'ils parlent. Harriet ne parlait plus. Le sexe l'intéressait bien trop.

– Tu essaies de rattraper le temps perdu? lui demanda-t-il un soir où ils récupéraient de leur quatrième étreinte de la journée.

– Je croyais que tu aimais ça, dit Harriet.

Elle écarta ses cheveux de ses yeux et le regarda avec anxiété. Elle savait que cela arriverait, qu'il en aurait assez d'elle, qu'il ne la trouverait plus excitante. Elle mourrait s'il ne voulait plus d'elle, elle se tuerait s'il le lui disait.

– Tu veux que je te masse le dos, ou que je te fasse à manger?

– Je ne veux rien, soupira Jake.

Il regarda l'horizon. Il s'ennuyait, maintenant qu'il était arrivé à satiété, et il était nerveux aussi. Ce n'était pas nouveau pour lui, la vie facile lui jouait toujours ce tour-là.

– Une voile à tribord, dit-il soudain. Elle est encore loin, mais on se rapproche.

Il se leva et entreprit de ranger le pont, enroulant les cordages, ajustant les voiles. Harriet le regarda avec désespoir. Tout allait prendre fin. Le seul homme avec qui elle se sentait totalement femme était fatigué d'elle.

Elle eut une nuit agitée, pendant que Jake tenait la barre, guettant d'autres bateaux. Quand elle lui apporta du café au matin et l'embrassa, il sembla à peine remarquer sa présence.

– Regarde! dit-il en pointant le doigt.

Il y avait un énorme yacht, toutes voiles dehors, y compris un grand spinnaker rayé. Il voguait rapidement à un quart de mille quand tout à coup on s'agita sur le pont.

– Ils se réveillent, dit Jake. Il leur en a fallu, du temps, pour remarquer dans quel état on est! Va mettre des vêtements, Harriet, on ne peut pas baiser maintenant.

Il la trouvait insatiable. Elle descendit et mit le short et une chemise, luttant contre des larmes d'humiliation. Il ne la voulait plus. Mais les larmes coulèrent quand même. Quand elle remonta sur le pont, la goélette était tout près, énorme et splendide, alors qu'ils rebondissaient minablement sous son bastingage.

– Comment ça va, Peter? cria Jake. Ton rafiot ressemble à une barque royale!

Un gros homme en short blanc et T-shirt leva un mégaphone.

– C'est toi qui l'as gréé, alors tu dois bien le savoir. Il marche bien, Jake. Qu'est-ce qui t'est arrivé?

– Quelques coups de vent, c'est tout. Le mât branlait déjà avant le départ. On va le faire réparer là-bas. On sera à Nassau ce soir.

– T'es un peu optimiste! Tu veux ta position?

La mine vexée de Jake dut traverser les mètres qui les séparaient, parce que plusieurs hommes sur le pont éclatèrent de rire.

– Le jour où j'aurai besoin de toi et de tes foutus satellites pour me donner ma position, je jetterai l'ancre et je ne naviguerai plus que dans une piscine, rugit-il. Dégage, j'ai besoin d'espace. Fais au revoir de la main, Harriet, on va hisser plus de voile et leur montrer un peu, à ces enfoirés!

Il fonça sur le pont et entreprit de hisser le foc, qu'ils ne prenaient pas le risque de déployer dans des circonstances normales. Mais maintenant, même s'ils devaient en chavirer... Le *Fuite rapide* rebondit sur les vagues comme un canard poursuivi par un cygne. Harriet s'agrippa à la barre, prenant un air très professionnel.

– Belle poulette! rugit le mégaphone.

Jake leva deux doigts et salua à l'anglaise.

Le vent fraîchit au fur et à mesure que la journée passait, bien que le soleil fut toujours aussi brillant, au centre de son halo.

– Barre à bâbord, Harriet, ça souffle.

Harriet avait gardé un silence inhabituel. La goélette avait disparu à l'horizon, progressant rapidement et régulièrement sous ses énormes voiles. Ils ne pouvaient mettre que le foc et la grand-voile sur le mât suspect. Et même comme ça, le petit bateau protestait, frissonnant sur les vagues courtes. Juste avant la nuit, Harriet dit :

– Je vois la terre.

– Formidable! Dîner au port – ça ne sera pas de trop. Avec un peu de chance, on tirera quelque chose de Peter. Il semble avoir oublié notre dernier petit désaccord.

Comme Harriet ne répondait toujours pas, il la regarda. Elle avait fait la tête toute la journée, mais il avait cru que ça lui passerait s'il faisait semblant de ne pas s'en apercevoir.

– Quelque chose t'ennuie?

– Non, bien sûr que non, dit-elle en se retournant.

– Bien. Parce que si c'est le cas, ça ne sert à rien de ne pas en parler. Si t'as un problème, dis-le. Je ne lis pas dans les pensées.

– Je n'ai pas de problème, répéra Harriet d'un ton qui indiquait clairement le contraire.

– Parfait. Alors je n'ai pas à m'en faire.

Harriet eut envie de le tuer.

10

Le port était hérissé de mâts jaillissant de l'eau. Harriet en fut impressionnée parce qu'elle n'était jamais allée nulle part, et arriver ainsi dans une île tropicale au coucher du soleil, passer en revue tous ces gracieux vaisseaux dont les propriétaires les saluaient, penchés au bastingage, lui donna l'impression d'être au paradis. De grands hôtels bordaient la côte, mais au-dessus d'eux, la forêt pluviale gardait ses droits, couvrant les collines de son épaisse végétation. Il flottait une odeur d'exotisme, de vin, de fruits mûrs tombés d'arbres inconnus où, elle le savait, nichaient des serpents luisants. Elle se tourna vers Jake.

– C'est merveilleux, c'est le paradis!

Il fronça le nez et regarda l'eau troublée par tant de bateaux.

– Plutôt un baquet d'eau sale, si tu veux mon avis, mais c'est parfait si tu aimes les rats. Ça ira pour une semaine, et après on partira dans un endroit moins surpeuplé. Je connais des îles qui t'impressionneront, des îles absolument désertes, comme celle de Robinson Crusoé.

Harriet regarda tous ces gens minces et bronzés qui levaient leur verre de punch glacé sur leur passage, et se dit qu'elle n'était pas vraiment impatiente de retrouver l'isolement. Elle avait passé toute sa vie seule, et ce n'était pas à la paix qu'elle aspirait, mais au mouvement. Un grand jeune homme bronzé se pencha d'un bateau et dit :

– On dirait que vous avez été secoués.

– Rien de trop terrible pour nous, répondit Harriet non sans rougir violemment.

Alors qu'ils glissaient lentement en direction du garde-côte, Jake pouffa :

– Quelle frimeuse tu fais, Harriet! Rien de trop terrible pour nous! Tu parles! Je te ressortirai ça la prochaine fois qu'on se retrouvera couchés par le vent.

Adoucie par l'attention qu'il lui portait, elle releva le menton d'un air de défi.

– On s'en est bien sortis. Ils te connaissent tous, hein? Tout le monde vient nous voir.

Jake grogna. Elle le regarda pour discerner s'il se rendait compte de l'intérêt qu'ils suscitaient, mais il n'en laissait rien paraître. Il est vrai que les gens regardaient toujours Jake, qu'ils le connaissent ou non; il avait elle ne savait quoi qui attirait l'attention. Son énergie, se dit-elle, et son côté rebelle. On sentait que si on le regardait assez longtemps, il ne manquerait pas de faire quelque chose qu'il n'aurait pas dû faire.

Ils furent orientés vers un mouillage beaucoup trop central pour leur humble embarcation; mais bien sûr Jake connaissait aussi le capitaine du port. Alors qu'ils larguaient les amarres, ils furent environnés de barques où de jeunes Noirs avaient pris place pour faire du troc. Est-ce qu'ils voulaient acheter des ananas, des glaces, des sacs à main? Aller à terre, très pas cher? Jake les ignora, et continua de plier les voiles et d'enrouler les cordages. Quant à Harriet, terrorisée, elle se réfugia dans la cabine. Soudain les barques s'éloignèrent, chassées par la proue d'un canot à moteur qui filait vers eux. Harriet refit surface et regarda Jake d'un air interrogateur.

– Le dîner, dit-il. C'est l'émissaire de Peter de Vuiton, celui du schooner de ce matin. Mets-toi sur ton trente et un, Harriet.

– Je n'ai rien d'autre! gémit-elle en tirant sur sa chemise froissée comme pour cacher ses orteils qui se tordaient.

– Quoi? s'étonna-t-il en la voyant si minable. Ah, c'est vrai! Alors, ma belle, il faudra qu'on y aille comme de bons vieux loups de mer. On ne peut pas laisser tomber un vrai repas parce qu'on n'a pas de tenue de soirée. En tout cas, n'oublie pas qu'on les écrase tous.

– Qu'est-ce que tu veux dire?

Elle ne voyait pas en quoi la tête de pirate de Jake et sa triste allure les rendaient supérieurs à ces hommes en uniforme amidonné avec casquette, épaulettes et visage rasé de près.

– Les gens qui naviguent dans de beaux bateaux sont moralement inférieurs à des types comme nous, affirma Jake sur le ton de la confidence. Ils ne peuvent pas éviter d'admirer notre courage, mais nous, nous ne sommes pas obligés d'admirer leur compte en banque. L'argent, en mer, ça vous évite d'être un bon marin.

Harriet soupira. Elle ne voulait pas de la morale puritaine de Jake, elle voulait un bain et des vêtements propres, peut-être même une paire de chaussures. A l'approche du hors-bord, le *Fuite rapide* se balança, comme une jeune fille qui fait la coquette.

– M. de Vuiton aimerait que vous lui fassiez l'honneur de vous joindre à lui pour le dîner, déclara le galonné.

– Comme c'est gentil ! s'écria Jake en bondissant comme un chat sur le pont, un grand sourire aux lèvres. On arrive tout de suite.

Il sauta dans le hors-bord et se retourna pour tendre la main à Harriet.

– Viens, Harriet. Pas le temps de mettre tes faux cils. MANGER !

Des visages se penchèrent vers eux tandis qu'ils grimpaient à l'échelle, des filles aux yeux, aux dents et aux cheveux brillants. Sa timidité enveloppait Harriet comme un bloc de béton. Elle eut l'impression que ses doigts ne pouvaient plus rien saisir, que ses lèvres ne pouvaient plus parler. Pourtant, elle arriva à monter et s'arrêta en marge du groupe d'excités qui accueillait Jake.

– Salut, Jake, s'écria une jeune fille mince et bronzée aux cheveux blond platine, vêtue d'un sarong de soie d'un bleu électrique.

– Donna, ça faisait longtemps ! dit Jake en lui souriant.

– Je t'ai apporté à boire, dit-elle en lui tendant un haut verre plein de glace et de fruits.

Jake ne la remercia que d'un sourire.

– Jake ! s'exclama Peter de Vuiton en entourant les épaules tachées de sel de Jake de son bras tout propre. Jamais je n'aurais cru que tu y arriverais. Tu sais qu'il y a un avis de cyclone ?

– A cette époque de l'année ? Il ne peut pas être bien méchant.

– Personne n'est au large pour en juger. Tout le monde est là. Tu connais Donna et June. George est au bar. Oh, et voilà Natalie !

Il y eut un instant de malaise que même Harriet put percevoir. Il s'agissait d'une jeune fille aux longs cheveux roux, au visage couvert de taches de rousseur, qui regardait Jake avec un sourire lumineux.

– Salut ! dit Jake. On peut dire que tu voyages !

– Et toi tu n'as pas l'air de t'enrichir, à ce que je vois. Et qui as-tu amené avec toi ? Vaut-elle que tu nous la présentes ?

Jake se retourna et vit Harriet qui se balançait d'un pied nu sur l'autre, l'air profondément malheureux. Ses cheveux lui cachaient presque les yeux et elle baissait la tête comme si elle était en pénitence. Il soupira.

– C'est Harriet. Peter, Donna, June, Natalie. George est au bar. Au fait, Peter, tu n'aurais pas vu Mac ou Lewis? Je me suis dit qu'ils auraient pu arriver par avion.

Peter et lui partaient vers le bar. Seule Natalie s'intéressa à Harriet et resta délibérément en arrière du groupe pour lui parler.

– Comment t'es-tu retrouvée dans cette vieille baignoire? Tu aimes la voile?

– Parfois, murmura Harriet qui ne parvint pas à sourire.

Que devaient-ils penser d'elle qui était montée à bord de leur somptueux yacht comme une délinquante, une paumée assez minable pour que l'homme qui l'avait amenée l'oublie? Elle regarda avec désespoir le dos de Jake qui s'éloignait.

– Ce type est un salaud, affirma Natalie.

– Qui, Jake?

– Oui, Jake. Ne me dis pas qu'il ne t'a pas piétinée. C'est son style, il ne changera jamais, et les filles adorent ça. Il a eu une aventure avec Donna la saison dernière, et elle rêve de recommencer. Et toi, tu es arrivée à saturation?

– Je... Je ne sais pas, dit Harriet en rougissant. Je suis terriblement confuse de débarquer comme ça... Je veux dire, sans vêtements corrects, et... Jake... Il n'a pas... On a dû partir vite.

Elle posa un regard nostalgique sur la robe verte de Natalie, toute de mousseline légère retenue par de fines bretelles. De petites paillettes scintillaient dans les plis. C'était la plus jolie robe que Harriet ait jamais vue.

– Il ne t'a pas fait de cadeaux, hein? demanda Natalie. Tu n'es pas amoureuse de ce salaud, au moins? ajouta-t-elle devant l'expression douloureuse de Harriet.

Harriet ne pouvait répondre. Elle secoua violemment la tête, et Natalie, se rendant compte de son embarras, lui prit le bras.

– Ecoute, je sais ce que c'est. Tu es sale, tu as faim et tu te sens minable. Pourquoi ne viendrais-tu pas prendre un bain dans ma cabine? Je suis sûre que je trouverai quelque chose à te mettre.

– Oh, vraiment? Vous feriez ça?

– Oui, dit gravement Natalie. Deux semaines avec Jake, et j'étais dans le même état que toi. Je crois que tu peux me tutoyer.

La cabine de Natalie n'était pas grande mais très jolie et si propre que Harriet aurait pu y mourir.

– Notre bateau est plein d'humidité, de moisissure et de voiles, dit-elle.

– Et Jake adore ça!

– Il croit que j'aime ça aussi. En tout cas il ne pense pas que ça puisse m'ennuyer.

Elles se regardèrent et se mirent à rire. Comme c'était rafraîchissant de parler à une fille, et en plus une fille que Jake n'impressionnait pas! Harriet se demanda si elle se montrait déloyale envers lui, et se dit que oui, probablement. L'idée que Jake et Natalie aient eu une aventure lui glaça l'estomac, qui ne réussit pas vraiment à se dégeler, même dans l'eau délicieusement chaude et parfumée du bain. Natalie était beaucoup, beaucoup plus belle qu'elle ne pourrait jamais espérer l'être.

La porte de la salle de bain s'ouvrit et la rousse entra avec des serviettes propres. Harriet, gênée, s'enfonça sous l'eau.

– Tu connais bien Jake, n'est-ce pas? dit-elle tout à coup.

– On peut dire ça, répondit Natalie en la regardant dans le bain avec un visage dur. Je peux tout aussi bien te prévenir, dit-elle soudain, tu ne le garderas pas. Jamais plus il ne regarde une fille dès qu'il en a fini avec elle. Ce salaud m'a baisée, et puis il m'a laissée à la Jamaïque. J'étais bien plus jeune, à l'époque, et j'en ai beaucoup souffert. Tu as un bronzage superbe, Harriet. Tu veux une robe blanche ou une robe rose?

– Euh... blanche, dit Harriet qui avait l'impression qu'un grand trou se creusait dans son cœur. Pourquoi t'a-t-il fait ça?

– J'imagine qu'il en avait assez, dit Natalie en secouant ses beaux cheveux roux. On avait tout fait si souvent que parfois il n'avait même plus envie. Est-ce qu'il te donne toujours du plaisir, Harriet? C'est la seule chose que tu obtiendras de lui.

– Qu'as-tu fait quand il t'a laissée? demanda Harriet en rougissant d'embarras.

– Je me suis mise avec un type qui avait un yacht, dit Natalie en grimaçant. Je suis restée presque un an avec lui, et ça m'a beaucoup appris. Quitte à ouvrir les jambes, autant que ce soit pour un type qui te donne des diamants.

Harriet resta silencieuse dans son bain qui fraîchissait. Est-ce qu'il allait la laisser tomber? Il en avait assez d'elle, ça, elle le savait. Mais le bateau était à elle, ou du moins il l'avait acheté avec son argent, et il était son premier homme, il le savait. Elle n'arrivait pas à croire qu'il pourrait lui faire ce qu'il avait fait à Natalie. Pourtant, Natalie était si belle, si élégante et si à l'aise, alors qu'elle-même était d'une fadeur désespérante. Elle enveloppa ses cheveux d'une serviette et en enroula une autre autour de son corps avant de sortir. Natalie la regarda attentivement.

– Tes cheveux ont besoin d'une coupe. Je t'emmènerai voir quelqu'un demain, d'accord?

– Je n'ai pas d'argent, répondit Harriet, qui préférait que tout soit clair.

– Cela ne me surprend pas, personne n'a d'argent dès que Jake est dans les parages. Ce type a été jusqu'à vendre la bague de ma mère. La bague avec une émeraude de ma mère, ce salaud l'a vendue! Non, laisse-moi faire! J'ai un compte à régler avec Jake. Ça l'arrange d'avoir des filles comme toi, de gentils petits épagneuls qui dépendent entièrement de lui. Cette fois, je vais lui montrer!

Elle s'approcha comme un chat, ses yeux verts fixés sur Harriet qui recula instinctivement.

– Que vas-tu faire?

– Je vais te transformer, déclara Natalie. Voyons un peu.

D'un geste, elle lui retira sa serviette. Harriet tenta de dissimuler sa nudité avec ses mains, mais Natalie ordonna :

– Tiens-toi droite! Je ne vais pas te violer! Bon. Tu as une splendide paire de seins, et tu n'es pas mal faite. Tu as perdu du poids? Bien, perds-en encore un peu. Voyons tes cheveux...

On frappa à la porte.

– Je vous prie de m'excuser, mademoiselle, M. de Vuiton aimerait servir le dîner dès que possible, dit une voix cérémonieuse.

– Donnez-nous vingt minutes, répondit Natalie qui entreprit sur l'instant de brosser les cheveux mouillés de Harriet. Il faut qu'on dégage ton visage, sinon personne ne te voit, et tu as un très joli visage, de beaux yeux. Tires-en le maximum. Si tu gardes les cheveux sur les yeux, ça te donne un air méchant. Si tu les écartes, ton cou paraîtra plus long, aussi.

– Est-ce que tu connais M. de Vuiton depuis longtemps? demanda Harriet entre deux coups de brosse.

– Un an environ. Il s'est avéré que mon précédent était un pervers, et je ne pouvais pas faire ce qu'il voulait, même pour beaucoup d'argent. Tartine-toi un peu de ça, dit-elle en tendant un pot de crème à Harriet. Alors je me suis mise avec Peter. Il veut m'épouser, ajouta-t-elle d'une voix sereine, mais je ne crois pas que je vais accepter. Il a déjà été marié trois fois, et je me demande pourquoi ça n'a jamais marché. Ce n'est pas un amant terrible, et je ne tarderais pas à aller voir ailleurs. Oh, désolée! s'écria-t-elle en éclatant de rire à la vue du visage de Harriet dans le miroir. Je te choque! Mais c'est vrai, je couche pour de l'argent, beaucoup d'argent. Le mariage n'entre pas dans mes plans, pas avant que je sois vieille et très, très riche. Tiens-toi tranquille, je veux te maquiller les yeux. Et toi?

– Je suis seulement en vacances. Un peu hésitante pour

l'instant. Tout était monotone et horrible, et depuis que j'ai rencontré Jake, la vie est très excitante. Il est très... il est...

– Formidable au lit, termina Natalie. Chérie, tout le monde aime ça avec Jake, mais ce que tu as de mieux à faire, c'est d'essayer avec d'autres types. Il n'en manque pas à Nassau. Peut-être qu'un riche vieux papa gâteau t'enlèvera et t'épousera, et alors tu comprendras quel salaud est Jake.

– Mais il n'est pas si mauvais! protesta Harriet en se retournant. Il n'est pas délibérément méchant.

– Jake est un salaud, Harriet, dit Natalie en tapotant le nez de Harriet avec un pinceau de poudre compacte. La seule personne qui l'intéresse, c'est lui, et plus tôt tu le comprendras, mieux ce sera. En ce moment, il est en train d'enlever sa robe à Donna, mais ça ne l'empêchera pas de t'enlever la tienne dès qu'il t'aura ramenée dans son rafiot. Jake, c'est ça. Il te fera travailler, cuisiner, il te prendra ton argent, et si tu es très gentille, il te donnera du plaisir. La loyauté ne figure pas dans son vocabulaire.

Tout le monde se tourna vers Natalie et Harriet quand elles firent leur entrée au bar. Harriet sentit qu'elle rougissait, mais avec la main de Natalie qui la poussait à la taille, elle ne pouvait faire autrement que d'imiter le pas énergique de la jeune femme. Ses sandales à talons claquaient sur le parquet, son étroite robe blanche lui serrait les cuisses l'une contre l'autre, et comme elle avait une plus forte poitrine que Natalie, ses seins gonflés débordaient de son décolleté comme deux ballons bruns. Demain, Natalie lui avait promis qu'elle serait blonde.

– Seigneur! s'écria Jake. Tu as l'air... tu es très jolie, Harriet, conclut-il d'un air vexé.

Donna gloussait à son bras.

– Je suis désolée de t'avoir fait attendre, Peter, dit Natalie en passant un bras autour de M. de Vuiton pour lui déposer un baiser sur la joue. Je racontais à Harriet tout ce qu'elle doit savoir sur Jake.

– Cela n'a pas dû manquer de piquant, dit Vuiton en se levant. Allons manger, voulez-vous?

Alors qu'ils passaient à la salle à manger, Jake parvint à se détacher de Donna et prit le coude de Harriet.

– Tu as l'air d'une putain de luxe. Et ne crois pas ce que te dit Natalie.

– Et pourquoi pas? demanda-t-elle en le regardant droit dans les yeux. Elle semble te connaître mieux que moi.

– Oh, Seigneur!

Il l'abandonna et gagna la place qu'on lui désignait, près de Donna. Harriet se retrouva près de George, un homme replet, marié à June, et qui fut très content de l'avoir comme voisine. Harriet n'en revenait pas : jamais auparavant aucun homme comme George ne l'avait remarquée, à moins de vouloir lui acheter un fanion à une vente de charité.

Le repas était composé de saumon frais, de côtelettes de veau accompagnées de trois légumes différents, et de délicieux desserts. Jake et Harriet dévorèrent les légumes, parce que cela faisait des semaines qu'ils n'avaient pas eu de verdure mangeable. Donna était vautrée sur Jake, glissant sa main dans sa chemise pour jouer avec les poils de sa poitrine, et lui l'encourageait.

Soudain, Harriet sentit quelque chose contre sa jambe. George lui souriait et massait sa cuisse d'une main brûlante. Harriet serra les genoux.

– Que faites-vous?

– J'explore, répondit George. Si nous allions sur le pont?

Harriet regarda June, qui avait l'air de s'ennuyer.

– Arrêtez!

La main de George progressait vers son entrejambe. Etait-elle censée tolérer cela? Natalie le tolérerait-elle? Elle attrapa le poignet insolent et le repoussa. June vit le geste et lança à son époux un regard lourd de mépris.

– Passons au bar, dit Peter de Vuiton.

Ils se levèrent tous et des groupes se formèrent, les hommes allant parler bateau avec Donna qui ne décollait pas de Jake, Natalie, June et Harriet s'éloignant pour boire un café.

– J'ai expliqué à Harriet qu'elle ne devait pas coucher pour rien, dit Natalie.

– Je l'ai fait assez longtemps, dit June. Ne t'en fais pas pour George, petite, il ne sait plus que peloter, ces derniers temps. Seigneur, quand arrivera-t-il quelque chose d'un peu excitant?

Harriet la regarda avec des yeux ronds. Comment pouvait-on trouver cette vie ennuyeuse? L'argent rendait exotique même la coupe à fruits en cristal de Waterford, parce qu'elle était remplie de papayes, de mangues et de morceaux de noix de coco fraîche. Des rondelles d'ananas frais formaient un cercle parfait dans un bol de liqueur entouré de petites fourchettes en argent. Elles étaient assises sur des fauteuils en daim, et Natalie tenait un gobelet en or. Harriet ressentit soudain une profonde envie de la perfection qu'apportait l'argent; plus de compromis, de parcimonie, de médiocrité. Avec de l'argent, on n'avait plus jamais à faire semblant d'aimer le nylon, les hamburgers ou les petits pois en boîte. On pouvait manger du caviar, s'habiller de soie... Elle soupira et regarda June sans comprendre ces rides de mécontentement qui se dessinaient sous le voile parfait de son maquillage.

– Tu n'as qu'à t'en débarrasser, conseilla Natalie à June. A quoi ça sert de t'accrocher? Vous ne parlez plus, vous ne baisez plus... Va donc te trouver un gentil garçon qui te fera vivre un peu.

Elle allongea ses longues jambes avec une confiance sensuelle qui montra bien à June comme à Harriet que Natalie n'aurait jamais de mal à trouver un homme.

– C'est peut-être ce que je vais faire, dit June sans aucune conviction.

A l'évidence elle savait qu'elle continuerait à supporter son mariage, trop peu volontaire pour rompre, et peut-être trop effrayée aussi. C'était dur, quand tu étais seule, se dit Harriet. Tu ne peux mépriser quelqu'un qui refuse de partir sur cette route pleine d'embûches.

Jake regarda leur petit groupe. Comme s'il se débarrassait d'un serpent, il se dégagea de Donna, s'approcha d'elles et vint s'accroupir près de Harriet, mais c'était Natalie qu'il regardait.

– Tu ne changes pas, dit-il d'un air rêveur.

Natalie prit dans son sac un long cigare qu'elle alluma.

– Je n'ai pas non plus l'impression que tu changes. Harriet m'a raconté des choses très intéressantes, et elles m'ont paru tellement..., familières, dit-elle avec un sourire de chat.

– Toujours amère, je vois, dit Jake en levant un sourcil ironique. Dommage. On s'est pourtant bien amusés ensemble.

– Vraiment? C'est drôle, je ne m'en souviens pas. Et je pense que Harriet ne repensera pas au passé avec tellement de nostalgie non plus quand tu l'auras jetée. As-tu déjà fixé la date, Jake? Tu ne reste jamais bien longtemps dans le même lit dès que tu es au port.

Elle tira furieusement sur son cigare, mais Jake ne dit rien. Harriet s'agita près de lui, se sentant négligée et superflue. Le bateau semblait tanguer, pourtant il devait être immobile. C'étaient la confiance et les espoirs de Harriet qui tanguaient.

Tout à coup, Jake lui saisit le bras et la fit se lever.

– En route, Harriet, c'est l'heure de se coucher.

Elle tituba sur ses talons et tomba sur lui, ses seins comme des boucliers contre l'avant-bras de Jake. Il lui entoura la taille de son bras, en un geste entièrement destiné aux autres, se dit Harriet, et fit ses adieux.

– Je t'enverrai le canot demain, promit Natalie.

Harriet, consciente d'être un pion dans le jeu entre Natalie et Jake, hocha bêtement la tête. Donna, pétulante et boudeuse à la fois, murmura quelque chose à l'oreille de Peter.

– Venez déjeuner demain, dit celui-ci.

– Non, merci, répondit Jake. On a des choses à faire. On se reverra. Je vais réfléchir à ton problème de gouvernail.

– Comme tu voudras, dit Vuiton en tendant un bras possessif

vers Natalie. Elle se pressa contre lui et il fit glisser sa main sur le devant de sa robe.

Le canot ramena Jake et Harriet jusqu'à leur bateau et ils ne dirent plus rien avant d'être seuls sur le pont crasseux du *Fuite rapide,* où Jake regarda longuement Harriet.

– Tu ne ressembles à personne que j'aie connu, dit-il enfin.

– Mais tu connais des gens très curieux. As-tu couché avec Donna? Natalie prétend que oui.

Elle n'avait pas eu l'intention de lui montrer sa souffrance. Elle envoya ses cheveux en arrière d'un coup de tête et serra ses bras autour d'elle. La nuit était fraîche.

– Il semble qu'elle t'ait dit beaucoup d'horreurs. Oui, j'ai baisé Donna, et Peter de Vuiton aussi, et George. En fait, à l'heure qu'il est, elle fait la fête avec Peter et Natalie, tout gentiment. Est-ce que Natalie t'a dit ça?

– Non, ce n'est pas vrai! Tous les trois ensemble?

– Je ne connais pas ce genre de chorégraphie, dit Jake en haussant les épaules, mais si ça t'intéresse, je peux demander à Donna de venir nous donner des leçons. Harriet, mon petit, tu t'es retrouvée ce soir en compagnie de quelques personnages à la corruption très raffinée, et tu es bien trop innocente. Allons nous coucher.

Mais elle se souvenait que, plus tôt dans la journée, il l'avait repoussée. Dans leur petite cabine sombre, tout excité et impatient, il s'employa à dégrafer la robe de Harriet. Mais elle le repoussa.

– Non. Je n'ai pas envie.

– Ne sois pas idiote, bien sûr que tu as envie. En tout cas, moi si; alors allonge-toi et pense à l'Angleterre. Si tu ne veux pas t'amuser, tu n'as qu'à pas t'habiller comme ça, ça met les gentilles petites filles dans des situations embarrassantes. Seigneur, que tu sens bon!

Il enfouit son visage dans son cou et l'embrassa. Harriet se rendit compte qu'il était ivre, et plutôt en colère, peut-être contre elle, peut-être contre ces gens sur le yacht. Son désir pour lui la léchait comme une flamme, mais alors qu'elle se tournait vers lui pour lui offrir sa poitrine, elle revit le visage de Natalie, avec ses yeux verts et son sourire. Elle repoussa Jake.

– Non, je ne veux pas. Pas ce soir!

– Tu t'es conduite toute la soirée comme si tu étais à vendre sur le quai. Ne fais pas l'idiote.

Il l'attrapa à nouveau, mais elle se dégagea alors qu'il déboutonnait son pantalon.

– Je ne veux pas!

Il détestait sa nouvelle allure, mais elle l'excitait, comme

Donna l'excitait, et Natalie. Harriet alla s'asseoir sur la couchette, serrant ses genoux contre sa poitrine.

– Ils t'ont vraiment bouleversée, hein? dit Jake en la regardant avec un calme soudain.

– Peut-être.

– Tu ne dois pas croire ce que les gens te disent. On est en train de vivre quelque chose, tous les deux. Ne les laisse pas le gâcher.

– Je ne sais plus ce qu'on vit ensemble.

Dans son visage lisse entouré de la masse de ses cheveux, ses yeux brillaient.

– Tu ne ressembles pas à Harriet, dit Jake.

– Il n'y a pas qu'une Harriet. Je crois qu'il n'y a pas qu'un Jake non plus, et je ne suis pas certaine de tous les aimer.

– Il y a quelques semaines, tu n'aimais aucun d'entre eux, dit-il en souriant.

– Vraiment? Laisse-moi dormir, Jake.

Elle s'allongea et s'enroula dans sa couverture. Jake la regarda un moment et s'allongea sur l'autre couchette.

Elle fut réveillée par le ronflement d'un hors-bord et par la voix de Natalie qui claironnait :

– Harriet! Harriet!

Elle s'assit et se passa les mains dans les cheveux. Elle avait un mauvais goût dans la bouche, dû à ce qu'elle avait bu la veille. Jake pointa la tête hors de la cabine.

– La sorcière de Salem est arrivée. Je lui dis que tu es malade?

– Non, dit Harriet en se levant précipitamment.

Est-ce que Jake s'imaginait vraiment qu'elle préférait rester sur un horrible petit bateau imprégné d'eau salée plutôt que d'aller voir Nassau? Et puis Natalie lui avait prêté une robe, et elle devait la lui rendre. Elle enfila son short et sa chemise, se brossa les dents à la hâte et monta, la robe blanche de la veille à la main. Jake était toujours sur le pont. Il parlait à Natalie, l'air féroce, se dit Harriet, alors que Natalie, confortablement installée dans le siège en cuir du hors-bord, ressemblait à une bulle de soie rose. Comme toujours, Harriet se sentit minable.

– Désolée de t'avoir fait attendre, s'excusa-t-elle en enjambant la filière.

– On n'est pas pressées, dit Natalie. Oh, tu n'as pas à me rendre la robe, Harriet, garde-la! On ne sait jamais, j'aurai peut-être un service à te demander, un jour.

Harriet tendit la robe à Jake, dont le visage était impassible comme un masque.

– Tu as toujours été généreuse, Natalie, dit-il. Tu partages tout ce que tu as.

– Et toi, tout ce que tu as, tu l'as volé, répliqua-t-elle. Viens, Harriet, c'est l'heure du coiffeur.

Tandis que le canot filait vers la côte, Harriet se sentit soudain angoissée.

– Il n'y a aucune raison pour que tu fasses tout ça pour moi, risqua-t-elle.

– Je le dois, dit gravement Natalie à une Harriet stupéfaite. Je ne peux supporter de me voir en toi. Il m'a fait descendre plus bas que je n'étais jamais descendue, et si je n'avais pas eu ma chance, je me serais retrouvée à faire le trottoir. Ta chance, c'est moi, Harriet. Je suis ton billet pour la liberté. Pourquoi lui servirais-tu d'esclave ?

– Il ne voulait pas que je vienne avec lui, murmura Harriet, qui se rendait soudain compte que l'enchaînement d'événements qui l'avait conduite ici n'était plus très clair dans sa tête.

– Vraiment ? s'étonna Natalie.

Le canot s'arrêta devant les marches menant au quai, et Natalie monta la première. Harriet, pieds nus comme un garçon de plage, la suivit. Il lui sembla qu'il y avait des centaines de personnes déambulant sans but. Harriet trouva une teinte métallique à la lumière, et elle se dit qu'en dépit du soleil il y aurait sûrement un orage. De la sueur perla à son cou et s'écoula entre ses seins.

Natalie l'entraîna d'un pas impérieux dans une ruelle bordée de boutiques de luxe.

– Viens, Harriet ! disait-elle de temps à autre comme si elle encourageait son chien.

Et Harriet, comme tirée par une laisse, la suivait. Elles pénétrèrent dans le salon de coiffure, un antre tout de verre teinté qui suait l'argent.

– Voici Harriet, déclara Natalie.

A l'évidence, tout le monde savait de quoi il s'agissait. Trois jeunes filles, coordonnant leurs mouvements doux et autoritaires, la couvrirent d'une blouse et la guidèrent jusqu'à un fauteuil. Elles babillèrent et murmurèrent en tripotant ses cheveux comme si c'était de la laine, alors que leurs propres cheveux, uniformément auburn, étaient assortis à leur peau. Harriet se dit qu'elles étaient métis, ce qui leur donnait un teint délicieux. Comme elle enviait leur peau mate ! La sienne avait l'air transparente en comparaison. Arriva un homme grand, de couleur lui aussi, et les filles s'éloignèrent.

– Jules, ronronna Natalie en lui tendant sa main aux longs doigts fins, nous aimerions que vous fassiez quelque chose de Harriet.

Après le salon de coiffure, elles se rendirent dans une boutique de vêtements. Deux tenues seulement étaient exposées en vitrine, une robe de plage de toutes les couleurs de l'arc-en-ciel, et un tailleur à pantalon blanc. Aucun prix n'était affiché, et Harriet secoua sa crinière de cheveux bouclés. Elle n'avait pas voulu se retrouver complètement blonde, mais s'était laissé convaincre pour une mèche blonde sur le devant qui faisait un effet splendide sur ses cheveux bruns naturels et sa peau bronzée.

– On ne peut pas entrer ici, dit-elle avec fermeté. C'est trop cher.

– En tout cas, dit Natalie en la fixant de ses yeux de chat, tu ne peux pas garder ces vêtements pour le reste de tes jours. Est-ce que Jake va t'en acheter? Hein? Il va t'en acheter?

– Je ne sais pas.

Harriet se dit qu'il n'était pas impossible, finalement, qu'elle et Jake discutent calmement de l'état de leurs finances. Ce n'était pas aussi impossible que Natalie semblait le penser. Il n'y avait pas beaucoup d'argent, ils le savaient tous les deux, mais il y en avait un peu.

– Je suis sûre qu'il va me trouver quelque chose, dit-elle timidement.

– Pouh! dit Natalie en s'approchant de la boutique.

Harriet s'accrocha à son bras.

– Ecoute, Harriet, dit Natalie en lui prenant soudain gentiment la main, considère que c'est un prêt. Tu me rembourseras quand les choses iront mieux pour toi. Je sais que tu crois que je fais ça contre Jake, et c'est un peu vrai, mais je souhaite aussi t'aider. Nous pourrions être amies, non?

Harriet se sentit rougir. Elle avait si peu d'amis! Elle n'avait jamais su s'en faire. Même à l'école, c'était difficile, parce que sa mère n'aimait pas qu'elle ramène des enfants à la maison, ce qui empêchait une réelle intimité. Elle avait appris à garder ses distances, ou peut-être l'avait-elle toujours voulu, parce que c'était ainsi qu'on se conduisait dans sa famille. N'était-il pas temps de briser les chaînes de l'enfance et de juger des choses par elle-même?

– J'aimerais qu'on soit amies, dit-elle timidement.

Après tout, être amie avec Natalie ne signifiait pas qu'elle était déloyale envers Jake.

On connaissait aussi bien Natalie dans la boutique que chez le coiffeur. Ce qu'elle voulait, on le lui donnait. Il lui suffisait de murmurer : « Blanc, je crois, non?... » pour que tous les bikinis de couleur disparaissent et qu'on n'en voie plus que des blancs. Harriet savait que, toute seule, elle se serait laissé vendre le rose inmettable que personne d'autre ne voulait acheter. Elle se retrouva toute gênée, couverte seulement de trois triangles bien coupés qui montraient, lui sembla-t-il, encore plus que ce qu'elle avait. Que si peu de tissu puisse produire un tel effet la laissa stupéfaite.

– Je ne suis pas très décente, chuchota-t-elle.

– Ce n'est pas le but, dit Natalie. Et si on passait aux robes? Cette petite multicolore en vitrine, pour commencer.

Harriet était muette de gratitude. La robe lui semblait la plus belle et la plus désirable au monde, et quand elle virevolta devant le miroir et vit les couleurs briller, elle ne put croire que Natalie fût aussi gentille avec elle.

– Je dois te rembourser, dit-elle avec désespoir.

– Tu ne me dois pas un centime, chérie, dit Natalie d'un air distrait.

Elle venait de trouver un fourreau bleu qu'elle jugeait parfait. Harriet n'en était pas sûre, parce que l'image que Natalie avait d'elle lui semblait curieusement vieux jeu et sexy : taille ajustée, jupe serrée, décolleté profond... Mais il lui sembla impoli de contester les goûts de Natalie, si bien qu'elle accepta humblement ses cadeaux.

– Est-ce que c'est M. de Vuiton qui paie? demanda-telle.

– Oh, non! C'est moi. Mais je peux me le permettre, chérie, ne t'en fais pas. Ma récompense sera de te voir quitter ce vaurien de clochard et le laisser se préparer tout seul son petit déjeuner dans sa baignoire qui fuit pendant que tu t'amuseras ailleurs. Tu es vraiment jolie quand tu es apprêtée, Harriet, et Jake ne te mérite pas.

Elle rougit. Il lui sembla qu'elle avait perdu toute indépendance. Elle se sentit déchirée entre Jake et Natalie, chacun lui imposant une façon de vivre. Elles revinrent au port en prenant leur temps. Natalie voulait tout voir.

– Ah! dit-elle soudain. La voilà!

– Qui?

– La femme. Pendant que la souris danse sur le port, le gros chat est disponible. Vite, au canot, Harriet! Tu vois ce grand yacht là-bas? Le propriétaire est un Allemand que j'ai l'air d'intéresser. Je crois que je vais aller lui dire bonjour, parce que sa femme fait des achats, et que, sûrement, il s'ennuie!

Elle se lécha les lèvres avec gourmandise, et Harriet resta stupéfaite. Elle n'en était toujours pas revenue quand Natalie la renvoya dans le canot et partit en louer un pour son propre usage.

Jake attendait impatiemment son retour.

– T'as pris ton temps. Je veux partir d'ici pour aller au chantier et faire réparer le mât.

– Désolée, dit Harriet d'un air absent.

Elle regarda vers le yacht allemand. Oui, Natalie montait à bord. Elle ouvrit la bouche pour le dire à Jake, puis la referma.

Natalie était son amie, et Jake n'avait pas besoin de ses confidences. Rends-toi compte, se dit-elle, complètement absorbé par son bateau, il ne t'a même pas regardée!

Elle se demanda où ranger ses nouvelles affaires pour éviter de les abîmer. Curieusement, même dans ce territoire qui lui était si familier, elle se sentait perdue.

11

Le nouveau mouillage du bateau jouissait d'un environnement beaucoup moins prestigieux que le précédent. Des baraquements bordaient la côte et c'étaient des épaves qui flottaient dans les eaux sales de la baie. Harriet restait silencieuse, visiblement mécontente de quelque chose, mais Jake considéra qu'il valait mieux la laisser parler la première. Il avait une petite idée de ce que Natalie avait pu lui dire, mais il n'avait aucune envie d'attiser le feu. Pourquoi devrait-il raconter des histoires qu'on aurait mieux fait de laisser mourir? Il semblait à Jake qu'à un moment ou à un autre tout le monde s'était mal conduit, et que comparer les erreurs et les inepties des uns et des autres relevait d'une inutile cruauté. Il ne jugeait pas les gens, il se contentait de se détacher d'eux, et il ne comprenait pas ceux qui entretenaient de profondes et durables rancunes. Harriet devait le prendre comme elle l'avait trouvé, elle ne devait pas écouter les histoires des autres. Et puis, alors qu'il essayait de trouver un mât à un prix qu'ils pouvaient de toute façon à peine se permettre, que faisait Harriet? Elle allait courir les boutiques! En vérité, il était aussi en colère contre Harriet qu'elle l'était contre lui.

Vers le soir, le canot de M. de Vuiton fendit de sa coque de luxe les immondices de la baie. Jake leva les yeux et émit quelques jurons. Harriet chercha Natalie des yeux, mais ne vit que Donna. Passant les mains sur son short sale, elle se demanda si elle avait le temps de se changer.

– Alors, c'est là que tu es, Jake, cria Donna en faisant des gestes extravagants.

– C'est là que je suis, dit-il en renonçant à regret à l'examen du toit de la cabine, qui lui semblait avoir beaucoup souffert de leur traversée.

– On va dîner à terre, cria Donna en se penchant pour dévoiler un décolleté tentateur. Et devine qui sera là? Ton ami Mac, et un type qui s'appelle Lewis et qui dit que tu le connais. On les a rencontrés cet après-midi, et Peter leur a demandé de nous retrouver au Gavroche. Allons, beau gosse, il faut vivre!

– Mac et Lewis! s'exclama Harriet. Jake, il faut y aller. On ne va tout de même pas rester ici toute la soirée à regarder des bouts de planche qui flottent!

– Ça ne me dérangerait pas autant que ça semble t'ennuyer, maugréa Jake. Enfin, de toute façon, je ne peux plus faire grand-chose ce soir. Va te préparer. Je vais attacher quelques trucs; le vent fraîchit vite. Il va falloir que tu nous attendes deux minutes, dit-il à Donna dans le canot.

– Tu me connais, Jake : tant que j'obtiens ce que je veux, ça m'est égal d'attendre.

– On verra ce qu'on peut faire, dit-il en se retournant pour descendre dans la cabine.

Harriet, qui enfilait sa robe arc-en-ciel, lui demanda d'une voix haut perché :

– Est-ce que tu vas coucher avec elle?

– Ça t'ennuierait? demanda-t-il en la regardant d'un air songeur. Je croyais que tu aimais la vie mondaine. Tout le monde dans les mauvais lits, c'est comme ça qu'on y joue.

– Elle le veut, et elle se moque de qui le sait.

– C'est son problème. Et toi, tu ne veux pas pour le moment, alors pourquoi est-ce que je me priverais?

– Alors, pourquoi est-ce que je ne devrais pas en faire autant, si je le voulais? Tu as couché avec des tas d'autres, pas moi.

– Oh, Seigneur! dit Jake en se frappant la tête du poing. Tu es vraiment décidée à manigancer quelque chose, hein? Ne le fais pas, Harriet. Tu n'es qu'une débutante, et quand on remue de la boue, elle met longtemps à se redéposer. Pourquoi est-ce qu'on ne se contenterait pas de se préparer pour une agréable soirée avec Mac et Lewis? On pourra reparler de morale et d'avec qui j'ai couché ou non demain, quand on aura tout le temps et qu'il n'y aura pas plusieurs paires d'oreilles qui traînent dehors. Au fait, je ne pense pas que tu devrais laisser Natalie te transformer en un miroir d'elle-même. Tu n'en as pas besoin. Tu es... tu es une très jolie fille par toi-même. Tous ces falbalas, ça ne te ressemble pas.

Elle lui tourna le dos pour qu'il attache sa robe.

– Mais les gens me regardent, maintenant, et avant, ils ne le faisaient pas. Je ne suis plus le fond du panier. Je pourrais avoir un espoir de trouver quelqu'un...

– Tu n'as jamais été le fond du panier, répliqua Jake avec rage.

Il n'y avait rien qu'il détestait plus que ce genre de conversation, quand une femme tentait de lui faire dire des choses qu'il aurait pu dire de lui-même si on ne l'avait pas poussé... ou qu'il n'aurait jamais dites. Il enfila un jean et une chemise plus ou moins propre, puis attendit patiemment que Harriet se mette du mascara et du rouge à lèvres. Il la reconnaissait à peine. Il découvrait que sans ses frusques et ses cheveux en bataille, elle était bien faite et possédait un visage très doux. Il pensa qu'elle serait mieux avec moins de maquillage, mais se tut. Il le lui avait déjà dit : elle n'était qu'une débutante.

Elle lissa les plis de sa jupe et se prépara à sortir. Il attendit un moment, pas très sûr de ce qu'il voulait exprimer.

– Est-ce que tu vas te conduire correctement? demanda-t-il brusquement.

– Bien sûr que je vais me conduire correctement! C'est à toi qu'on ne peut pas faire confiance, Jake, n'oublie pas.

Elle descendit dans le canot devant lui.

Le Gavroche était un restaurant de fruits de mer très chic, situé sur un petit promontoire dominant la baie. Alors qu'ils y montaient, Donna s'accrocha à Jake, ignorant délibérément Harriet, bien décidée à l'exclure. Jake se montra brusque avec elle et se retourna deux fois pour demander à Harriet de marcher à leur côté, mais elle refusa, préférant rester à l'arrière, ses talons claquant délicieusement, les hommes regardant sa jupe que ses pas faisait se balancer. Ce soir, elle se sentait très belle. Si Jake avait préféré Donna quand Harriet était aussi peu apprêtée que désirable, qu'il garde Donna maintenant que Harriet était toute différente.

Un homme se leva d'une table de café et s'approcha d'elle.

– Voulez-vous prendre un verre? demanda-t-il.

Jake se retourna, Donna toujours collée à son bras, et dit d'une voix métallique :

– Elle est avec moi.

Harriet rit et continua sa route. Le vent jouait dans ses cheveux, et elle se dit que le monde était enfin délicieux, excitant et dangereux.

Vuiton et ses invités étaient rassemblés autour d'une table centrale, les seaux à champagne l'entourant comme des silos de missiles nucléaires. Lewis et Mac se levèrent tous les deux à leur arrivée, Lewis leur souhaita la bienvenue, et Mac se contenta de froncer le nez, ce qui constituait pour lui un signe de grand enthousiasme.

– Jake! Ça fait plaisir de te voir, vieux! s'écria Lewis en s'approchant les mains tendues. Dieu du ciel! s'exclama-t-il soudain. Qu'est-ce que tu as fait à Harriet? Harriet, mon Dieu, tu es merveilleuse, tout à fait merveilleuse.

– Merci, dit-elle.

Elle était un peu étourdie, comme si elle avait déjà bu. Elle s'approcha de Mac et l'embrassa sur la joue.

– T'as changé, dit-il dans un grognement. T'étais mieux avant.

– Vraiment? dit-elle en secouant la masse de ses cheveux.

Elle accepta un verre de champagne. Natalie la regardait, comme une mère dont la fille fait grande impression dans la robe qu'elle lui a choisie. Harriet n'arrivait pas à croire qu'elle était allée voir cet Allemand, pas la gentille et amicale Natalie!

– Viens t'asseoir, dit Lewis en présentant à Harriet une chaise à côté de la sienne. Parle-moi un peu de ce voyage où t'a entraînée Jake. Quand je l'ai appris, j'ai cru qu'il allait vous noyer tous les deux. Si c'était arrivé, je n'aurais jamais eu l'occasion de m'amuser avec la très belle Harriet!

Elle se rendit compte qu'il était déjà très ivre, mais elle s'en moquait. Lewis était si beau garçon, lisse et doré, les yeux bleus, bronzé, les traits réguliers! Un peu banal, mais le rêve de toute adolescente, se dit-elle. Elle se demanda soudain de qui elle avait rêvé quand elle avait seize ans. Elle ne se souvint de rien d'autre que de son attachement désespéré à Rintintin, parce qu'elle avait toujours rêvé d'avoir un chien.

De l'autre côté de la table, Jake essayait de parler à Vuiton pendant que Donna, collée à son épaule, glissait sa main sous la table. De temps à autre, Jake la repoussait, mais tout aussi souvent, il l'embrassait dans le cou. Il la manœuvre, se dit Harriet, pour qu'elle ait de plus en plus envie de lui. Pourquoi faisait-il cela? Une main toucha son propre genou. C'était celle de Lewis, qui lui souriait.

– C'est vraiment bien qu'on soit si bons amis, dit-il d'une voix pâteuse.

– Oui.

La main de Lewis ne la gênait pas autant que celle de George. C'était même assez excitant, surtout avec Jake assis en face d'elle, avec sa main sous la jupe de Donna. Elle prit une autre flûte de champagne et les doigts de Lewis remontèrent sur sa cuisse.

– Pourquoi on n'irait pas au bateau tous les deux? On en a un très chouette, cette fois, dans les trente mètres, et complètement désert. Viens, Harriet, allons-y!

– Pourquoi n'y a-t-il personne à bord?

– Parce que le propriétaire et sa famille ne viennent pas avant la semaine prochaine. Mac et moi, on va les emmener en excursion, le genre de chose que déteste Jake. Il t'a rendue folle? Tu me rends fou, Harriet. Allons nous exciter ensemble!

Sa respiration lui brûlait l'épaule, et sa main la caressait toujours. Harriet regarda de l'autre côté de la table et croisa les yeux bienveillants de Natalie, qui lui fit un petit signe de tête encourageant. Elle devait donc laisser Lewis lui faire ça, parce que Jake était Jake, qu'il s'en moquait et qu'on ne pouvait pas lui faire confiance. Non mais, regardez-le qui laisse Donna se ridiculiser complètement pendant qu'il parle navigation! Comme c'est terrible d'en être réduit à ça!

Harriet recula sa chaise et se leva. Elle n'avait presque rien mangé. En fait, le service était si lent qu'il n'y avait pratiquement rien eu à manger. Sans un mot à quiconque, elle gagna la porte, claquant courageusement des talons. Elle partait pour un rendez-vous galant qui allait lui permettre de faire des comparaisons. Comment pouvait-elle juger Jake alors qu'elle ne savait rien des autres hommes? Pas étonnant qu'il s'ennuie avec elle. C'était l'inexpérience qui la rendait ennuyeuse.

Devant le restaurant, elle prit le bras de Lewis.

– Tu dois me montrer des choses. Je veux apprendre à le faire autrement.

– Oh, Harriet, tu vas voir ce que tu vas voir!

Il lui pressa brièvement la poitrine, un peu trop fort pour que ce soit agréable. Elle grimaça, le repoussa, et partit seule vers le port. Au bout de quelques pas, Lewis lui glissa un bras autour de la taille.

Il eut quelques difficultés à trouver le dinghy de son yacht, mais finit par repérer un joli petit canot, brillant sous son énorme moteur, qu'il crut reconnaître.

– Comment est-ce que Mac va rentrer? demanda Harriet.

– On ne veut pas qu'il rentre. Je suis impatient de voir ce qu'il y a dans ta robe.

– Oui.

Le vent était froid et agressif, tournoyant autour de leurs têtes en grandes bouffées qui ne pouvaient que les dégriser. Harriet regarda Lewis et se demanda ce qu'elle pouvait bien être en train de faire. Elle le connaissait, elle l'aimait bien, mais c'était Lewis, pas l'homme avec qui elle couchait. Mais bien sûr, tout serait différent dans la chaleur et l'obscurité d'une cabine. Là, elle pourrait ressentir le désir. Pour l'instant, cependant, elle pensait seulement qu'elle aurait bien aimé manger quelque chose.

Le moteur les propulsa jusqu'à la sombre masse d'un yacht qui se dressait comme une falaise. Les embruns mouillaient le canot et trempaient sa robe, et pourtant, elle ne se réjouit pas quand le trajet se termina. Lewis luttait avec des cordages et tentait d'amarrer le dinghy aussi bien que son ivresse le lui permettait.

– Tu es certain que tu veux faire ça? demanda Harriet. Je

veux dire... On peut encore retourner au restaurant et terminer le repas.

Il ne répondit pas. Avec toute l'agilité d'une longue pratique, Harriet grimpa à l'échelle et se retrouva sur le pont.

Il l'emmena d'abord au bar, une immense pièce plongée dans une totale obscurité. Quand il alluma, Harriet dut se protéger les yeux.

– Harriet!

Il tenta de l'embrasser, mais elle lui échappa et mit entre eux une énorme table ronde.

– Et si on allait dans une cabine? demanda-t-elle.

– Je pensais qu'on serait bien sur la table.

Oui, à n'en pas douter, les hommes étaient différents des femmes : Lewis était toujours aussi excité et ne s'était pas du tout rendu compte que son ardeur à elle s'était quelque peu calmée – si cette ardeur avait jamais existé. Est-ce qu'elle ne voulait pas plutôt se venger de Jake, qui laissait Donna se coller à lui comme une ventouse passionnée?

– J'aimerais voir les cabines, dit Harriet de la voix de quelqu'un qui veut examiner la marchandise avant d'acheter.

Lewis haussa les épaules et la précéda hors du bar, allumant les lumières au fil de leur progression, jusqu'à ce que le yacht ressemble à un arbre de Noël.

– On va faire ça ici, déclara Lewis en entrant dans la cabine principale.

Harriet le suivit. Il y avait un lit immense.

Elle se vit soudain sur ce lit, sous Lewis, accomplissant un acte auquel elle participerait sans en avoir vraiment envie. Cette idée la révolta. Mais peut-être cela s'arrangerait-il quand ce serait en route... et puis elle ne pouvait pas se refuser à lui, maintenant qu'il l'avait amenée jusqu'ici. Harriet était habituée à faire ce qu'on attendait d'elle.

– Dégrafe ma robe, dit-elle avec résignation.

Lewis s'attaqua maladroitement à la fermeture à glissière et se mit à l'embrasser dans le cou dès que la robe glissa à ses pieds.

– Attention! dit Harriet en le repoussant.

Elle ramassa la robe qu'elle plia avec soin. Elle avait presque mal au cœur. Lewis profita de l'intermède pour se débarrasser de ses propres vêtements, envoyant tout balader n'importe où. Il était bien excité, remarqua Harriet avec un intérêt presque clinique, mais le sien n'était pas aussi gros que celui de Jake.

– Harriet...

Elle sentit sa peau contre la sienne, chaude et différente. Il n'avait pas du tout la même odeur que Jake. Elle voulut soudain le repousser, mais il se pencha et l'embrassa. Ce n'était pas la même chose, mais ce n'était pas déplaisant. Elle lui rendit son baiser.

– Ça suffit!

Harriet fit un bond en arrière, tentant vainement de cacher sa poitrine et son sexe de ses mains. Elle tremblait de peur. Jake passa près d'elle comme si elle n'était pas là et fonça sur Lewis. Beau garçon ou pas, il était maintenant parfaitement ridicule, vêtu de ses seules chaussettes. Il tendit les bras en avant dans l'espoir de discuter.

– Tu aurais pu arrêter ça bien avant si tu l'avais voulu, dit-il en reculant derrière le lit. Il n'y a aucune raison de se battre, Jake. Harriet est une grande fille...

Jake bondit en avant et son poing s'abattit sur la bouche de Lewis. Des gouttes de sang jaillirent et tombèrent sur la profonde moquette couleur crème. Harriet cria parce que la bouche de Lewis n'était plus qu'une purée rouge. Elle se dit bêtement qu'elle préférait mourir, parce qu'elle n'oublierait jamais cette scène, et que son souvenir serait intolérable. Lewis grimpa sur le lit, et quand il s'approcha d'elle, Harriet recula.

– Mets-toi quelque chose, Harriet, ordonna Jake.

– Tu ne devrais pas être ici. Ce n'est pas juste!

– Vraiment? Tu te conduis come une idiote et tu es trop bête pour le voir. Où as-tu mis ta fierté?

– Tu ne manques pas de culot, de me faire la morale, Jake! marmonna Lewis en s'habillant. Harriet ne t'appartient pas.

– Mais je suis responsable d'elle, dit Jake en s'approchant d'elle, nue et frissonnante. Il prit sa robe et la lui passa sur la tête en lui tenant les bras en l'air, comme si elle était une poupée.

– Tu n'es pas responsable de moi, protesta-t-elle en tentant de se dégager à la fois de la robe et de lui. Et même si tu l'étais, on ne peut pas te faire confiance, tout le monde le dit.

– Oh, oui, Natalie! dit Jake avec amertume.

– Pas seulement elle, ajouta Lewis qui saisit cette occasion de se venger. Jamais plus tu n'auras un autre bateau, Jake, on se passe le mot à ton sujet. Tu sais naviguer, et c'est tout. Tu flambes l'argent et tu ne sais pas travailler avec les gens. Toi, avec toutes tes grandes idées sur tel ou tel gréement, tu ne persuaderais pas un singe de manger une banane. Tout le monde sait qu'on ne peut pas te faire confiance. Regarde-toi maintenant, tu ne peux même pas garder une fille! J'imagine que tu n'es plus un si bon baiseur non plus.

Jake posa sur lui un regard glacial.

– Je savais que tu ne m'aimais pas, dit-il d'un air songeur, mais je ne savais pas que c'était à ce point. Quel salaud tu fais,

Lewis ! En tout cas, si c'est toi qui barres ce rafiot, aucun doute que tu l'échoueras dans la semaine. Mais c'est ton choix, et il faut tous qu'on grandisse et qu'on sache ce qu'on vaut un jour ou l'autre. Je te souhaite bonne chance, mon petit gars, mais je ne crois pas que mes souhaits te suffiront. Harriet, descends dans le canot.

Elle envisagea de refuser, mais elle ne souhaitait pas du tout rester avec Lewis, son visage ensanglanté et sa colère. Il semblait bien qu'elle avait failli faire l'amour avec un homme pour qui elle n'avait pas la moindre attirance, et maintenant qu'elle était dégrisée, elle en fut choquée. Jake avait raison de la mépriser, elle n'avait aucune fierté. La tête basse, elle ramassa ses chaussures et sortit pieds nus sur le pont. Le vent soufflait rageusement, et même dans le port protégé, les crêtes des vagues étaient blanches. Un canot attendait au pied de l'échelle, son propriétaire impassible malgré les mouvements de l'embarcation. Elle se retourna, mais Jake lui saisit le bras.

– Je ne peux pas descendre.

– Rien à foutre. Descends, Harriet, sinon je te jette.

– Tu n'as pas le droit ! s'écria-t-elle en levant le menton. Je peux faire ce que je veux. On n'est pas mariés ! Peut-être que je n'aurais pas dû partir avec Lewis, mais seulement pour moi, pas à cause de toi.

Il ferma les yeux une fraction de seconde, puis les rouvrit et dit calmement :

– Descends cette échelle. On va retourner sur notre bateau et en discuter raisonnablement. Je ne crois pas que... Il faut qu'on parle.

Elle leva la main et lui toucha le visage, mais il arrêta son geste. Que voulait-il ? Utiliser les gens et que ceux-ci l'aiment quand même ? comme disait Natalie. Elle enjamba la filière et descendit dans le canot, le vent soulevant haut sa jupe et offrant à l'homme en contrebas la vision grisante de Harriet et de sa culotte.

Le *Fuite rapide* se cabrait comme un cheval nerveux. Jake paya le passeur pendant que Harriet descendait dans la cabine. Il ne la suivit pas. Il s'assit sur le pont, le vent lui mettant les larmes aux yeux, et il se demanda s'il pleurait. Il ne se comprenait pas, ce soir : il s'était conduit comme un amant alors qu'il ne se savait pas amoureux.

Nassau était un endroit dégoûtant qui se nourrissait des pires spécimens pourris par l'argent, les excès et la prostitution. Harriet était de la viande fraîche arrivant sur un étal en proie à un nuage de mouches, et pourtant, elle voulait se faire pervertir comme les autres. Il devait l'éloigner de là, l'emmener; même s'ils devaient se noyer, ça en valait la peine. Il soupira et se leva, ignorant le tremblement qui agitait ses jambes.

Harriet, qui l'attendait, sentit le bateau prendre le vent et se rendit compte qu'ils avançaient. Elle se dit qu'ils devaient à nouveau changer de mouillage pour trouver un endroit mieux protégé où attendre plus calmement la fin de l'orage. C'était un soulagement que Jake ne soit pas dans la cabine, fulminant de rage, parce que cette fois, elle lui aurait répondu. Comment osait-il la critiquer pour Lewis et attendre d'elle qu'elle ignore Donna? Comment pouvait-il exiger sa confiance alors que personne ne faisait même semblant de l'en trouver digne? Elle se mit au lit et remonta les couvertures jusqu'au menton. Soudain, elle revit la scène comme Jake avait dû la voir quand il avait fait irruption dans la cabine, et elle sentit tout son corps rougir. Elle remonta les couvertures au-dessus de sa tête.

Seul sous l'orage, le petit bateau volait sur les vagues. Jake fixait les sombres collines mouvantes des flots et savait qu'au-delà, le vent fraîchirait encore. La nuit dissimulait la promesse d'un désastre sauvage, les nuages filaient devant la lune, et les lumières de Nassau disparurent peu à peu tandis que le *Fuite rapide* s'engageait sans hésiter sur un océan que tous les autres bateaux avaient déserté depuis longtemps.

Au bout d'une heure environ, Harriet monta sur le pont.

– Qu'est-ce qui se passe? Où allons-nous?

– J'en sais rien. Quelque part plus loin.

Elle suivit le regard de Jake. La proue fendait les eaux, plongeant, se cabrant. Le vent criait sans discontinuer au point qu'on ne pouvait rien dire autrement qu'en mettant les mains en porte-voix, et même ainsi rien n'assurait qu'on soit entendu.

– Est-ce que tu vas nous tuer? cria Harriet.

Il croisa son regard pour la première fois depuis qu'il l'avait retrouvée avec Lewis.

– J'en sais rien.

Elle serra sa couverture autour de ses épaules. Il n'y avait rien d'autre à faire que de traverser cette tempête dans laquelle Jake les avait jetés. Harriet était trop épuisée pour avoir peur; en fait, la réalité lui apparaissait à peine comme telle. Quand les vagues commencèrent à inonder le pont, elle descendit préparer une Thermos de quelque chose de chaud, parce que les mouvements ne tarderaient pas à être trop forts pour qu'on puisse cuisiner. En bas, elle retrouva le sens de la réalité et frissonna d'appréhension, mais elle n'en prépara pas moins à boire pour Jake et lui monta son ciré. Il la regarda, enfila le ciré, prit la tasse qu'elle lui tendait et sourit.

– C'est mieux. Je préfère ça.

Elle haussa les épaules et descendit se recroqueviller sur sa couchette pour essayer au moins de somnoler jusqu'à l'aube.

Au matin, il faisait toujours sombre et froid, et aucun élément nouveau ne leur permettait de se rassurer. Jake entra dans la cabine, le visage gris, trempé, épuisé.

– On est dans le cyclone? demanda Harriet.

– Seulement en bordure, dit-il en secouant péniblement la tête. Mais le bateau souffre un peu trop à mon goût.

Des mots accusateurs montèrent aux lèvres de Harriet. Pourquoi Jake ne les avait-il pas laissés en sécurité dans le port de Nassau? Mais elle se retint. A quoi cela servirait-il? Les querelles ne menaient jamais à rien. Rien ne changerait, quelle que soit la puissance de ses cris. Elle soupira et se glissa dans les plis mouillés de son short.

– On n'a pas grand-chose à manger.

– Non. Qu'est-ce que Natalie t'a dit sur moi?

– On n'est pas obligés de parler de ça maintenant...

– Si. Je veux savoir, Harriet.

Elle ne pouvait plus éviter de dire ce qu'elle aurait préféré oublier.

– Il semblerait qu'elle et toi ayez eu une aventure. Tu aurais pris son argent et tout ce qu'elle avait, comme à moi. Tu as même vendu la bague de sa mère. Et puis tu l'as laissée à la Jamaïque, et il a fallu qu'elle... enfin... elle s'est mise avec un homme, pour de l'argent. C'est vraiment ta faute si elle mène cette vie, maintenant. Du moins, c'est ce qu'elle dit.

– Et tu l'as crue.

Il la regardait de ses yeux clairs, la mâchoire crispée sous les poils de barbe. Elle le connaissait si bien. Comment avait-elle pu croire qu'il avait fait cela?... Comment aurait-elle pu ne pas le croire?

– Je ne crois pas que tu lui aies fait ça volontairement. Tu ne veux pas être méchant, mais ça se passe comme ça, c'est tout.

– Mais ça ne s'est pas passé comme ça.

Il regardait le plancher de la cabine qui commençait à s'humidifier. Harriet crut qu'il ne dirait plus rien, mais soudain, il commença :

– Je n'ai pas toujours été aussi aguerri que je le suis aujourd'hui. Elle était très jolie. Elle l'a toujours été. Quand je l'ai vue la première fois, j'en suis tout de suite tombé amoureux, pour de bon. Elle était avec un type qui m'employait comme skipper de son yacht de course, et au bout d'un mois, j'ai laissé tomber le yacht, j'ai pris Natalie, et on est partis sur un bateau d'emprunt. Je n'aurais pas dû faire ça, bien sûr. Ce type était un ami, et il m'employait. J'ai rompu le contrat. Mais Natalie et moi, on s'entendait bien au lit, et ça semblait valoir le coup à l'époque. Et puis on a commencé à manquer d'argent et j'ai pris un boulot dans un chantier sur une île, parce que Natalie voulait des trucs, Natalie avait toujours besoin de quelque chose. Je ne gagnais pas assez. J'ai dû vendre des accessoires du bateau qui ne m'appartenaient pas. Je ne savais pas ce que faisait Natalie pendant que je travaillais. Maintenant, je crois que c'est exprès que je n'ai pas demandé... Un jour, j'ai remarqué qu'elle avait une bague, une bague avec une émeraude, un caillou énorme avec des diamants autour. Elle ne l'avait pas avant. Je l'ai interrogée à propos de cette bague, et elle a dit que c'était celle de sa mère. Elle ne pouvait pas me faire avaler ça, alors un jour, je ne suis pas allé au chantier. Je l'ai surveillée et je l'ai vue, allant d'un yacht à l'autre. Elle en a fait trois, et puis elle est rentrée sur notre bateau pour attendre le soutien de famille. Elle avait plus d'argent caché sous son matelas que j'aurais pu en gagner en un an, et elle le gardait pour elle. On s'est disputés : larmes, excuses, c'était tout pour toi, tout le chapelet de merde habituelle. Alors on est allés d'île en île. Je n'ai pas trouvé de travail pendant un moment, et on a dû piocher dans ses économies. Elle n'aimait pas ça, je peux te dire. J'ai trouvé du boulot chez un fabricant de voiles, et Natalie a promis d'être bien sage. Elle l'est restée environ deux jours, et puis elle s'est mise avec le type du bar, sur le quai. Ils se voyaient tous les après-midi et ça n'a pas tardé à faire jaser. Pendant une demi-heure, j'ai envisagé de faire comme si je ne savais pas, de repartir ailleurs, de recommencer tous les trois mois sur une autre île fuyant les rumeurs. Mais j'ai bien réfléchi, et je me suis rendu compte que ce que j'éprouvais pour elle, ça n'était plus de l'amour, et ça m'a fait très mal. Alors j'ai jeté toutes ses affaires dans le port, toutes les jolies robes comme celles avec lesquelles elle te déguise, je l'ai tirée du lit où elle était avec le barman, et je lui ai fait traverser le bar toute nue. Elle n'a pas beaucoup aimé. Puis j'ai retiré la bague avec l'émeraude de son doigt, je l'ai vendue pour m'acheter un nouveau bateau et j'ai laissé Natalie s'en sortir comme elle savait si bien le faire. Natalie s'en sort toujours de la même façon.

– Pas étonnant qu'elle te déteste, murmura Harriet.

– Moi, je ne la déteste plus. J'ai remis le compteur à zéro, et ça a réglé l'affaire. Je ne rends pas Natalie responsable de l'échec de ma vie, mais ça ne serait pas si loin de la vérité. Avant elle, on pouvait me faire confiance, et je peux dire qu'elle m'a mis sur le chemin de la déchéance. Mais ça n'était pas seulement sa faute : je n'aime pas faire ce qu'on me demande, je n'aime pas faire la même chose tous les jours, et je n'aime pas la sécurité.

– Mais tu me la demandes, à moi, déclara Harriet.

Jake la regarda. Ils n'étaient éclairés que par la lanterne qui se balançait et formait sous leurs pommettes des ombres profondes.

– Je n'arrête pas de penser que je suis en train de te regarder grandir, dit-il lentement. Parfois, tu es une vraie femme, avec une grande force. Je ne sais pas d'où tu la tires. Et puis, avec Lewis, je retrouve une enfant. D'accord, couche avec qui tu veux, mais pas seulement pour me rendre la monnaie de ma pièce. C'est idiot, Harriet.

– C'est ce que tu faisais avec Donna, dit-elle d'un ton de défi alors même qu'elle se sentait un peu idiote. Elle te touchait, et tout... Et tu l'embrassais !

– Eh bien, dit-il d'un ton un peu penaud, tu sais, j'ai déjà couché avec elle. Ça semblait un peu idiot de la repousser comme une vierge effarouchée alors qu'il y a six mois on a fait tout ce que deux personnes peuvent faire ensemble. Comme le dit Natalie, je ne suis pas habitué à rester dans le même lit. Désolé, Harriet.

Harriet renifla, un peu radoucie. La lampe se balançait rythmiquement. Soudain, elle fit un brusque écart, et Harriet, toujours assise sur la couchette, se retrouva sur le dos. La surprise fit place à la peur. Elle n'arrivait pas à imaginer ce qui était arrivé.

– Bon Dieu ! rugit Jake en fonçant vers l'écoutille, les pieds écrasant les céréales qui s'étaient retrouvées par terre.

De l'eau coulait dans la cabine, dont le toit devait se trouver en partie immergé. Jake n'ouvrit pas l'écoutille.

– Viens ici, chérie, viens avec moi, murmura-t-il.

Harriet sentit son visage se vider de son sang, la peau tirée comme du papier. Le petit bateau était chahuté, maintenu couché par le poids des flots. Et puis, d'un seul coup, il redressa son mât vers le ciel. Jake poussa un juron qui n'exprimait que sa joie, et ouvrit l'écoutille, laissant l'eau s'écouler en cascade dans la cabine.

Ce fut le commencement de ce qu'ils crurent tous deux être la fin de leur petite embarcation. Les heures s'ajoutèrent aux heures en une succession interminable de souffrances, et la nuit succéda au jour sans qu'ils s'en rendent compte. Ils restèrent presque tout le temps dans la cabine, subissant l'épreuve silencieusement, sauf quand une nouvelle catastrophe requérait la présence de Jake sur le pont pour aider le bateau dans sa lutte contre l'orage. Deux fois, Harriet monta avec lui, Jake ayant décidé de jeter en boucle des brasses de cordage derrière eux, pour stabiliser la poupe ainsi rattachée plus fermement aux vagues. C'était un travail pénible, dangereux, frigorifiant, qui vous évitait de vous demander si vous alliez vivre ou mourir. Harriet ne souhaitait qu'une chose : que cela cesse.

La dernière fois, elle tituba jusqu'à la cabine, totalement épuisée. Jake lui tint une tasse de thé devant les lèvres et elle but le breuvage guère plus que tiède qui restait dans la vieille Thermos.

– Je suis désolé, dit soudain Jake.

– Ce n'est jamais très bon, dans une bouteille Thermos, dit Harriet.

– Non, je voulais dire, je suis désolé de te faire subir ça. J'étais en colère. Je me moquais de nous tuer tous les deux.

– Qu'est-ce qu'il y a encore? murmura Harriet qui sentait le bateau trembler sous l'assaut d'une autre vague géante.

Quand elle était sur le pont, Harriet ne pouvait croire qu'ils aient réussi à survivre jusque-là. Mais Jake n'avait jamais voulu mourir. Quelque chose en lui disait qu'il se sortirait toujours de tout, et c'était ce qui se passait depuis que Harriet le connaissait. Il lui adressa un sourire fatigué.

– Parle-moi de toi, Harriet. De ta vie. Que faisais-tu avant d'entreprendre ce voyage?

Harriet réfléchit et son moral, qu'elle croyait au plus bas, s'effondra un peu plus. Cette époque de sa vie avait été horrible, elle ne se souvenait que d'avoir été emprisonnée, d'avoir regardé son enfance et sa jeunesse se perdre à jamais.

– J'étais seule, dit-elle enfin. Quand on n'a rien en commun avec les autres, tu comprends, parce qu'on n'a pas d'argent, et qu'on ne sait parler que de médecins ou d'infirmières ou... Maman et moi, on s'est bien débrouillées pendant des années. Et puis elle a commencé à perdre la tête, tu comprends...

Elle s'interrompit. Comment parler de ces jours pendant lesquelles sa propre mère ne la reconnaissait pas, croyait qu'elle voulait l'empoisonner, lui voler son argent?

– Ça t'ennuyait? demanda Jake.

Elle se tourna vers lui, hochant furieusement la tête, parce qu'il ne comprenait pas que là n'était pas la question. On la privait d'amour, de vie, de liberté, de respect de soi. Et pourtant, dans ses moments de lucidité, sa mère s'accrochait à sa veste et la suppliait : « Harriet! Harriet! Ne me mets pas dans une maison de retraite! »

Soudain, il fallut qu'elle raconte tout. Les mots sortirent de sa bouche, bouillonnant comme un torrent de douleur et de récriminations. Jake ne put le comprendre au début, il ne sut pas qu'elle n'attendait aucune parole de lui, seulement sa présence, et qu'il l'écoute. Il lui entoura les épaules de son bras. Le bateau se souleva presque à la verticale et un craquement horrible se fit entendre dans la voilure, mais elle continua à parler, à lui raconter. Puis elle se tut, et on n'entendit plus que le vent qui rugissait dehors.

– Alors, dit doucement Jake, qu'est-ce que tu as fait?

Harriet s'essuya les joues alors qu'elle ne s'était même pas rendu compte qu'elle pleurait.

– Un jour, j'ai vendu la maison, sans difficulté parce que j'en ai demandé moins que sa valeur. J'ai remboursé le petit crédit qui restait et j'ai payé pour faire entrer ma mère dans une maison de retraite, un très joli endroit, vraiment, quand on est vieux, infirme et fou, en pleine campagne, pour qu'on ne puisse pas sortir ennuyer les autres. Je n'y suis pas allée avec elle, je l'ai mise dans la voiture. Elle pleurait. Je me suis tout de suite rendue à l'agence de voyage avec tout l'argent qui me restait, et j'ai choisi cette croisière. Elle est peut-être morte, aujourd'hui, je n'en sais rien. J'y pense souvent. Est-ce que ce serait mieux pour elle qu'elle soit morte? Peut-être.

– Je n'en sais rien.

– Est-ce que ta mère est morte? demanda Harriet sans savoir si elle n'avait pas touché là une corde sensible.

Tout le monde avait une mère, même Jake.

– Je n'ai aucun moyen de le savoir. J'ai eu l'enfance la plus raisonnable, la plus ennuyeuse, la plus banlieusarde, la plus étroite d'esprit, la plus sinistre possible. Mains propres, vêtements propres, esprit si propre qu'il n'y avait rien dedans qui vaille la peine de penser. On me détestait parce que j'étais différent. On m'envoyait en vacances chez mes grand-parents, qui vivaient à Southampton. C'est là que j'ai appris la voile, et dès que j'ai pu, j'ai quitté la maison et j'ai trouvé un boulot dans un chantier. Je suis jamais revenu. Personne ne m'a regretté, et je n'ai jamais regretté d'être parti.

– Ils n'ont sans doute pas voulu être méchants, soupira Harriet.

– Personne ne le veut jamais! s'écria Jake, soudain furieux. Est-ce que ta mère a voulu gâcher ta vie? Est-ce que tu crois que j'ai voulu l'aider à y réussir? Les choses arrivent parce qu'en fin de compte, chacun se fait toujours passer en premier.

Couchée là dans l'affreuse petite cabine mal éclairée, le monde devenu fou dehors, Harriet ressentit soudain un profond désespoir.

– Est-ce que tu te fais toujours passer en premier? demanda-t-elle. Est-ce que tu ne fais jamais rien pour les autres?

– Seulement quand ça ne me coûte rien. Ma mère a pleuré quand je suis parti. Je ne sais pas pourquoi. Elle m'ignorait depuis cinq ans, sauf quand elle allait à l'église et priait pour le salut de mon âme. Mais... elle a pleuré. Alors pourquoi est-ce que je n'ai pas écrit, pourquoi est-ce que je ne suis jamais allé la voir? Parce que ça me coûtait. Tu comprends, Harriet, tu avais raison. Je peux dire : Fais-moi confiance, repose-toi sur moi, mais ce n'est pas vrai. Tôt ou tard, je te laisserai tomber, quand ce dont tu auras besoin et ce que je voudrai iront dans des directions différentes. Jamais je n'aurais fait ce que tu as fait : sacrifier la moitié de ma vie, la meilleure moitié... Ça ne me serait jamais venu à l'idée.

– Tu l'aurais peut-être fait, dit Harriet en se souvenant combien à l'époque il était impossible de se dégager du piège. Et puis finalement, j'ai laissé tomber.

Jake eut un haussement d'épaules fataliste.

– Même ton amour pour ta mère n'a pas tenu le coup devant ton amour pour toi-même. Et pourtant, tu es quelqu'un qui sait aimer, Harriet.

– Pas toi ?

Il sourit, mais seulement pour détourner la réponse.

– Je ne crois pas en être capable. Parfois, j'essaie, mais au fil des années j'ai oublié comment on fait, je crois. Est-ce que quelqu'un qui t'aimerait t'aurait amenée dans cette galère ? Je ne crois pas.

Harriet s'essuya le nez sur le dos de sa main. Il fallait qu'elle digère ce qu'il lui disait, pour l'exprimer en termes qu'elle pourrait comprendre. Peut-être que plus tard elle souffrirait, mais pas pour le moment. Lui avoir tout dit l'avait libérée d'un tel poids, l'avait débarrassée de tant de culpabilité, de déceptions et d'horribles souvenirs !

– Faisons l'amour, dit soudain Jake. J'ai besoin d'intimité.

Elle songea à refuser, mais lui sourit en retirant son short, le short de Jake, maintenant bien trop grand pour elle. Elle aussi avait besoin d'intimité. Il y avait longtemps que Jake n'avait pas éprouvé un tel désir, comme si elle était la première, et lui un tout jeune homme. Il ne se comprenait plus. Pourquoi tant d'émotion pour un acte qu'il avait accompli tant de fois auparavant ? Harriet se cacha les yeux un instant, et Jake se rendit compte qu'il ne savait pas du tout ce qu'elle pensait.

12

Le mât se rompit alors qu'ils dormaient. Harriet se réveilla dans le noir avec la sensation que le monde tournait autour d'elle. Elle ne savait pas où elle était, mais elle savait que jamais elle n'y était venue auparavant. Le bruit de déchirure, d'arrachement, d'écrasement, continua longtemps. Elle entendait aussi l'eau qui se précipitait, un son de mort. Elle se demanda ce que cela faisait de se noyer, et inspira frénétiquement des bouffées d'air, comme si elle pouvait en emmagasiner assez pour la sauver dans les profondeurs. Elle ne voulait pas mourir.

Et puis Jake était là, qui la rassurait dans le noir, la serrant si fort qu'elle sentait son cœur battre, son souffle dans ses poumons. Il était trempé.

– Est-ce qu'on est fichus? demanda-t-elle.

– Dieu seul le sait. Il y a trente centimètres d'eau dans la cabine, on flotte à peine et je crois qu'on a perdu le mât.

Elle lui toucha le visage, comprenant qu'ils étaient tous deux tellement secoués par la soudaineté de cette calamité qu'ils ne pourraient rien décider avant un moment.

– Pendant une minute, dit Jake, j'ai bien cru qu'on était bons. Dieu, que j'ai eu peur!

– Moi, *j'ai* peur, dit Harriet en le serrant plus fort. On est toujours là! dit-elle au bout d'un moment, alors que l'eau coulait toujours, mais qu'il n'y avait pas eu de vague verte pour les noyer.

– Oui.

Il s'écarta d'elle et elle l'entendit patauger dans l'eau. Il finit par trouver une lampe torche, qui, miraculeusement, marchait encore. Dans la lumière étrange, ils virent que le bateau était presque couché. Le toit de la cabine fuyait toujours, mais l'essentiel de l'eau venait de l'écoutille avant, cassée et souvent à demi immergée. De temps à autre, de l'eau passait par l'orifice et continuait de remplir la cabine.

– Est-ce qu'on s'est retournés? demanda Harriet. C'est l'impression que j'ai eue.

– Je ne sais pas exactement ce qui est arrivé, mais le mât est cassé. On ferait mieux de commencer par s'en débarrasser.

Il avança vers l'écoutille, repoussant des jambes les détritus de leur vie qui flottaient – un guide de Boston, une carte de l'amirauté, un seau. Jake montra le seau.

– Prends ça. Il va falloir qu'on écope dans une minute, dès que je nous aurai débarrassés du mât.

– Laisse-moi t'aider, dit Harriet en le suivant.

Elle était gelée et claquait des dents. Ensemble, ils grimpèrent sur le pont. La scène était parcimonieusement éclairée par la lune, et des étoiles scintillaient au-dessus d'une mer toujours déchaînée, mais moins sauvagement. Le *Fuite rapide* était ballotté en tous sens, toute la mâture pendant dans l'eau, la rambarde immergée.

– Ça se calme, cria Jake. Ce salaud d'ouragan nous a cassés d'un coup de queue.

Il trouva les cisailles, toujours fixées à portée de main dans le cockpit, et avança comme une araignée sur le pont incliné, coupant les cordages. Et s'il tombait! se dit Harriet. Cette fois, rien ne le sauverait, et rien ne la sauverait non plus. Au bout d'un moment, elle partit à quatre pattes le rejoindre et tint les cordages qu'il voulait couper. Le mât se détacha d'un coup dans l'eau épaisse qui ressemblait à un métal graisseux, comme souvent après un coup de vent. Le pont se redressa, mais l'avant pendait toujours lourdement dans les vagues. Trente centimètres de plus, et c'en serait fini. Il ne restait plus rien sur le pont, tous les équipements ayant été balayés comme de la vulgaire poussière par les vagues. Elle commença à murmurer des prières, promettant qu'elle changerait si seulement elle ne mourait pas maintenant dans cet endroit horrible. Si elle était sauvée aujourd'hui, demain elle serait courageuse.

– Ne prie pas, écope! dit Jake en l'entraînant vers le cockpit. On est toujours en vie, alors je crois qu'on peut penser que Dieu nous a en sa sauvegarde. Ne t'arrête pas. On doit continuer.

Harriet essaya d'obéir. Elle remplit le seau et le vida, le remplit et le vida, encore, encore, encore. Elle commença à avoir mal, puis la douleur s'accentua, jusqu'à ce que finalement ses bras refusent de coopérer plus longtemps et pendent, inutiles, de ses épaules. Jake n'arrêtait pas, lui. Il avait fixé un bout de voile sur l'écoutille avant, et s'était emparé de la pompe. Au bout de ce qui sembla des heures de labeur, le niveau de l'eau dans la cabine n'avait qu'à peine baissé.

Harriet resta plantée là et se mit à pleurer de fatigue. Jake arriva, la conduisit dans la cabine, l'assit sur la couchette, et la débarrassa de son short et de son pull trempés pour l'enrouler dans des couvertures à peine plus sèches. Il trouva pourtant un pull miraculeusement sec dans un placard, et tandis que Harriet enfilait ses bras gelés dans les manches, elle eut un bref sentiment de félicité. Elle saisit la manche mouillée de Jake.

– Allonge-toi aussi. On ne peut pas continuer éternellement.

– Je t'ai mise dans ce pétrin, chérie, dit-il avec une ombre de sourire épuisé. Je crois que je te dois bien de t'en sortir.

Elle le regarda un moment, mais elle était trop fatiguée. Quand elle se réveilla, c'était le matin et le soleil brillait. Jake avait les yeux aussi rouges que son visage était gris, mais la cabine était vidée de son eau.

– C'est toi qui as fait ça? s'émerveilla Harriet.

Il était trop fatigué pour répondre. Harriet eut une idée. Elle se mit à fouiller dans un placard pour trouver une petite bouteille de brandy qu'ils avaient gardée de leur précédent voyage. Elle la déboucha et la tendit à Jake. Il ne la prit pas. Elle se rendit alors compte qu'il était à peine conscient. Elle finit par lui glisser le goulot dans la bouche et l'y laissa jusqu'à ce qu'il bafouille :

– Assez. Laisse-moi dormir. Réveille-moi s'il se passe quelque chose.

Elle l'aida à s'allonger sur la couchette qu'elle venait de quitter et monta sur le pont pour juger du spectacle. Le bateau était dans un état horrible, le pont couvert de bouts de cordes oscillant entre les crêtes des vagues, mais il était toujours là, et la brise soufflait, maintenant, chaude et amicale. On était demain, et elle était en vie, mais où était le soulagement? L'épuisement bloquait toute sensation. Elle savait qu'elle devait entreprendre quelque chose, mais quoi? Au bout d'un moment, elle pensa à faire sécher des choses et disposa les couvertures trempées et des vêtements sur une petite longueur de corde tendue d'un bastingage à l'autre. Elle avait du mal à se convaincre que ce qu'elle faisait pouvait avoir la moindre importance comparé au chaos qui l'entourait. Il lui vint une vague idée de nourriture et elle descendit voir ce qui restait.

Presque tout était gâché, sauf les boîtes de conserve – qui avaient toutes perdu leur étiquette. Après quelques recherches fiévreuses, elle trouva l'ouvre-boîte et découvrit des haricots avec des saucisses, des pêches et des petits pois. Elle n'avait envie de rien de tout cela, et de toute façon, la cusinière était hors d'usage; elle avait beau essayer de l'allumer, elle n'y arrivait pas, et c'est seulement alors qu'elle se rendit compte que c'était d'une tasse de thé qu'elle avait envie. Une tasse de thé! Bien que la mécanique n'ait jamais été son fort, Harriet n'hésita pas à se forger un nouveau talent et démonta les brûleurs, dont elle nettoya les orifices avec un fil de fer. Une fois remontée, la cuisinière s'alluma, émit des craquements inquiétants, mais l'eau chauffa. Harriet y plongea des sachets de thé mouillés et se sentit déjà moins perdue.

Elle regarda longuement Jake qui dormait, et se demanda pourquoi, quelles que soient les horreurs qu'il perpétrait, il n'était jamais possible de lui en vouloir comme on aurait dû. Il n'était pas honnête, mais il n'était pas hypocrite non plus. Flouer ouvertement, c'était là son charme. C'était un gredin. Un vrai pirate.

Deux jours plus tard, ils avaient faim et très soif. La réserve d'eau avait en grande partie été perdue lors du chavirage, et ils rationnaient la nourriture parce qu'ils ne savaient pas combien de temps il leur faudrait pour rejoindre la terre. Jake avait hissé une petite voile ridicule, et ils avançaient très lentement, mais dans la bonne direction.

– Est-ce que tu te rends compte qu'on pourrait passer entre deux îles et ne jamais voir ni l'une ni l'autre? demanda Jake sur le ton de la conversation.

Tout sentiment de culpabilité l'avait quitté, maintenant qu'il devait relever le défi de gréer le bateau avec le matériel plus qu'inadéquat dont il disposait.

– Tu es censé savoir naviguer, rétorqua Harriet qu'il irritait profondément.

– C'est un peu plus difficile que ça n'en a l'air, surtout que j'ai vendu le sextant pour payer le mât. Si on avait eu le nouveau mât, il n'aurait pas cassé, mais on aurait été aussi perdus. Ça montre bien que l'argent ne sert vraiment à rien, non? On donnerait n'importe quoi pour un sextant ou un mât, maintenant, et tout ce qu'on a, c'est des billets.

– Epargne-moi ta philosophie, gronda Harriet.

Elle se sentait irritable et claustrophobe, se jetait avec voracité sur sa nourriture qui, dès la première bouchée, lui donnait la nausée. Comme elle avait hâte que tout cela soit terminé!

– Et qu'est-ce qu'on fera quand on touchera terre? demanda-t-elle.

– On fera réparer le bateau, on flemmardera au soleil un moment, je sais pas.

– On passera juste le temps?

C'était la perte de précieuses journées qui l'irritait le plus dans la navigation, ce temps pris pour atteindre des lieux où l'on pourrait faire des choses, alors que pour Jake c'était le trajet qui comptait. Il ne prévoyait rien pour le temps passé au mouillage.

– Ne sois pas si agitée, répondit-il d'une voix paresseuse en la regardant accrocher d'autres vêtements pour qu'ils sèchent. Il faisait chaud, et elle portait son nouveau bikini. Il en fut excité et tendit une main pour caresser son dos doux et bronzé.

– Tu es belle à croquer, dit-il.

Mais elle se mit hors de portée.

– Il faut que tu commences à faire quelque chose, à travailler. Il faut que tu commences à réaliser des choses.

– Mais j'ai commencé depuis longtemps! Je fais ce que je veux. De toute façon, j'ai déjà travaillé, et dur.

– Quel genre de travail?

– Conception de voiles, dit-il en croisant ses mains derrière sa tête. J'étais assez bon, mais il est arrivé un moment où il aurait fallu s'agrandir ou abandonner, et s'agrandir signifiait que je devrais passer tout mon temps derrière mon bureau ou chez les banquiers. Un beau matin je me suis levé, le soleil brillait, la brise soufflait et je n'avais rien d'autre comme perspective que quatorze heures enfermé dans un costard. J'ai tout plaqué. Mac était fou de rage, je peux te dire.

– Tu aurais pu trouver quelqu'un d'autre pour faire le travail de bureau.

Il lui saisit le poignet et la força à s'asseoir près de lui.

– Au début, tu ne peux pas te le permettre, et quand tu peux te le permettre, tu as oublié pourquoi tu voulais le faire. Plus d'idylles au soleil, quand tu commences à courir après l'argent, Harriet, mon petit. J'adore ton menton, tu sais? Avant, le meilleur morceau, c'étaient tes beaux seins, mais maintenant, je crois que c'est ton menton.

– Le menton n'est pas une zone érogène, dit-elle en tentant de lui échapper.

– Maintenant, oui. Si on se frottait le menton, pour voir si c'est érogène?

Il se retrouva au-dessus d'elle d'un mouvement habile et Harriet se sentit à la fois agacée et excitée. Il aurait dû penser à l'avenir, parler de ce qui allait arriver. Ils ne pouvaient pas naviguer toute leur vie. S'il voulait qu'elle reste avec lui, il devait avoir en tête quelque chose qu'il voudrait faire, pas seulement passer d'une île à l'autre. Oh, mais elle adorait ce qu'il lui faisait, et pour l'instant elle s'abandonna.

Deux jours plus tard, le ciel se referma à nouveau. Harriet était visiblement effrayée, ce qui surprit Jake. Il n'arrivait pas à comprendre que jusque-là elle n'avait rien su de ce qui aurait dû l'effrayer, et que maintenant elle se représentait à l'avance toutes les catastrophes qui pouvaient s'abattre sur eux. De plus, pour elle, chaque danger surmonté était une cuillerée de plus retirée à leur réserve de chance, alors que pour Jake, c'était une accumulation d'expérience.

– Si on ne se noie pas, on va mourir de faim, dit-elle avec entrain. On est désespérément perdus. On ne voit jamais d'autres bateaux.

– C'est un vaste océan, dit calmement Jake. Ne t'en fais pas, tu pourras toujours me trucider et me manger, en désespoir de cause. Le cannibalisme est une très ancienne tradition maritime.

– Je me moque de te tuer, mais je ne crois pas que j'aimerais te manger, dit-elle en regardant les nuages qui s'amoncelaient devant le soleil couchant.

Encore une nuit de bruits et de confusion en perspective, à mi-chemin entre l'épuisement et la terreur. Pourquoi n'avait-elle qu'une alternative dans la vie : l'ennui absolu et la peur absolue? N'était-il pas possible de trouver un juste milieu où chaque jour apporterait ses petits défis à relever? Jake passait son temps à rattacher des morceaux du bateau et à réparer leur petit bout de voile.

– Quelle saison! dit-il d'un ton légèrement irrité. Ça va entrer dans le livre des records. On va encore en avoir un gros.

– Ohhhh!

Elle prit le seau d'eau de mer qu'elle gardait pour rincer la vaisselle et le lui jeta à la figure. La surprise paralysa Jake. Plus tard cette nuit-là, alors qu'ils étaient allongés dans la cabine pour se protéger de la mer qui attaquait le bateau, un bruit mat et profond s'ajouta à celui du vent et des vagues. Jake ouvrit les yeux et s'assit.

– Qu'est-ce que c'est? demanda Harriet en s'agrippant à sa couverture.

C'était la fin, elle le savait.

– Le ressac. On est en train de s'échouer. Merde!

Elle n'arrivait pas à comprendre pourquoi il n'était pas content. De la nuit, une terre était sortie pour les sauver. Ils allaient pouvoir abandonner leur tombeau flottant et marcher sur la terre ferme. Elle prit son petit sac de vêtements respectables et grimpa sur le pont. Dans l'obscurité, les lignes blanches des déferlantes se brisant sur la rive étaient si étranges qu'on avait peine à y croire.

– Si c'est un récif, on est dans la merde, dit Jake en la suivant avec beaucoup moins d'enthousiasme. C'est ce que tous les marins redoutent. Si c'est une plage, on n'est pas mieux partis. Le bateau va être réduit en miettes.

– Mais au moins, on sera à terre, dit Harriet que rien de ce qui pouvait arriver au bateau ne touchait plus.

– Oh, oui. C'est une consolation!

Rien ne le touchait, lui, hormis la perte possible du bateau.

Tout à coup, elle n'eut plus envie d'être avec lui. Elle voulait être à terre, seule, marchant jusqu'à en avoir mal aux jambes.

Pourquoi ne comprenait-il pas qu'elle n'avait jamais voulu partir en mer et que, comme presque tout le reste de sa vie, cela lui avait été imposé? Personne ne lui demandait jamais ce qu'elle voulait. Jake ne lui demandait jamais ce qu'elle voulait.

Les déferlantes approchaient, et le petit bateau était conduit à son destin. Jake se prépara à jeter l'ancre, parce que s'ils pouvaient se maintenir où ils étaient, ils auraient une chance de se dégager quand le vent serait plus clément. Il tenta de sonder la profondeur, mais ne sentit pas le fond. La rive devait s'enfoncer très rapidement. Ils avaient une chance s'ils pouvaient s'ancrer en eau profonde, juste en bordure de l'accore. Chaque vague les poussait plus loin et, tous les dix mètres, Jake lançait l'ancre.

Harriet se rendit compte qu'elle sentait la terre, une odeur d'arbres qui recelait tout ce qu'elle désirait. A nouveau, Jake jeta l'ancre, et cette fois, elle s'accrocha. La poupe du *Fuite rapide* décrivit un quart de cercle. Il était accroché par le nez. Jake se précipita à l'arrière pour jeter une ancre de poupe de sa fabrication, pour que le bateau soit maintenu proue vers le large. Ils étaient peut-être à une centaine de mètres de la rive, une plage de sable qu'ils distinguaient à peine devant la masse sombre de la forêt. Le vent agitait les palmiers, les branches ondulaient comme des bras noirs dans le ciel.

– Le fond n'est guère à plus d'un mètre sur le plateau, dit Jake d'une voix anxieuse. Si on se laisse pousser dessus, on va se briser. Pas de conneries.

– Mais on peut gagner la rive à pied, insista Harriet. On laisse le bateau et on y va!

Jake n'en croyait pas ses oreilles. Leur petit bateau les avait courageusement transportés depuis des semaines, leur avait fait traverser des tempêtes pires que toutes celles qu'il aurait pu imaginer, et bien qu'il ne fût pas du tout armé pour ça, il les en avait sortis vivants. Et Harriet voulait l'abandonner, comme s'il n'était rien!

– Ne sois pas ridicule. On ne peut pas le laisser, pas tant qu'on peut le sauver.

Harriet tapa du pied sur le pont.

– Je ne veux pas rester! Je n'ai jamais voulu venir! Il ne vaut pratiquement rien, Jake. On peut aller chercher de l'aide et revenir s'en occuper au matin. Je t'en prie, Jake.

– D'ici là, il sera réduit en planches, et tu le sais. Mais vas-y, si c'est ce que tu veux, va chercher à manger et de l'eau. Ne tarde pas trop. Si le vent change, il faudra que je reparte.

– Non, rien ne t'y oblige. Si je ne suis pas de retour, tu dois le quitter et me rejoindre à terre. D'accord?

Jake regarda son visage grave, ses cheveux, maintenant assez longs, qui lui descendaient dans le dos. Ce n'était pas du tout le genre de femme qu'il aurait choisi d'emmener en mer, mais elle lui convenait. Il n'aimait pas l'idée de l'envoyer seule sur la plage sombre.

– Attends le matin, conseilla-t-il.

– Non!

Elle n'était pas disposée à discuter. Au matin, le vent aurait tourné et ils seraient partis. Il faudrait qu'elle passe encore des semaines sur le petit bateau, et selon toutes probabilités elle ne reverrait plus jamais la terre ferme. C'était leur seule chance, et Jake ne voulait pas la saisir. Levant son paquet de vêtements au-dessus de sa tête, elle glissa par-dessus bord. Elle trouva l'eau si glaciale qu'elle faillit lâcher ses vêtements. C'était profond, aussi, un mètre vingt dans le creux des vagues, mais trente centimètres de plus à la crête. Elle dut presque nager, tout en gardant le plus possible les pieds à terre, et son sac ne tarda pas à être trempé. Mais les vagues, qui auraient dû donner le coup de grâce au *Fuite rapide,* le poussaient vers la rive comme une main géante.

– Ne tarde pas trop! cria Jake dans le vent.

Elle agita un long bras blanc, comme la Dame du Lac, se dit Jake, qui se sentit parcouru d'un frisson de peur mystique. Jamais il n'aurait dû la laisser partir.

Harriet tenait mal sur ses jambes quand elle arriva sur la plage. Elle enfila ses sandales, mais elles étaient mouillées et collaient au sable, si bien qu'au bout de quelques pas elle les retira et continua pieds nus. Il faisait beaucoup plus sombre à terre qu'en mer, tant les arbres pliés par le vent cachaient les lueurs du ciel. La rive était jonchée de débris, probablement amenés là par l'ouragan, puisque la tempête actuelle n'était pas aussi terrible. Pas de lumières, pas de maisons. Et si l'île était inhabitée? S'il n'y avait personne et que Jake partait et la laissait là pour toujours? Elle se mit à courir, ses pieds frappant le sable, les membres engourdis. Quand elle fut hors d'haleine, elle continua d'un pas vif, puis se remit à courir. Depuis combien de temps avait-elle quitté le bateau? C'était difficile à évaluer sans montre, dix minutes ou deux heures, elle n'aurait pu le dire.

Une lumière apparut. Au-dessus des arbres, la lueur jaune d'une lampe à coup sûr annonçait une maison! Elle vit la forêt soudain trouée comme si on avait coupé un chemin pour rejoindre la plage. Elle se remit à courir, chaque foulée lui arrachant une douloureuse inspiration.

A l'approche de la maison, elle ralentit puis s'arrêta. Sa masse avait quelque chose de sombre et de menaçant, et une seule lumière brillait à l'étage. Le vent soulevait les plantes grimpant au mur, puis les rabattait avec un bruit d'os secs. Des fenêtres étaient brisées, et quelque part un portail en fer forgé grinçait.

Oubliant ses pieds nus, elle fit quelques pas sur la terrasse. D'énormes pots en terre cuite avaient été fracassés, et la douleur l'envahit quand elle se blessa le pied sur un tesson. Un des jurons de Jake lui monta aux lèvres. Elle songea à faire demi-tour et à revenir en courant jusqu'au bateau, mais pensa à la lumière dans la maison : il devait bien y avoir quelqu'un; et qui refuserait de l'aide à une naufragée? Elle tourna la poignée d'une immense porte-fenêtre aux vitres brisées. Elle était fermée, mais la clé, à l'intérieur, était accessible. Son cœur battait en petits sursauts et son pied lui faisait si mal qu'elle se mit à pleurer, parce qu'elle était tellement fatiguée, que tout était si horriblement difficile. En entrant dans la maison, elle sentit un air frais et sans vie.

Un épais tapis d'Orient, trempé, lui parut doux sous les pieds. Harriet le traversa.

– Y a-t-il quelqu'un? Ou-ouh! J'ai besoin d'aide, cria-t-elle.

Sa voix s'éteignit dans l'obscurité. Elle gagna une grande double porte et fit jouer l'énorme poignée. Tout est de taille surprenante dans cette maison, se dit-elle, et elle avait l'impression d'être Jacques arrivé en haut de son haricot magique.

– Excusez-moi! Ou-ouh! répéta-t-elle dans la caverne noire derrière la porte.

– Je dois vous prévenir que je tiens un fusil, dit une voix. Un pas de plus et je tire.

– Oh! gémit Harriet.

Elle serra dans ses mains son sac de vêtements trempés. Soudain, la pièce fut violemment illuminée. Harriet, éblouie, se protégea les yeux d'un bras. Elle distingua seulement un homme dans un fauteuil roulant. Il tenait un fusil qu'il pointait en tremblant dans sa direction. Il était vieux, de profondes rides encadraient son nez aquilin et rejoignaient une bouche qui avait dû être volontaire.

– S'il vous plaît, non! dit-elle dans un souffle. Je ne savais pas s'il y avait quelqu'un. Notre bateau s'est échoué, et je suis venue chercher de l'aide. Je n'ai trouvé personne à part vous. M'autorisez-vous à m'asseoir?

Elle n'attendit pas la réponse et s'effondra par terre, la tête sur les genoux. Elle se sentait mal et tremblait de tout son corps.

– Votre pied saigne, dit l'homme.

– Je me le suis coupé sur la terrasse, tous les pots sont cassés. Je suis désolée de faire ainsi irruption chez vous. Si vous pouviez me céder un peu de nourriture et des couvertures, je vous paierais, naturellement. Il y a eu un ouragan – maintenant ça...

Elle se remit à pleurer, s'essuyant vainement les joues de ses mains.

– Vous n'auriez pas dû venir ici. Je ne veux personne ici.

– Je suis désolée. Je ne voulais pas... Etes-vous seul? C'est impossible...

Un vieil homme si frêle ne pouvait vivre seul ici. Et pourtant la maison tombait en ruine : le papier peint pendait par endroits, les rideaux déchirés obscurcissaient à moitié les fenêtres. Elle tendit une main et toucha un imposant fauteuil d'acajou.

– Ne touchez pas mes affaires. Je connais les gens comme vous; vous êtes venue pour me voler. Est-ce que ces lâches vous ont dit que j'étais seul, ici? Est-ce qu'ils vous ont dit ce que j'ai fait?

– Notre bateau s'est échoué, je vous l'ai dit, expliqua Harriet d'une voix faible.

Le vieil homme se mit à tousser, et bien qu'au départ il fût capable de contrôler sa toux, il ne tarda pas à lutter pour respirer. Harriet se leva et s'approcha de lui, détachant prudemment le fusil de ses doigts agités de secousses.

– Je vais vous chercher à boire, dit-elle.

Elle repéra un plateau d'argent sur un buffet géant. Dessus, une carafe pleine d'un liquide brun et plusieurs verres. Elle en remplit un pour le vieil homme et le présenta devant ses lèvres. Il but et la toux se calma. Harriet s'en servit un verre pour elle et l'avala, bien qu'il eût le goût d'alcool pur.

– Vous êtes du village, dit le vieil homme en colère, j'en suis sûr!

Il sortit quelque chose de sous la couverture qui lui couvrait les jambes et le brandit.

– Non, murmura Harriet. Je vous l'ai dit. Qu'est-ce que vous tenez là?

– Vous... vous ne savez pas?

– C'est un sac de quelque chose? Je peux le voir?

Il cacha en hâte l'objet qui ressemblait à une pochette de cuir brun brodé.

– C'est rien. Eh bien, maintenant que vous êtes là, vous pourriez m'aider.

– Je ne peux pas rester. Il faut que j'y retourne. Est-ce que vous avez de la nourriture, des couvertures, n'importe quoi?

– Je ne sais pas ce qu'ils ont laissé, dit-il d'un ton courroucé. Ils ont attaqué la maison, vous savez, la nuit dernière. Mon serviteur était parti, alors ils ont attaqué. Ils ont eu trop peur de me tuer, les lâches. Ils m'ont laissé mourir seul, de faim peut-être. Ils ne me connaissent pas ! Même maintenant, ils ne me connaissent pas, dit-il avec un visage dur.

– Que puis-je faire ? demanda Harriet. Que voulez-vous ?

– Je refuse de rester assis plus longemps dans mes excréments, dit-il en la regardant. Savez-vous donner des soins ? Vous n'en avez pas l'air, avec vos grands yeux, vos larmes et vos cheveux...

– J'ai su. J'ai soigné ma mère pendant des années.

– Alors, allons-y !

Il empoigna les roues de son fauteuil, mais ne parvint pas à le faire bouger. Harriet saisit les poignées, et le poussa péniblement vers la porte.

– Jérôme devrait être ici, dit le vieil homme. Je ne peux me passer de lui.

Sur ses directives, Harriet le poussa jusqu'à une suite de pièces clairement conçues pour une personne en fauteuil roulant. Très peu de meubles, surtout des tables et des commodes à la portée d'un homme assis, une baignoire surélevée et un lit ferme. Mais du sol au plafond, les murs étaient couverts de tableaux, sans un centimètre entre eux.

– C'est un Matisse, dit Harriet en montrant le portrait d'une jeune fille.

– En effet.

– Il est vrai ?

– Je n'ai jamais sciemment acheté de faux.

Elle promena ses yeux d'un Renoir à un Monet en passant par un Sisley, et s'arrêta à ce qui ne pouvait être qu'un Velasquez.

– Vous devez être très riche, murmura-t-elle.

– Pas selon les critères de mon grand-père, grogna-t-il. Jamais il n'en aurait été réduit à vivre dans une maison en ruine avec un seul serviteur. Il avait quarante esclaves sous ses ordres. Tout le monde m'a quitté. Je suis riche, mais les gens m'ont quitté.

– Oh, Seigneur ! dit Harriet sans savoir pourquoi.

Elle poussa le fauteuil jusqu'au lit et étendit dessus une serviette de toilette pour protéger les couvertures. Puis elle y déposa le vieil homme selon une technique qu'elle avait apprise en soignant sa mère. Les jambes du vieil homme pendaient, inutiles, mais il était d'une légèreté surprenante.

– Je dois m'excuser pour mon état répugnant, annonça-t-il alors qu'elle le débarrassait de ses vêtements.

– De rien, dit gravement Harriet.

Quel vieux corps rabougri, le pénis réduit à la taille d'un petit ver jaune ! Pourtant il était trop fier pour attirer la pitié.

– Avez-vous des enfants ? demanda-t-elle de sa voix d'infirmière tandis qu'elle le lavait, l'essuyait, le talquait.

– J'en ai. Un fils, Gareth. Nous ne nous aimons pas. Une fille aussi, Simone, de ma première femme, qui était française. Elle vit en France, et je la connais à peine. Elle a épousé un Français qui ressemble à un roquet. Elle ne pense qu'à l'argent, bien sûr. Comme sa mère.

– Deux seulement ?

– J'ai une autre fille, Madeline. Elle m'a déçu. Gravement déçu. Elle couche avec des Noirs.

– Oh, dit Harriet qui ne voulait pas prendre parti.

Elle se dit qu'elle devrait entrer en contact avec les autorités.

– Avez-vous le téléphone ? demanda-t-elle tout en sachant que s'il en avait eu un il l'aurait utilisé. Il a peut-être été coupé. Où se trouve le téléphone le plus proche ?

– Je crains bien que vous deviez aller le chercher à la nage, dit-il avec un petit rire sec. Il n'y a pas le téléphone à Corusca. Pas le téléphone, pas la télévision, pas de voitures. Cette île, mon île, n'est pas polluée.

Pensant à Jake, elle ressentit une certaine impatience.

– C'est très bien jusqu'au jour où on a besoin de quelque chose, dit-elle froidement.

Elle finit pas arriver à le nettoyer et à le coucher dans son lit.

– J'ai faim, dit-il.

– Je ne peux pas rester. Je dois rentrer au bateau.

– Je souhaite que vous restiez. Vous voyez bien que je ne peux rien faire sans aide.

– Je sais, mais... Bon. Je vais vous faire à manger, et puis je prendrai quelques provisions, très peu de chose, et ensuite je rentrerai au bateau. Je laisserai un message quelque part. Quelqu'un viendra.

– Personne ne viendra. Ils n'osent pas.

– Et votre domestique, Jérôme ?

– J'imagine qu'il est de mèche avec eux. C'est un insulaire, après tout. Faites ce que vous devez, bien sûr, mais je souhaiterais que vous restiez.

Sa volonté était forte comme des barreaux d'acier. Harriet alla lui chercher à manger à travers l'énorme et somptueuse maison en ruine. On avait beaucoup cassé, mais apparemment peu volé. Une pierre avait brisé un immense miroir dans l'escalier monumental, maintenant jonché d'éclats aussi grands qu'un homme. Dans la cuisine, une haute pièce froide qui sentait la viande avariée, le carrelage était recouvert de bouteilles de vin brisées. Harriet se fraya un passage dans les débris et trouva dans un placard des boîtes de conserve qui lui permirent d'étaler du pâté sur des crackers et de servir comme dessert du gâteau de riz.

– Vous en avez mis, du temps! grogna le vieil homme quand elle revint.

– Tout est dans un état horrible. Ils ont tout cassé.

– Les lâches! dit-il avec mépris. Avez-vous l'intention de rester?

– Cela dépend, dit Harriet. Le bateau est peut-être en train de couler. Je dois aller voir.

– Apportez-moi le fusil, ordonna-t-il.

Harriet s'exécuta.

– Je m'appelle Henry Hawksworth. Bonsoir.

C'était sa façon de lui signifier que l'entrevue était terminée.

Jake avait besoin de tout, mais il y avait une limite à ce qu'elle pouvait porter. Finalement elle noua les coins d'une couverture et la remplit de nourriture, d'une demi-bouteille de whisky et de corde trouvée dans un placard de la cuisine. Elle avait perdu beaucoup de temps et elle était impatiente de se remettre en route, mais quand elle ouvrit la porte sur la nuit et sortit, elle aurait donné n'importe quoi pour rester là : elle avait mal à son pied dont la blessure s'était remplie de sable, ses bras souffraient sous le poids du chargement et sa tête supportait mal tant le brandy que l'épuisement. Et si Henry Hawksworth mourait parce qu'elle l'avait laissé seul? Et si Jake était parti parce qu'elle n'était pas revenue à temps? Elle courut aussi vite qu'elle le put le long de la plage.

Les empreintes laissées par ses pieds à l'aller la guidèrent un moment, puis s'effacèrent presque quand la pluie se mit à tomber. Elle commença à chercher des yeux les traces d'un naufrage, parce qu'elle était partie depuis si lontemps qu'il ne restait peut-être plus grand-chose du bateau. Elle avait parcouru beaucoup plus de chemin qu'elle ne l'aurait cru, deux, peut-être trois kilomètres. Les empreintes tournaient enfin vers la mer. A l'horizon, une lueur indiquait que l'aube de ce matin venteux n'était pas loin. La pluie froide tombait sur son visage tandis qu'elle scrutait les vagues qui roulaient indéfiniment sur la rive. Pas de bateau. Pas de Jake. Il était parti.

Elle resta un long moment immobile, accrochée à son ballot d'affaires dont elle n'avait plus besoin. Que devait-elle penser? S'était-il noyé, si près de la rive? Si le bateau s'était brisé, elle en aurait trouvé des traces – des planches, des lambeaux de vêtements, le livre de bord que Jake conservait si religieusement dans un petit sac étanche. Mais il n'y avait rien, aucun signe que le bateau eût jamais été là. Elle revint sur ses pas, posant ses pieds exactement dans ses traces. Pas d'erreur. C'était bien là que Jake aurait dû se trouver.

Elle plaqua sa main sur sa bouche, refoulant des émotions qu'elle ne comprenait pas. Il avait promis, vraiment promis de venir à terre si le vent tournait; il avait promis de ne pas la laisser. L'avait-il promis? Elle le lui avait demandé, elle en était sûre, mais avait-il promis? La scène se brouillait dans son souvenir. Tout avait été si confus et précipité... Elle ne pouvait se souvenir clairement de choses dont rien n'indiquait au départ qu'il serait important qu'elle se souvienne.

Son visage, pourtant, elle s'en souvenait, penché et épuisé. Il n'avait pas pu la laisser à dessein, avoir prévu son abandon. Quand le vent avait changé et qu'il avait su qu'il pouvait dégager le bateau, il avait dû penser à elle et se dire qu'il était temps qu'ils se séparent. Il ne l'aimait pas, ça ne mènerait à rien. Il savait qu'elle en avait assez du bateau et de la vie qu'ils menaient, et il n'aimait pas qu'elle le tarabuste pour qu'il fasse quelque chose de constructif.

Elle sentit que ses yeux la brûlaient parce qu'elle n'avait pas cillé pendant longtemps. Maintenant que c'était arrivé, elle se rendit compte qu'elle s'y attendait depuis le jour où ils s'étaient rencontrés. C'était comme si, juste avant qu'elle fasse la connaissance de Jake, quelqu'un s'était avancé et lui avait tendu une lettre disant : « Cet homme va vous prendre un moment, il va vous tromper, vous mentir, vous transformer, et finalement il vous laissera tomber. Maintenant, à vous de décider si vous allez de l'avant ou non. » Qu'aurait-elle dû faire? Revenir aux mêmes vieilles misères qu'elle connaissait si bien, juste par crainte de la douleur qu'elle ressentait maintenant? Il y avait eu tant de plaisir, tant d'événements excitants! Son amertume ne venait que de ses rêves détruits, comme des boutons de rose plongés dans un acide.

L'aube projetait un filet gris et argenté sur l'île, et les lumières de la maison, qu'on n'avait pas éteintes, avaient l'air sales et dissuasives. Harriet rentra en silence, parce que Hawksworth dormait peut-être, et aussi parce qu'elle se sentait incapable de parler. Peut-être que si elle pouvait se glisser dans un des lits d'une chambre à l'étage et se réveiller des heures plus tard, peut-être alors pourrait-elle se contrôler davantage. Mais alors qu'elle passait devant sa porte, le vieil homme cria :

– Qui va là?

– C'est moi, Harriet, dit-elle en entrant.

– Qu'est-il arrivé? Pourquoi êtes-vous là?

Elle se tordit les doigts. Le dire serait admettre que c'était la réalité, que demain il faudrait qu'elle tire les conséquences pratiques de ce qui s'était passé aujourd'hui.

– Mon ami m'a quittée. Le vent a tourné et il a dégagé le bateau. Il est parti. Il m'avait prévenue, et je lui avais demandé de ne pas le faire. Je ne croyais pas qu'il le ferait, mais il l'a fait.

Le vieil homme hocha la tête, comme s'il s'y attendait.

– Alors, vous devez rester avec moi. C'est ça que vous devez faire.

Elle se passa une main sur le visage parce qu'elle était affolée et en larmes.

– Vraiment?

– Je prends soin de ceux qui accèdent à mes souhaits. Je prendrai soin de vous, dit-il en la regardant avec un visage calme et autoritaire. Allez dormir. Vous n'êtes plus bonne à rien. Nous reparlerons quand vous serez remise.

Harriet tituba hors de la pièce, le cœur battant irrégulièrement dans sa poitrine, et monta l'escalier. Elle poussa au passage un éclat de miroir qui dévala les marches et se fracassa en bas. Le vieil homme ne réagit pas. A l'étage, un large couloir donnait sur un grand nombre de portes. Il ne semblait pas qu'on eût touché à grand-chose. Elle regarda les chambres successives, toutes poussiéreuses, abandonnées, les draps des lits rongés par les souris. Elle trouva finalement une chambre propre et bien rangée – celle du serviteur, pensa-t-elle. Elle retira ses vêtements et se glissa entre les draps, les narines agressées par une odeur d'homme qu'elle ne connaissait pas.

– Jake, Jake, murmura-t-elle.

Elle s'endormit en pleurant.

13

Harriet fut réveillée par des coups sourds. Elle regarda les motifs que le soleil dessinait sur le mur, consciente que son malheur avait perduré pendant son sommeil. Des larmes coulaient encore au coin de ses yeux et mouillaient ses cheveux. Si seulement ce bruit pouvait cesser. Les coups furent interrompus par un bruit de casse et elle s'assit, furieuse. Cela provenait d'en bas. Peut-être le vieil homme était-il tombé et appelait-il à l'aide comme il pouvait. Elle se leva péniblement et enfila le peignoir blanc accroché à la porte. Il y eut un autre bruit de chute, et à nouveau les coups rythmés. Son esprit recensa rapidement une foule de possibilités, et elle enjamba les débris dans l'escalier pour gagner la suite de Hawksworth.

Le vieil homme s'était redressé dans son lit et frappait le sol de la crosse de son fusil, puis s'en servait pour fracasser tout ce qui était à sa portée. Il avait ainsi brisé une carafe d'eau, un poste de radio et le bassin hygiénique. Il avait aussi décroché un tableau du mur et l'avait lancé à travers la pièce.

– Mais qu'est-ce que vous faites donc? s'indigna Harriet.

– Enfin! dit-il en levant les yeux sur elle. Je n'aurais jamais cru qu'il me faudrait taper pendant vingt minutes pour vous réveiller.

– Je ne vois pas pourquoi vous avez frappé. Vous saviez que j'étais fatiguée. Vous auriez pu attendre.

Elle traversa la pièce et ouvrit le lit d'un geste, révélant les jambes pâles et maigres du vieil homme. Bien que ses forces ne lui fussent pas encore revenues, elle réussit à le mettre dans son fauteuil, puis sur les toilettes.

– Si vous n'aviez pas cassé le bassin, j'aurais pu vous le passer sans tous ces efforts.

– Je considère que c'est dégradant, rétorqua Hawksworth.

– Ah, vraiment ?

Harriet n'avait aucune envie de se montrer conciliante. De plus, elle ne connaissait que trop bien la tyrannie des vieilles personnes, combien celui qui était aidé pouvait facilement dominer celui qui l'aidait. Rapide et efficace, elle aida Hawksworth à se laver et lui mit des vêtements propres. Puis elle le poussa dehors, sur la terrasse, les roues du fauteuil écrasant les pots cassés.

– Je vous laisse ici pendant que je fais ma toilette, lui dit-elle. Je peux vous apporter un livre, si vous voulez.

Hawksworth croisa les mains sur ses genoux.

– Au moins, vous ne pleurnichez pas.

– Bien sûr que non.

Et elle le laissa là pour aller pleurer tranquille dans la maison.

En remontant lentement et péniblement l'escalier, elle écouta le bruit des vagues et le chant de nombreux oiseaux. Le soleil éclairait sans pitié la maison, soulignant chaque toile d'araignée, chaque tache d'humidité. Quelqu'un avait attaqué la rampe en bois massif à coups de hache et y avait fait quatre profondes entailles. Elle les toucha et vit alors du sang sur les marches. La peur la paralysa un instant avant qu'elle comprenne que c'était son propre sang. Son pied saignait à nouveau, avec des élancements douloureux. Les larmes inondèrent son visage.

Elle se lava à l'eau froide dans une vaste salle de bain en marbre. A l'exception de la suite de Hawksworth, rien dans la maison n'avait été modernisé, si bien qu'elle se dit qu'il devait toujours vivre seul. Dans les armoires des diverses chambres, elle trouva des robes mangées aux mites et un manteau en zibeline dont les peaux durcies avaient cassé. Elle dénicha pourtant une robe mettable, bleue avec un large col blanc, qui lui donnerait un petit air de quaker. Il y avait aussi des chaussures, une demi-pointure trop grandes, mais avec son pied bandé, elles allaient à peu près. Elle s'habilla, se demandant ce qui lui arrivait. Hier Jake et la réalité, aujourd'hui un cauchemar éveillé. Un miroir tout piqué lui renvoya son image – une grande femme mince et pâle avec une tignasse qui la rendait presque belle. Mais jamais elle ne s'était autant déplu.

– Peut-être qu'il a accosté ailleurs, se dit-elle en regardant son visage s'éclairer dans le miroir. Peut-être qu'il va venir bientôt me chercher. Il n'a pas pu m'abandonner !

Quel délice que le soulagement ! Soudain elle était certaine que tout irait bien. Que penserait-il s'il arrivait maintenant et la voyait comme ça ? Elle sourit à nouveau, plus franchement, et redressa la tête en un geste aussi brusque que les mouvements du lierre desséché sur le mur de la maison.

La journée se passa en silence. Elle prit le soleil à la plage et regarda les vagues, puis se retourna et regarda la maison, si vieille, si imposante, si pleine. Le soleil dardait des rayons cruels et elle se sentait mourir d'insolation quand une petite brise se leva et agita les luxuriantes feuilles vertes de la forêt. Elle regarda au-delà de la maison, vers les collines qui s'élevaient jusqu'à un haut plateau couvert d'arbres. Une telle beauté, une telle abondance lui semblèrent presque repoussantes.

Dans le court crépuscule, les bougies se mirent à briller comme des phares. Harriet avait nettoyé de toute sa poussière une des nombreuses tables de la maison et caché les éraflures avec un candélabre et un assortiment de plats. Tout sortait de boîtes de conserve, mais Hawksworth lui avait demandé d'aller chercher une bouteille de vin à la cave, un grand cru de bordeaux dont il lui versa lui-même un verre.

– Ce n'est pas souvent que je fais un dîner de gala, dit-il sombrement.

– Ce n'est pas un dîner de gala, dit Harriet qui sentait qu'elle allait perdre l'équilibre. J'ai pensé... Il m'a semblé vraisemblable que Jake puisse revenir.

Elle s'assit brutalement sur une chaise en face de Hawksworth et quand elle prit son verre en cristal, sa main tremblait violemment.

– Ce verre est espagnol, du XVIe siècle, scanda Hawksworth.

– Vraiment ? dit Harriet en le reposant.

– Qu'espériez-vous ? Qu'est-ce qui pourrait le faire changer d'avis et venir vous chercher ?

– J'ai seulement pensé qu'il pourrait le faire, dit Harriet en essuyant une larme sur sa joue. Je n'ai pas pensé qu'il pouvait me laisser complètement tomber. On ne peut pas compter sur lui, je le sais, et il ne m'aime pas, mais...

Elle hocha la tête, paralysée par la douleur.

– Attendez-vous un enfant ?

Harriet releva brusquement la tête et rougit avant de pâlir de façon impressionnante. Comment pouvait-il savoir ? Elle regarda le vieil homme dans les yeux, noirs comme ceux d'un serpent.

– Je... C'est possible.

– Le sait-il ?

Elle secoua la tête avec vigueur. Hawksworth grogna. Il prit son verre en cristal et le vida.

– Les femmes sont idiotes, dit-il avec mépris. Pourquoi l'avez-vous laissé vous faire un môme ? Est-ce que vous avez cru que ça pourrait le changer ? Cette île est à moitié peuplée de bâtards Hawksworth. Même mon serviteur, je l'ai eu avec la servante noire de ma femme ! Ils ne sont rien pour moi. Ce ne sont pas des Hawksworth.

Harriet ne pouvait le croire. C'était incroyable comme les hommes séniles avaient à cœur de monter en épingle leurs exploits sexuels passés.

– Est-ce que ça n'a pas ennuyé votre femme? demanda-telle sur un ton moqueur. Pour sa servante?

– Je ne lui ai jamais posé la question, répondit Hawksworth en entamant son poisson froid. J'ai toujours senti qu'elle n'aimait pas les attentions sexuelles que j'avais à son égard et qu'elle était trop heureuse que je trouve satisfaction ailleurs. J'ai été idiot, bien sûr. J'aurais mieux fait de prendre la précaution d'engendrer plus d'un fils légitime.

– Il s'agit de... votre seconde femme?

– C'est cela. La première était une créature beaucoup plus intéressante. J'ai fait quelque chose qui l'a contrariée peu après la naissance de notre fille et je me suis rendu coupable de négligence en l'autorisant à tant de liberté. Elle a pris l'enfant et elle est partie.

– Qu'aviez-vous fait?

– Je ne m'en souviens plus, dit-il en regardant Harriet droit dans les yeux.

Harriet n'insista pas. Elle regarda la pièce sombre et dit doucement :

– J'irai en ville demain. Peut-être quelqu'un aura-t-il entendu parler du bateau, et je pourrai demander de l'aide.

– Vous porterez un message, je vous le confierai.

– Bien sûr, dit Harriet en se forçant à manger un peu de poisson.

– Cela fait longtemps que je n'ai pas dîné avec une belle femme, dit Hawksworth en lui saisissant le poignet.

– Lâchez-moi, sursauta Harriet.

– Buvez votre vin, dit-il en s'exécutant.

Elle était gênée par son regard.

Le matin suivant n'amena pas Jake. Dès que Hawksworth fut confortablement installé, Harriet se prépara pour sa sortie dans Corusca. Dans une remise, elle trouva une vieille bicyclette, et avant son départ, Hawksworth lui mit une enveloppe dans la main.

– Donnez ça à la première personne que vous voyez, lui dit-il.

– Mais à qui voulez-vous qu'elle parvienne? demanda Harriet avec un sourire. Je peux certainement trouver cette personne.

– Je veux qu'elle soit remise à la première personne que vous verrez! dit Hawksworth d'un ton sans réplique. Il n'y a pas un seul habitant de cette île qui ne comprendra.

– Sauf moi, dit Harriet.

Mais il ne lui donna pas d'explications.

Elle monta sur sa bicyclette et partit sur le chemin sablonneux. Malgré l'heure matinale, il faisait déjà très chaud et les lézards fuyaient en mouvements saccadés devant elle. Il y avait aussi des papillons, énormes et brillants, qui butinaient le nectar de grosses fleurs. Je suis au paradis, se dit Harriet en écoutant les chants d'oiseaux tout au fond des arbres. C'est le jardin d'Eden avant la chute, la terre vermillon des lotophages. Rester là, ce serait ne plus jamais souffrir, sentir le malheur retenu au loin par le soleil, les vagues, et les épaisses forêts aux arbres frais. Sans Jake, il n'y aurait plus de douleur, et si elle devait aussi perdre le bonheur, ici, sur Corusca, est-ce que cela comptait? Ici, il n'y avait ni querelles ni ambition. Elle se sentait très fatiguée. Qu'il serait délicieux de s'étendre dans l'herbe au soleil et de s'endormir!

Le village de Corusca, qui portait le même nom que l'île, était un gracieux assemblage de maisons basses et blanches qu'égayaient fleurs et arbres. Au début, Harriet ne remarqua pas ce qui manquait, puis elle comprit : il n'y avait pas de voitures du tout, seulement des bicyclettes contre les murs et les barrières entourant les jardins. Sous des arbres, elle vit deux chevaux coiffés de chapeaux à franges pour les protéger du soleil et attelés à des charrettes. Une femme venait à la rencontre de Harriet dans la rue, chargée d'un énorme panier sur son dos. Elle s'arrêta et regarda l'étrangère.

– Bonjour, dit Harriet en tentant de sourire au visage fermé de la femme.

Elle se souvint du message qu'elle était censée remettre. Toujours souriante, elle tendit l'enveloppe fermée que le vieillard lui avait donnée.

– M. Hawksworth m'a dit de donner ça à la première personne que je rencontrerais, dit-elle en riant. J'ai trouvé cela curieux, mais il n'est pas le genre d'homme avec qui on peut discuter!

La femme ne prit pas l'enveloppe. Elle recula, un sourd gémissement sortant de sa gorge.

– S'il vous plaît... je suis désolée... bafouilla Harriet.

Elle avança vers la femme qui fit demi-tour et s'enfuit, son gémissement transformé en un long cri strident.

Harriet la suivit dans la rue, stupéfaite, poussant sa bicyclette devant elle. Tandis qu'elle passait devant les portes et les fenêtres fermées, des enfants s'enfuyaient et s'arrêtaient, cachés dans l'ombre, pour regarder de leurs grands yeux. Elle arriva au bout de la rue et ne trouva aucune trace de la femme. Devant elle s'étendait le port, occupé seulement par deux petits dinghies. Au-delà, il n'y avait que la vaste étendue d'eau bleue.

Harriet se retourna et poussa résolument sa bicyclette au milieu de la rue.

– S'il vous plaît, cria-t-elle, est-ce que quelqu'un veut bien venir me parler? J'ai besoin d'aide. Je suis étrangère ici.

Un petit chien couleur sable leva une patte contre un piquet et s'éloigna d'elle en trottant, très occupé par ses activités de la journée.

– Je vous en prie, cria-t-elle à nouveau. M. Hawksworth m'a confié un message. Je vous promets que je ne vous veux aucun mal.

Un petit bruit la fit se retourner d'un bloc, et elle retint un cri. Un grand Noir vêtu d'une chemise blanche et d'un pantalon écru s'était matérialisé près d'elle. Elle ne pouvait ignorer l'hostilité exprimée par son visage.

– Montrez-moi ce message.

Harriet le lui tendit d'une main hésitante. Il prit l'enveloppe et en tâta le contenu de ses longs doigts couleur café.

– Vous pouvez l'ouvrir, dit Harriet.

Mais il la lui rendit.

– Vous.

Elle ne voulait pas. A la manière dont ils avaient regardé l'enveloppe, elle était certaine que ce serait quelque chose d'horrible. Mais il fallait qu'elle fasse quelque chose. Fronçant le nez en prévision du dégoût qu'elle allait ressentir, elle déchira le papier et sortit ce qui lui sembla être un petit bout de cuir. A y regarder de plus près, elle vit qu'il s'agissait d'un petit sac piqué de plumes, assez semblable à celui que M. Hawksworth tenait la première fois qu'elle l'avait vu.

– C'est un sort? demanda-t-elle nerveusement.

– Pas contre vous, dit l'homme. Comment se fait-il que vous soyez avec lui? Il était seul, avant.

– Notre bateau s'est échoué, et j'ai gagné la plage à la nage. J'espérais... Est-ce qu'on a trouvé quelqu'un d'autre? Un homme?

– Pas d'épave, dit-il en secouant la tête. Pas d'homme. Vous dites la vérité?

Elle hocha la tête. Le soleil frappait fort sur sa tête nue, et elle se sentit mal. Le sol montait vers elle puis retombait. Soudain il monta, monta encore. Elle sentit la gifle de la terre contre sa joue, un goût de poussière sur sa langue. C'était plus doux que la conscience.

Elle se réveilla sur une couche dure, entourée de voix. Un visage rond et rose auréolé de cheveux blonds clairsemés était penché sur le sien. L'homme sentait l'alcool et la sueur perlait à sa lèvre supérieure.

– Vous sentez-vous mieux ? Me comprenez-vous ?
– Je vais bien, dit Harriet qui fit l'effort de s'asseoir. Je ne suis pas malade.
– Mais vous vous êtes évanouie. S'il vous plaît... Je m'appelle Muller et je suis docteur ici.
Elle le regarda et s'étonna de sa nervosité en ce qui la concernait.
– Je suis enceinte, dit-elle faiblement. C'est une raison suffisante pour s'évanouir.
Un murmure parcourut la pièce et Harriet se rendit compte qu'ils n'étaient pas seuls. L'homme à qui elle avait parlé dans la rue s'approcha.
– Qu'est-ce que vous faites avec lui ? Qu'est-ce qu'il veut ?
– Je l'ai trouvé par hasard, dit-elle nerveusement. Il a besoin de soins. La maison est dans un état affreux. Comment des gens peuvent-ils faire ça à un vieillard ? Ils ont attaqué l'escalier à la hache, juste du bois ! Je n'y comprends rien.
Muller regarda l'assistance et dit :
– Je vous l'avais dit, et vous n'avez pas voulu m'écouter. Il est encore fort. Il a toujours le pouvoir !
L'autre homme marmonna quelque chose et se passa la main sur le visage.
– Etes-vous Jérôme ? demanda brusquement Harriet. Etes-vous son serviteur ?
– Et si c'était le cas ?
– Il veut que vous reveniez. Il a pensé que je vous ramènerais. Je sais qu'il n'est pas commode et c'est toujours le cas avec les vieilles gens. Mais on ne peut pas simplement les abandonner...
Elle laissa sa voix s'éteindre. Muller haussa les épaules. Ils se parlaient entre eux, comme si Harriet n'existait pas.
– Tu as essayé. Il ne vivra pas éternellement.
– Cette vieille araignée ne mourra jamais, dit amèrement le Noir.
Un soupir collectif incita Harriet à se retourner. Elle découvrit un petit groupe d'hommes et de femmes serrés les uns contre les autres. Les femmes pleuraient ouvertement et elle ressentit autant de mépris que de surprise. Avoir peur à ce point d'un frêle vieillard, c'était vraiment d'une autre époque. Sans aucun doute, tous ces superstitieux pensaient qu'elle était magiquement sortie des flots, alors que la réalité était tellement plus prosaïque – et tellement plus douloureuse. Elle sentit des larmes lui monter aux yeux.
– Je dois y retourner, dit-elle nerveusement. Est-ce que vous venez, Jérôme ?
Il hocha la tête avec résignation. En regardant son nez fin et ses grands yeux, Harriet se demanda s'il ne pouvait pas être

effectivement un fils illégitime de Hawksworth. Ce n'était pas impossible.

– Vous ne devez pas rester au soleil, conseilla Muller alors qu'elle reprenait sa bicyclette. Allez-vous rester ici?

– Je n'en sais rien.

Elle vit par terre l'enveloppe que Hawksworth lui avait donnée et se baissa pour la ramasser. Mais quand elle la tendit à Muller, il réprima un frisson.

– Est-ce que personne ne veut la prendre? demanda-t-elle. Qu'est-ce que je dois en faire?

– Rendez-la-lui, grogna Muller. Dites-lui... que nous comprenons. Qu'il n'y aura plus de problèmes.

Il resta près d'elle alors qu'elle enfourchait son engin, et au dernier moment, il lui saisit le bras. Ses grosses lèvres tremblaient bizarrement.

– S'il vous plaît, dit-il, s'il vous plaît...

Mais il la lâcha et s'éloigna. Elle fut contente d'être débarrassée de lui.

Elle prit la route du retour à vélo, et Jérôme la suivit à pied. Grand, musclé, sur la route il avait l'air d'un point d'exclamation à l'envers chaque fois qu'elle regardait derrière elle. Au début, elle l'attendait de loin en loin, mais quand il la rejoignait, il ne disait rien. Elle commençait à souffrir du soleil, si bien que finalement elle pédala sans s'arrêter, puis laissa tomber la bicyclette en arrivant à la maison et l'abandonna là. L'air frais descendit sur elle comme un voile qui l'aurait attendue dans le hall.

– Vous en avez mis, du temps, dit Hawksworth qui semblait épuisé et tout jaune.

– Personne ne voulait prendre votre message. Ils disaient que c'était un sort.

– Des esprits primitifs, dit-il en lui tendant la main. Venez, ma chère, vous semblez avoir chaud. J'ai trouvé une bouteille de bière, nous allons la partager.

Ils buvaient leur bière, âpre et délicieuse, quand Jérôme entra.

– Enfin! Tu n'aurais pas dû t'enfuir comme ça, mon garçon.

– Non, monsieur.

– Cela se produira-t-il à nouveau? Honnêtement!

– Non, monsieur.

Hawksworth triomphait. Jérôme boudait. Harriet savait qu'elle ne pouvait comprendre ce qui se passait. Toute capacité de compréhension semblait l'avoir abandonnée depuis cette nuit d'orage sur le petit bateau.

– Je dois partir, dit-elle. Je ne peux pas rester ici.

– Et où irez-vous? Dites-le-moi un peu.

Elle ne répondit pas. Hawksworth se tourna vers Jérôme.

– Il est temps que nous prenions soin de notre maison, mon garçon, car nous avons à nouveau une dame pour nous gouverner. Tu peux passer le mot au village : j'aurai besoin du service de plusieurs personnes, car il n'est plus question de vivre dans une maison qui se délabre. Harriet occupera la suite de l'impératrice. Fais-la préparer immédiatement. Harriet va rester, naturellement.

14

Il faisait nuit. Elle s'accouda à la fenêtre et écouta la forêt, laissant l'air tiède caresser son visage. Quelque chose bougea dans le noir et elle retint un cri. Ce n'était qu'un cochon, un petit cochon sauvage comme il y en avait sur l'île, inoffensif sauf pour les jardins. Les gens installaient des clôtures et les cochons les renversaient, ils le faisaient depuis des siècles et le feraient toujours. Le temps semblait ne jamais avoir eu de prise sur l'île, même si beaucoup de choses avaient changé depuis son arrivée.

Elle retourna dans la pièce, ses pieds nus silencieux sur le parquet poli. Quand elle dormirait, ce serait dans un lit à baldaquin; quand elle se réveillerait, elle verrait les chérubins au plafond qui la regarderaient timidement à travers le ciel de lit en mousseline. C'était une chambre magnifique et cela la rassurait le plus souvent, parce que ce lieu était la preuve qu'elle avait beaucoup de chance et qu'on l'aimait.

Pourtant, ce soir, elle se sentait nerveuse et renfermée. A son arrivée, elle avait été tellement stupéfaite et épuisée qu'elle n'avait rien pu faire d'autre qu'accepter ce qu'on lui faisait et ce qu'on faisait pour elle. Incapable de se prendre en main, elle avait autorisé Hawksworth à la traiter à la fois comme la dame de la maison et son infirmière. Chaque jour, quand il ordonnait à Jérôme de nettoyer ou de réparer telle chose ou telle autre, il lui disait :

– Est-ce à votre goût, très chère? Nous sommes à vos ordres.

Elle s'était moquée de lui parce qu'elle n'avait pas d'autre moyen à sa disposition. L'énergie pour s'arracher aux projets que Hawksworth formait pour elle lui manquait.

Mais ce soir, elle avait retrouvé son dynamisme. Pourquoi?

Elle posa les yeux près de son lit sur le verre qu'elle buvait d'ordinaire en compagnie de Hawksworth. C'était une invention des îliens, un mélange de rhum et d'épices, délicieux et soporifique. Au début, elle avait été tellement heureuse d'en boire qu'elle avait facilement cédé à l'insistance de Hawksworth. Et pourtant, ce soir quelque instinct l'avait poussée à laisser son breuvage de côté. Elle dit à Hawksworth qu'elle le boirait plus tard, après son bain. Il avait pincé les lèvres et l'avait regardée de ses yeux fixes de serpent.

Elle se demanda si elle avait peur de lui. Il ne faisait aucun doute que les autres, oui. Quand il ordonnait, il était obéi avec un empressement né de la terreur. Un jour elle avait vu un homme sangloter en lui confessant qu'il n'avait pas réparé la clôture du jardin parce que son âne s'était échappé et avait cassé les planches. L'homme n'était jamais revenu, et quelqu'un d'autre s'était chargé de la réparation. C'était un incident mineur, mais il l'avait curieusement bouleversée.

Les Hawksworth possédaient Corusca depuis la nuit des temps, cela, elle le savait. Henry disait que sa fortune venait du sucre, mais elle avait du mal à croire que même à ses plus beaux jours, la canne à sucre ait pu fournir les fonds nécessaires à une telle opulence et à l'achat de tant d'œuvres d'art. Qu'était-ce, alors? Parfois, il parlait d'ancêtres pirates, d'esclavage même, mais jamais il ne faisait allusion à quoi que ce soit qui pût encore lui rapporter de l'argent. S'il n'y avait eu les colis livrés chaque mois par bateau, elle aurait cru qu'il vivait sans liquidités. Mais il fallait bien payer l'argenterie, les velours, le champagne.

Le bébé bougea et lui donna de vigoureux coups de pied dans le ventre, alors que d'ordinaire il était sage la nuit. Etait-ce grâce au rhum? Est-ce que l'enfant, comme elle, sombrait alors dans l'apathie? En général, elle tentait de ne pas penser à la créature qui grandissait en elle, mais maintenant, elle avait peur. Au matin, elle irait voir le Dr Muller, même si elle ne l'aimait pas. Soudain, douloureusement, elle pensa à Jake, à son cynisme. Peut-être l'enfant était-il un garçon? Ce serait un grand réconfort.

Muller jardinait quand elle arriva sur sa bicyclette. Il fouillait la terre, rouge et en sueur, son chapeau de paille taché de terre à l'endroit qu'il saisissait de temps à autre pour le redresser quand il lui tombait sur les yeux. Rosa, sa joyeuse et voluptueuse maîtresse, était assise devant la porte à éplucher des haricots tout en surveillant ce qui se passait dans la rue. Elle était mariée à un pêcheur, mais son statut de concubine du médecin convenait à tout le monde. Elle avait accès aux provisions du bateau, rare privilège, et ce qu'elle en tirait lui donnait une position sociale enviée. Le mari de Rosa avait le meilleur bateau, et son bateau avait la meilleure lumière. Rosa, quant à elle, portait de jolis vêtements et disposait d'une servante pour son ménage. Harriet commençait à comprendre que, sur Corusca, c'était une position enviable.

Rosa appela le médecin et fit un signe de la main à Harriet, qui déposa sa bicyclette contre la clôture. Mais quand elle passa la barrière, Rosa était partie. Comme toujours, se dit Harriet. Personne ne voulait être aperçu en sa compagnie et la plupart ne voulaient pas lui parler, même quand il n'y avait personne.

– Une bien chaude journée pour une promenade ! dit Muller en retirant son chapeau.

Il se léchait nerveusement les lèvres, et Harriet remarqua qu'il transpirait même des mains. Elle en ressentit une nausée. Soudain elle ne voulut plus qu'il l'examine, médecin ou non. Le bébé s'agita, et elle se reprit.

– J'ai pensé qu'il était temps que vous m'auscultiez, dit-elle.

– Vous vous sentez mal ? Il y a un problème ?

Elle l'assura que non. Comme il ne bougeait toujours pas, elle dit :

– On ne peut pas parler dehors. Entrons.

Elle passa devant lui et il la suivit avec réticence dans la maison. Ils se retrouvèrent dans son salon, plongé dans l'ombre, mais néanmoins chaud. Harriet s'assit sur le divan et se souvint de son évanouissement. Des mois s'étaient écoulés depuis, et où était passé tout ce temps ? Elle n'avait rien fait, pensé à rien, elle s'était contentée de regarder et d'obéir. Muller s'agitait nerveusement. Il demanda de la limonade à Rosa et ne reçut aucune réponse. Il se mit alors à fourrager dans des papiers qui à l'évidence ne présentaient aucun intérêt et dit enfin :

– Sait-il que vous êtes ici ?

– Le devrait-il ? demanda-t-elle d'un air innocent.

– Si on ne le lui dit pas, il le découvrira. Il vaut toujours mieux – vous ne comprenez pas ? dit-il en la regardant avec désespoir.

– Alors pourquoi ne me donnez-vous pas d'explications ? explosa Harriet. Je ne sais rien de cet endroit ! Une île qui vit avec un retard d'un siècle et où tout le monde est terrifié par un vieil homme malade ! De quoi avez-vous tous peur ? Il ne peut faire de mal à personne.

Muller gagna un placard et se versa un verre qu'il vida d'un coup. Il semblait lutter contre lui-même. Soudain, il explosa :

– Ce n'est pas ma faute. Je vous demande de le comprendre.

Je n'ai pas le choix, aucun de nous n'a le choix. Je serais tout différent si je l'avais.

Ses yeux nageaient dans des larmes qui ne coulaient pas et Harriet s'étonna d'une émotion aussi facile. Il ne ferait rien d'autre que lui mentir.

– Etes-vous allemand? On dirait bien.

Les soupçons de Harriet étaient nés d'une remarque de Rosa, quelques semaines auparavant, et depuis, elle se posait des questions. Sur Corusca, on ne pouvait l'éviter. Muller se figea.

– Je suis autrichien. Je vous l'ai déjà dit.

– Je crois que vous êtes allemand.

Il gagna la porte en trois enjambées et l'ouvrit toute grande.

– Je veux que vous partiez, dit-il d'un air méchant. Je viendrai quand le moment sera venu, c'est tout ce que je peux faire. Je n'ai aucun respect pour vous, vous êtes une femme sans moralité. Partez!

Harriet, remise du choc de la surprise, s'arrêta tout près de lui, assez près pour sentir l'alcool dans son haleine. Il ne contrôlait pas les mouvements nerveux de son visage.

– Pourquoi êtes-vous ici? demanda doucement Harriet. Je me demande qui aimerait savoir que vous êtes ici, au soleil, sans soucis, sans rien d'autre à craindre qu'un vieil homme malade – et qu'on vous découvre.

– Vous ne savez rien, murmura Muller. Et si vous saviez tout, qu'est-ce que ça changerait? Vous resterez ici toute votre vie. Je ne souhaite plus vous revoir.

Harriet remonta sur sa bicyclette et partit, débarrassée pour une fois du curieux mal de tête diffus qui accompagnait si souvent ses journées. Son esprit pétillait. Muller devait être très jeune pendant la guerre, trop jeune probablement pour avoir eu beaucoup de responsabilités, mais pourtant ce qu'il avait fait était suffisant pour qu'il se cache au bout du monde. Et puis, quel genre de docteur était-il?

Elle n'avait rencontré que des enfants trop maigres aux yeux larmoyants, des hommes dont les blessures étaient sommairement bandées de linges sales. Quant à ses talents d'obstétricien... Un jour une vieille femme était venue vers Harriet pour lui murmurer :

– Quand l'heure sera venue, ma'ame, appelez-moi. Je vous aiderai. Le gros homme, il vaut rien.

Elle écarta cette pensée. Elle ne voulait ni de Muller ni d'une vieille femme sale et ignorante. Plutôt mourir, se dit-elle en pédalant de plus en plus vite. La grossesse était une voie à sens unique où aucun demi-tour n'était autorisé. Certaines femmes disaient trouver la situation plaisante, mais Harriet n'y voyait qu'un piège effrayant conduisant inexorablement à la douleur, aux dangers et aux chaînes de la maternité. Et si ce bébé ne lui plaisait pas? Si c'était un garçon et qu'il ressemblait à Jake au point que chaque jour elle ressente en le regardant la rage qui l'étreignait maintenant contre Jake, contre l'île, contre Hawksworth, contre Muller? Elle arrêta la bicyclette. Il devait bien y avoir quelqu'un pour lui parler de ce merveilleux enfer?

Elle jeta un coup d'œil rapide derrière elle, mais la route était vide. Elle descendit de vélo et le cacha derrière des buissons, puis, marchant à couvert sous les arbres en bordure de la route, elle retourna au village.

Rosa avait repris sa place sur le perron et continuait à éplucher ses haricots, mais Muller avait disparu. A part Rosa, la rue était déserte.

– Bonjour! s'écria Harriet.

Rosa écarquilla les yeux et regarda autour d'elle.

– Le docteur est pas là.

– Cela ne fait rien. C'est à vous que je veux parler. Je ne répéterai rien à personne, je vous le promets.

Rosa sourit, découvrant de belles dents blanches.

– Il y aura rien à répéter, mais je dirai que vous avez oublié quelque chose. Entrez, vite!

Cette nouvelle distraction semblait ravir la jeune femme. Elle apporta sur un plateau la limonade qu'elle n'avait pas servie plus tôt, avec du gâteau en boîte. Harriet en goûta un morceau : on aurait dit du carton.

– Tout le monde est si nerveux, dit-elle en riant.

– Et vous, vous êtes pas nerveuse à vivre là-bas avec la vieille araignée? demanda Rosa en imitant la bête de ses mains. Il était méchant avant qu'on lui tire dessus, et il est encore plus méchant maintenant.

– Je ne savais pas qu'on lui avait tiré dessus. Qui a tiré?

– Son fils, M. Gareth, ricana Rosa. C'est pour ça qu'il marche pas. Et je vous dirai rien de plus, parce qu'il saurait qui a parlé. J'ai du rhum, si vous voulez.

– Non, merci, dit Harriet. Est-ce que c'était un accident? Il n'a sûrement pas voulu lui faire mal!

– Je sais rien, dit Rosa d'un air espiègle.

– Est-ce que vous savez d'où il tire tout son argent? demanda-t-elle pour changer de sujet de conversation. Il dit que c'est de la canne à sucre.

La jeune femme rit et s'assit en silence sur une des chaises contre le mur. Elle écarta les bras comme si elle était crucifiée et sa poitrine ressortit sous sa robe de coton rouge.

– Avant, ils étaient pirates, les Hawksworth, déclara-t-elle les yeux brillants. Ils ont volé tout ce qu'il y a dans la grande maison, tous les verres et toute l'argenterie. Et puis ils ont élevé des esclaves. Oh, là là! Tous les esclaves qu'ils avaient! Ils les vendaient pour ramasser le coton. On peut plus faire ça. Le vieux, il envoyait aussi les hommes chasser la baleine, mais on peut plus faire ça non plus.

– Alors, qu'est-ce qu'il fait?

Rosa baissa les bras.

– On n'a plus aucune jolie jeune fille sur Corusca, dit-elle en se dandinant d'un air timide. C'est les seules personnes qui s'en vont d'ici, les seules, c'est vrai!

– Mais où est-ce qu'on les envoie? demanda Harriet qui ne croyait pas un mot de tout ça.

– Dans des bordels. Muller dit que les Arabes aiment bien les petites jeunes filles noires. Mais il fait plus grand-chose, maintenant, pas depuis qu'on lui a tiré dessus.

– Il fait le trafic de la drogue, c'est ça? Il vend de la drogue aux gens.

– C'est pas mal, ça, si? demanda Rosa en arrondissant les yeux. C'est pas une mauvaise chose?

– Eh bien, au loin, dans d'autres lieux... si.

– Tout ce que fait Hawksworth, c'est mal, dit Rosa en riant. Eh! Vous voulez du pain? J'ai du bon pain.

Harriet refusa. Quand elle dit qu'elle devait partir, Rosa ne fit rien pour la retenir.

– Vous laisserez pas l'araignée m'avoir, hein? demanda-t-elle soudain d'un air anxieux. Il jette des sorts aux gens rien que par la pensée.

– Ne me dites pas que vous croyez ces foutaises!

Il faisait une chaleur écrasante sur le chemin du retour. Quand Harriet arriva à l'endroit où elle avait laissé son vélo, une carriole attelée attendait, avec Jérôme qui tenait les rênes.

– Vous avez eu une bonne conversation avec Rosa? demanda-t-il. Le vieux m'a envoyé vous chercher.

Il l'aida à monter et fouetta sa jument endormie.

– Je comprends pourquoi vous n'avez pas de téléphone, dit Harriet d'une voix hautaine. Et savez-vous aussi de quoi nous avons parlé?

– Rien qui soit bon pour vous.

– Est-il vrai que son fils lui a tiré dessus?

– Et il aurait dû en mourir. Mais on ne peut pas tuer le diable, ça non!

Le cheval avançait au pas. A bien y réfléchir, il n'était pas tellement surprenant que les Hawksworth aient contrôlé si totalement les allées et venues des îliens. Après tout, il n'y avait qu'un chenal entre les récifs pour pénétrer dans le port de Corusca, et partout ailleurs, c'était dangereux. Même les pêcheurs commettaient parfois une erreur et s'échouaient dans leurs propres eaux. Jake et elle avaient eu plus de chance encore qu'ils ne le croyaient. Les courants filaient dans les hauts-fonds comme des trains express.

Elle se retourna sur son siège et regarda le haut plateau central, enveloppé d'arbres comme une femme pudique.

– C'est pas la peine de regarder par là, dit laconiquement Jérôme.

– Pourquoi pas?

– Parce que ça vous fera aucun bien.

– Il semble que rien sur cette île ne fait de bien à personne.

– Pas tant que le vieux est en vie, approuva-t-il.

Ce soir-là, Hawksworth et elle dînèrent chacun à un bout de la longue table en merisier, d'un repas léger : poulet et légumes, puis lait caillé fait sur l'île.

– Buvez votre vin, insista gentiment Hawksworth.

– Je n'en veux pas.

Elle regarda le liquide d'une riche robe pourpre dans son verre, une couleur étrange, mais c'était peut-être à cause du verre espagnol, et il avait bon goût. Comment savoir quand on était victime de son imagination?

– Buvez, dit Hawksworth, cette fois sans aucune gentillesse. Je connais toutes vos pensées, ma chère. Je sais que vous vous interrogez à mon sujet. Je sais que vous vous interrogez au sujet de Corusca. Je sais aussi..., dit-il en riant soudain. Harriet, vous êtes si jolie, ce soir. La peur vous sied, et vos yeux sont comme des coulées de miel. Buvez votre vin, je ne vous empoisonnerai pas.

Elle leva son verre et but. Pourquoi ne pouvait-elle pas lui dire non? Elle n'osait pas plus que les autres. Peu à peu, alors qu'elle buvait, une chaude et délicieuse acceptation l'inonda. Comme il était plus facile de ne pas lutter!

Il y eut un bruit dans le hall. Harriet, un peu endormie, tourna la tête et vit deux hommes qui faisaient irruption dans la pièce, en traînant un troisième entre eux. Elle voulut se lever, mais Hawksworth interrompit son geste.

– Restez assise, Harriet! Je veux que vous voyiez ça.

La victime, un jeune garçon trop maigre qui luttait pour se libérer, fut traînée jusqu'au centre exact du tapis d'Aubusson.

– Pourquoi si tard? demanda Hawksworth.

– Il se cachait dans les collines, monsieur. Il a fallu qu'on le trouve, dit un des hommes.

– Je vois. Vous auriez dû m'amener sa famille à la place. L'exemple aurait été instructif. Mais puisqu'il est là, je pense que nous nous contenterons de lui.

– Qu'a-t-il fait? demanda Harriet dont la langue semblait lourde.

Hawksworth se tourna vers elle et lui sourit. Tout à coup, il lui sembla plus jeune, comme si du sang bien rouge courait à nouveau dans ses veines.

– Ma chère, il est allé où il ne devait pas, dit-il simplement. Ne vous en faites pas, ce ne sera pas désagréable. On le gardera dans le jardin pour un jour ou deux, c'est tout. Emmenez-le.

Elle s'approcha de la fenêtre et regarda les hommes lier les mains du jeune garçon dans son dos, puis passer la corde autour d'un arbre. Il était effectivement attaché sur la pelouse, comme une chèvre.

– Vous ne pouvez pas le laisser là, dit-elle mollement. Il semble...

Elle s'interrompit. Le garçon, terrorisé, désespéré, la regardait droit dans les yeux. Elle ferma le rideau.

Hawksworth appela Jérôme pour qu'il débarrasse la table. Pendant qu'il travaillait, Harriet fit le tour de la pièce, touchant des objets, les cadres des tableaux. Jérôme respirait calmement, mais le souffle de Hawksworth s'échappait en bouffées bruyantes.

– Ne vous énervez pas, Henry, dit-elle automatiquement.

– Ma chère, dit-il en riant, vous êtes si pensive. Mettez-moi au lit.

Elle fit ce qu'il lui demandait. Quand il fut installé, elle se pencha pour arranger son oreiller et il lui saisit un sein. De surprise, elle cessa de respirer. Elle sentait sa paume contre son sein. Tout ici la trahissait, même son propre corps!

– S'il vous plaît, Henry, non!

– Avant, on m'amenait des filles, dit-il. Je choisissais celles que je voulais, et puis je les trouvais qui m'attendaient dans la forêt quand je partais à cheval : « S'il vous plaît, monsieur, faites-le-moi, je dirai rien! » Mais les mythes sont tenaces, et on a toujours raconté que je les prenais de force. Je n'ai jamais eu que des femmes consentantes.

Il glissa sa main libre entre les cuisses de Harriet. Elle tomba en travers de ses jambes inutiles, son gros ventre comme un ballon entre les mains qui la caressaient. Dans un moment, elle l'arrêterait, dans une seconde elle reviendrait à son rôle d'infirmière, et lui rappellerait qu'il était son patient.

– Arrêtez! dit-elle sans conviction.

Il continua.

Des nuages gris de culpabilité tournoyaient autour d'elle. Si elle n'avait pas quitté sa mère, si elle n'avait pas quitté Jake, si seulement elle pouvait guider ses pensées un moment au lieu de courir après elles comme après des poissons dans un bassin! Devait-elle haïr Hawksworth ou se haïr elle-même? Ce n'était qu'un vieil homme impotent, alors qui d'autre pouvait être coupable, à part elle?

Pendant la nuit, elle entendit des sanglots. C'était le garçon dans le jardin et, maintenant qu'il le laissait s'exprimer, son désespoir était insupportable. Elle avait tellement mal à la tête qu'elle pouvait à peine penser, mais elle se traîna à la fenêtre et regarda dehors. L'enfant était recroquevillé par terre, la tête penchée. Harriet enfila un déshabillé de soie et sortit. Il ne sembla pas remarquer qu'elle traversait la pelouse, ses pieds nus faisant crisser l'herbe couverte de rosée. Elle lui toucha l'épaule.

– Petit..., dit-elle doucement.

Mais il ne sanglotait plus. Quand elle lui pressa l'épaule, il tomba sur le côté, raidi par la mort.

Elle se précipita, folle de rage, dans la chambre de Hawksworth, et cria :

– Que lui avez-vous fait? Quel genre d'homme êtes-vous? Où suis-je? Je ne resterai pas une minute de plus. Je ne sais pas ce que je fais là! Cette île merveilleuse est... un cauchemar!

Impassible, Hawksworth eut pourtant l'air d'apprécier le spectacle.

– Que soupçonnez-vous, ma chère? demanda-t-il quand elle se tut, hors d'haleine.

– De la sorcellerie, dit-elle froidement.

– Excusez mon amusement, murmura-t-il en laissant échapper un petit sourire sarcastique. Il se peut que Jérôme croie à ce genre de chose, mais il est d'une race inférieure. Vous, ma chère Harriet, vous ne pouvez me croire capable de magie?

Bien sûr, c'était ridicule. Sans effort conscient, elle pensa à sa mère, qui gisait aussi, comme Hawksworth maintenant, impotente et vulnérable. Si seulement elle était restée s'occuper d'elle, si seulement, si seulement...

– Je n'aimerais pas que vous partiez, dit Hawksworth d'une voix presque pathétique. Je serais perdu sans mon Harriet.

Elle soupira et regagna sa chambre. De sa vie elle ne s'était jamais sentie aussi fatiguée ni troublée.

Pendant les brefs instants de lucidité qui suivirent son réveil, Harriet se força à réfléchir. Jake ne venait pas la chercher. Jamais il ne viendrait. Alors, qui pouvait l'aider? Personne sur Corusca. Le vieil homme était-il méchant ou dérangé? Peut-être les deux. Natalie avait dit quelque chose sur la folie qui constituait le plus sûr refuge qui soit – Natalie! Elle allait écrire à Natalie!

Pendant qu'elle écrivait, des serviteurs passaient dans le couloir, et Hawksworth ne tarderait pas à la réclamer. Elle écrivit en hâte, comme un enfant en pension qui supplie qu'on lui permette de rentrer à la maison.

Chère Natalie,

Je me demande si tu ne pourrais pas m'aider. Je suis sur une île appelée Corusca. Jake m'a débarquée il y a quelque temps alors que nous avions des problèmes avec le bateau, et je n'ai plus eu de nouvelles de lui.

C'est important, parce que je vais bientôt avoir un bébé, et l'endroit est plutôt arriéré. Surtout ne dis pas que je te l'ai raconté! Je n'ai pas d'argent et il ne semble pas y avoir de moyen pour que je quitte l'île. J'ai vraiment de gros ennuis. Si tu pouvais soit m'envoyer Jake, soit trouver un moyen de me faire partir, je t'en serais éternellement reconnaissante.

Merci!

Harriet.

Le fait de décrire ainsi sa pénible situation la lui fit comprendre dans toute son horreur. Au moins, je fais quelque chose, se dit-elle. Elle allait porter elle-même la lettre au port ce matin, et la donner au capitaine du bateau de ravitaillement en personne.

Pendant une semaine, tandis qu'elle faisait la lecture à Hawksworth, qu'elle jouait aux échecs avec lui ou qu'elle lui limait les ongles, elle imaginait sa lettre passant de main en main, de sac postal en sac postal, arrivant peut-être déjà poste restante à Nassau.

Et puis un soir, alors qu'ils étaient assis ensemble à regarder le soleil couchant, dans le bruissement des vagues sur la plage et l'odeur des orchidées qui embaumaient l'air, Hawksworth lui tendit quelque chose.

– Ma chère, dit-il doucement, on m'a apporté ceci voici quelques jours. Je me suis dit que je devais vous le rendre.

C'était sa lettre. Elle la prit, luttant pour que sa peine ne transparaisse pas sur son visage.

– Je me demande si c'était bien la peine de l'envoyer, murmura-t-elle.

– J'en doute. Mais enfin, ce que j'aime le plus en vous, c'est votre inaltérable optimisme. Si déplacé.

– Est-ce si déraisonnable, de souhaiter la liberté?

– Mais de quoi manquez-vous donc? explosa-t-il, animé d'une colère effrayante. Je fais de mon mieux pour vous satisfaire de toutes les façons. Je m'étonne moi-même. Je suis tellement idiot avec les femmes. Je devrais pourtant savoir combien elles sont capricieuses, difficiles à contenter. Que dois-je faire, si vous n'êtes pas heureuse?

Il s'énervait exprès. Harriet se sentit pâlir Elle savait sans l'ombre d'un doute qu'il tenait sa vie au creux de sa main, qu'il pouvait la briser de sa rage aussi facilement qu'il refermait ses doigts noueux.

– Quand je vous caresse, ce n'est pas pour *mon* plaisir, continua-t-il. Peut-être voulez-vous un homme plus jeune? Dois-je sonner Jérôme et lui demander de vous honorer, ou un des rustres de la plage? Serait-ce à votre goût?

Il se tourna pour sonner et, à la rougeur visible sous sa peau parcheminée, elle sut qu'il était décidé à faire quelque chose. Il était haineux, au-delà de tout raisonnement, et on lui obéirait.

– Non!

Elle s'approcha de lui, le cœur battant. S'il se mettait contre elle, elle était aussi condamnée que le jeune garçon dans le jardin. Elle prit sa main sèche. Quand elle dénoua la ceinture de son déshabillé, sa poitrine gonflée se libéra et elle la lui mit dans les mains, comme une offrande sacrificielle.

– Chère Harriet, murmura Hawksworth. Gentille Harriet.

Elle voulait partir, il fallait qu'elle parte! Il devait y avoir un moyen, et Rosa devait lui dire lequel. Elle s'en alla au village à vélo, chaque coup de pédale lui coûtant un suprême effort. Si seulement elle pouvait être débarrassée du terrible poids de son ventre, se dit-elle, alors elle serait libre. La maison de Muller ne montrait pas signe de vie, et quand elle frappa à la porte, on ne répondit pas. Rosa devait être au port, mais dans le doute, elle frappa à nouveau. La porte s'ouvrit de quelques petits centimètres et le visage de Rosa, de ce gris verdâtre que seules les peaux noires peuvent prendre, jeta un coup d'œil.

– Partez! murmura-t-elle férocement. Vous ne devez plus venir!

– Est-ce que ça va, Rosa? demanda Harriet. Etes-vous malade?

– Ils ont su qu'on s'était parlé, gémit la jeune femme. J'ai été tellement battue... Je hais cet homme! A la première occasion, je le tuerai. Il dit que j'ai eu de la chance de pas avoir le sac, alors partez!

Harriet glissa la main dans l'ouverture de la porte.

– Dites-moi seulement qui pourrait m'emmener loin d'ici, supplia-t-elle. Est-ce que votre mari pourrait me prendre sur son bateau? S'il vous plaît, je vous en supplie! Il faut que je parte!

– Mais vous n'apprendrez donc jamais rien? dit Rosa, retrouvant une parcelle de sa vitalité. Il n'y a aucun moyen de se libérer.

– Rosa!

Le cri de Muller fit faire un bond en arrière à Harriet, et Rosa claqua la porte au même instant.

– C'est ma faute, dit précipitamment Harriet en se tournant vers le docteur. Elle ne voulait pas me parler. Elle ne m'a rien dit.

Il retira son chapeau et le tint dans ses mains. Harriet sentit qu'il adorerait être cruel envers elle, mais qu'il n'osait pas. Elle était dans une position trop ambiguë et pouvait s'avérer plus importante qu'elle n'en avait l'air.

– Je ne crois pas que vous devriez quitter la maison à ce stade avancé de votre grossesse, dit-il seulement. Vous allez nuire à l'enfant.

– S'il vous plaît, ne faites pas de mal à Rosa, murmura Harriet. Ce n'était pas sa faute.

Mais Muller la repoussa brusquement et rentra dans la maison.

Sur le chemin du retour, elle décida de faire comme si elle n'était pas partie. Elle laissa la bicyclette dans un buisson du jardin, et se promena en cueillant des fleurs, comme si elle n'avait fait que cela de toute la matinée. Une sensation de profond désespoir l'étreignait, et elle n'arrivait pas à se raisonner. Maintenant, elle se disait qu'elle allait mourir là, que cet enfant en elle allait la tuer.

Le jardin était plein de serpents. Un homme venait les attraper, et chaque matin on en trouvait un qui sifflait, furieux, dans une cage, près de ces fleurs blanches retombant comme un voile de mariée sur le ruisseau qui cascadait comme un rire d'enfant. Harriet ne savait pas très bien si elle avait peur des serpents, ou seulement pitié d'eux. Venimeux ou non, ils étaient piégés comme elle.

Elle déambula sans but, cueillant les grosses fleurs qui se fanaient vite dès qu'on les coupait. Elle portait une robe de fin coton blanc, et un chapeau à large bord. Quand elle eut une pleine brassée de fleurs, elle monta vers la terrasse et vit que Hawksworth était là, qui la regardait. Elle lui fit un signe de la main et sourit.

Un homme apparut derrière le fauteuil roulant, grand, pâle, en costume. Le cœur de Harriet battit plus fort. Pendant un instant, elle crut que c'était Jake.

– Harriet!

Elle s'approcha sans y penser, sans se rendre compte combien elle était délicieuse ainsi, fleur parmi les fleurs. Le visage de Hawksworth s'adoucit.

– Harriet, répéta-t-il, voici mon fil, Gareth.

Le fils qui lui avait tiré dessus. Yeux noirs sous des sourcils noirs rectilignes. Nez fier de son père au-dessus d'une bouche étrangement charnue, une bouche d'enfant dans un visage d'homme.

– Ravie de vous connaître, dit-elle timidement.

Sur Corusca, où on ne rencontrait jamais d'étrangers, elle avait oublié ce que c'était d'être timide. Cet homme le lui rappela.

– Que faites-vous ici? demanda-t-il.

Un léger sourire tordit la bouche de Hawksworth. Harriet le regarda et répondit sèchement.

– Je m'occupe de votre père, puisqu'il n'y a personne pour le faire.

– Que lui donnes-tu? demanda Gareth en se tournant vers son père. Ce qui est ici m'appartient de droit.

Harriet ferma un instant les yeux. Oh, Seigneur! Il croyait qu'elle en voulait à son argent.

– Je peux vous assurer..., commença-t-elle.

Mais Hawksworth l'interrompit d'un geste et déclara :

– Ce qui est ici m'appartient à moi, jusqu'à ce que je décide de m'en séparer.

– Tu prends tout ton temps pour t'en séparer, hein? répliqua son fils.

– Ce n'est pas grâce à toi. Tu es revenu terminer le travail?

Gareth avança d'un pas, mais son père leva la main.

– Tu dois savoir que j'ai modifié mon testament. Tu n'auras rien à moins que tu ne me satisfasses en changeant d'existence. Il est dans ton intérêt de me garder en vie, mon garçon.

Il fit signe à Harriet de pousser son fauteuil, bien qu'il sût que, dans son état, il était trop lourd pour elle. Elle s'arc-bouta néanmoins sur les poignées et ramena le fauteuil dans la maison. Gareth les suivit.

– Que veux-tu dire? demanda-t-il.

– Je veux dire, répondit Hawksworth, que je veux que tu viennes me voir – non pour le plaisir de ta compagnie : je souhaite avoir la preuve que tu diriges correctement la Corporation. Dans le cas contraire, je te la retirerai.

– Qu'est-ce que la Corporation? demanda Harriet.

– Mais qui est-elle donc, père? demanda Gareth en se retournant vers Harriet. Et de qui est le môme?

Hawksworth sourit. Il était ravi d'avoir tant contrarié son fils, constata Harriet.

– C'est Harriet, dit-il d'une voix douce. Je ne sais pas qui est le père de son enfant, mais c'est sans importance. Ce qui t'intéressera davantage, en revanche, c'est que j'ai l'intention de l'épouser.

Harriet reçut la nouvelle comme une bombe et leva les mains jusqu'à sa bouche.

– Quoi? Tu veux dire que tu vas tout lui laisser, c'est ça? Est-ce que tu es finalement devenu complètement fou?

– J'en doute. Pourquoi ne me poussez-vous plus, Harriet? Nous allons déjeuner.

Pourquoi, oh pourquoi ne pouvait-elle trouver comment s'échapper? Il ne disait ça que pour ennuyer son fils, il les montait l'un contre l'autre par simple amusement. Elle n'allait pas se laisser faire. Elle refusait totalement de donner l'impression qu'elle pourrait accepter.

– Vous ne devriez pas faire de telles plaisanteries, Henry, dit-elle.

– Ma chère, je ne plaisante jamais.

Alors qu'ils s'installaient autour de la table, Hawksworth prit sa serviette de lin et dit :

– J'ai parlé à Muller. Un homme généralement stupide, mais utile. Il considère qu'il serait possible d'inséminer Harriet avec mon sperme. Elle est à la fois fertile et intelligente, ce qui est plus que ce que ta mère avait à offrir, Gareth.

Harriet laissa bruyamment tomber couteau et fourchette dans son assiette, mais Hawksworth fit semblant de ne rien remarquer.

– Comme je souhaite naturellement un fils et que je n'ai pas de temps à perdre en essais et erreurs, il étudie pour moi les possibilités de choix du sexe. Que j'aille jusqu'au bout dépend en grande partie de toi, Gareth. Comme j'aurais aimé que tu ressembles moins à ta mère!

Il y eut un affreux silence. Harriet retenait un incroyable besoin d'éclater de rire. Jamais rien ne lui ferait épouser cet homme, et elle ne laisserait pas non plus Muller ou n'importe qui d'autre l'inséminer avec une seringue. Pour la première fois, elle se demanda sérieusement si Hawksworth était fou, enfermé dans un monde d'élucubrations séniles.

– Tu nous détestes tous, murmura Gareth. Depuis toujours.

– Erreur : je vous méprise tous. Es-tu allé voir ta sœur?

– Non.

– Toujours autant d'intérêt pour sa santé, à ce que je vois. Tu vas lui dire de venir me voir. Elle doit faire la connaissance de Harriet. Vas-y cet après-midi.

Jérôme apportait la soupe. Gareth bondit de sa chaise, saisit la soupière et la lança contre le mur. Jérôme resta impassible, et Harriet cria. L'épais liquide coulait sur deux tableaux sans prix.

– Jamais tu ne sauras à quel point je te hais, dit Gareth.

Il quitta la pièce sous les rires de Hawksworth. Harriet prit les serviettes et alla nettoyer les tableaux. L'un montrait un café de la Rive gauche et une jeune fille qui se souriait à elle-même.

Harriet aurait tant voulu être cette jeune fille, dans un monde sensé et plein d'humour.

– Oh, salaud de Jake, comment as-tu pu me laisser ici? chuchota-t-elle en serrant les poings jusqu'à ce que ses ongles lui meurtrissent les paumes.

– Vous avez dit quelque chose, ma chère? demanda Hawksworth.

– Oui, dit-elle en se retournant. Vous savez que je ne vous épouserai pas, n'est-ce pas? C'est impossible.

– C'est à moi de dire ce qui est possible.

– Mais dans quel but? Tout peut continuer comme maintenant.

– Je veux un autre fils.

Il propulsa son fauteuil jusqu'à l'endroit où elle s'était agenouillée devant les tableaux décrochés. Une main squelettique vint saisir le menton de Harriet.

– Votre enfant et vous aurez tout ce que vous pouvez désirer. En retour, vous me donnerez un fils.

Il la lâcha aussi soudainement qu'il l'avait attrapée.

– Gareth ne s'intéresse pas du tout aux hôtels, dit-il d'un ton plus léger. Il dépense tout son argent pour les femmes et la cocaïne. Quand j'ai mis sur pied la Corporation, c'était pour qu'il la dirige. Je ne l'aurais jamais fait si j'avais su qu'il était faible à ce point. Je dois même avouer que j'ai été assez fier de lui quand finalement il m'a tiré dessus, sauf qu'il avait attendu que je lui tourne le dos. Et naturellement il n'a plus rien fait de valable depuis. Je n'arrive pas à comprendre pourquoi il ne m'a pas achevé. C'est ce qu'un homme aurait fait.

– Il... vous a tiré dessus? Délibérément? C'était sûrement un accident.

– J'espère sincèrement que non. C'est la seule fois où j'ai senti que ce garçon était vraiment mon fils.

Harriet se leva et quitta la pièce. Elle monta lentement et pesamment l'escalier, le dos douloureux. Ce devait être à cause de sa virée à bicyclette, parce qu'elle avait poussé le fauteuil roulant, et que Gareth et Henry... son ventre se crispa. La surprise fut telle qu'elle s'arrêta avec un râle. S'il vous plaît, faites que ce ne soit pas maintenant, pria-t-elle, faites que ce ne soit jamais. Je ne veux pas de ce bébé, je ne veux pas souffrir. C'est Jake que je veux!

Sa raison lui disait de redescendre et de demander de l'aide. Son instinct la poussait à s'isoler, à trouver un endroit sûr où se cacher parce qu'elle était vulnérable et qu'elle n'avait personne pour la protéger. Elle pensait qu'on pouvait faire confiance à Jérôme, mais qui pouvait dire ce qui se passait derrière son masque noir? Quant à Hawksworth, il lui imposerait la présence de Muller, et elle ne voulait pas, elle ne pouvait pas supporter l'idée de sa présence. Elle allait s'allonger et la douleur passerait.

Les chérubins du plafond de sa chambre lui sourirent à travers la mousseline de son ciel-de-lit. Peut-être les enfants Hawksworth étaient-ils nés dans ce lit, auquel cas elle ne souhaitait pas mettre le fils de Jake au monde ici. Elle le ferait néanmoins, parce que, parmi tout ce qu'elle avait perdu, le plus évident était sa faculté de choisir.

La douleur montait à nouveau en elle, une convulsion de son corps qu'elle aurait crue impossible sans intervention de sa volonté. Cet enfant avait pris possession d'elle, l'utilisait entièrement sans sa permission, et c'était la faute de Jake, sa foutue faute. Comment y arriverait-elle seule? Des femmes mouraient en couches!

Elle se remémora tous les films qu'elle avait vus où une femme en travail criait et s'agitait d'angoisse sur un lit. Elle n'en était pas encore là, mais selon toute probabilité, cela ne tarderait pas. Et si le bébé restait coincé en travers et qu'elle mourait après des jours de souffrances? La voix sardonique de Jake résonna dans sa tête : « Mais enfin, Harriet, le vieux s'aperçoit de ton absence au bout de cinq minutes! Tu sais très bien que quelqu'un viendra frapper à ta porte pour le thé. »

– Tu ne crânerais pas comme ça, si c'était toi, murmura-t-elle en réponse. Je parie qu'en ce moment même, tu es au lit avec une fille. Tu as probablement engendré des centaines de bâtards que tu ne connais même pas. Et le dernier... me déchire en deux!

C'était une longue contraction ondulante, arrivant au paroxysme puis y revenant, l'enfonçant de plus en plus dans la douleur. Elle s'agrippa au matelas et son dos se souleva. Un fluide chaud se déversa entre ses jambes, trempant le lit. Elle retomba, presque en larmes. Est-ce que c'était censé se passer comme ça? Pendant une seconde, elle crut que c'était du sang, mais le matelas n'était taché que de traces d'humidité provenant d'un liquide presque clair. Aussi vite qu'elle le put, parce qu'elle savait que dans un instant le monstre reprendrait possession d'elle, elle débarrassa le lit des draps mouillés et jeta ses vêtements par-dessus, dans un coin de la chambre.

La chaleur écrasait l'après-midi comme du plomb, et dans la chambre, Harriet gisait nue, trempée de sueur.

– Il me haïrait s'il me voyait maintenant, murmura-t-elle. Je suis une baleine, et voici mes deux harpons, dit-elle en agitant ses jambes maigres.

Elle partit d'un rire hystérique. Une autre contraction prenait son élan, l'entraînant en enfer. Elle leva les bras, saisit les barreaux du lit et renversa la tête, émettant un long gémissement entre ses dents serrées. Si quelqu'un venait et la trouvait comme ça, elle en mourrait.

Quelque chose s'effondra dans son ventre et, au lieu de diminuer, la contraction changea de nature. Harriet était affolée. Elle n'était pas prête ! Pendant une seconde, elle crut que ses boyaux se déversaient hors d'elle. Il y avait une masse qui poussait vers l'ouverture de son corps. Oh, Seigneur ! C'était énorme ! Jamais elle ne le ferait sortir, et c'était la faute de Jake parce qu'il le lui avait fait, qu'il s'en moquait, qu'il l'avait laissée souffrir comme ça ! Elle avait moins mal quand elle se recroquevillait, la tête baissée, les mains agrippées à ses cheveux. La chose de Jake la déchirait en deux, poussait comme un bélier pour se frayer un chemin dans ses chairs fragiles. Elle gémit et poussa, poussa encore, comme la chose le réclamait, contre sa propre volonté.

– Que ça sorte ! murmura-t-elle entre ses dents. Va-t'en !

Elle mit les mains entre ses jambes pour ouvrir la voie à la chose et soulager la douleur.

Ses doigts touchèrent les cheveux de quelqu'un d'autre. Elle en ressentit un choc presque électrique qui se propagea du bout de ses doigts jusqu'à son cœur. La chose avait des cheveux, fins, mouillés. Elle regarda, accueillant avec joie la poussée suivante, parce qu'alors elle verrait. Mais ça ne sortait toujours pas. Ça apparaissait, et puis ça se rétractait. Peut-être que ça allait mourir dedans, sans air ? Elle s'affola : il fallait qu'elle le sorte ! Elle poussa à nouveau, alors qu'il n'était pas encore temps, et le spasme musculaire se joignit à son effort. Des cheveux noirs, aussi noirs que ceux de Jake, et un petit visage barbouillé, les yeux serrés et encombrés de mucus... Quelqu'un murmurait : « Oh, oh, oh ! » Et c'était elle. La petite bouche bougeait alors que ça n'était pas encore complètement sorti ! Elle tenait la tête dans ses mains qui semblaient trop grandes pour elle, et d'un coup, toute la longueur de l'enfant glissa à l'extérieur.

Harriet émit un cri entre larmes et rire. Elle se sentit submergée par une émotion si intense qu'on pouvait à peine la qualifier d'amour, un besoin impérieux de protéger et de chérir qui semblait jaillir de nulle part. Le petit visage barbouillé se détendit, et des yeux gris-bleu la regardèrent.

– Exactement comme ceux de Jake, murmura Harriet qui pleurait maintenant ouvertement. Je savais que tu ressemblerais à Jake. Mais je n'avais jamais pensé que tu serais une fille !

15

Même Hawksworth n'aurait pas attendu de Harriet qu'elle accouchât seule et sans aide. Le vieil Henry fut ravi au point d'insister pour que Jérôme le porte à l'étage voir de ses propres yeux la jeune accouchée et lui présenter ses félicitations pour son courage digne d'une Hawksworth. Elle le reçut assise dans son lit, vêtue d'une chemise de nuit en soie et d'une coiffe en dentelle assorties à la robe du bébé. Jérôme avait trouvé les vêtements : les greniers de la grande maison étaient pleins des objets de luxe portés par les générations précédentes.

– Vous avez une mine radieuse, Harriet, dit Hawksworth quand Jérôme le déposa dans un fauteuil en bois doré, et votre courage est exemplaire. Vous aurez tout ce qu'il vous faut, Jérôme y veillera.

– Oui, monsieur, dit Jérôme, qui savait instiller de l'ironie dans les réponses les plus ordinaires.

– Faites-moi voir l'enfant... Oui, oui, un bien bel enfant, et fort. Elle doit avoir le nom d'une des femmes Hawksworth.

– Elle s'appelle Victoria, déclara Harriet.

Les yeux gris-bleu de l'enfant la regardèrent du fond de son berceau et elle dut lutter contre l'envie de prendre le bébé et de l'étouffer de baisers. Oh, qu'elle était belle! C'était probablement le plus beau bébé qui ait jamais existé.

– J'imagine que ça fera l'affaire, dit Hawksworth. Après tout, elle n'est pas de notre sang. Le fils qui va me venir dans mon grand âge s'appellera Henry, affirma-t-il en gloussant d'excitation. Nous nous marierons dès que vous serez remise.

Harriet détourna la tête pour cacher son expression. Hawksworth fit signe à Jérôme de l'emmener.

– Alors tu es vraiment sénile, dit Gareth qui se tenait dans l'embrasure de la porte et observait la scène. Qu'est-elle, si ce n'est une souillon rejetée sur la plage par la mer? Que sais-tu d'elle?

Hawksworth tourna la tête vers lui avec indignation.

– Elle a du courage, plus qu'aucun de vous. Quand ta mère t'a mis au monde, elle a gueulé pendant trois jours, et puis elle n'a pas pu te nourrir. J'ai enfin trouvé une femme à ma hauteur!

Il serra un poing et le brandit. Gareth traversa la pièce et se planta près du lit, le regard fixé sur le bébé. Harriet se pencha et saisit les bords du berceau.

– Allez-vous-en, rugit-elle. Ne vous avisez pas de la toucher.

– Avez-vous l'intention de l'épouser?

Elle ne savait que dire. Hawksworth la regardait, Jérôme était là.

– Il faut que je prenne soin de Victoria, dit-elle.

– On prendra soin de l'enfant, assura le vieil homme. Je donnerai tout à mon épouse.

– Vous commettez une grave erreur, dit Gareth sans écouter son père. De toute sa vie, il n'a jamais rien donné d'autre à une femme que des ennuis. Au bout du compte, il me laissera tout.

– Alors pourquoi vous inquiétez-vous? demanda-t-elle en le regardant droit dans les yeux.

Bien sûr, il ne l'aimait pas, mais en plus il était repoussant. C'était peut-être à cause de la façon dont il la regardait, jouant de son charme de gamin étalé sur sa haine comme du beurre sur du pain moisi. Son aversion pour le fils la rapprocha du père, mais il n'était pas judicieux de se faire des ennemis. Elle tenta la conciliation.

– Je ne veux rien vous prendre.

– De toute façon, il n'a rien, déclara Hawksworth alors que Jérôme le soulevait. Je te préviens, Gareth, n'ennuie pas Harriet, sinon je pourrais perdre définitivement patience avec toi!

Ils le regardèrent tandis qu'on l'emportait hors de la chambre. Il réussissait à rester impressionnant alors qu'on le transportait comme un bébé, jambes pendantes, inutiles. Gareth se mordit le pouce et regarda Harriet. Comme pour agacer un animal en cage, il tendit très lentement la main, saisit une mèche de ses cheveux, puis la tira brutalement. Harriet le gifla, laissant l'empreinte de sa main visible sur son visage.

– Ne me touchez pas!

– Pauvre conne, dit-il d'un air cruel. Tu ne sais pas dans quoi tu t'engages. Je devrais te présenter ma sœur Madeline, comme ça tu verrais ce qui arrive à ses femmes. Tu te crois maligne. Attends un peu de voir ma sœur!

Quand il fut parti, Harriet prit Victoria dans son berceau. Le bébé se mit à gémir et Harriet écarta le décolleté de sa chemise de nuit pour lui donner le sein. Elle tremblait. Que devait-elle faire? L'intérêt que lui portait Hawksworth était sa seule garantie de sécurité. Si elle n'en jouissait plus, qu'est-ce que Gareth pourrait bien lui faire? Il lui rappelait un chien vicieux qui respecte encore la violence, mais tout juste. Si Jake avait dû venir, il aurait été là depuis longtemps. Inutile d'espérer encore de ce côté-là. Il était peut-être mort. Dans ce cas, il avait eu ce qu'il méritait pour l'avoir abandonnée! Toute sa rage devant sa position inextricable se concentrait sur Jake. Elle était piégée, et c'était sa faute.

Si elle essayait de partir et échouait, Hawksworth pourrait bien perdre patience. Et si elle l'épousait? Rien ne changerait par rapport à aujourd'hui. Si elle ne l'épousait pas, il deviendrait son ennemi. Une fois mariés, Gareth déclarerait la guerre. Ne pouvait-elle trouver un moyen de le mettre de son côté? Après tout, elle ne voulait pas d'argent, et même si elle en voulait, il y en avait suffisamment pour que tous soient riches leur vie durant, et la génération suivante. Rien que dans sa chambre, il y avait pour une fortune de meubles anciens, sans parler du Hogarth accroché dans un coin, comme pour s'en débarrasser. Hawksworth était un très vieil homme. Elle pourrait se retrouver libre dans quelques mois, et ensuite, enfin, s'en aller. Elle regarda les rayons de soleil jouer sur le plafond à caissons. Elle n'avait guère le choix.

Le bébé tétait vaillamment et Harriet lui sourit. Il lui était impossible de laisser le monde extérieur la distraire longtemps de son bébé. Comment avait-elle pu vivre toutes ces années sans savoir qu'un amour parfait, total, l'attendait? Le bébé ne voulait rien, n'avait besoin de rien qu'elle ne pût lui offrir, et en retour, elle était dévorée d'adoration. On n'avait rien à perdre à aimer, elle pouvait s'immerger dans son besoin de ce bébé et dans le besoin que l'enfant avait d'elle. Elle se dit que Jake ne saurait jamais ce que c'était que tout donner et qu'on vous le rende en quantité égale. Elle embrassa la petite oreille rose du bébé et se vit sur l'étroite corniche de la félicité.

Elle descendit le lendemain, et Hawksworth l'accueillit avec des fleurs et des vins fins.

– Nous allons avoir une nurse, lui dit-il. Et il vous faut des vêtements. Je vais écrire à Simone qu'elle vous envoie les dernières créations de Paris. Devons-nous lui demander de venir nous voir, Gareth? Cela te ferait-il plaisir?

Au juron murmuré par Gareth, il était clair que non. Il était rouge et mal à l'aise. Hawksworth ricana.

– Tu en prends à nouveau trop, hein? Ça te rend impuissant, mais je suppose que tu t'en moques. La drogue devrait être réservée aux esprits forts, être utilisée pour rehausser la vie, et non pour remplir une existence vide! Il est temps que tu partes.

– Débarrasse-toi d'elle d'abord, dit Gareth en montrant Harriet d'un coup de menton.

– Oh, non! dit Hawksworth en caressant les cheveux de Harriet. Je ne me débarrasserai jamais de Harriet.

Sa main glissa sur son épaule, puis jusqu'à sa poitrine. Il soupesa les seins lourds de lait dans sa paume, pour bien montrer qu'elle était sienne. Harriet ne broncha pas.

– N'est-elle pas merveilleuse? dit Hawksworth comme pour tenter son fils.

La maison était délicieuse, l'après-midi. Harriet s'était installée dans le salon, haut et frais, et l'odeur du jasmin entrait en bouffées par les fenêtres ouvertes. Elle était comme soûle d'oisiveté. Hawksworth se reposait. Gareth était ailleurs, et elle était perdue dans l'illusion de la liberté. Elle vit un papillon piégé contre la vitre de la fenêtre, mais n'arriva pas à se décider à se lever pour le libérer. Elle entendit des voix dans le hall.

– Où est-elle? Je veux la voir!

La porte s'ouvrit et une femme entra, grande, vêtue d'un jean aux jambes coupées et d'une bande de coton qui dissimulait à peine sa poitrine. Elle était pieds nus et ses cheveux ressemblaient à un nid d'oiseau décoloré par le soleil. Elle marchait à pas inégaux, comme si elle était droguée. Dès qu'elle vit Harriet, elle se cacha le visage dans les mains et se mit à rire bêtement.

– La voilà! Est-ce qu'elle n'est pas mignonne? C'est papa qui lui a donné la robe de chambre en soie, Gareth? Qu'est-ce qu'ils font ensemble? Il s'embrassent et se câlinent?

Elle se retourna, enlaça son frère, l'embrassa sur les lèvres et se frotta contre lui. Il ne la repoussa pas.

– Il aime la peloter devant moi pour me montrer qu'il est encore un homme et pas moi.

– Mais c'est qu'il ne te connaît pas! Pas comme je te connais, gloussa Madeline en glissant sa main sur le pantalon de Gareth.

– Partez! dit Harriet.

Madeline sembla se rappeler sa présence. Elle lâcha son frère et s'approcha.

– J'ai un petit garçon, confia-t-elle. Il s'appelle Nathan. Il pourra jouer avec ta petite fille!

– Non, merci, dit Harriet. Pourquoi l'avez-vous amenée ici, Gareth? Et qu'est-ce qu'elle a? demanda-t-elle en se levant pour libérer le papillon.

– Qu'est-ce que j'ai? demanda Madeline.

Elle se haussa sur la pointe des pieds, au milieu de la pièce, étendit les bras et se mit à danser, sautant d'une jambe sur l'autre, fredonnant un air sans mélodie. Puis elle s'arrêta.

– Je veux quelque chose, exigea-t-elle. Donne-moi quelque chose !

– Pourquoi ne buvez-vous pas un verre ? demanda nerveusement Harriet qui craignait qu'à tout moment la jeune femme ne fasse une véritable crise de folie.

– Où est Jérôme ? dit Madeline avant de rejeter la tête en arrière. Jérôme ! cria-t-elle de toutes ses forces.

Il apparut à la porte.

– Occupe-toi d'elle, tu veux bien ? dit Gareth.

Jamais le visage sombre du serviteur ne changeait. Il s'approcha de Madeline, maintenant silencieuse mais les bras toujours écartés et la tête rejetée en arrière comme la victime d'une crucifixion. Il se mit face à elle et lui prit la taille. Comme s'il avait appuyé sur un bouton, elle se mit à rire, se détendit et se lova contre lui, remontant son soutien-gorge pour que sa poitrine nue frotte contre la chemise de Jérôme. Elle commença à gémir langoureusement et Jérôme l'emmena hors de la pièce.

– Qu'est-ce qu'elle a ? demanda de nouveau Harriet que ce spectacle avait fait pâlir.

Gareth s'approcha du bar et servit deux verres de brandy.

– Qu'est-ce que nous avons tous ? Elle n'a reçu aucune éducation. Mon père n'en voyait pas l'intérêt. J'ai eu un précepteur. C'est moi qui lui ai appris à lire. Les îliens produisent de la cocaïne, et elle en prend. Quand elle est devenue comme ça, son père chéri l'a installée dans une maison sur la plage et l'y a abandonnée. C'est Jérôme qui prend soin d'elle et de son fils.

– Qui est le père de l'enfant ? demanda faiblement Harriet.

– Il est blanc, dit Gareth avec un sourire innocent. Mais on ne sait pas bien.

Elle savait qu'elle devait parler à Gareth.

– Nous ne sommes pas forcés d'être ennemis, vous savez. Je ne veux pas l'argent, tout ce que je veux, c'est partir d'ici.

– Malheureusement, je ne peux pas vous croire.

– Mais c'est vrai ! Je dois faire ce qu'il veut, comme nous tous. Vous n'avez vraiment aucune raison de me haïr.

Il sourit et, pendant un instant, elle crut avoir gagné. Il s'approcha d'elle, les mains tendues... et les plaça autour de son cou.

– Si je ne savais pas ce qu'il peut encore faire, je t'étranglerais sur l'instant, murmura-t-il.

Puis il se pencha et l'embrassa. Quand il fut parti, elle se rinça la bouche au brandy, puis frotta ses chaussures contre tous les endroits du tapis où la jeune femme avait dansé. Hawksworth s'était débarrassé de deux épouses, il avait rendu sa fille folle, il avait un fils vicieux qui avait tenté de le tuer, il terrorisait les îliens et Harriet elle-même... et il allait falloir qu'elle épouse ce vieil homme.

Harriet et Hawksworth dînèrent seuls, ce soir-là.

– J'ai entendu dire que vous avez rencontré Madeline, dit-il en dépliant sa serviette.

– Oui. Elle est très perturbée, n'est-ce pas?

– Tout à fait comme sa mère. Bien. Je crois que nous devrions nous marier la semaine prochaine. J'ai demandé qu'on fasse venir un prêtre sur l'île. Nous n'en avons pas ici en temps normal. J'imagine que vous voulez un prêtre?

– Eh bien... nous n'avons pas vraiment discuté de tout cela, Henry. Je ne peux m'empêcher de penser qu'il serait idiot d'irriter Gareth. Rien ne nous force à une telle précipitation.

– A mon âge, tout m'y force. Les robes de mariées de la famille sont conservées au grenier. Trouvez-en une qui vous plaise. Les habitants pourront faire la fête après. Naturellement, nous tiendrons Madeline à l'écart : je ne veux pas qu'elle vous ennuie.

– Ne pensez-vous pas qu'elle devrait consulter un médecin?

– Elle a consulté Muller. S'il vous plaît, ne vous en faites pas pour elle, elle est très heureuse de son état et Jérôme s'assure qu'elle ne multiplie pas les bâtards de couleur. Vous insistez un peu trop, Harriet, et je n'aime pas ça.

– Henry, dit-elle en inspirant profondément pour se donner du courage, je crois vraiment que je devrais partir. Il n'y a pas de place pour moi ici. Je dérange tout. J'aimerais prendre le prochain bateau.

Hawksworth pouffa. Jamais elle ne l'avait vu aussi sincèrement amusé. Ses yeux pétillaient comme à quelque plaisanterie hilarante.

– Ne soyez pas idiote, ma chère. Je serais très en colère si j'apprenais que vous avez essayé de me quitter.

Il coupa une pêche, lentement et délicatement au début, puis avec férocité. Le jus aspergea la nappe.

Le grenier était plein de malles et de boîtes, un véritable trésor des temps passés. Des chevaux à bascule côtoyaient des poupées en porcelaine, des paravents peints reposaient contre des cadres aux dorures écaillées. Les robes de mariées étaient empilées les unes sur les autres, les fronces de satin jaunissant, la dentelle trouée. Au bas de la pile, elle trouva les robes de soie rouge ou pourpre, conçues pour être portées sur des crinolines ajustées à des tailles beaucoup plus minces que la sienne. Il y avait aussi une robe bleue de coupe princesse, dont les courtes manches bouffantes faisaient comme un volant sur le bras. De quand pouvait-elle dater? se demanda Harriet. De deux siècles, peut-être. Et quelle jeune fille avait choisi cette coupe séduisante?

Elle emporta la robe dans sa chambre pour l'essayer. Le corsage était attaché dans le dos par des lacets. Si elle serrait bien, c'était juste sa taille. La jupe froncée lui caressait les chevilles. Elle se regarda dans le miroir et arrondit les yeux. Longs cheveux brillants sur des épaules blanches, poitrine mise en valeur par la robe, chevilles fines dépassant à peine : elle était superbe!

Le matin de ses noces, elle s'habilla lentement et avec soin. Le cordonnier du village lui avait confectionné des escarpins de velours bleu pour aller avec la robe, et elle prit son temps pour les mettre. Un flot de gens approchait de la maison, tous dans leurs meilleurs habits, et d'un calme inhabituel. Elle prit une gorgée du verre d'alcool qu'elle gardait presque continuellement près d'elle ces temps-ci, pour endiguer la peur. Il lui arrivait de croire que c'était la peur qui faisait vivre toute l'île, que seule une terreur inconnue et secrète pouvait garder tout le monde en vie, y compris Hawksworth. Il fut finalement temps de descendre.

Hawksworth l'accueillit au pied de l'escalier. Il portait un costume gris et même maintenant, à son âge, il était impressionnant. Il avait dû être très beau, grand, musclé, et d'une autorité effrayante. Il lui tendit la main.

– Ah, la soie du pirate, je vois. Un très bon présage, ma chère. Vous êtes parfaite.

Elle se força à lui sourire. Quand elle entra dans le salon, un murmure d'admiration parcourut l'assistance. Il devait bien y avoir deux cents personnes, mais ni Madeline, ni Gareth. Jerôme poussait le fauteuil et Harriet marchait à côté.

– Sommes-nous prêts? demanda le prêtre.

Soudain, elle ne put supporter l'idée de cette union. Que faisait-elle ici, s'enchaînant à un vieillard cruel?

– Je ne crois pas..., tenta-t-elle d'une voix étranglée.

– Harriet, ronronna Hawksworth.

Victoria, dans les bras d'une servante, poussa un petit cri. Harriet avala sa salive.

– Je suis prête, dit-elle.

Ce soir-là, Corusca fut en fête. On alluma des feux sur la colline et dans les rues. Harriet regardait de la fenêtre, et Hawksworth ordonna :

– Emmène-la, Jérôme. Fais-lui voir...

Les tam-tams n'arrêtaient pas, lancinants comme des battements de cœur, excitants et dangereux. Quand ils arrivèrent au village, Jérôme attacha le cheval et prit le bras de Harriet. Une foule de gens dansaient autour d'un feu de joie.

– Ils tiennent des serpents! s'inquiéta Harriet. Regardez, regardez!

Un homme s'approcha d'eux en courant, brandissant audessus de sa tête un serpent qui s'agitait faiblement. Il dansait comme un homme ivre et repartit en courant vers le feu. Jérôme serra un peu plus le bras de Harriet et l'entraîna plus loin. Il était visiblement excité.

Soudain, quelqu'un empoigna Harriet. C'était Gareth. Il était torse nu, couvert de cendres et de sueur.

– Bonjour, madame Hawksworth, cria-t-il pour surmonter le bruit. Est-ce que votre fête de mariage vous plaît?

– Je n'aime pas les serpents. Et les femmes...

Deux ou trois titubaient près d'eux, les jambes raides et les yeux révulsés. Elles tenaient dans leurs bras de petites figurines et elles avaient été fouettées au sang.

– Vous devriez être flattée, dit Gareth. Ces femmes sont stériles. Elles croient que tout enfant conçu cette nuit aura la puissance des Hawksworth. Elles pensent qu'il va vous engrosser par magie, et qu'il y aura du surplus!

– C'est horrible, murmura Harriet.

Un homme entièrement nu et complètement ivre dansait près du feu en criant. Harriet tenta de se détourner de ce spectacle, mais deux hommes lui saisirent fermement les bras pour l'immobiliser. Ils étaient menaçants, sauvages. Le mal qui sévissait cette nuit avait dérivé comme un nuage et s'était installé dans tous les cœurs.

– Laissez-moi partir! s'écria-t-elle. Le vieil homme le saura. Je le lui dirai!

Ils la lâchèrent et elle retourna en courant à la charrette. Quelques instants plus tard, Jérôme la suivit. Sans un mot, il monta sur le siège et la ramena à la maison.

16

Jake s'appuya au mur pour reprendre son souffle. Sa jambe le faisait horriblement souffrir, et il se dit qu'il aurait dû prendre ses béquilles. Mais au bout de tous ces mois, il ne supportait plus son étiquette de malade. Il préférait souffrir plutôt que de clopiner. Il se dit que si les choses empiraient, il finirait à quatre pattes, et ça l'exaspérait déjà assez d'aller là-bas.

Mac avait appelé une ou deux fois l'hôpital, et il était venu s'asseoir à contrecœur pendant une demi-heure dans sa chambre. Sa conversation, tendue, coulait comme du ciment en train de prendre.

– Ils l'ont enclouée?

– Avec une plaque et des vis. La première fois, ça n'a pas tenu.

– T'as eu de la chance de pas la perdre.

– C'est ce qu'ils n'arrêtent pas de me dire.

Long silence.

– Dommage pour le bateau.

– Oui, mais il ne valait pas grand-chose.

– Qu'est-ce qui est arrivé à la fille?

– J'en sais foutre rien, répondit Jake entre ses dents.

Et Jake entrait maintenant en boitant dans le bureau des expéditions où Mac régnait avec aussi peu d'amabilité que de compétence. Il venait mendier. Quelle humiliation!

Il dut faire la queue derrière un docker alcoolique, puis un homme qui avait une cargaison d'ananas et que son transporteur avait laissé tomber. Mac fut aussi désagréable et inefficace avec l'un qu'avec l'autre, bien que Jake fût certain que tous deux obtiendraient finalement ce qu'il leur fallait – quand ils auraient assez souffert. Jake était vautré dans un fauteuil, sa jambe lui infligeait des coups rythmés de marteau chauffé au rouge.

– On exige normalement au moins trois mois de préavis d'expédition, disait Mac d'un ton accusateur.

– Tu parles, intervint Jake. Allez, vas-y, enfoiré! Tu sais bien que ça pourrit. Tu peux le prendre ou tu peux pas le prendre?

– Je crois que je connais mon travail, merci, Jake, ronchonna Mac.

– S'il vous plaît...

L'homme aux ananas voyait son salut basculer dans le vide.

– Je n'ai pas toute la journée! enragea Jake.

Mac remplit les bordereaux. L'homme aux ananas, débordant de gratitude, se retira.

– Bon, dit Jake. D'abord, j'ai besoin de consulter des cartes, et ensuite il me faut dans les cinq cents.

– C'est tout?

– Et un bateau. Je dois retrouver Harriet.

Il passa derrière le comptoir, sa jambe à la traîne.

– Tu ne peux pas naviguer avec ça.

– Des types passent le cap Horn en fauteuil roulant, de nos jours. Et puis j'ai pensé que tu pourrais m'accompagner.

– Je gagne bien, ici.

– Tu parles! C'est comme de travailler dans un cimetière.

Il tira quelques cartes du présentoir, cherchant celle qui l'intéressait. Quand il l'eut trouvée, il poussa les papiers de Mac et l'étala sur le bureau.

– Je l'ai laissée sur une de ces îles.

– Elle peut ne plus y être! Ça fait des mois!

– En tout cas, elle n'est reparue nulle part ailleurs. Je me suis renseigné. Elle est descendue à terre sur cette île pour chercher des provisions. Le vent a tourné et j'ai dégagé le bateau. Une demi-heure plus tard, l'île n'était plus qu'un petit point au loin. Et puis j'ai heurté ce récif, si bien que je n'ai jamais eu l'occasion d'apprendre ce qui lui était arrivé. Ça doit être une île drôlement petite, parce qu'elle n'était sur aucune des cartes que j'ai pu avoir à l'hôpital.

– T'as rêvé. Elle s'est noyée.

– Je ne crois pas que j'aie perdu la tête, dit Jake avec une angoisse soudaine dans les yeux. Je... Je ne supporterais pas de l'avoir tuée. C'était une sacrément bonne équipière.

– Elle était bien, approuva Mac. Bien mieux que cette salope de Natalie.

Jake pencha la tête sur la carte. Il sortit un bloc-notes de sa poche et consulta la liste des directions et des profondeurs qu'il y avait consignée, journal de bord reconstitué de façon aussi précise que possible. Empruntant ses instruments à Mac, il prit quelques mesures. Puis il traça une croix sur la carte.

– Je ne peux pas en être sûr, dit-il en se redressant, mais je crois que c'est ça : Corusca. Tu en sais quelque chose?

– Tu essaies d'être drôle? demanda Mac en écarquillant les yeux. J'y vais pas! C'est le temple du vaudou.

C'était l'avant-veille du départ, parce que Mac était bien décidé à toucher la paye du mois entier.

– Si je dois mourir, je partirai pas sans mon argent, disait-il amèrement.

C'était la toute première fois qu'ils embarquaient une bible, achetée par Mac pour plus de sécurité.

– Alors ils coupent la tête des poulets? s'étonna Jake. Je ne suis pas végétarien. Tant qu'ils n'ont pas coupé celle de Harriet, ça m'est égal.

– Des gens disparaissent. Tu trouves pas étrange qu'on n'ait plus jamais entendu parler d'elle?

Jake ne répondit pas. Il trouvait effectivement cela étrange; il y pensait depuis des mois. L'idée qu'elle pourrait être morte grandissait en lui. Il lui arrivait de rester éveillé la nuit, souffrant le martyre avec sa jambe, et d'avoir la certitude qu'elle avait disparu. Mais même si c'était le cas, il ne supportait pas l'incertitude, il fallait qu'il sache ce qui lui était arrivé. Et si elle était morte, que ferait-il? Il regarda le brouillard et ne trouva rien.

Le bateau tenait bien la mer, même s'il manquait un peu de confort. On trouvait toujours de bonnes affaires dans les anciens bateaux, tant qu'on savait ce qu'on cherchait. Un des problèmes, c'était que les gens révisaient toujours leur opinion négative dès qu'il savaient que le bateau intéressait Jake, se disant que puisqu'il le voulait, il devait être mieux qu'ils ne le croyaient. Alors il avait envoyé Mac faire l'achat, et il l'avait eu à bon marché. Allongé dans la cabine qui sentait les pieds, Mac à la barre, il ressentit soudain une puissante nostalgie de Harriet.

En plein jour, il avait du mal à affirmer que c'était la même île. Elle était bien protégée par un récif, mais c'était plutôt courant. De nuit, il n'aurait pu voir l'énorme plateau central, si bien que sa présence ne signifiait rien. Jake se hissa sur le pont pour réduire les voiles.

– Je peux le faire, s'irrita Mac. Arrête d'essayer de prouver que tu vas bien.

Jake continua, pourtant bien conscient de sa fragilité. Sa

jambe guérirait-elle jamais, ou était-il condamné pour toujours à cet appendice douloureux et gênant ? Il retourna dans le cockpit.

– Il doit y avoir un endroit où accoster. On va faire le tour.

– C'est pas très hospitalier.

– Ne me dis pas que les arbres te font des grimaces !

Mais lui aussi avait l'impression que l'île émergeait des flots comme une menace. La jolie frange sablonneuse et la forêt de palmiers devenaient si vite un bloc sombre de feuillage, sans aucun signe apparent d'habitations...

– Voilà une maison ! explosa Mac en montrant du doigt de hauts murs gris entourés d'un jardin luxuriant. Un vrai palais ! Quelqu'un se la coule douce, là-dedans !

– Espérons que c'est Harriet. La carte dit qu'il y a un port sur le côté.

Ils eurent quelque difficulté à suivre le chenal entre les récifs, sondant la profondeur disponible tous les quelques mètres.

– Tu crois qu'ils enverraient un pilote ! s'insurgea Mac. On n'est qu'à une ou deux encablures de la rive.

– Ils ne souhaitent pas de visites, dit Jake en regardant les maisons fermées et les quelques silhouettes sur le quai.

Il conduisit le bateau juste contre la jetée, où seul le bateau de ravitaillement s'amarrait. Il lui fut difficile de débarquer. Il sauta et faillit tomber, sa mauvaise jambe étant incapable de supporter son poids. Il régnait un calme inhabituel. Deux ou trois personnes les regardèrent et partirent s'enfermer chez elles.

– Ça me donne la chair de poule, dit Mac.

Jake avait du mal à marcher, il souffrait de tous ces jours sans exercice sur le bateau. Le visage douloureux, il avança jusqu'à une maison et frappa à la porte.

– Ouvrez ! Je veux parler à quelqu'un.

Un rideau s'entrouvrit à l'étage, mais il n'y eut pas de réponse. Il ramassa un bâton et alla de porte en porte, écaillant la peinture de son bâton et criant :

– Montrez-vous, bon sang ! On n'a pas la peste !

Vers le milieu de la rue, une porte s'ouvrit lentement. Un homme gras, le visage rose en sueur, sortit et dit avec précaution :

– Euh... Je me demande si je peux vous aider.

– Je crois, oui, dit Jake en laissant tomber son bâton. Je n'aime pas risquer mon bateau dans des eaux inconnues parce que personne n'a pris la peine de mettre une bouée. Et je n'aime pas qu'on me ferme la porte au nez sans de bonnes raisons.

– Nous ne sommes pas habitués aux étrangers, dit l'homme en se tordant les mains. Je m'appelle Muller. Je suis médecin.

– Jake Jakes. Je cherche une fille du nom de Harriet. Harriet Wyman.

Toute couleur disparut des grosses joues de Muller. Il tenta de sourire.

– Je ne crois pas connaître quiconque de ce nom... nous avons si peu de visites...

Des gouttes de sueur roulaient sur ses tempes.

Jake regarda autour de lui. Des gens les observaient derrière des rideaux et des portes entrouvertes.

– J'espérais, dit-il à Muller. Merci quand même.

Il revint vers Mac, qui regardait les maisons d'un air mauvais.

– Elle est là, dit-il, mais ils ne veulent rien dire.

– Seigneur, partons d'ici, Jake. Appelle la police, ou je ne sais quoi.

– Je veux d'abord voir Harriet. On va acheter à manger et nager un peu. Il arrivera forcément quelque chose.

D'un pas presque guilleret, il s'approcha de cageots de fruits laissés sans surveillance devant l'épicerie et commença à prendre des oranges et des bananes, de plus en plus nombreuses, jusqu'à ce qu'enfin la marchande arrive pour protester.

– Quelle surprise! dit Jake à la dame tout agitée. Maintenant, parlez-moi de cette île. On peut y nager?

Avant la nuit, il avait découvert que les gens vivaient soit au village de Corusca soit dans des hameaux éparpillés dans l'île. La grande maison appartenait à quelqu'un dont personne ne voulait prononcer le nom. Quand on les interrogeait sur une dame, tous les visages se fermaient. Assis sur le pont du bateau doucement ballotté par la houle du soir, Jake sirotait un whisky.

– Elle est dans la grande maison. Forcément, dit-il à Mac.

– Cet endroit est maudit! Ça me surprendrait pas d'apprendre qu'ils mangent les bébés.

– Hum, en fait, moi non plus.

Un chuchotement mystérieux sortit de la nuit.

– Je peux vous parler?

La main de Mac sursauta au point qu'il renversa son whisky. Jake resta presque immobile.

– Que pouvez-vous nous dire?

– Elle voulait partir. Il l'a pas laissée. C'est une gentille dame, elle veut pas rester ici. Emmenez-la de la maison, écoutez pas ce qu'on vous raconte. Elle m'a dit qu'elle est très malheureuse avec lui.

– Qui c'est, lui?

– Le vieux. Il peut jeter des sorts, mais j'ai une amulette pour les repousser et je suis en sécurité, je le sais! dit-elle en riant doucement.

Jake allait lui demander son nom quand quelqu'un cria :

– Rosa! Rosa!

– C'est vous?

La femme retint sa respiration. On entendit un bruit de pas précipités sur la jetée de bois, et l'ombre engloutit sa silhouette.

Mac prit la bouteille de whisky.

– Des sorts, qu'est-ce qu'elle veut dire par là?

– Ils tuent des gens en jetant des sorts, parfois. Si quelqu'un y croit, tu lui fais savoir qu'il a un sort et il meurt. Pas même besoin de le toucher. Tu ne te souviens pas de ce que le vieux Taylor nous racontait, sur cette femme qui était morte avec des douleurs terribles dans le ventre parce que quelqu'un lui avait montré un sac?

– Je veux pas qu'on me montre de sac, dit Mac.

Jake lui sourit, ses dents blanches brillant dans la nuit. Son moral remontait comme le mercure dans un thermomètre, parce que la vie avait à nouveau du goût, elle était riche et épaisse sur sa langue.

– J'irais bien à une petite fête! dit-il en regardant autour de lui pour voir si quoi que ce soit bougeait quelque part.

Il aurait voulu célébrer sa renaissance inattendue.

– On va faire un feu de joie, dit-il soudain en agitant une boîte d'allumettes dans sa poche. On va leur montrer ce qu'on pense de leur sale petite île.

Harriet vit le feu depuis la fenêtre de sa chambre et retint son souffle. En général, les feux étaient allumés sur le plateau, annoncés des heures auparavant par le rythme doux des tam-tams. Celui-ci brûlait sur le vieux promontoire. Elle sortit dans le couloir. Gareth y était.

– Il y a un feu..., commença-t-elle.

– Je sais. Où est Jérôme?

– Sorti, je crois.

Elle alla frapper à sa porte mais personne ne répondit. Serrant sa robe de chambre autour de sa poitrine, elle descendit l'escalier. Hawksworth était assis dans son lit, lisant à la lumière d'une lanterne.

– Henry, il y a un feu sur le promontoire.

– Qu'est-ce que c'est? demanda-t-il à Gareth. C'est ton œuvre?

– Ce doit être Jérôme.

– Il est avec ta sœur. Prends les fusils, on ne sait jamais ce qu'ils ont en tête.

L'atmosphère était tendue depuis des jours, depuis qu'une

des domestiques de la maison était morte soudainement dans son lit.

Harriet courut à la porte. S'ils étaient attaqués, elle devrait veiller sur Victoria. Devait-elle rester dans la maison ou se cacher dans le jardin? A la pensée des serpents, elle eut la chair de poule. On frappa. Elle se couvrit la bouche d'une main et resta figée. On frappa à nouveau.

– Qui est-ce? demanda-t-elle dans un cri.

– Muller.

En temps normal, elle détestait qu'il vienne à la maison, mais ce soir, elle courut déverrouiller la porte. La nuit tombée, Jérôme passait toujours par la porte de côté, et cette entrée massive était fermée contre tout intrus.

– Laissez-moi passer, dit Muller en la poussant. Je dois voir M. Hawksworth.

Elle le suivit jusqu'au lit. Hawksworth étudia le visage couvert de sueur de Muller.

– Merci Harriet, dit-il pour la congédier.

– J'aimerais savoir ce qui se passe, dit-elle en s'asseyant au bord du lit.

Hawksworth fit un signe impatient à Gareth.

– Fais-la sortir d'ici. Pourquoi ne savent-elles jamais quand se mêler de ce qui les regarde?

– Je t'avais prévenu! dit Gareth d'un ton triomphant. Allez, Harriet, sors d'ici.

Elle était en colère et elle avait peur. Les deux Hawksworth qui la regardaient se ressemblèrent soudain. Elle n'était en sécurité que si elle gardait le vieux de son côté.

– Henry..., dit-elle en lui tendant la main, je souhaite seulement prendre soin de vous.

– Fais-la sortir, Gareth! ordonna Hawksworth.

Gareth la saisit par les poignets et lui fit passer la porte de force. Le visage de Muller, rose et satisfait, nageait devant ses yeux. Lutter n'aurait eu aucun sens et elle n'essaya pas, mais Gareth lui meurtrit quand même les bras et faillit lui démettre une épaule. Dans le hall, il siffla :

– Pleure, salope! Pleure! La jolie minette qui croyait que c'était arrivé! Vas-y, pleure toutes les larmes de ton corps avide d'argent.

Elle se fit toute molle dans ses mains et il la lâcha. Recroquevillée par terre, elle l'entendit rire.

Elle revint vers la porte dès qu'elle se referma et colla l'oreille au panneau. Que feraient-ils s'ils la trouvaient? Ce n'était pas une idée à creuser. Muller parlait d'une voix mielleuse et nerveuse à la fois.

– Arrêtez de geindre, dit Hawksworth.

– Je suis sûr qu'ils savent qu'elle est ici, dit Muller en essayant de se ressaisir.
– Qui le leur a dit ?
– Personne, je crois. Peut-être qu'elle a écrit...
– Ne soyez pas idiot ! C'est encore un coup de votre femme.
Il y eut un silence. Harriet cessa de respirer en imaginant que quelqu'un s'approchait de la porte, l'ouvrait et découvrait sa présence. Quand Gareth parla, elle fit un bond.
– Il n'y a que deux hommes, père. Ce n'est pas un gros problème.
– Mais qui viendra après eux ? Les gens envoient des messages, de nos jours. Moi, en tout cas, je ne veux pas que des gens clament qu'ils savent ce qui est arrivé.
– Tu t'en moquais, avant.
– Les choses étaient différentes, avant. Il se passait des années sans aucune visite. Qui d'entre nous peut envisager que des paquebots de croisière jettent l'ancre au large et envoient sur l'île des touristes en balade ! Et à quoi sers-tu, mon garçon ? Que conseilles-tu ?
– Laisse-la partir, dit Gareth.
– Oh ! s'exclama Hawksworth en riant. Tu aimerais bien ça, hein ? Harriet partie, tu me tuerais et tu prendrais tout. Et à quoi cela servirait-il ? Tu perdrais tout en moins d'un an. Regarde la Corporation, négligée dès le jour où je te l'ai confiée. Tu te souviens de cet article dans le journal : « Cet amalgame sans direction de pauvres hôtels et de causes perdues » ? C'est tout ce que tu as fait dans ta vie, réduire Hawksworth Corporation à un amalgame risible. Oh, non ! Je ne laisserai pas partir Harriet. Pas tant qu'elle ne m'a pas donné un fils. Muller, où en êtes-vous avec ça ?
– Eh bien, monsieur, j'ai... j'ai étudié les articles, comme vous le souhaitiez, monsieur Hawksworth.
– Bien, bien, dit Hawksworth que le fait d'agacer son fils rendait radieux. Laissez-les venir ici, dit-il enfin. Ils verront Harriet. Je lui parlerai.
Elle prit ses jambes à son cou, fila silencieusement dans l'escalier, et la porte s'ouvrit juste au moment où elle disparaissait. Elle courut à sa chambre et referma la porte derrière elle. Quand Gareth entra, elle était en train d'habiller le bébé, luttant pour contrôler son essoufflement.
– Mon père veut que tu descendes.
– Vraiment ? dit-elle en prenant Victoria encore à moitié endormie.
– Tu peux laisser la pisseuse.
– Pas quand vous êtes dans les parages.
Le bébé agitait ses petits poings roses. Les mains de Harriet

étaient glacées. S'il vous plaît, ne les laissez pas lui faire du mal, pria-t-elle silencieusement. Je suis prête à n'importe quoi tant qu'ils ne feront pas de mal à mon bébé.

Muller transpirait comme jamais quand elle entra, mais Hawksworth était en pleine forme, le visage dur comme le roc, les yeux étincelants comme ceux d'un oiseau de proie.

– Harriet, susurra-t-il en lui tendant la main.

– Non, Henry. Il n'est pas question que je me plie à vos humeurs.

Elle s'assit à quelque distance du lit, sachant très bien que s'abaisser devant Hawksworth, c'était perdre son respect. Son cœur cognait.

– Comme vous voudrez. Mon Dieu, comme vous êtes jolie. Je vous jure, chaque jour, elle est plus belle encore que la veille, vous ne trouvez pas, Muller?

– C'est l'air de Corusca, dit le docteur en dansant d'un pied sur l'autre.

Harriet se dit que c'était peut-être vrai. Elle n'avait rien d'autre à faire, sur Corusca, qu'à être belle, porter des robes de soie et donner des ordres à des serviteurs. Chaque jour, elle admirait sa peau lumineuse et ses beaux cheveux luisants, et trouvait dommage que seul Hawksworth puisse profiter de ce spectacle.

– Peut-être que je devrais laisser Gareth la prendre..., dit Hawksworth d'un air songeur.

– Non! affirma-t-elle en le regardant droit dans les yeux.

– Je n'en ai pas l'intention, dit-il en haussant les épaules. Mais vous devez bien vous conduire, Harriet. Muller, prenez l'enfant.

Le médecin saisit le bébé. Harriet retint Victoria de toutes ses forces en criant des injures à Muller. Le bébé se mit à hurler de terreur, mais Harriet était prête à mourir plutôt que de le lâcher. La porte s'ouvrit, et elle sut que c'était Gareth. Quand il la saisit par-derrière, elle ne put résister davantage. Muller traversa la pièce avec son trophée. Harriet se retourna et planta ses dents dans la joue de Gareth, jusqu'au sang, chaud et écœurant. Il la repoussa violemment et elle entendit Hawksworth qui riait.

– Harriet, Harriet, ma chère!

– Je vous tuerai, si vous lui faites du mal! Je vous tuerai tous!

– Bien sûr! Mais on ne lui fera aucun mal. Restez tranquille, Harriet, et écoutez.

Elle se recroquevilla sur le sol, les doigts crispés. Elle arracherait les yeux de Muller, s'il faisait du mal à son enfant. Ils lui avaient déchiré son déshabillé et elle vit Gareth et Muller qui contemplaient sa poitrine nue. Elle se couvrit comme elle put.

– Des gens sont venus à votre recherche, dit Hawksworth comme s'il parlait à une idiote. Je veux qu'ils repartent. Vous devez les faire repartir. Pour m'assurer que vous agirez en conséquence, je garderai l'enfant pendant que vous leur direz combien vous êtes heureuse, ici.

– Qui sont-ils?

– C'est sans intérêt. Si vous ne les renvoyez pas, il est clair alors qu'il y aura... des conséquences. Nous le regretterions tous, j'en suis certain.

A sa grande honte, des larmes coulaient sur ses joues. Elle se retrouva en train de ramper jusqu'au lit de Hawksworth, son déshabillé grand ouvert. Muller se mit à glousser d'excitation.

– S'il vous plaît, laissez-moi la garder, sanglota Harriet en saisissant les mains du vieillard. Je ferai ce que vous avez dit. Je suis heureuse ici. Vous n'avez pas à me la prendre.

Hawksworth, l'air songeur, passa ses mains sur la chair de Harriet. Elle se pencha vers lui, s'offrant pour qu'on lui rende son enfant. Quelques gouttes de lait suintèrent de ses seins. Hawksworth leva les yeux vers son fils.

– Va les chercher tout de suite. Inutile de faire traîner les choses.

– Je peux te trouver une douzaine de femmes! dit Gareth, qui n'en revenait pas. Tu n'as pas besoin d'elle.

– Va chercher ces hommes! Muller! Emportez l'enfant à l'étage. Je vous appellerai quand j'aurai besoin de vous.

La porte se referma. Harriet regarda son mari.

– Maintenant, ma chère, dit-il doucement, retirez ce chiffon et venez.

Jake et Mac, bruyants et déterminés, revinrent vers le bateau. Les restes de leur feu luisaient encore par-delà la baie, illuminant l'île plongée dans l'obscurité.

– Tu as vu ces baraques? dit Jake. Les gens d'ici vivent comme il y a cent ans. Je jurerais que ce gosse était rachitique.

– Ouais, dit sombrement Mac, qui avait vu bien des cas de rachitisme dans son enfance. Ils bouffent cette bouillie.

– Ils pourraient manger du poisson, même s'ils n'ont pas de viande! Mais qu'est-ce que Harriet peut bien faire ici? Je n'arrive pas à comprendre.

L'euphorie du début de la soirée avait disparu dans le feu de joie. Maintenant, il avait mal à la jambe et se sentait aussi fatigué que désorienté. Le monde n'était qu'un cauchemar. Alors qu'ils prenait pied sur le pont, une silhouette apparut dans le cockpit.

– Nom de Dieu! Qu'est-ce que vous faites à fouiner dans notre bateau en pleine nuit?

– Je suis sûr qu'il a trafiqué l'équipement, dit Mac avec colère.

Il alluma une lanterne. Dans le flot de lumière jaune, ils virent un homme grand, la bouche tordue de nervosité. Sous le regard de Jake, il se mit à mordre l'ongle de son pouce.

– Je m'appelle Hawksworth, dit-il.

– Grand bien vous fasse. Que voulez-vous?

– Je suis venu... Mon père... Il veut vous voir. Vous devez venir à la grande maison.

– Désolé, mon vieux. Je ne vais nulle part à cette heure de la nuit. Revenez au matin.

– Vous ne comprenez pas, dit l'homme avec un rire suraigu. Harriet veut que vous veniez. J'ai une charrette, vous n'aurez pas à marcher. Je vois que vous êtes infirme.

– Moitié moins infirme que vous le serez dans une minute, dit Jake.

– Pourquoi ça peut pas attendre le matin? demanda Mac.

Les mains pâles ondulèrent en un geste presque féminin.

– Les vieillards dorment mal la nuit. Je vous conseille de venir. Harriet voulait vous voir plus tôt, mais mon père ne l'a pas permis.

– Pourquoi, elle ne peut pas faire ce qu'elle veut?

– Sur Corusca... les gens ne font pas ce qu'ils veulent.

La mer clapotait contre la coque. Toutes les antennes de Jake lui disaient que cette nuit fourmillait d'ennuis.

– Qu'est-ce que tu en dis? demanda-t-il à Mac.

– On y va.

Jake sourit. Il lui arrivait de se demander comment il supportait le pessimisme de Mac, et maintenant, il savait : quand on était au pied du mur, Mac s'avérait solide comme le roc. Jake vérifia mentalement le contenu de ses poches : torche électrique, allumettes, couteau. Foutue jambe! Le simple fait de la supporter épuisait la moitié de ses forces, tant mentales que physiques.

– Alors allons-y, dit Jake à leur visiteur.

Il les précéda, les épaules étroites et ondulantes, chacun de ses mouvements inspirant la méfiance.

L'impression d'étrangeté persista tandis qu'ils progressaient vers la grande maison.

– C'est très exotique, ce moyen de transport, dit Mac en regardant la croupe du cheval.

– Nous n'avons pas de voitures ni de tracteurs, expliqua Gareth.

– Qui en a besoin, tant qu'on peut mourir de faim tranquille? dit Jake.

Des insectes, énormes choses duveteuses, tournoyaient comme des fantômes autour des lanternes de la carriole. Au loin se dressait la grande maison, dans le noir et le silence.

– Nous y voilà, dit Gareth d'une voix trop haut perchée.

Il arrêta le cheval et descendit, suivi par les deux autres. L'odeur des fleurs imprégnait l'air.

– J'aime pas ça, dit Mac alors qu'ils approchaient de la porte.

Dans le hall, le bois poli réfléchissait une faible lueur. Et toujours l'odeur entêtante des fleurs. Ils distinguèrent vaguement un escalier monumental et de nombreuses portes.

– Par là, dit Gareth en les conduisant vers la lumière. Il s'écarta pour qu'ils pénètrent dans la pièce éclairée. Au centre du tapis, une femme vêtue d'une robe d'hôtesse en soie abricot, ses longs cheveux lui retombant sur les épaules, se tenait toute raide, les mains serrées devant elle. C'était Harriet.

Elle les regarda approcher comme dans un rêve. La vraie Harriet était quelque part tout en haut, et elle les regardait comme des automates qui marchent, parlent et sourient. Jake s'était fait mal à la jambe, il boitait. Il avait l'air épuisé, mais c'était le même Jake, il n'avait pas changé. Peu à peu, le monde fou où elle vivait depuis si longtemps se remit droit.

– Oh, Harriet, murmura Jake. Tu ne sauras jamais combien je suis content de te voir. Seigneur! J'étais tellement inquiet!

Il tendit les mains vers elle, mais elle ne bougea pas, ne dit rien. Ses yeux brillaient d'une lueur qui ne pouvait être naturelle, et Jake s'arrêta pour la regarder.

– Ça va bien, ma grande? dit Mac. On dirait que tu vis sur un grand pied, dans ce palace.

– Il faut aimer les maisons d'esclaves, remarqua Jake qui tentait toujours de prendre les mains de Harriet. Tout va bien, chérie, je suis là, maintenant. Tu peux me dire ce qui ne va pas.

Lentement, elle desserra les mains et les déposa comme des bouts de marbre froid dans celles de Jake.

– Tout va bien, dit-elle. Je suis contente de vous voir tous les deux. Tu t'es fait mal à la jambe, Jake?

– Je me la suis cassée. Je suis venu te chercher, ma chérie. Tu ne peux pas rester là. Est-ce que je ne t'avais pas dit de ne pas quitter le bateau?

– Oh, toi! explosa-t-elle soudain. Tout est ta faute. Tu m'as abandonnée. Je suis ici depuis si longtemps... Pourquoi est-ce que ça a pris si longtemps?

– Crois-moi, je n'en avais pas l'intention. Et je suis là, maintenant. Il est temps de partir, chérie, va prendre tes affaires.

Elle le lâcha pour aller s'asseoir. Ses mouvements n'étaient pas bien coordonnés.

– Je ne vais nulle part. Je crois que je dois te dire que je suis mariée. Je suis Mme Hawksworth.

Mac fut le premier à reprendre ses esprits.

– Nous dis pas que tu as épousé ce poseur sournois!

– Gareth? Non... non. Son père.

– Tu as épousé son père? hurla Jake. Quel âge a-t-il donc?

– Il est très âgé... dans un fauteuil roulant. Je... je m'occupe de lui.

– Tu n'es qu'une petite dinde, dit doucement Jake. Je ne peux pas te laisser seule une minute! Bon, eh bien il ne te restera plus qu'à divorcer. Va le lui dire... Non. Je ferais mieux de l'expliquer moi-même au pauvre vieux, dit-il en partant vers la porte.

– Non! cria Harriet.

Elle se leva. Elle avait l'impression de progresser dans la brume. Pourquoi ne comprenait-il pas? Pourquoi ne lui facilitait-il pas les choses? Elle contraignit son cerveau à un minimum de lucidité.

– Je ne viens pas avec toi. Je reste ici avec Henry, parce que je veux rester. Je... je suis bien, ici. J'ai des serviteurs et beaucoup, beaucoup d'argent. Je peux obtenir tout ce que je veux. Je ne souhaite pas partir. Compare un peu ton petit bateau puant avec ce palais!

Elle écarta les bras pour embrasser la pièce, les tableaux, les lourds rideaux, les chandeliers d'argent sur la table. Elle souriait de ses lèvres tremblantes.

– Pauvre Harriet! dit Jake en boitant péniblement jusqu'à elle.

Des larmes remplirent ses yeux et elle se détourna.

– Non, pas pauvre Harriet du tout, Harriet la veinarde. Mieux vaut être la femme chérie d'un gentil vieillard que l'esclave d'un plus jeune, non? J'ai beaucoup de chance. Donne-moi ton adresse, je viendrai te rendre visite, un jour.

– A ce que j'ai entendu dire, lui murmura-t-il à l'oreille, il est rare qu'on reparte d'ici.

– Je pense que rares sont ceux qui peuvent se le permettre, dit Harriet que le souffle chaud de Jake avait failli déconcentrer. J'ai l'intention de faire du travail social, tu sais. Peut-être de fonder une clinique pour bébés...

Sa voix se brisa en un sanglot. Elle avala sa salive et tenta de rire.

– Harriet...

Les mains de Jake lui enserrèrent la taille. Elle s'échappa d'un bond de côté, se précipita vers la fenêtre, souleva le rideau et regarda la nuit.

– Tu ne peux pas savoir combien cette île est merveilleuse. Si tu restais plus longtemps, tu comprendrais.

– Mais nous restons plus longtemps. Très longtemps, même.

– Non, lui dit-elle en le regardant droit dans les yeux. Je ne veux pas. Je veux que tu partes avec la première marée.

– C'est pas très amical, dit Mac. On t'a mieux traitée quand tu étais dans le pétrin, quand t'avais plus rien à te mettre ni rien à manger.

– Mon mari n'aime pas voir ses habitudes dérangées, dit-elle d'un air vague. S'il te plaît, Jake, la première marée. Jamais je ne... Je veux dire... je t'en supplie.

– Si c'est ce que tu veux, chérie..., dit-il sans la quitter des yeux.

– Oui, dit-elle en pressant ses mains l'une contre l'autre au point que les articulations blanchirent. Tu m'as tant manqué, dit-elle soudain d'une voix précipitée. Je ne l'avais pas compris avant aujourd'hui... C'est étrange, les choses qui vous manquent, ajouta-t-elle en refoulant sa douleur. Gareth! cria-t-elle soudain.

Il sortit de l'ombre sur-le-champ. Qui d'autre les avait écoutés?

– Ils partent maintenant, dit Harriet. Reconduisez-les, je vous prie.

– Bien sûr, Harriet, dit-il en souriant.

Jake et Mac sortirent dans le hall. Au dernier moment, Jake se retourna pour la voir dans l'embrasure de la porte, raide et silencieuse. Il leva la main, mais la statue de pierre qu'était redevenue Harriet ne bougea pas.

De retour sur le bateau, Mac put exprimer son incrédulité.

– Tu parles d'une histoire! Qui l'aurait cru, de Harriet!

– Il vaut mieux dormir un peu, si on repart demain matin, dit Jake.

– Tu vas quand même pas partir comme ça! T'es fou, ou quoi?

– C'est probable. Mais si Harriet veut qu'on parte, on doit partir. Elle avait l'air en forme, hein?

– Elle ne ressemblait pas à Harriet, si c'est ça que tu veux dire.

17

Harriet attendait la marée du matin assise dans sa chambre. Ses nerfs la transperçaient comme des aiguilles de verre à chaque respiration. Très loin, au bout des longs couloirs de la maison, elle entendait Victoria pleurer, appelant sa mère et son lait. Deux fois elle était allée demander la permission de la nourrir, et deux fois ils avaient refusé. Si seulement Jake partait ! Si seulement il comprenait qu'elle voulait vraiment qu'il parte. Et pourtant, pourtant... Quand ils étaient là tous les deux, elle avait eu l'impression de voir des personnes véritables entrant dans son rêve. Les Hawksworth étaient lisses comme des serpents, alors que Jake et Mac étaient aussi rugueux et poilus que les chèvres sauvages qui vivaient dans les collines de Corusca. Elle commençait à beaucoup aimer ces chèvres qui regardaient la puissance des Hawksworth de leurs yeux jaunes réprobateurs. Elle admirait tout ce qui s'opposait à eux.

Les pleurs faiblissaient, dégénérant en hoquets désespérés. Harriet tâta à nouveau le couteau qu'elle avait volé un jour à table. Jérôme savait qu'elle l'avait pris. Elle avait vu qu'il la regardait. Il n'était pas de son côté, mais il n'était pas non plus du côté de Hawksworth. Il se battait pour lui-même.

Des pas dans le couloir. Elle dissimula le couteau dans sa manche et regarda la porte. Gareth apparut.

– Tu peux venir, ils sont partis.

Le soulagement la submergea comme un flot d'or pur. Elle se retourna, glissa le couteau dans sa poche, puis courut presque jusqu'à son enfant.

Muller, assis près du berceau, s'excusa d'un air hypocrite.

– Vous comprenez... je n'avais pas le choix.

Elle le foudroya du regard. Il était son ennemi pour toujours : il avait fait du mal à son bébé.

Harriet prit Victoria et pressa ses lèvres sur le petit front humide, murmurant des sons sans signification, juste pour la réconforter. Elle ne la nourrirait pas ici. Elle courut jusqu'à sa chambre, la poitrine douloureuse du lait qui n'avait pas été bu. Quand le bébé commença à téter avec une vigueur désespérée, elle murmura :

– Plus jamais cela ne t'arrivera. Plus jamais je ne les laisserai te faire du mal, ma chérie. Fais-moi confiance, fais confiance à maman. Jamais, plus jamais.

Maintenant qu'elle avait le bébé avec elle, elle recommençait à penser. De plus, l'effet du breuvage qu'ils lui faisaient prendre ne durait jamais vraiment jusqu'au matin. Jake s'était blessé à la jambe. Il avait du mal à se tenir dessus. Pauvre Jake, comme il devait souffrir d'être ainsi entravé dans ses mouvements! Cher Jake... Il était venu la chercher, des mois trop tard, mais il était venu. Elle versa une larme de reconnaissance. Qu'avait-il pensé d'elle? Avait-il pensé qu'elle était en bonne forme, l'avait-il trouvée belle? Lui avait-elle vraiment manqué?

Elle se demanda ce qu'il faisait. Il cherchait probablement un autre endroit où accoster; cela ne ressemblait pas à Jake de céder docilement à une de ses requêtes. Mais il n'y avait pas d'autre port. Bien sûr, il pourrait s'ancrer au large et nager jusqu'à la rive, comme elle l'avait fait, mais elle savait maintenant quelle chance elle avait eue de survivre, quelle chance le bateau avait eue de ne pas être détruit. La tempête avait contrarié les courants qui, la plupart du temps, animaient les hauts-fonds et noyaient chaque année des nageurs imprudents, comme ils fracassaient contre les récifs plus d'un bateau de pêche.

On frappa à la porte.

– Qui est-ce?

– Jérôme.

C'était presque un murmure. Harriet le fit entrer, s'assit, le bébé dans les bras, et le regarda. Ils étaient comme des prisonniers qui se rencontraient en cachette et soupçonnaient néanmoins l'autre de perfidie. Jérôme parla le premier :

– On doit se débarrasser du vieux.

– Je... je ne peux pas, s'affola Harriet. Je ne saurais pas comment...

– C'est pas ce que je veux dire. Et puis ça suffirait pas pour lui, de toute façon. M. Gareth lui a tiré dessus, mais il est pas mort. Y a un garçon de la campagne qui jurait qu'il l'avait frappé quand la maison a été attaquée, mais il est mort et pas M. Hawksworth. On doit utiliser la magie!

– Ne sois pas idiot!

Mais elle ne le trouvait pas idiot. En vivant sur Corusca, on en venait à croire des choses. On croyait aux feux, aux tam-tams et aux silences inexpliqués. Les gens vivaient et mouraient à un rythme étrange, sur l'île. Un homme pouvait être tué par de simples mots. Elle le savait, elle l'avait vu !

– Je ne veux pas le tuer, murmura-t-elle. Est-ce qu'on ne pourrait pas simplement... Il a une telle force, encore, à son âge. Est-ce qu'on ne pourrait pas juste l'affaiblir ?

Jérôme s'approcha de son fauteuil et s'agenouilla près d'elle. La charpente de son visage était tellement semblable à celle de Hawksworth qu'elle en frissonna.

– Venez avec moi ce soir. On fera de la magie, vous, Madeline et moi. Ensemble, on lui retirera sa force.

– Et Gareth ?

– Il fera rien. En plus, il croit que cette île est à lui. Moi, je crois qu'elle est à moi, toute à moi. Je vais la prendre et il ne le sait même pas.

– Je ne peux pas laisser Victoria.

– Mettez-la dans un panier, elle ne risque rien. Mais vous devez m'amener la force du vieux. Vous savez quoi apporter ?

Elle secoua la tête, les yeux agrandis par l'ignorance. Il soupira.

– Il faut quelque chose avec de son sang dessus, quelques cheveux, une rognure d'ongle, et un mouchoir imprégné de sa pisse. Ça fait de la puissante magie.

– Je ne peux pas obtenir tout ça ! Mais si je pouvais... Il n'en mourrait pas, hein ? Je veux juste que les gens sachent qu'il a perdu ses pouvoirs, c'est tout ce dont on a besoin. S'il meurt, Gareth me réglera mon compte, vous le savez.

– S'il meurt, Gareth réglera aucun compte, dit Jérôme avec mépris. Vous aurez sa force ? Il doit se douter de rien.

– Je l'aurai.

Elle regarda Jérôme et ne vit qu'une pierre. Il était exactement comme Hawksworth, Hawksworth dans une peau noire. Dieu avait tourné en ridicule les préjugés du vieillard.

– Vous lui dites rien. Je saurai facilement que c'est vous.

– Je ne lui dirai rien.

Elle lava le bébé, le changea et le coucha avant de descendre. Jamais Hawksworth ne laissait personne lui couper les ongles. Il le faisait lui-même, laborieusement. Maintenant, elle savait pourquoi. De même, il laissait pousser ses rares cheveux jusqu'à ce qu'il puisse les couper lui-même avec des ciseaux à ongles. L'urine, c'était facile, elle l'aidait plusieurs fois par jour pour ses besoins, mais le sang... il faudrait qu'elle emploie la ruse.

Il lui sourit quand elle entra dans sa chambre.

– Vous avez l'air reposée, Harriet. Venez regarder ce catalogue. Devons-nous enchérir pour quelque chose ? Il y a un

Renoir, pas de la meilleure facture, mais assez agréable, léger et gai, exactement ce qu'il nous faut.

Elle s'approcha et fit semblant d'étudier le catalogue. Le vieil homme sentait mauvais. Personne ne lui avait donné son bain.

– Vous êtes sale, Henry, déclara-t-elle. Laissez-moi faire; je peux vous laver à l'éponge dans votre lit.

– Est-ce bien indispensable? demanda-t-il avec une certaine irritation. Bon... très bien.

Tandis qu'elle le lavait, il parlait de Jake et Mac.

– Deux paumés guidés par leur phallus. Je connais ce genre de types, ils viennent au soleil parce qu'on y vit pour rien, et puis ils n'ont même pas le courage de faire autre chose que jouer les étalons. Pas étonnant que vous soyez venue à moi. Ce genre d'homme ne donne rien. Ils ne sont pas plus dignes de confiance qu'un taureau.

Harriet savait que le mépris de son mari pour leurs performances venait de sa propre impuissance.

– Vous me donnez tout ce dont j'ai besoin, Henry, dit-elle doucement.

Il grogna et la laissa le rouler sur le côté.

– Oh, mon Dieu! dit-elle soudain. Cela n'est pas très joli...

– Quoi?

– L'ongle de votre gros orteil. N'essayez pas de bouger, maintenant que vous êtes en équilibre. Cet ongle est salement incarné. Bien sûr, vous ne pouvez pas le sentir, mais je crois que ça s'infecte. Vous risquez la gangrène. Désolée, Henry, mais je dois m'en occuper.

– Appelez Muller, dit-il avec impatience.

– Je ne veux pas de cet homme ici! rétorqua Harriet. Et puis je peux très bien m'en occuper. Il suffit que je coupe l'ongle et que je nettoie la chair morte. Je peux le faire avec une simple paire de ciseaux. De toute façon, vous ne sentez rien.

– Vous faites des histoires pour rien.

– En direz-vous autant quand Muller devra vous couper le pied? Ne bougez pas, Henry.

Elle alla chercher les ciseaux et coupa soigneusement deux morceaux d'ongle. Puis, l'estomac noué par le dégoût, elle plongea profondément la pointe de la lame dans l'orteil. Du sang coula sur un mouchoir. Elle se dit qu'elle aurait tout aussi bien pu lui couper l'orteil, qu'il ne s'en serait même pas aperçu. Elle en eut la nausée.

– Donnez-moi les rognures, dit Hawksworth.

– Vraiment? s'étonna-t-elle en lui tendant un morceau d'ongle.

– C'est tout?

– Oui. Il y a pourtant une assez grosse plaie dans votre orteil. Ne regardez pas. Je vais vous mettre un pansement.

Quand il fut dans son fauteuil roulant sur la terrasse, elle retourna dans la chambre et ramassa soigneusement trois longs cheveux sur l'oreiller. Elle ne pensait qu'à la nuit qui allait suivre.

Tout le temps qu'il leur fallut pour monter à travers la forêt, les tam-tams retentirent. Jérôme portait Victoria dans son panier pour que Harriet ait les deux mains libres et puisse s'agripper aux racines et aux plantes. Et si, dans le noir, elle s'agrippait à un serpent? Elle écarta cette pensée et continua son chemin vers les feux qui illuminaient la nuit, vers les tam-tams.

Jérôme avançait sans peine. Amolli par le manque d'exercice, le cœur de Harriet battait follement, mais c'était presque un plaisir pour elle de sentir son corps souffrir. La folie naissait de la paresse et de l'inaction. Lutter, c'était se sentir à nouveau saine d'esprit. Arrivé au sommet, Jérôme lui tendit le panier avec le bébé.

– Ne dites rien, ne faites rien. Contentez-vous de me suivre et d'agir comme je vous dirai.

Elle acquiesca, fascinée par le feu qui se réfléchissait dans les yeux noirs de l'homme. Il lui sembla plus grand, plus mince, son apparente servilité était tombée de ses épaules comme un manteau. En bordure de la zone éclairée, beaucoup de gens s'étaient rassemblés, et au-delà des feux se dressait une pierre noire et massive. Un râle continu parcourait l'air, profond, insistant, comme la note la plus basse d'un orgue. Près du sentier, une femme gémissait, tirant sur les boucles serrées de ses cheveux, complètement en transe. Harriet suivait Jérôme et regardait les têtes qui se baissaient respectueusement sur son passage. Autour de lui, le silence se faisait. Il avait le pouvoir, aucun doute, et pourtant Hawksworth régnait sur lui.

Soudain, elle vit Madeline qui ondulait vers eux. Elle portait une longue tunique blanche toute tachée sur le devant. Harriet eut un mouvement de recul instinctif. La jeune femme dégageait une odeur douceâtre, comme un fruit trop mûr. Elle était très belle, ce soir, et pourtant repoussante. C'était comme si Madeline recelait tout ce qui était jadis bon et innocent et n'était plus maintenant que pourriture et corruption. Elle avait dû être une enfant ravissante. Elle s'arrêta devant Jérôme et exécuta une révérence très élaborée. Harriet faillit rire. Jérôme se retourna et la regarda.

– Va avec elle et ne la quitte pas.

Harriet serra un peu plus fort le panier et suivit Madeline.

Elles s'agenouillèrent côte à côte en bordure du feu central, à gauche de la grosse pierre. Les danses commencèrent, les femmes frappant du pied, chacune pour soi, puis se regroupant par deux. Elles étaient torse nu et leurs seins ballottaient et tressautaient au rythme de la danse.

Une coupelle passa de main en main et Harriet but une gorgée d'un alcool inconnu. Il ne pouvait guère avoir d'effet sur elle qui commençait maintenant chaque matin par un petit verre et terminait ensemble la journée et la bouteille. De la fumée couvrait la piste de danse et Harriet voyait à peine ce qui se passait. Beaucoup plus de gens dansaient et le bruit des chants et des percussions suffisait à lui remplir la tête. Près d'elle, Madeline se balançait, et elle se balança aussi.

– Tu vois Jérôme? lui murmura soudain la jeune femme. Tu le vois?

Harriet regarda à travers la fumée. Un homme, uniquement vêtu d'une lanière à la ceinture, le sexe énorme et lourd, entra dans le cercle. C'était un très bel homme, à la peau huilée pour faire ressortir ses muscles. Un autre, qui portait des plumes autour du cou, s'approcha de lui. Tandis que les femmes tapaient des pieds et gémissaient, l'homme aux plumes inséra péniblement des épines sous la peau de la poitrine de Jérôme, les poussant d'un côté pour qu'elles ressortent de l'autre. Jérôme ne bronchait pas, mais Madeline, son alter ego, gémissait et sanglotait.

Un rire attira l'attention de Harriet. Debout près de Madeline, un petit enfant blond de six ans environ regardait, fasciné, et riait chaque fois qu'une épine pénétrait dans les chairs de Jérôme.

– Nathan? demanda Harriet, d'une voix lente et pâteuse.

– Salut! dit joyeusement l'enfant.

– File, Nathan, articula péniblement Harriet. Tu devrais être couché depuis longtemps.

L'enfant lui sourit et partit en bondissant, peut-être au lit, peut-être pas. Harriet se sentit dégrisée, la passion de la nuit ne la submergeait plus et ses yeux étaient irrités par la fumée.

Le rite des épines continua un temps infini. Les uns après les autres, les hommes s'infligeaient des coupures ou des perforations à l'aide de clous. Certains saignaient, signe d'échec, d'autres non, et on les récompensait de chants plus enthousiastes encore. La coupelle passa de nouveau mais cette fois Harriet la porta à ses lèvres sans en boire. Près d'elle, Madeline semblait presque comateuse, sa tête tombait sur sa poitrine tandis qu'elle regardait la cérémonie.

Un cri ténu retentit soudain, comme les pleurs d'un bébé. Pendant un instant, le cœur de Harriet cessa de battre. Mais ce n'était qu'une chèvre, une petite chose noire qui se débattait dans les bras d'un homme qu'elle ne reconnut pas. Elle plissa les yeux, parce que c'était Jérôme, qu'elle connaissait, et que... ce devait être une chèvre ! Un cri prit naissance dans sa gorge. Elle tenta de se lever, luttant contre une horrible léthargie. Tout le monde autour d'elle était à genoux et se balançait, les yeux aveugles. Sous elle, elle sentit soudain le sol humide.

– Non ! Non ! Pas à ce prix !

Il la regarda, l'homme qu'elle connaissait et ne connaissait pas. Dieu merci, s'il y avait un Dieu, ce n'était qu'une chèvre. Du sang noir coula sur la pierre.

Les officiants n'étaient plus que des silhouettes dans la brume. Une jeune fille à la peau blanche, nue, dansait à la lumière des flammes. Harriet eut l'impression d'être un fantôme, elle aussi, que personne ne voyait. Où qu'elle aille, personne ne la remarquait. Elle approcha du rocher et vit la jeune fille s'allonger dans le sang. Les hommes la couvrirent, l'un après l'autre, d'abord Jérôme, et puis tous les autres sans nom et sans visage. La jeune femme, les yeux exorbités, ne bougeait pas.

L'assemblée était de plus en plus frénétique. Hommes et femmes tourbillonnant dans le cercle de lumière. Une ululation aiguë commença, et s'étendit jusqu'à ce que l'air en soit plein. Harriet se couvrit les oreilles de ses mains, elle ne pouvait le supporter. Un grand homme noir s'approcha d'elle, le pénis en érection, les yeux vides. Elle eut soudain le terrible désir de le laisser la pénétrer, mais alors qu'elle allait l'attirer sur elle, elle entendit le bébé pleurer. La raison se précipita dans sa tête comme un flot d'eau claire.

– Oh, mon Dieu, non !

Elle se retourna et s'enfuit, prenant le précieux panier au passage, s'enfonça dans la forêt et descendit, descendit vers la mer.

Jake ne perdit pas de temps pour laisser Corusca derrière lui. Dès que la marée arriva, il hissa les voiles et gagna l'horizon, rapide et efficace.

– On n'aurait pas dû la laisser, marmonna Mac.

– On s'attendrit, avec l'âge ? Fous-moi la paix.

C'était un jour comme un autre, le soleil restait suspendu comme un brasier perpétuel dans un ciel chauffé à blanc. La mer scintillait. Si on restait trop longtemps sur le pont, on avait l'impression que les chairs allaient se racornir jusqu'à l'os. Vers midi, Jake déclara :

– C'est bon. Je me rends.

La lèvre supérieure de Mac se souleva.

– Si on arrive après la nuit, on va crever le bateau. On a eu notre chance, et c'était hier soir.
– Ils la menaçaient.
– Alors on prévient les autorités. Pas la peine de revenir comme la cavalerie.
Mais tandis qu'il protestait, il virait déjà de bord. Jake sourit et sortit de sa poche un bloc-notes où il avait tracé quelques croquis.
– Regarde ça, dit-il à Mac.
Mac approcha en s'essuyant les mains sur les poils de ses cuisses.
– Oh, ouais, c'est quelle plage?
– Celle devant la maison. J'ai eu une petite conversation avec notre amie Rosa, ce matin, pendant que je prenais de l'eau. A marée haute, on peut faire passer un bateau par-dessus le récif.
– Un bateau de quelle taille?
– Un bateau de pêche.
– Y a pas assez de tirant d'eau. On va se retrouver à sec.
– Elle a dit que ça fait dans les cinquante centimètres. On en a dix de plus. Il suffit d'alléger le bateau, c'est tout.
Mac continuait à grogner, mais sans beaucoup d'entrain. L'idée d'un raid les excitait tous les deux. Passer à l'offensive contre cette île fermée et inhospitalière était bien plus tentant qu'un repli honteux. Ils jetèrent à la mer une grande partie de l'eau et presque toute la nourriture, mais gardèrent les voiles de rechange, trop précieuses pour qu'ils les perdent avant d'être absolument certains que c'était indispensable. La lourde table de la cabine passa elle aussi par-dessus bord et s'éloigna, les pieds en l'air.
L'anxiété qu'il avait tue jusque-là remontait en Jake. Seigneur, comme Harriet avait l'air bizarre. Tendue, effrayée, et pourtant lumineuse, adorable. Il avait senti l'odeur de l'alcool en l'approchant, mais elle n'était pas ivre, et bien qu'à l'évidence elle eût été droguée, elle n'était pas complètement partie. Il ne savait pas quelle menace pesait sur elle, mais elle était totalement terrifiée.
Ils hissèrent les voiles juste quand l'obscurité fut totale. Sous les tropiques, la nuit tombe avec une rapidité surprenante et elle n'est que profond velours noir jusqu'à ce que la lune se lève. Le petit bateau prit de la vitesse, s'acquittant de sa tâche avec efficacité. Jake mit un pantalon noir et un polo de couleur sombre. Mac remonta la fermeture de son pull gris jusqu'au cou.
– On devrait tout éteindre, dit Jake. Mais une fois qu'on fait ça, on ne peut plus prétendre qu'on est en balade. C'est comme porter un sac où serait marqué « butin ».

– On ne porte pas non plus de chapeau couvert d'algues.

Mac voulait dire qu'il ne lui aurait pas déplu de revêtir la tenue des commandos de choc, mais il n'osa pas le suggérer. Jake sourit et tenta de ne pas penser à sa jambe douloureuse. C'étaient juste des nerfs, rien d'autre.

L'île apparut, devant le ciel éclairé par la lune, comme une bosse noire bordée de blanc où les vagues se brisaient sur la rive. Il était difficile de dire où ils étaient exactement.

– Qu'est-ce que c'est que ça?

Au sommet des collines, des feux brûlaient. Aussi ténu qu'un murmure leur parvenait le son des tam-tams.

– J'aurais jamais dû quitter Glasgow, murmura Mac.

Jake sentit ses cheveux se dresser sur sa nuque.

– T'as raison, dit-il.

Ils distinguaient à peine la forme de la rive et de temps à autre la masse cubique d'un bâtiment. Jake commença à se demander s'ils avaient raté la grande maison, si elle n'était pas plus enfoncée qu'il ne croyait dans les arbres. Mais alors qu'ils contournaient un cap, il la vit telle qu'il se la rappelait : haute, carrée, sans une seule lumière allumée.

– Des couche-tôt, dit-il pour faire la conversation. Bon, on y va.

Mac jura et alla réduire les voiles. Le bateau lui semblait affreusement visible, même s'il savait d'expérience combien il était difficile de voir une embarcation la nuit, le plus grand danger étant de se faire éperonner par un bateau de ligne. Le vent était faible. Le bateau avançait tout doucement, Jake penché pour regarder les flots.

– Sonde la profondeur, dit-il à Mac en se redressant.

Mac jeta un cordage plombé et annonça doucement :

– Un cinquante... Un cinquante... Un cinquante... Un vingt... Soixante, et ça se réduit.

– Je crois que ça suffit, dit Jake.

Les deux hommes restèrent silencieux tandis que le bateau avançait sans bruit.

– On peut toucher le fond, murmura Mac.

– Prépare-toi à affaler les voiles, dit Jake.

Un doux frisson ébranla le bateau. Le récif frotta la quille avec un bruit de mauvaise digestion. Il y eut un petit choc. Ils étaient passés. Le bateau flottait dans les eaux calmes du lagon.

Pas un mouvement à terre, tout était calme à l'exception des tam-tams qui grondaient dans les collines, autour des feux. Jake jeta l'ancre près de la rive.

– Allons-y.

Mac et lui glissèrent par-dessus bord et nagèrent les dix mètres qui les séparaient de la plage. L'eau parut froide à la jambe douloureuse de Jake, et l'engourdissement persista quand ils rampèrent sur la plage. Mac tenait son couteau entre ses dents, comme Errol Flynn, se dit Jake, et il eut une folle envie de rire. C'était vraiment quelque chose! La plupart du temps il était à l'origine des situations les plus passionnantes, des défis à relever qui pimentaient ses jours, mais il arrivait parfois, très rarement, que cela se produise sans qu'il eût à intervenir. Le goût en était tout différent, comme le lièvre comparé au lapin.

Ils contournèrent la terrasse et pénétrèrent dans le jardin. De lourds feuillages leur caressaient le visage. Jake cherchait une porte dérobée, ou une fenêtre, n'importe quel accès qui leur permettrait d'entrer sans trop d'efforts. Soudain, il s'arrêta.

– Ne bouge pas! murmura-t-il. Regarde! Tu vois quelqu'un?

Ils fouillèrent l'ombre du regard. Tout semblait immobile.

– Rien, chuchota Mac.

– Alors, regarde ça!

Il s'écarta. Un épieu était fiché dans le sol, la pointe de métal dirigée vers la lune. Entre le sol et la pointe, il y avait le corps d'une femme, transpercé juste au-dessus de la ceinture, les pieds reposant sur le sol et la tête et les bras pendant en arrière. Un collier – deux mains en or serrées et accrochées à une longue chaîne également en or – se balançait comme un pendule. Sous l'effet de son propre poids, le corps descendait lentement vers le sol, le long de l'épieu à la pointe tachée de sang.

– C'est pas Harriet.

– Non, dit précipitamment Jake. C'est Rosa. Je reconnais le collier.

– Ils doivent savoir qu'on est là.

– Peut-être qu'elle a rien dit. C'est peut-être parce qu'elle nous a parlé. Pas question de renoncer, de toute façon.

Il contourna le corps, tentant d'échapper au regard maintenant figé dans la terreur de ce visage qui avait été si agréable. Il avait tué Rosa. Il l'avait encouragée à lui parler et il l'avait ainsi condamnée à mort. Les fenêtres de la maison le regardaient, impassibles. Il allait falloir en casser une. C'est alors qu'il entendit un gémissement : un bébé pleurait. Une lumière s'alluma à l'étage et la silhouette d'une femme se détacha devant la fenêtre, de longs cheveux détachés sur des épaules couvertes de dentelle. Son cœur fit un bond : c'était Harriet.

Il chercha à tâtons une pierre par terre, puis, avec toute l'habileté d'un marin, la lança dans la fenêtre. Elle heurta le verre comme un coup de fusil. Harriet se figea, puis se retourna et ouvrit la fenêtre avec précaution.

– Qui est là? demanda-t-elle d'une voix grave et épuisée.

– Moi. Fais-nous entrer, vite!

– Oh! dit-elle en portant la main à sa bouche.

Elle se retourna et s'écarta de la fenêtre. Ils entendaient maintenant clairement le bébé qui pleurait. Moins d'une minute plus tard, une fenêtre s'ouvrit pour les laisser entrer. Jake se jeta sur Harriet et la serra furieusement contre lui. Elle tremblait sans pouvoir se contrôler.

– Tout va bien, mon amour, tout va bien. Tu sais qu'il y a une morte dans ton jardin?

– ... Qui est-ce? Rosa?

– Oui. Comment le sais-tu?

– Elle a contrarié Henry. Je savais que Gareth et lui complotaient quelque chose, mais j'ai cru qu'elle se méfierait.

Elle s'écarta de Jake et se tint la tête à deux mains.

– Je dois remonter, dit-elle.

– Pas le temps, dit Jake en la saisissant par le bras. On doit profiter de la marée.

– Il y a le bébé! s'écria-t-elle en se dégageant pour courir vers la porte.

Mac poussa un juron dans sa barbe.

– Elle a pas eu l'air de s'émouvoir, pour Rosa. Combien de cadavres ils ont encore, par ici?

Jake regarda autour de lui les murs couverts de livres. Ils étaient dans la bibliothèque. Au milieu de la table ronde ancienne, on avait placé un énorme vase de fleurs. Quel bébé? Le bébé de qui? Il sortit dans le hall et monta l'escalier. Il entendit des voix : Harriet parlait à Gareth Hawksworth.

Il essaya de se rapprocher sans bruit, en dépit de sa jambe blessée.

– Où étais-tu? demandait Gareth. Tu es sortie la moitié de la nuit.

– Ne soyez pas idiot. J'étais ici, dans ma chambre.

– Tu mens. Je suis venu te voir, et tu n'étais pas là.

– Si, j'y étais. J'ai entendu frapper et je n'ai pas répondu, c'est tout.

– J'ai fait plus que frapper : j'ai une clé!

– Si c'est vrai, répondit Harriet d'une voix parfaitement calme, je veillerai à faire changer la serrure. Que vouliez-vous, Gareth?

Jake regarda par l'embrasure de la porte. Gareth s'approcha de Harriet et lui enserra le cou de ses mains. Elle ne broncha pas, le regardant fixement de ses yeux trop brillants.

– Tu es allée sur la colline, affirma Gareth. Je le devine toujours. C'est Jérôme qui t'a emmenée?

– Oui. Et je vous interdis de me toucher! Je ne suis pas Rosa.

Gareth resserra les doigts. Elle ne bougeait toujours pas alors qu'elle avait déjà visiblement du mal à respirer.

– Madeline y était ?
– Oui.
– Elle a toujours adoré ça. Jamais on n'a pu l'empêcher d'y aller.
Presque gentiment, il attira Harriet vers lui, pressant ses pouces sous son menton pour bloquer sa respiration. Etouffant, elle leva les mains pour écarter celle de Gareth. Les cris du bébé s'intensifièrent. Jake entra comme un bolide et retourna les bras de Gareth dans son dos. Gareth rugit de douleur et Harriet, déséquilibrée, s'accrocha aux colonnes de son lit.
– Je vous serais reconnaissant de ne pas brutaliser Harriet, dit Jake.
Renonçant à enfoncer son genou dans le dos de Gareth parce que sa jambe le faisait trop souffrir, il lui remonta le bras droit beaucoup plus haut, jusqu'à ce qu'il entende un craquement. Gareth hurla et Jake le laissa tomber par terre.
– Harriet, tu viens tout de suite. Descends ces escaliers.
– Le bébé... dit-elle comme dans un rêve en se retournant.
– Au diable ce bébé, partons !
Il l'empoigna mais elle se débattit, férocement, cette fois.
– C'est mon bébé ! Il est à moi ! Je ne te laisserai pas lui faire du mal !
Jake la lâcha, le visage soudain bouleversé. Harriet courut dans la petite pièce adjacente, et il l'entendit qui rassurait un enfant. Gareth gisait au sol, le bras droit tordu selon un angle impossible. Il gémissait comme un chien. Jake le regarda. Il leva les yeux vers lui.
– Je ne t'oublierai pas, siffla-t-il. Et elle aussi, je l'aurai, tu peux compter dessus ! Cette salope a essayé d'assassiner le vieil homme qu'elle a épousé. Cette putain de soûlarde ! Quand elle a assez bu, elle couche avec n'importe qui. Elle vaut rien !
Jake lui donna un coup de sa mauvaise jambe. La douleur remonta jusqu'au sommet de son crâne, mais le plaisir de voir la bouche écrasée de Gareth se confondre avec son nez sanguinolent valait bien ça !
Harriet arriva, le regard indifférent. Elle tenait un panier sous le bras ; dedans, une petite fille toute rose. Mais Harriet ne s'était pas changée. Elle portait toujours sa longue chemise de nuit bordée de dentelle, le bout sombre de ses seins visible sous l'étoffe.
– Oh, Seigneur ! murmura Jake en attrapant sa main libre pour l'entraîner vers l'escalier.
– Je dois me changer, dit-elle soudain comme si elle venait juste de comprendre la situation.
– Trop tard, on raterait la marée.
Il l'entraîna en bas en se disant que jamais il ne voudrait revivre une telle nuit, et sachant bien que pourtant il la revivrait

inlassablement en rêve. Mac les attendait dans le hall. Il fit un geste vers une porte ouverte :

– Il semblerait qu'on ait réveillé le vieux.

Hawksworth était assis dans son lit, la tête bien droite, ses longs doigts posés sur le drap.

– Je vois que vous me volez ma femme, dit-il calmement.

– Il semble bien, oui.

Harriet, le panier dans les bras, ne bougeait pas. Elle regarda le vieil homme.

– Au revoir, Henry, dit-elle d'une voix claire.

– Tu les as aidés à me jeter un sort. Est-ce que je suis perdu? demanda-t-il.

– Je n'en sais rien, dit-elle. Je ne sais pas ce qui va arriver.

– Le sac était sous mon oreiller quand je me suis réveillé, dit-il avec une sorte de gloussement. Nous verrons bien, en effet. J'ai toujours senti que ce serait toi. Aucun des autres n'est aussi fort que toi. Pas même Jérôme. Peut-être parce qu'il me connaît depuis trop longtemps. J'aurais dû te tuer quand tu as renvoyé ces hommes. Je l'ai senti dans mes os. Mais il arrive qu'on se fatigue... Après tout, le destin, ce n'est que ça.

– On y va, dit Jake. Laisse-le.

Mais Harriet ne bougea pas, les yeux rivés sur Hawksworth, jusqu'à ce que Jake lui prenne le bras et l'entraîne hors de la maison.

La marée se retirait déjà quand ils pataugèrent jusqu'au bateau. Harriet tenait son bébé serré contre elle, et elle était à bout de souffle quand ils la hissèrent à bord, sa chemise de nuit transparente dans les premières lueurs du jour.

– Il est temps que tu retrouves tes esprits, dit Jake d'un ton boudeur. Descends et dors.

Tandis qu'ils levaient l'ancre, il l'entendit qui chantait pour son bébé, alors qu'elle lui avait à peine adressé la parole, à lui. Il passa la tête par l'écoutille et vit Harriet, nue, assise sur le lit, avec le bébé qui tétait. Son estomac se serra.

Ils ne passèrent les récifs qu'au prix du sacrifice des voiles de rechange. Le soleil les accueillit, inondant l'horizon de promesse. Des poissons volants décrivaient des arcs argentés dans l'air pour échapper aux requins qui filaient silencieusement autour du bateau, sombres silhouettes sous la surface de l'eau, sombres pensées qu'on ne s'avoue jamais. Qui peut savoir ce qu'un autre pense? Jake s'assit à la barre, face au soleil, n'éprouvant aucune joie devant cette matinée dorée.

Ils la laissèrent seule toute la journée. Vers le soir, alors qu'elle nourrissait à nouveau le bébé, Jake soupira :

– Il faut que je lui parle.

– Ouais, approuva Mac en prenant la barre.
A cet instant, Jake aurait donné n'importe quoi pour ne pas descendre dans la cabine, mais il ne pouvait l'éviter, et puis il ne supportait pas l'idée de ne pas savoir. Harriet leva les yeux vers lui quand il arriva. D'énormes cernes bleutés les soulignaient, et ses cheveux étaient tout emmêlés. Elle n'a pas dit merci une seule fois, songea-t-il.
– Qu'est-ce que tu avais pris, la nuit dernière? demanda Jake.
Il détestait voir le bébé téter comme si Harriet lui appartenait, comme si Harriet et l'enfant formaient un couple indissociable. Les veines bleues sur ses seins le troublèrent.
– Ils m'ont donné quelque chose, dit-elle mollement, mais j'étais plutôt sobre comparée aux autres.
– Quels autres?
– Les habitants de l'île. C'était... une fête.
– Une putain d'orgie vaudou, si tu veux mon avis.
Harriet détourna le regard, et au bout d'un moment, Jake se décida :
– Bon, alors : qui est le père?
Elle leva brusquement la tête, et porta une main à sa bouche pour étouffer un éclat de rire.
– Tu ne le sais pas? Ne peux-tu pas deviner?
– Je peux penser à quelques possibilités, mais je ne crois pas que je trouverai. Le plus évident est cette folle visqueuse qui a essayé de t'étrangler la nuit dernière. Tu étais trop sonnée pour t'en rendre compte.
– Comment peux-tu dire une chose aussi horrible! dit-elle en penchant la tête pour effleurer de ses lèvres les cheveux noirs du bébé. Elle s'appelle Victoria.
– Très joli. Elle peut pas être du vieux...
– Elle aurait pu, en quelque sorte.
– Bon Dieu! rugit-il en remontant sur le pont.
Sa jambe le tuait, et sa rage carburait à la douleur physique pure.
– Cette salope dit qu'elle est du vieux! Elle a couché avec un type assez vieux pour être son grand-père!
– Elle a pas dit ça, corrigea Mac.
En bas, Harriet avait un fou rire.
– Elle est complètement folle! rugit Jake en donnant un tel coup de poing dans le cockpit que ses articulations se mirent à saigner.
– Pauvre crétin, dit calmement Mac. La gamine est ton portrait tout craché.
Jake se figea, puis avala péniblement sa salive. Il finit par redescendre lentement dans la cabine. Harriet cessa de rire, mais ses lèvres tremblaient encore. Jake se pencha et regarda

pour la première fois le visage du bébé. Ses propres yeux gris clair le fixèrent. Ses propres cheveux noirs de jais caressaient le front du bébé.

– Oh, Seigneur!

– Je suis désolée, dit Harriet d'une voix troublée par les larmes. Je n'ai pas voulu être enceinte. Mais elle est tellement belle! Non?

– Est-ce que tu savais, dit-il d'une voix pâteuse, quand tu as quitté le bateau?

– Je... je le soupçonnais. Ne t'en fais pas, je ne te demanderai rien. Ce n'est pas ta faute.

– C'est très magnanime de ta part.

– Je sais que je ne peux rien attendre de toi. Ce n'est pas dans ton caractère d'être fiable. Jamais on ne transformera un chameau en cheval. Je peux m'occuper de Victoria.

– Si je n'avais pas été là, tu serais restée coincée toute ta vie sur cette île! rugit soudain Jake. Ma fille aurait été élevée dans je ne sais quelles perversions, si toutefois elle n'avait pas été sacrifiée avant d'avoir deux ans!

– Ne parle pas de ce que tu ne connais pas. Sans toi, je ne serais jamais allée là-bas. Je n'ai jamais voulu prendre la mer. J'allais en vacances à New York!

– Très bien! Si c'est ce que tu veux, pourquoi ne le fais-tu pas? Je garde la gosse et tu vas passer tes foutues vacances à New York, tu reprends ta vie où tu l'as laissée, les jambes serrées.

– Jamais je ne te la laisserai!

Elle redressa la tête et le regarda. Elle aurait voulu le frapper, le frapper, le frapper encore.

– Pense un peu à la vie que tu mènes, une femme différente chaque soir, deux ensemble, parfois. Combien depuis que tu m'as abandonnée, si tu peux le dire?

– Aucune, dit-il en montrant sa jambe. Le bateau s'est échoué. J'ai passé tout ce temps à l'hôpital à me faire réparer la jambe.

Elle renifla et tourna la tête. Le bébé régurgita un peu de lait, et Harriet lui essuya le menton d'un air absent avant de le remettre dans son couffin sur l'autre couchette, l'enveloppant dans les couvertures comme si c'était le plus précieux trésor au monde.

– Ç'a été comment, la naissance?

Elle soupira. C'était un mauvais souvenir, et cela le resterait peut-être toujours.

– C'était... solitaire.

Elle se pencha et toucha la longue cicatrice sur la cuisse de Jake.

– Ça ne va pas bien, hein?

– Je ne sais pas. Ça n'est pas parfait, en tout cas. Mon Dieu, Harriet, je n'arrive pas à t'atteindre...

Il ne pouvait espérer dissimuler son excitation, tant son short était gonflé. Quand il l'enleva, son sexe se dressa, énorme, distendu.

– Et dire que ça a fait un bébé, dit Harriet.

– Allonge-toi, chérie. Tu me dois bien ça.

Ils manquaient de nourriture, d'eau et de lest. Le bateau bringuebalait sans trêve comme un bouchon sur les vagues. C'était peut-être à cause de cela ou juste l'effet des tensions qu'elle avait subies, mais le moral de Harriet était au plus bas. Un jour, elle avait fait réchauffer de la soupe, qui avait débordé sur la cuisinière.

– Quel beau gâchis, avait dit Jake.

Immédiatement, elle avait fondu en larmes. Et à nouveau, la nuit, tandis que Mac dormait et que Jake barrait, elle s'était retrouvée allongée les yeux grands ouverts, ses larmes mouillant ses cheveux. Jake était descendu dans la cabine et l'avait vue.

– Monte, qu'on parle.

– Non ! Je vais bien.

– Tes pleurs et les ronflements de Mac me rendent fou. Viens !

Elle s'enveloppa à contrecœur dans une couverture et monta.

– Alors, qu'est-ce qu'il y a ? demanda Jake en étendant sa jambe blessée.

– Rien, dit-elle en fondant à nouveau en larmes sans savoir pourquoi.

– Est-ce que c'est moi ? Le bébé ?

Elle secoua la tête.

– Je ne sais pas. Je n'aime rien de tout ça !

– Je n'avais pas l'intention de t'emmener en croisière ! On sera au port dans deux jours.

– Et après ?

– Après ? soupira Jake. Je dois ce bateau à Mac, et de l'argent à plusieurs autres personnes aussi. Avec ma jambe, je ne peux plus être embauché sur un voilier.

– Que ferais-tu, si tu avais de l'argent ?

– C'est facile, répondit-il avec un petit rire amer. Je vous emmènerais, toi et Victoria, et on retournerait en Angleterre, sur la côte sud, sur l'île de Wight, par exemple, et je construirais des bateaux.

– Tu n'es pas sérieux ! Tu détestes être coincé à terre, tu l'as toujours dit.

– Je crois que je déteste... Oh Seigneur ! Qu'est-ce que c'est, vraiment? Je déteste qu'on doute de moi. Je déteste que tu me considères comme un bon à rien. Bien sûr que je vais prendre soin de toi et du bébé! Le problème, avec toi, c'est que tu n'attends jamais rien de personne, tu crois toujours que tout le monde va te laisser tomber.

– Mais c'est toujours ce que tu fais.

Il était en colère. Il déplaça sa jambe et grimaça à la douleur qu'il venait de s'infliger.

– Il est possible que j'aie appris une ou deux choses. Peut-être que je suis prêt à payer le prix de ce que je veux. Il est temps que toi et moi nous nous arrêtions quelque part, Harriet.

Elle appuya son menton dans ses mains et le regarda.

– Je ne crois pas que tu me connaisses encore, dit-elle. Je suis si endurcie que je me fais peur.

– Pas au point de ne pas pleurer. Allez! Courage! Je peux gagner une fortune comme pêcheur de perles!

– Nous avons une fortune. Ou au moins une partie d'une fortune.

Elle retourna dans la cabine et fouilla dans le panier du bébé. En remontant, elle tenait un petit tableau.

– Qu'est-ce que c'est que ça? demanda Jake tout excité.

– C'est un Hogarth, authentique. Il était accroché dans ma chambre. Bien sûr, on ne pourra pas le vendre au prix du marché parce qu'on l'a volé, mais on devrait en tirer pas mal. De combien as-tu besoin?

– Environ cent mille dollars. Minimum.

– Ça devrait aller.

Tout à coup, les larmes se remirent à couler et elle se cacha la tête dans les bras pour sangloter. Cette fois, il lâcha la barre et vint lui entourer les épaules de ses bras.

– Qu'est-ce qu'il y a? Dis-le-moi. Tu peux tout me dire.

– Je te le dirais si je le savais, pleura-t-elle, mais je n'en sais rien.

18

Ils arrivèrent à Nassau. Il ne pouvait y avoir de plus grand contraste qu'entre ce port bourdonnant et agité, à l'épicentre du monde civilisé, et Corusca, où le temps avançait à pas de fourmi, retenu par l'île elle-même comme s'il était enfermé dans un écrin de vignes et de lianes. Le premier matin, Harriet déambula dans les rues, fatiguée et frileuse, pendant que Jake et Mac s'occupaient du bateau. Elle portait une chemise et un pantalon de Mac. Quand elle vit son reflet dans une vitrine, elle se demanda une seconde qui c'était.

Au bout d'un moment, elle entra dans un café et mangea un peu, sans y faire attention, ne se rendant compte que plus tard qu'elle ne pouvait payer. Tout l'argent était dans la poche de Jake. Le propriétaire du café se gratta les poils de la poitrine, puis saisit une tapette tue-mouches et anéantit quelques moustiques. Ils laissèrent des taches sanglantes sur les tables et les murs. Un chat faisait sa toilette dans une flaque de soleil, devant la porte, et un poste de radio jouait une musique de danse. Harriet se mit à pleurer.

– Qu'est-ce qu'il y a, ma petite chérie ? demanda la femme du propriétaire. Rien qui ne puisse s'arranger, j'en suis sûre.

– Je ne peux pas payer. J'ai oublié.

– Quel beau bébé !

– Oui.

Une large main noire lui tapota gentiment l'épaule.

– Vous avez un homme ?

– Oui.

– Il est gentil avec vous ?

– ... Je crois. Mais je n'arrête pas de pleurer.

La femme noire lui tapota à nouveau l'épaule, calme et rassurante.

– Eh bien, ce n'est pas si étrange. Remerciez Dieu pour votre homme si gentil et votre beau bébé. Filez, maintenant!

Elle sortit sous le regard courroucé du propriétaire, qu'elle entendit gronder sa femme. Tout lui semblait si étranger, si lointain. Après l'isolement de Corusca, toute cette agitation l'affolait. Des gens partout, qui passaient en plaisantant, la contraignaient à marcher à leur rythme. Elle s'assit sur un muret et regarda autour d'elle, les robes, les coiffures – comme tous ces gens semblaient sûrs d'eux, semblaient savoir où ils allaient!

Un homme et une femme approchaient. La femme était ravissante mais trop maigre sur des talons trop hauts. L'homme, petit et gras, la pressait, presque brutalement, bien que rien dans sa personne ne semblât mériter cette beauté aux longues jambes.

– Natalie! dit Harriet en se levant. Natalie, c'est moi, Harriet.

– Oh, mon Dieu, Harriet!

Elles s'embrassèrent et Natalie se pencha pour admirer le bébé.

– On ne va pas perdre toute la journée à saluer tes foutus amis? intervint l'homme qui l'accompagnait.

– S'il te plaît, Carl, cela fait des lunes que je n'ai pas vu Harriet, dit Natalie d'une voix anxieuse.

– On a un déjeuner qui nous attend, bon sang! Mais si tu préfères rester avec tes amis de quatre sous, alors...

– Je suis désolée, dit Harriet d'un ton glacial en se tournant vers lui. Je suis toujours heureuse de rencontrer les amis de Natalie.

Bien que toute barbouillée de larmes, elle dégageait une puissante autorité. Elle tendit la main, et Carl la lui serra maladroitement.

– Je ne veux pas avoir l'air pressé, mais un déjeuner nous attend...

– Oh, alors vous vous intéressez beaucoup à la nourriture? Comme c'est passionnant!

Carl sourit d'un air gêné sans bien savoir que déduire de ces paroles.

– Carl est occupé ce soir, dit précipitamment Natalie, pourquoi ne pas se retrouver?

Elles se fixèrent rendez-vous et se séparèrent. Tandis que le couple s'éloignait, Harriet entendit Carl qui disait :

– Qui est cette fille? On dirait une clocharde, mais elle se conduit comme la reine de Saba.

En une matinée, Jake et Mac avaient mis le bateau en vente et s'étaient renseignés pour vendre le tableau.

– Ça va être sacrément difficile, dit Jake à Harriet. Les gens sont soupçonneux.

– Alors je m'en occuperai, dit-elle en croquant dans un sandwich au corned-beef. Je suis Mme Hawksworth. J'ai le droit de le vendre.

Jake n'était pas certain d'aimer voir Harriet prendre l'initiative.

– C'est bien possible...

– Oui. Au fait, on prend un verre avec Natalie, ce soir. Je l'ai rencontrée en ville.

– Avec qui est-elle, cette fois? grogna Jake.

– Un type horrible du nom de Carl.

– Je garderai la petite, dit Mac. Natalie et moi, on s'entend pas.

– Elle ne s'entend pas avec moi non plus. Vas-y seule, Harriet.

Mais Jake était là, rouspétant, quand Natalie entra dans le bar ce soir-là. Elle portait une robe de soie blanche qui épousait tous ses mouvements et un lourd pendentif entre les seins. Mais même ainsi elle ne faisait pas le poids à côté de Harriet, vêtue de sa chemise de nuit à dentelles sur un soutien-gorge et un slip blancs. Son port de reine et ses cheveux splendides retombant sur ses épaules ajoutaient à son élégance discrète.

– Qu'est-ce que tu portes là? C'est de la dentelle ancienne! s'extasia Natalie.

– C'est bien possible. Regarde, j'ai amené Jake.

Il ne se leva pas, invoquant sa jambe comme excuse. Natalie l'ignora et s'assit en face de Harriet, la régalant de tous les détails de sa vie depuis qu'elles s'étaient quittées.

– Mais tu as dû être encore beaucoup plus occupée que moi, dit-elle enfin. On peut faire confiance à Jake pour t'avoir mise dans les ennuis, ajouta-t-elle en lui lançant un regard venimeux.

– Qu'est-il arrivé à Peter de Vuiton? demanda Harriet.

– Il est devenu très possessif, expliqua Natalie avec une grimace. C'est dommage, vraiment, parce qu'on s'entendait bien la plupart du temps. Je ne sais pas ce qu'il espérait : quand il se soûlait, il devenait impuissant, il fallait bien que je trouve quelque chose à faire.

– Tu veux plutôt dire quelqu'un, dit Jake.

– On ne t'a rien demandé!

Ils se regardèrent d'un air mauvais, et Jake éclata de rire.

– Est-ce qu'on ne pourrait pas oublier tout ça? Harriet et moi, on s'installe. Je me lance dans la construction de bateaux en Angleterre. Tu penseras à nous pendant que tu te feras bronzer.

– Ouais, dit Natalie en buvant une gorgée de son verre.

Sa main tremblait un peu, et elle avait le blanc des yeux jaune.

– Tu peux trouver mieux que Carl, dit soudain Harriet, que l'alcool revivifiait.

– Tu serais étonnée...

Soudain, elle parut vulnérable, les pattes d'oie au coin de ses yeux déjouant l'artifice du maquillage.

– Sors de là et installe-toi quelque part. Est-ce que tu n'as pas toujours eu envie d'une de ces grandes maisons sur la colline? Il doit bien y avoir un crétin prêt à t'en offrir une, dit Jake.

– Je ne m'imagine pas faisant ça dans un grand lit! Mais peut-être que je vais commencer à chercher. L'ennui, ces temps-ci, c'est que la plupart des crétins ont une femme qui surveille le compte en banque. Vous me ferez savoir comment vous allez? J'ai été désolée, pour ta jambe, Jake.

– Moi aussi. Viens nous voir, si tu as des ennuis. Je suis sincère.

Il se leva pour partir et Natalie renversa la tête pour le regarder.

– Tu es toujours un salaud, et tu as plus de chance que tu en mérites : tu as une reine et une petite princesse.

– J'ai compris à temps qu'il fallait que j'arrête.

Il tendit la main vers Harriet et fut surpris de constater qu'elle portait toujours la lourde alliance en or gravé de Hawksworth.

Harriet retira une lanterne au bateau et la vendit à un droguiste. Puis elle arpenta les rues jusqu'à ce qu'elle trouve une boutique de location d'habits « pour le soir, les occasions spéciales et le théâtre ».

– C'est pour une occasion spéciale, dit-elle en entrant.

– Un mariage? demanda l'employé qui tendait déjà la main vers les tailleurs bleu et blanc standard et les chapeaux de paille blanche, dans toutes les tailles – petite, moyenne, grande et gigantesque.

– Non. Plutôt comme pour aller aux courses.

– Pour y aller ou pas? demanda-t-il en posant les mains sur ses hanches pour la regarder d'un air curieux.

– Non, dit-elle en allant inspecter les tringles lourdes de vêtements. Il faut juste que j'aie l'air riche et élégante.

– Le noir est toujours élégant, dit-il en la poussant pour décrocher une robe et une veste noire poussiéreuses.

– La veste fera peut-être l'affaire, mais la robe est trop vieille.

– Les dames savent toujours ce qu'il y a de mieux, même si elles ne peuvent pas se l'offrir.
– Très juste.
Elle revint vers les robes pour mariages, la plupart en nylon surchargé de fioritures. Tout au fond, elle trouva une robe fuchsia qui n'avait l'air de rien, de ridicules fleurs multicolores épinglées au col, presque comme un appel au secours.
– Je vais essayer celle-là, dit Harriet.
– C'est votre choix, ne m'en veuillez pas si c'est horrible.
Mais c'était loin d'être horrible. Harriet avait posé les yeux sur la seule robe en soie de la boutique. Son piètre aspect sur le cintre ne donnait aucune idée de l'effet qu'elle ferait une fois portée. Elle détacha soigneusement les fleurs, lissant le tissu du bout des doigts. C'était délicieux, de porter à nouveau un beau vêtement. Rien que de sentir la soie sur sa peau la transporta dans le luxe de Corusca. Tout n'avait pas été mauvais. Elle posa la veste noire sur ses épaules et étudia son image dans le miroir terni avant de passer la tête entre les rideaux de la cabine.
– Vous louez des chaussures ?
– Choisissez !
Il montra du bras plusieurs rangées de chaussures. Tandis que Harriet cherchait quelque chose de mettable à sa taille, il dit :
– Oh, mon Dieu, mais c'est vrai que vous êtes magnifique. J'admire votre goût. Voyons quelques bijoux, si vous voulez ?
Il sortit une boîte de colliers, de bracelets et de boucles d'oreilles qu'il renversa sur le comptoir. Tout scintillait comme s'il y en avait pour des millions, et pourtant les pierres n'était que du verre.
– Koh-i-Noor ou Etoile de l'Inde ? demanda-t-il en posant sur son torse deux diamants géants qui lui firent comme deux petits seins.
– Des émeraudes, dit Harriet.
Elle approcha, juchée sur des chaussures à talons noires un peu trop petites qui lui faisaient horriblement mal, mais elle n'avait rien trouvé de mieux. Dans la bijouterie, elle choisit une fine chaîne d'argent et une paire de massives boucles d'oreilles avec des émeraudes.
– Je dois dire que vous êtes fantastique ! Pour quand voulez-vous tout ça, si ce n'est pas un secret d'Etat ?
– Maintenant, dit Harriet. Laissez-moi juste me remaquiller.
Elle retourna dans la cabine d'essayage et appliqua soigneusement le mascara et le rouge à lèvres qu'elle avait achetés le matin même. Elle avait toujours la peau doucement dorée, mais ses cheveux perdaient le reflet roux que leur avaient donné les

pétales de fleurs qu'elle utilisait en rinçage à Corusca. Pourtant, il faudrait bien que cela convienne.

Dès qu'elle sortit, l'homme lui pulvérisa un jet odorant dans le cou.

– Du parfum, affirma-t-il. Ne vous en faites pas, c'est du bon : Joy, de Patou.

– Merci, dit Harriet. Je serai de retour avant la fermeture.

– Bonne journée, dit-il en agitant une main molle.

Depuis ce matin, le Hogarth était soigneusement enveloppé dans du papier de soie pour donner l'impression que Harriet sortait juste d'un hôtel de luxe. Du papier journal ne ferait pas l'affaire, avait-elle dit fermement à Jake. Il n'avait rien compris à tout cela, et elle n'avait pas fait de gros efforts pour s'expliquer. Il voulait qu'elle tire un trait sur ses liens avec les Hawksworth, qu'elle éradique tout ce qui la liait aux Hawksworth, depuis l'alliance à leur nom jusqu'à ses souvenirs. « Tu vas divorcer », lui avait-il dit la veille d'un ton qui écartait toute discussion. Elle avait marmonné quelques mots qui ne l'engageaient à rien, mais c'était Mme Hawksworth qui avait repéré le seul tableau de valeur accroché entre deux rideaux de velours, et c'est en tant que Mme Hawksworth qu'elle se présenta au marchand d'œuvres d'art le plus coté de l'île; oui, c'est Mme Hawksworth qui posa son pied élégant sur le seuil discrètement relié à une alarme de la boutique.

– Puis-je vous aider? demanda un petit homme tout en rondeurs qui cachait sa calvitie sous une longue mèche de cheveux.

– Monsieur Collins? On m'a dit de ne m'adresser qu'à lui, dit-elle alors qu'elle avait lu son nom sur la devanture.

– Moi-même.

– Je suis Mme Hawksworth. J'ai ici une œuvre de grande valeur que je souhaite vendre.

Il l'introduisit dans son bureau moquetté de bleu et tapissé de tableaux. Harriet s'assit sur le petit fauteuil en bois doré devant le bureau, où elle déposa respectueusement son paquet.

– Je dois peut-être vous expliquer la situation, dit-elle d'un air hautain. Vous avez sans aucun doute entendu parler de mon mari, Henry Hawksworth, de Corusca.

– Un de nos collectionneurs des plus... intéressants, dit M. Collins en avalant sa salive.

– Certainement un des plus érudits. C'est un très vieil homme, et il devient un peu... difficile, si bien que j'ai cru bon – j'ai touvé plus sage – de venir passer quelque temps à Nassau. Mon époux, dit-elle en fixant sur son hôte des yeux complices, est convaincu que je tente de l'empoisonner, M. Collins. Il n'a plus longtemps à vivre, et pour le moment il semble plus heureux seul avec son serviteur. Je n'arrive qu'à l'irriter. Le plus cruel, dans la vieillesse, c'est qu'elle détruit les gens, et même les souvenirs de ceux qui les aiment. Je souhaite garder de mon mari le souvenir d'un homme pleinement lucide.

Soudain, elle revit Hawksworth tel qu'il était, la dernière nuit, son courage qui forçait l'admiration en dépit de tout. Elle se rendit compte qu'elle refoulait des larmes sincères.

– Je suis... mon avenir est assuré par testament, mais pour le moment, je suis à court de fonds pour la période, d'une durée indéterminée, pendant laquelle je serai au loin. C'est pourquoi je vous ai apporté ceci, dit-elle en dépliant délicatement, respectueusement, le papier de soie. Un Hogarth.

M. Collins resta sous le choc. Il prit le tableau du bout des doigts et l'approcha de la fenêtre.

– Merveilleux, merveilleux, psalmodiait-il.

Harriet se retint de sourire en se souvenant du commentaire de Jake : « Quelle horreur ! Vaut mieux le vendre, que je n'aie pas ça dans mon salon ! » Mais son goût l'avait toujours porté vers les paysages marins et les dessins méticuleux de voiliers, bien que, même dans ce cas, il critiquât souvent l'exécution des détails.

– Il va falloir le vendre aux enchères, dit Collins.

– Je préfère l'éviter, dit Harriet en croisant les mains de telle sorte qu'il se dégageait d'elle une détermination inébranlable. Je ne veux pas que mon mari apprenne que je l'ai vendu. Selon toute probabilité, il n'en saurait rien, mais dans ses bons jours, il remarque certaines choses, et je ne voudrais pas qu'il ait l'impression que je disperse sa collection avant même sa mort. Ce doit être une vente privée. Mais, naturellement, je vous donnerai un certificat d'origine.

– Cela risque de prendre très longtemps, dit M. Collins d'un air songeur. Les contacts privés, la discrétion nécessaire... Ce ne sera pas facile. Un tel tableau... Nous parlons ici de très grosses sommes.

– J'en suis consciente. Si vous m'en donnez cent mille dollars tout de suite, je considérerai que la vente est faite.

– Mais il vaut beaucoup plus ! dit Collins en ouvrant la bouche comme un poisson.

– Je sais. Mais c'est tout ce que j'en demande. Vous connaissez sans aucun doute l'étendue de la collection de mon mari ? Elle me reviendra à sa mort.

M. Collins s'assit comme si ses jambes étaient trop faibles pour le soutenir.

– Un testament peut se modifier, dit-il d'une voix éteinte.

– Mon mari n'a plus toute sa tête, dit Harriet d'un ton sans réplique. Bien. Je vous ai dit tout ce que j'ai à vous dire, et je veux conclure. Un chèque bancaire me semblerait le moyen de paiement le plus adéquat.

Collins retourna voir le tableau à la lumière du jour. Douter de l'authenticité des œuvres était une seconde nature chez lui, même si son instinct lui disait qu'il avait là un Hogarth de la plus belle eau. Il avait vu trop de toiles de second ordre, trop de mauvaises copies, pour ne pas reconnaître la perfection quand il l'avait entre les mains. Il s'appliqua à contrôler sa respiration. En dehors même du profit qu'il pouvait espérer, se voir offrir un tel chef-d'œuvre était en soi une reconnaissance, l'aboutissement de sa carrière.

– Je me souviendrai toute ma vie de cette journée, dit-il lentement.

La femme en face de lui, calme, posée, un peu distante, s'autorisa un mince sourire qui lui éclaira le visage.

Ils célébrèrent la vente au champagne, Jake et Mac tonitruants de joie, Harriet silencieuse jusqu'à ce qu'elle ait assez bu. Dieu merci, l'alcool lui remontait le moral, se dit-elle avec désespoir. Pourquoi se sentait-elle ainsi ? Elle était avec Jake et Victoria, même Mac était d'agréable compagnie, et elle commençait une nouvelle vie, une vie telle qu'elle l'avait jadis espérée. Mais rien de tout cela ne semblait réussir à étouffer le cafard qui l'habitait. La vie était soudain devenue une morne succession de journées à travers lesquelles elle avançait en s'acquittant de tâches diverses avec une efficacité d'automate. Peut-être était-ce Jake, se dit-elle avec terreur, peut-être ne l'aimait-elle plus ? Elle se serra contre lui, se forçant à ressentir quelque chose, et il lui entoura les épaules de son bras tout en lui remplissant son verre.

– C'est bon de t'avoir à nouveau ici, murmura-t-il en l'embrassant sur l'oreille. C'était la merde, quand tu n'étais pas là.

Il semblait qu'il n'y eût rien à dire. Elle ne ressentait rien, et s'il essayait de lui faire l'amour cette nuit, après avoir envoyé Mac faire une promenade de minuit, elle ne ressentirait rien non plus. Seul l'acool l'aidait, dissimulant son humeur comme un gros pinceau de peinture blanche.

19

L'air sentait la vase et les algues. Harriet regardait les eaux troubles et grises du détroit du Solent et se demandait comment ce pouvait être la même substance que l'eau des Caraïbes, si chaude, lumineuse, abondante et bleue. Etait-ce aussi le même soleil? Ici, il ne fournissait qu'une lumière grise filtrant chichement à travers des nuages lourds de pluie.

Elle avait froid. La fumée du ferry lui faisait pleurer les yeux. Comme Jake reposait sa jambe sur le pont-abri à la base de la cheminée, elle lui donna Victoria et descendit dans les toilettes se rendre présentable, devant un miroir cassé. Au moins était-elle encore bronzée, même si elle virait au bleu tant le froid transperçait ses vêtements légers. Ils faisaient trop attention à leur argent pour acheter plus que le strict nécessaire, et elle pensa avec nostalgie à la veste que Jake lui avait achetée un jour, et dont elle avait méprisé le côté purement pratique. Que n'aurait-elle donné pour l'avoir aujourd'hui!

Il pleuvait quand elle remonta, et elle fut vite trempée. Où était passé le printemps? Où étaient le ciel bleu, les pelouses vertes de ses souvenirs? En Angleterre, le mois de mai, c'étaient encore le feu dans la cheminée et les petits pains beurrés – et ils n'avaient ni flambée ni petits pains.

– On arrive, dit Jake en boitant vers elle.

Elle lui prit le bébé dans son adorable combinaison rose. Deux visages semblables, mais l'un les traits tirés de douleur et de froid et l'autre plutôt content.

– Mal à la jambe, de nouveau?

– Ça va. On va essayer de trouver un bus ou un taxi.

Il s'engagea sur la passerelle avant même que le bateau fût immobilisé, et le marin du quai l'interpella.

– Tu as toujours été un gueulard autoritaire, Pete Hughes, répliqua Jake en continuant son chemin.

– Nom de Dieu, Jake ! Maudit soit ton cœur noir ! dit le marin en accourant. Que diable fais-tu ici ?

Les deux hommes se serrèrent la main.

– Je me suis bousillé la jambe, expliqua Jake en montrant le membre incriminé. Je ne peux plus naviguer pour un temps. Je me lance dans la construction de bateaux, avec Harriet et notre petite fille. Dis donc, tu ne saurais pas comment aller à un endroit appelé le Sluice ? Sur la rivière, avec deux grands hangars, selon l'agent immobilier.

– Le bus est juste là.

Harriet s'approcha d'eux.

– Harriet, je te présente Peter Hughes. Lui et moi, on s'est fait arrêter une fois parce qu'on était dans une barque sans éclairage sur un chenal de bateaux de commerce. Pete, voici Harriet.

– Enchanté de faire votre connaissance, dit Pete. Il m'a si souvent mis dans le pétrin que chaque matin ma mère en me quittant me donnait mon déjeuner et m'interdisait d'adresser la parole à ce Jake Jakes. Mais ça n'a jamais servi à rien. Il mangeait même mon déjeuner !

– Elle t'en préparait pour dix, dit Jake. Tu te souviens de ce vieux rafiot qu'on avait bricolé ? Il nous a presque emportés jusqu'en France, la première fois qu'on l'a sorti !

– Et qu'est-ce que tu vas construire, des croiseurs ?

– Non. Pour la pêche au gros. J'ai planché sur ce problème pendant des années. Il est temps que quelqu'un commence à en construire des bons.

Harriet dansait d'un pied sur l'autre. Elle était gelée, et le bébé pesait lourd dans ses bras. Jake la regarda et sourit.

– Harriet vire au bleu. Si on prend ces hangars, tu pourras venir nous voir. Il est temps qu'on se boive une bière ou deux.

– Plutôt cinq ou six, si je me souviens bien, dit Pete en riant. Oh, merde, le capitaine nous regarde. Tu le connais ? Geoff Bates.

Jake se retourna pour regarder. L'homme se pencha sur le bastingage et cria :

– Ce sacré Jakes ! Pas étonnant que j'arrivais pas à faire accoster ce bateau. Dieu nous aide !

Après ce qui lui sembla des heures, Harriet monta enfin dans le bus. Elle était toujours gelée et au-delà de toute fatigue, en dépit du whisky que lui avait offert le capitaine Bates. Personne ne semblait avoir rien de gentil à dire de la maison qu'ils allaient visiter, sauf que le meilleur moyen d'y aller sans voiture était de passer à travers champs depuis la route. La campagne était plate et humide. Elle remarqua soudain un petit cottage blanc écrasé par deux vastes hangars modernes sur la berge qui descendait vers la rivière, mélange désagréable de charme et d'industrie.

– Le Sluice, cria le chauffeur. C'est là que vous descendez.

– Voilà, dit Jake. Ça n'a pas l'air si mal, hein?

– Dommage qu'ils aient construit les hangars si près de la maison.

– Pas si t'as l'intention de les utiliser.

Ils traversèrent le champ en glissant dans les hautes herbes mouillées. A mi-chemin, Harriet perdit une chaussure, et elle sauta à cloche-pied pendant que Jake riait. Elle rit aussi, non parce qu'elle trouvait ça drôle, mais par admiration pour son courage. Il avait la peau transparente. Il lui retrouva sa chaussure et elle prit une anse du sac pour soulager un peu Jake, qui traînait la jambe. La barrière du cottage se balançait en grinçant dans le vent.

L'herbe avait envahi le jardin. Pendant que Jake tâtait la gouttière pour trouver la clé, Harriet regarda par la fenêtre. Des assiettes sales sur une vieille table de chêne, un poêle environné de cendres, un réchaud à gaz dans un coin, incrusté de la graisse des occupants précédents...

– Il doit y avoir quelqu'un, dit-elle.

– Les derniers occupants ont été expulsés, alors je ne crois pas qu'ils aient fait le ménage avant de partir.

Sur la table, les assiettes étaient pleines de moisissure. A l'étage, des draps sales recouvraient des lits défoncés qui avaient gardé l'odeur de corps étrangers.

– Ça a juste besoin d'un petit coup, dit Jake. Y a tout ce qu'il nous faut.

– Y compris le mérule, dit Harriet en désintégrant du pied une lame du plancher.

– On peut l'avoir pour rien, et on ne fait que louer, chérie, ça n'est pas comme si on devait l'aimer.

– Non.

Ils allèrent voir les hangars. Ils avaient été construits deux ans plus tôt par quelque fou d'aviation qui n'avait jamais quitté le sol. Enormes, froids et vides, ils se dressaient comme des monolithes jumeaux, dominant le cottage et la rivière sale.

– Bon sang, ils sont tellement parfaits que je n'arrive pas à y croire.

– Tu es sûr? Ce sont juste des hangars.

– C'est tout ce dont on a besoin! dit-il en riant de joie. On a assez d'argent pour les remplir avec ce qu'on veut. Je ne te l'ai pas encore dit, mais j'ai eu une demande pour un bateau, un type que je connais assez bien. On en a parlé plusieurs fois et on a jeté des idées sur le papier. J'avais juste besoin d'un peu d'argent et d'un local. Et voilà ! C'est parfait.

– Je n'aime pas beaucoup la maison... Mais c'est peut-être seulement parce qu'elle est sale.

Jake fit plusieurs fois le tour du propriétaire, puis s'assit sur la barrière, dans le vent, pour reposer sa jambe et admirer son nouvel empire.

– Tu ne crois pas que tu devrais montrer ta jambe à un médecin, avant d'entreprendre tout ça ?

Ce n'était pas la première fois qu'elle le lui suggérait.

– Ça va, dit-il sèchement. Si je perds six mois dans un hôpital, il n'y aura ni commandes ni maison. Je ferai voir ma jambe quand l'affaire sera lancée.

– Tu ne sais même pas ce qui ne va pas ! Et si c'était grave ?

– Il faudra que ça attende, dit-il en haussant les épaules. Je fais ça pour toi, chérie, pour toi et la gosse. Je veux vous donner ce qu'il vous faut. C'est peut-être une vilaine maison maintenant, mais elle ne le restera pas.

Harriet lui toucha le bras. Le vent lui faisait monter les larmes aux yeux.

– Ça nous serait égal d'attendre six mois que ta jambe aille mieux.

– Pas à moi, dit-il en se levant. Retournons en ville pour nous installer au pub. Si j'appelle l'agent avant cinq heures, on pourra peut-être s'y mettre demain.

Au dîner, ce soir-là, devant un poulet frites au bar, continuellement interrompus par d'anciens copains, Jake déclara :

– Je vais appeler Mac.

– Comment sais-tu qu'il viendra ?

– Il l'a toujours fait. Il pourra loger ici un moment.

– Il voudra habiter chez nous.

– Il peut vouloir tout ce qu'il veut, dit Jake avec un sourire, je garde ma petite famille pour moi, pour l'instant.

Il lui prit la main.

– Est-ce que je pourrais avoir un autre whisky ? demanda Harriet. Je n'arrive pas à me réchauffer.

Ils s'installèrent dès le lendemain. Harriet entreprit de tout nettoyer. Elle trouva un rat mort derrière la cuisinière et des trous à rats dans le placard sous l'escalier. Il semblait qu'en Angleterre il n'y eût jamais personne pour vous aider, remarquait-elle avec colère. Chacun travaillait pour soi, qu'il sache s'y prendre ou non, qu'il en ait la force ou non. Il n'y avait aucune tradition d'entraide, ou du moins aucune tradition de service qu'elle pût s'offrir. Sur Corusca, elle n'avait qu'à demander, alors qu'ici elle pouvait demander tant qu'elle voulait, personne ne viendrait brûler les vieux draps ou frotter le parquet à sa place.

La petite rendait les choses difficiles : enfermée trop longtemps dans des bateaux ou des avions, elle pleurait pour qu'on s'occupe d'elle et ne s'adaptait pas à la nouvelle vie, ne s'endormant que tard, et peu de temps, mâchonnant le sein au lieu de téter. Mais Harriet était bien décidée à conquérir à la fois la maison et sa bonne humeur. Le premier soir, Jake et elle s'assirent devant le petit poêle qu'elle trouvait si difficile à allumer, et profitèrent de la faible chaleur qu'il dispensait.

– On devrait tapisser les murs d'un papier clair et gai, suggéra-t-elle en regardant les cloisons fissurées et jaunies.

– Ça n'en vaut pas la peine, chérie, dit Jake. Ce n'est pas à nous, ici, et puis on va être très justes pendant des mois. J'ai bien peur qu'on ne puisse pas s'offrir de papier peint.

– Mais nous avons cent mille dollars! Quelques rouleaux de papier peint ne coûtent presque rien, et je le poserai!

Il soupira et tenta de lui expliquer :

– Harriet... Tout l'argent est dépensé. J'ai mis les cent mille dollars dans l'affaire, et la banque en a prêté autant. On va devoir survivre jusqu'à ce que je termine le premier bateau. Il y aura les salaires, les intérêts, la location, le téléphone, l'électricité, la nourriture, les transports – cette foutue poussette pour le bébé a coûté presque cent livres!

– Je ne savais pas, dit-elle se tordant les mains. J'aurais pu tirer davantage du tableau si j'avais attendu.

– On ne pouvait attendre, et puis on n'avait aucun droit sur ce tableau.

– J'étais sa femme; bien sûr, que j'avais des droits! dit-elle en se redressant.

– Ne me jette pas ce genre de regard. Je déteste ton numéro « Madame Hawksworth ».

– Tu préfères la pauvre petite Harriet, je suppose?

Elle se leva et traversa la pièce. C'était tellement horrible, de ne pas avoir d'argent; elle se sentait tellement impuissante! Son destin était encore une fois entre les mains d'un autre. Et même pas vraiment entre les mains de Jake, mais entre celles d'hommes inconnus qui signaient des contrats et des prêts. C'étaient eux qui déterminaient les priorités.

– Il faut être patients, dit Jake.

– Victoria et moi avons besoin de vêtements, hurla-t-elle soudain. Comment pouvons-nous acheter quoi que ce soit?

– On n'est pas sans rien, bon sang! Il faut juste qu'on fasse attention.

Il ne comprit jamais qu'il exigeait de Harriet quelque chose d'insurmontable. Jours après jour, les problèmes d'argent nourrissaient son angoisse, transformant chaque visite au supermarché en duel entre leur maigre budget et les tentations interdites par la hausse des prix. Jake disait souvent qu'il ne savait pas comment elle se débrouillait si bien, ne comprenant pas qu'elle y arrivait à force de sacrifices et de souffrances. Parfois, quand elle ne supportait plus ces tensions, elle s'achetait une bouteille bon marché, du sherry ou du cidre, et elle se calmait en la buvant devant le poêle où brûlait le bois qu'ils avaient aussi payé trop cher.

Quand l'été arriva, ils avaient six ouvriers, une camionnette à plateau découvert et un yacht à demi construit. L'unique téléphone était dans un hangar, et il sonnait toute la journée, mais jamais pour Harriet. Elle commençait à se sentir complètement extérieure à toute cette activité, même si elle apportait toute l'aide possible en s'occupant du courrier et de la comptabilité. Elle le faisait seule, comme presque tout le reste, parce que Jake était toujours dans le hangar avec le bateau et que ce n'était pas un endroit où emmener un bébé qui commençait à se déplacer à quatre pattes. Il lui arrivait d'emprunter la camionnette pour aller à Cowes, ou sur la côte. L'île était pleine de vacanciers et le port fréquenté par des plaisanciers, dont beaucoup aimaient venir bavarder avec Jake – jusqu'à ce qu'il mette une pancarte où il avait écrit en grosses lettres rouges : « Ni démarcheurs, ni mendiants, et pas non plus de copains qui me font perdre mon temps. Rendez-vous au pub le samedi soir, enfoirés d'oisifs ! »

Et c'est ainsi qu'une des seules distractions de Harriet disparut aussi. Elle aimait bien bavarder avec tous ces étrangers qui venaient jusqu'à la maison demander l'avis de Jake à propos de voiles ou de dessins de coque, ou qui voulaient simplement parler bateaux. Elle décida alors de se faire des amis de son côté, et devint membre de l'institut des femmes et du club des mères et des bébés, mais les réunions semblaient toujours tomber le mauvais jour, quand la camionnette était indispensable pour aller chercher un équipement urgent au ferry et que le bus, en panne, ne passait pas. Sortir à une heure précise un jour précis se révéla impossible, avec le bébé à nourrir et les hommes qui réclamaient sans arrêt du thé, et la pluie qui se mettait à tomber dès qu'elle avait mis à Victoria une robe d'été.

Tout le monde l'appelait Mme Jakes, et Jake parlait d'elle comme de sa femme. Cela l'ennuyait un peu, comme si elle se retrouvait propriété de quelqu'un sans qu'on lui eût demandé son avis. Mais elle ne pouvait lui en parler, parce que Jake ne pensait qu'à son bateau, un étrange vaisseau pour le moins. Il avait dépassé le stade des quilles à dérive : le dessous de la coque ressemblait à un drôle de sous-marin, bulbeux et distendu à une extrémité, fuselé et retréci à l'autre. Il fallait une autorisation pour pénétrer dans le hangar, et périodiquement Jake proférait contre ses employés des menaces, que jamais il ne mettrait à exécution, s'ils laissaient échapper le moindre mot concernant la quille. Il arrivait que sa jambe le fasse tellement souffrir que la douleur brillait dans ses yeux. Il usait alors toute sa réserve d'énergie pour contrôler son humeur dans la journée. Un soir où il rentrait tard à la maison, il cria contre Harriet qui avait laissé le hochet du bébé sur son fauteuil.

– T'as rien d'autre à foutre, tu pourrais au moins ranger !

Dans un silence total, elle lui servit son dîner. Au bout d'un moment, il s'excusa :

– Désolé. Je dois être fatigué.

Elle aurait voulu le battre, lui crier des injures, lui dire combien sa vie était désespérante, mais il était effectivement épuisé, il avait mal à la jambe – et il n'avait pas besoin d'autres problèmes quand il construisait un bateau.

Une vague de chaleur s'abattit sur l'île, comme une glorieuse fanfare de trompettes. Jake trouva une petite barque, et pendant les après-midi surchauffés et lumineux, Harriet parcourait la rivière, près des rives, dans les roseaux. Elle s'épuisait. Couchée au fond du bateau, le soleil frappant ses paupières fermées, il lui arrivait d'oublier où elle était, et d'avoir à ramer furieusement à son réveil pour retourner à la réalité.

– Jamais tu ne viens, le grondait-elle. Jamais tu ne passes de temps avec Victoria.

Une fois, il vint, et au lieu d'une promenade solitaire, la sortie devint une aventure : ils ramèrent là où personne avant eux n'avait ramé, mangèrent leur pique-nique de sandwiches au pâté avec des œufs durs, attrapèrent des petits poissons qu'ils mirent dans un pot de confiture pour Victoria. Quand le bébé s'endormit, ils firent l'amour dans les roseaux. Elle s'en souvenait bien parce que ce fut la première fois où elle ne ressentit rien du tout. Cela faisait des semaines qu'elle n'avait pas eu de plaisir, et elle avait pris l'habitude de faire semblant. Mais cette fois, elle resta froide et lourde comme une pierre.

– Oh, mon amour, oh, ma petite chérie, disait-il en l'embrassant au summum de l'extase.

Et elle aurait voulu qu'il arrête. Après, elle plongea son mouchoir dans la rivière et se lava.

– Harriet, est-ce que ça va ?

– Oui, ça va. C'est une belle journée.

Si elle souriait assez, il ne verrait pas ses larmes.

Une ou deux fois, elle alla dans le hangar lui demander de venir à nouveau en promenade avec elle, mais il passa sa main dans ses cheveux et dit; Oui, ma chérie, bien sûr, mais pas aujourd'hui, d'accord? Quand le bateau serait fini, ils prendraient des vacances; et ne reste pas là, on a du travail.

Je suis toujours toute seule, disait une petite voix glacée. Pourquoi suis-je toujours toute seule?

Les mêmes pensées semblaient tourner inlassablement dans sa tête. Elle pensa à sa mère, revit la silhouette fripée et grise dans son fauteuil, marmonnant, rouspétant, remuant. Elle est morte, se dit Harriet. Elle est morte à cause de moi. Pourtant, elle n'arrivait pas à se décider à décrocher le téléphone pour savoir si c'était vrai. Et si elle n'était pas morte; si, à l'occasion d'une visite inévitable de sa fille, sa vieille main s'accrochait à la manche de Harriet, si sa vieille voix chevrotante disait : « Ramène-moi à la maison, Harriet. Ne me laisse pas ici! » Que dirait Jake?

Enfin, elle téléphona à la maison de retraite. Pour commencer, personne ne sembla reconnaître le nom, mais finalement on trouva l'infirmière en chef. Comme c'était gentil d'appeler. Oui, naturellement elle se souvenait de Mme Wyman. Quel dommage que cette dame ne soit restée chez eux que si peu de temps. On ne l'avait pas informée? Mme Wyman était décédée moins de trois mois après son arrivée. Si elle était inquiète pour ses effets personnels, bien sûr, tout ce qui restait pouvait lui être envoyé...

Harriet bredouilla et raccrocha. Trois mois seulement. Si elle était restée trois mois de plus, tout sentiment de culpabilité lui aurait été épargné. Mais bien sûr, sa mère ne serait pas morte si Harriet était restée s'occuper d'elle. Harriet, en fait, avait tué sa propre mère. C'était un raisonnement ridicule, et Harriet le savait, mais elle ne pouvait empêcher cette pensée d'ajouter encore au tumulte de sa tête. Elle avait pleuré sa mère quand elle l'avait mise dans la maison de retraite, et maintenant elle devait la pleurer à nouveau, semblait-il. Elle ne pouvait partager ce qu'elle ressentait, parce que personne ne comprendrait, Jake moins que quiconque, lui qui avait abandonné sa propre mère sans se retourner. Il semblait ne rien remarquer, et la distance entre eux s'accrut sans qu'ils veuillent l'admettre.

Mais peu à peu, ils commencèrent à avoir une vie sociale. Les plaisanciers les invitaient à dîner, soit sur leur bateau, soit à Cowes. Ils laissaient Victoria à Mac et Harriet mettait chaque fois sa chemise de nuit à dentelles, tandis que Jake enfilait son éternelle veste de sport rapiécée et une cravate de yacht-club. Il en avait plusieurs, toutes très prestigieuses, mais il ne savait en identifier aucune avec certitude. « Les gens me les donnent », disait-il d'un air vague, comme si c'était une habitude malheureuse et plutôt ennuyeuse, bien que chacune commémorât sans doute une remarquable réussite.

– Il va falloir rendre l'invitation, dit-il un soir alors qu'ils avaient dîné pour la troisième fois avec un dignitaire du yachting, rédacteur en chef de *La Semaine de Cowes*.

– C'est impossible. La maison est horrible, et on ne peut pas acheter ce qu'il faut pour le dîner.

– Tant pis pour la maison, dit Jake. Ils nous prendront comme on est. Quant au repas, je demanderai quelques homards aux copains.

– Pas question de torturer des homards pour ce crétin pompeux! déclara Harriet. Il me déteste. Tu sais bien qu'il me déteste!

– Mais il crève de peur devant toi! Tu te conduis comme s'il venait de sortir de sous une coque incrustée de berniques. Tu montres ton ennui quand il parle de bateaux et tu le regardes avec le plus profond mépris quand il parle d'autre chose.

– Il ne connaît rien en dehors de la voile!

Ce n'était pas vrai. C'était un homme gentil qui jouait mal du violon, élevait des caniches et ne savait pas parler aux femmes.

– On pourrait faire des soles farcies, dit-elle en enlevant les épingles qui retenaient son chignon.

– Je te farcis quand tu veux!

L'alcool lui faisait oublier la douleur et le rendait égrillard. Il tenta de prendre Harriet dans ses bras mais elle lui échappa.

– Tu dois être fatigué. Ça te fait cinq semaines sans un seul jour de congé.

– J'ai quand même envie. C'est toi qui es toujours trop fatiguée!

Il la saisit avec une violence inutile. Elle le repoussa, il s'agrippa à sa robe, la délicate dentelle se déchira.

– Ma seule robe est fichue! hurla Harriet. Mon unique robe!

– Au diable ta robe, tu la raccommoderas. Viens, Harriet.

– Non.

Elle était là, les seins nus, les cheveux défaits, à le tenter, elle pour qui il travaillait nuit et jour comme un esclave, et elle se refusait à lui? Il envisagea une seconde de la prendre de force, mais choisit la méthode douce.

– Non! répéta-t-elle en le repoussant alors qu'il l'embrassait dans le cou.

Elle avait oublié sa jambe. La douleur le traversa du talon au cuir chevelu.

– Salope! cria-t-il.

Et il lui assena une gifle.

Ils se réconcilièrent parce qu'ils n'avaient pas le choix, et au bout d'une semaine l'œil au beurre noir de Harriet ne se remarquait plus qu'à peine. Jake était très distant – ou peut-être était-elle toujours aussi froide. Parfois, elle avait envie d'aller le toucher, de lui dire qu'elle se sentait si bizarre... Mais les mots se refusaient à elle, et ses mains ne bougèrent pas. La boisson l'aidait, bien sûr. Quand elle avait assez bu, elle pouvait feindre d'apprécier cette vie. Même le dîner. Ils avaient mis partout des bougies pour cacher les murs tachés et emprunté des verres au pub. Jake tenta de l'aider et fut constamment dans ses pattes; quant à Victoria, elle se mit à pleurer dès le plat de résistance. Jake alla la chercher pour la faire admirer et le commandant dit :

– Vous êtes vraiment stupéfiante, Harriet.

– Elle peut faire n'importe quoi si elle le décide, dit Jake. C'est une femme de caractère et de courage.

Et il raconta l'histoire d'une de leurs tempêtes, et comment elle avait dit, bien qu'elle ne s'en souvînt pas : « Enfin, Jake, ne viens pas me gêner quand j'écope, tu me fais perdre le rythme », alors qu'il essayait de boucher les trous qui les faisaient couler.

– Tu inventes des histoires, dit-elle en rougissant. Et jamais tu n'as avoué qu'on risquait de couler. Je serais morte de peur.

– Je ne sais pas comment vous avez osé partir en mer avec lui, dit le commandant. Même les marins les plus endurcis pâlissent à cette seule pensée.

– Alors, c'est qu'ils ne le connaissent pas bien, dit-elle doucement en étudiant son verre de vin. Il prend toujours soin des gens.

– Madame, vous me flattez, dit Jake en levant son verre.

Cependant il passait beaucoup de temps au loin pour choisir les matériaux, les voiles et l'équipement électronique qu'il voulait pour le bateau. Ses hommes continuaient le travail en son absence, une équipe d'experts dont la forte personnalité semblait s'épanouir dans l'apparent laisser-faire de Jake. Il leur lâchait la bride tant qu'ils pouvaient continuer, et les secouait vertement s'ils commettaient une bêtise au lieu d'avoir demandé de l'aide. Ils mobilisaient toute son attention, et il n'en restait plus pour Harriet.

20

C'est au cours d'un de ces déplacements qu'arriva une lettre de Natalie :

> *Chers tous deux,*
> *Je suis un peu dans une impasse pour le moment (pas de commentaires, Jake, s'il te plaît!) et je me demandais si je pourrais vous prendre au mot et venir un moment auprès de vous. Ne vous en faites pas, je ne resterai pas éternellement! J'ai juste besoin de me remettre les idées en place.*
> *Comme vous l'aurez probablement deviné, Carl et moi avons découvert que nous n'étions pas faits l'un pour l'autre (il faudra qu'il se trouve une femme aux nageoires empoisonnées), et j'ai l'impression que j'ai besoin de faire le point. Et puis j'ai tellement envie de revoir Victoria! Quelle adorable petite fille! Si je n'apprends pas que vous êtes tous morts de la peste je serai auprès de vous le 21.*
> *Je vous embrasse tendrement,*
> *Natalie.*

Harriet pâlit. Le 21, c'était dans deux jours. Qu'est-ce qu'une amoureuse du luxe comme Natalie allait penser de leur maison en ruine avec ses paysages dessinés par l'humidité sur les murs de la chambre d'amis? Que dirait Jake? Et Mac, qui détestait le pub et aurait adoré s'installer chez eux? Elle alla se regarder dans le petit miroir au-dessus de l'évier. Joues creuses, cheveux bruns ternes sans coupe définie, pas de maquillage pour dissimuler les rides, ongles cassés... Affolée, elle courut en ville acheter un rinçage bon marché pour ses cheveux et un T-shirt en nylon encore moins cher qui rajeunirait un peu sa garde-robe, croyait-elle. Le rinçage lui fit les cheveux rouges, le T-shirt était transparent et trop court. Jake dirait qu'elle avait l'air d'une putain – et encore, de bas étage. Elle se reprit. Pas question de parler de prostitution, ni même d'y faire allusion, en présence de Natalie, même si la jeune femme se montrait plutôt honnête à ce sujet. Sauf quand elle mettait tout sur le dos de Jake.

Il revint deux heures avant l'arrivée de Natalie.

– Tes cheveux sont... jolis, dit-il faiblement parce qu'il savait qu'elle pleurerait s'il disait la vérité.

– Inutile de te forcer. Natalie arrive.

– Oh, Seigneur ! C'est pas vrai ! Pourquoi est-ce que tu n'as pas refusé ?

– Parce que la lettre ne m'est parvenue qu'il y a deux jours, sans adresse, et que je ne suis pas experte en signaux de fumée.

Fatigué du voyage, aspirant désespérément à un peu de confort, Jake eut du mal à garder patience.

– D'accord, d'accord. Je pourrais avoir une tasse de thé ?

– Quoi ? Oh, oui, je fais bouillir l'eau.

Mais elle monta mettre des fleurs dans la chambre d'amis, si bien que Jake se leva et le fit lui-même. Victoria était dans sa chaise en train de gazouiller à son intention, et pendant un moment, il lui répondit dans la même langue. Il se dit qu'il devrait vraiment passer plus de temps avec elle. Harriet revint comme un ouragan.

– Il y a une douzaine de messages pour toi. Mac dit qu'il est arrivé un rapport de recherches sur le nouveau matériau pour les mâts qui indiquerait un risque de détérioration en cas d'effort intense. Apparemment, on ne se rend compte du problème que quand les voiles tombent. Il casse d'un coup.

– Je sais, j'ai lu ce rapport il y a des semaines. Je l'ai gréé pour maintenir les tensions au minimum, mais je crois qu'on doit accepter de nouveaux mâts puisque les vieux sont si peu adaptés, surtout aux courses dans l'hémisphère Sud. Le propriétaire n'aimera pas ça, bien sûr. Il faudra que je trouve mieux pour le prochain.

Il s'enfonça dans son fauteuil et ferma les yeux, frottant les rides presque permanentes au-dessus de son nez.

– J'ai besoin de plus d'argent, dit Harriet. Je ne pourrai pas y arriver avec Natalie.

– Alors, va en tirer ! Tu n'as pas besoin de me demander la permission d'acheter du récurant pour WC.

– Non.

L'eau bouillait et Harriet prépara le thé. L'affolement la

rendait malade, son cœur battait trop vite et elle était trempée de sueur sans savoir pourquoi. Elle essaya de ralentir sa respiration en tendant sa tasse à Jake et but fiévreusement quelques gorgées de la sienne.

Natalie arriva en taxi, croulant sous les cadeaux et l'admiration.

– Quelle adorable petite maison vous avez! Tout le charme du vieux continent. Regarde un peu cette vieille porte! Harriet, tu ne cuisines pas là-dessus? Je serais morte de peur. Alors, Jake, tu vas me laisser jeter un coup d'œil à ton bateau, ou bien est-ce top secret?

– Tu as maigri, dit-il en regardant son long corps gracieux.

– Ne t'en fais pas. J'ai l'intention de me remplumer. Carl me coupait la digestion : je vomissais tout; c'est bien plus efficace qu'un régime!

– Désolé de ne pas l'avoir rencontré, il devait être fascinant, dit Jake. Donne, je vais monter tes bagages.

Natalie lui posa une longue main sur l'épaule.

– Chéri, jamais je ne laisse un blessé porter mes bagages. Es-tu idiot ou quoi, de continuer comme ça avec ta jambe? Ça va de plus en plus mal, hein? On ne peut rien faire?

– Il ne veut pas consulter, dit Harriet. Il dit qu'il n'a pas le temps.

– Et c'est vrai. Alors vous pouvez me lâcher, toutes les deux.

Jake prit les valises de Natalie et monta l'étroit escalier à la seule force de sa volonté.

– On peut dire qu'il est buté, celui-là, dit Natalie. Tu vas bien, ma petite chérie? Tu n'as pas l'air au mieux de ta forme non plus.

– C'est juste le temps, dit Harriet qui n'avait pas réussi à sourire. Et puis la jambe de Jake, et tout ce travail qu'il a.

– Ce n'est rien de tout ça, hein?

– Bien sûr que si. Nous allons bien.

Elle entreprit d'entrechoquer la vaisselle en parlant de tout et de rien d'une voix artificielle et haut perchée.

Pendant la première semaine, la présence de Natalie créa une tension insuportable. Jake était presque tout le temps au hangar, et Harriet se retrouvait seule pour forger une image de bonheur et de bonne humeur, avec trop peu de moyens. Il y avait beaucoup trop de temps pour parler. Bien sûr, elle pouvait passer de longs moments à écouter les récits hilarants de Natalie relatant les perversions de Carl, mais cela laissait néanmoins bien des heures pendant lesquelles Natalie pouvait lui poser des questions. Il faisait encore très chaud, et un après-midi, Natalie décida que Harriet, Victoria et elle iraient pique-niquer dans une prairie par-delà celle où paissaient des vaches. Elle mit pour l'occasion une robe blanche en fin coton et un chapeau de paille à large bord, tandis que Harriet enfilait sa vieille jupe et le fameux T-shirt en nylon.

– Pourquoi achètes-tu d'aussi jolies choses à Victoria alors que tu ne t'offres rien pour toi? demanda Natalie en nouant le ruban du bonnet de Victoria si harmonieusement assorti à sa robe imprimée.

– On ne peut pas se le permettre.

– Je suis sûre que si. J'ai entendu Jake te dire que tu pouvais acheter ce dont tu as besoin.

– On ne va jamais nulle part. Je n'ai pas besoin de vêtements.

Natalie haussa les épaules. Elles partirent la mine morose, comme parfois quand un plaisir attendu ne semble plus avoir d'attrait. Mais Harriet se sentit apaisée après leur marche à travers champs, avec les vaches qui broutaient l'herbe grasse, les oiseaux qui chantaient et Victoria qui disait « Meuh, meuh! ». La poussette n'arrêtait pas de se prendre dans les hautes herbes, et elles finirent par l'abandonner dans un fourré, emportant Victoria jusqu'à la prairie sans son moyen de transport personnel. En sueur, elles étalèrent la couverture sur l'herbe et s'assirent pour déboucher leur bouteille de vin.

– Bien, dit Natalie d'un air satisfait, on n'a plus rien d'autre à faire que bavarder.

– On pourrait aller voir ce qu'il y a là-bas, dit Harriet en regardant nerveusement autour d'elle.

– Bois ton vin. Tu n'es pas heureuse, n'est-ce pas? Pas du tout?

D'énormes yeux effrayés croisèrent les siens.

– Bien sûr que si. J'ai Jake et Victoria. Bien sûr, que je suis heureuse.

– Sauf que Jake est toujours occupé, et que tu n'aimes pas qu'il te touche.

– Mais si, j'aime ça, dit Harriet en prenant son verre. J'aime Jake... beaucoup. Ce n'est pas lui... Je ne sais pas ce que c'est! Oh, Natalie, parfois, je crois que j'ai envie de me tuer! avoua-t-elle en frissonnant en dépit de la chaleur et de la paix qui les entourait. Je deviens folle. Je vais devenir folle, et on m'emmènera, et Victoria n'aura plus sa maman, et Jake trouvera quelqu'un d'autre, et...

– Et moi je crois qu'il est temps que tu voies un médecin, dit Natalie. Tu es un exemple typique de dépression postnatale. C'est venu après la naissance, hein? Tout va bien pour toi, et rien ne va? Et le sexe? Jake a toujours été un amant formidable.

Harriet sanglotait. Ces derniers temps, elle ne supportait même plus qu'il la touche.

– Quoi qu'il fasse, je ne sens rien.

– Et il en a marre parce qu'il a mal à la jambe, qu'il n'obtient pas de toi ce qu'il veut et que tu as toujours le cafard. Chérie, bénis-toi que tante Natalie soit là pour t'aider. Au fait, tu bois trop. Tu bois même plus que moi.

Harriet entoura son verre de ses mains protectrices. S'il n'y avait pas eu l'alcool, il y a longtemps qu'elle se serait suicidée.

– Non, ce n'est pas vrai. Je ne prends que des boissons très peu alcoolisées.

– Peut-être, mais trop souvent. Maintenant, on va profiter de ce pique-nique. Je vais te dire ce que Carl faisait avec les concombres, je te promets que tu vas te tordre! Après on rentrera et on ira chez le médecin. Demain, on achètera quelques trucs, et dans deux, trois semaines, tu seras à nouveau toi-même, aussi fonceuse qu'un train express.

– Je ne suis pas fonceuse! Qu'est-ce qui a pu te donner cette idée? demanda-t-elle.

Elle pleurait doucement, et ces larmes de soulagement étaient délicieuses.

– Demande à Jake. Quand tu décides quelque chose, tu le fais. Comme les bateaux, ou ranger la maison, ou être une bonne mère. Pour le moment, tu es tellement occupée par ce qui se passe en toi que tu n'as plus le temps pour rien d'autre. Jake et toi êtes tous les deux dans une solitude affreuse, le sais-tu?

Bien sûr qu'elle le savait, elle le savait depuis des mois mais, murée en elle-même, elle n'avait rien pu y faire. Soudain, Natalie était là pour prendre les décisions et lui dire quoi faire et comment. Pendant le retour, Harriet pleurait doucement et Natalie s'extasiait sur ses talents de psychanalyste et le bien qu'elle allait faire.

Harriet alla se laver, et Natalie entra en trombe dans le hangar avec Victoria.

– Hors d'ici, femme, dit Mac.

Il était penché sur un dessin. Derrière lui se dressait la coque du bateau, vaste et étrange.

– Quelqu'un doit s'occuper de la gosse. J'emmène Harriet chez le médecin.

– Pourquoi? demanda Jake en se penchant du pont, le visage tiré par la fatigue. Elle est malade?

– Bien sûr qu'elle est malade, complètement déprimée! Qui va s'occuper de ce petit trésor? demanda-t-elle en faisant sauter le bébé rieur dans ses bras.

Natalie, tout sourire, vibrante, splendide, rejeta ses cheveux en arrière et rit. Comme une sorcière, se dit Jake. Il descendit péniblement.

– Donne-la-moi. Je vais parler à Harriet.

– Oh, que non! Elle a aggravé son état en essayant de te faire croire qu'elle allait bien, laisse-la faire couler le mal avec ses larmes. Je te raconterai ce qu'aura dit le docteur en rentrant.

Jake prit sa fille et regarda Natalie courir vers la porte.

– A tout à l'heure! dit-elle.

– Oui, merci! Harriet était drôle, ces temps-ci, dit-il à Mac.

– Je me demandais ce qui te travaillait. C'est pour ça que tu veux pas faire voir ta jambe?

– En partie, dit Jake en grimaçant. Je ne pouvais pas la laisser si longtemps, pas dans l'état où elle est. J'ai cru qu'elle s'en sortirait, mais ça n'a fait qu'empirer... Est-ce que je t'ai dit que si les broches ne tiennent pas, il faudra amputer? demanda-t-il en faisant un geste de coupure à hauteur de la cuisse.

– Ouais. Il faudra bien que tu le supportes, hein?

– Non, je suis affreusement lâche, dit Jake en éclatant de rire. Je vais aller consulter pour voir s'il n'y a rien d'autre à faire.

– Fais pas confiance à ces bouchers, ils aiment trop manier le couteau!

– Alors tu monteras la garde pour t'assurer qu'ils ne coupent rien de ce que je dois garder.

Mac tournait au vert. Jamais il n'avait supporté ce qui se rapportait aux médecins ou au sang. On disait qu'il s'évanouissait à la moindre piqûre, et même avant, pendant la manipulation nécessaire au remplissage de la seringue.

Jake se torturait avec des problèmes stériles. Et si le vrai problème de Harriet, c'était lui? Et si elle ne le supportait qu'à cause de Victoria? Il cessa de regarder dans le vide et serra le bébé contre lui. Elle lui donna une claque en pleine figure.

– Petite brute! Viens un peu par là, que je te trouve quelque chose avec quoi jouer.

Il attendait à la maison quand les filles rentrèrent. Harriet ne le regarda même pas, s'inquiétant seulement de Victoria.

– Elle a été sage?

– Oui, super. Elle dort. Qu'a dit le médecin?

– Elle aurait dû aller le voir il y a des mois, déclara Natalie. Il était vraiment en colère. Elle doit prendre des vitamines, des hormones et un sédatif. Il dit qu'elle va dormir trois jours et se réveiller en pleine forme!

Harriet s'assit, en larmes, comme un personnage de tragédie.

– Je ne prendrai pas le sédatif. Je n'ai pas besoin de sommeil. Je suis mieux quand je m'affaire.

– S'il te l'a donné, tu le prendras, dit doucement Jake. On peut s'occuper de Victoria. On veut juste que tu ailles bien, chérie.

– Et si ça ne marche pas, elle doit aller à l'hôpital, déclara Natalie. Alors, elle le prend.

Harriet grommela en triturant ses cheveux. Quand Jake tenta de lui entourer les épaules de son bras, elle s'écarta de lui.

Jake et Natalie étaient assis à la table de la cuisine. Harriet, à l'étage, dormait du sommeil lourd provoqué par le sédatif. Des insectes se heurtaient à la fenêtre, trompés par la lampe à l'intérieur.

– Je dois te remercier, dit Jake. C'était vraiment gentil. Tu vois comment elle est avec moi : je n'arrive pas à trouver le contact.

– Elle ne veut pas te blesser. Elle t'aime vraiment beaucoup.

– J'essaie tellement de faire de mon mieux pour elle. Et jamais, jamais elle ne semble oublier... Jamais elle ne me pardonnera de l'avoir laissée sur cette île. Je me crève au boulot pour elle, et elle a tout juste l'air de s'en apercevoir. Je ne sais pas ce que je peux faire de plus.

Il prit une gorgée de whisky en se demandant pourquoi diable il racontait ça à Natalie.

– Elle est malade. Elle ne fait pas ça volontairement, dit-elle en lui caressant gentiment le bras.

– On ne fait même plus l'amour. Je ne supporte pas de la sentir attendre que ça soit fini. Je ne supporte pas d'avoir à lui demander de faire quelque chose qu'elle ne veut pas faire, simplement parce que j'en ai besoin. Et j'en ai vraiment besoin. J'en ai énormément besoin.

– On fait la paire. Je sais de quoi tu as besoin, et Harriet n'en saura rien. Y a pas de mal à ça.

Elle souleva sa jupe. Elle n'avait rien en dessous. Dans un mouvement désespéré, Jake se jeta sur elle.

– Oh, Seigneur, dit Jake, ne le dis pas à Harriet !

– Elle ne le saura jamais.

Quand il se retira d'elle, elle resta allongée sur le canapé.

– Est-ce qu'elle te plaît toujours ? demanda-t-elle paresseusement.

– Harriet a été malade, je ne veux pas parler d'elle. Tu as eu ce que tu voulais.

Il prit quelques papiers et entreprit de les étudier. Parler de Harriet après avoir fait l'amour à Natalie lui laissait un goût amer.

Natalie se leva et se planta devant lui.

– Jake, tu me connais, une fois, ça ne me suffit jamais.

– Tu ne t'arranges pas.

– Je sais, je sais...

Il la regarda avec indifférence, se demandant pourquoi il avait fait ça, pourquoi il avait trahi Harriet, alors qu'elle était malade, pour un plaisir transitoire. Oh, mais Natalie était une experte, et c'était délicieux. Depuis combien de temps n'avait-il pas ressenti un tel plaisir sans les soucis et la culpabilité qui accompagnaient son amour pour Harriet? Jamais il ne ferait de mal à Harriet, se promit-il, mais il fallait qu'il ait ça aussi!

Pendant les trois jours que Harriet passa en haut, endormie ou à moitié consciente, Jake et Natalie assouvirent tous leurs désirs. C'était comme un marché entre eux, sans aucun sentiment. Jake passait des heures au chevet de Harriet, et quand elle se réveillait, il lui disait doucement :

– Bonjour, ça va?

– Oh, oui, beaucoup mieux. Tu y arrives?

– Oui. Tu me manques. Rétablis-toi, ma chérie.

Puis il descendait, buvait du chocolat chaud et baisait Natalie sur la table de la cuisine. Quand Harriet eut pris son dernier comprimé, Natalie lui dit :

– Il faudra qu'on fasse attention, demain.

– C'est fini. C'est la dernière fois avant que je devienne fidèle. Commence à chercher ailleurs, tu veux bien?

– Tu n'es pas sérieux? demanda-t-elle en se grattant la nuque.

– Désolé, je suis sérieux.

– Merde, merde, merde!

Jake se rendit compte qu'elle était en larmes.

– Allons, la gronda-t-il, tu n'as pas pu croire qu'on commençait une liaison!

– Non, dit-elle en reniflant stoïquement. Mais c'est sans arrêt comme ça que ça se passe, tu comprends. J'en demande trop à un homme, même quand j'en vois un autre pendant qu'il n'est pas là. Au bout d'un moment, baiser Natalie devient une corvée, et ils sont impatients de retourner à leur femme et à leurs pantoufles. Et moi, je reste en plan, un peu plus vieille, un peu plus triste. Il y a même un gamin, l'autre jour, qui a insisté pour mettre un préservatif au cas où je lui refilerais une maladie! Qu'est-ce que je vais faire, Jake? Je les prends plus pauvres, plus brutaux... Alors qu'est-ce qui me reste à faire?

– Arrête. Prends le sexe à doses normales, comme tout le monde.

– Comme toi? J'ai besoin d'argent. Je pourrais m'acheter une maison. Tu vas m'en prêter?

– Je n'en ai pas. Mais je penserai à toi si jamais j'en ai.

Il lui donna une tape sur les fesses, l'esprit déjà aux papiers qu'il devait étudier ce soir-là. Le sexe lui rafraîchissait toujours la tête.

– Seigneur, quand je pense à tout l'argent qui m'a filé entre les doigts !

Elle regarda la nuque de Jake. Il ne l'écoutait plus. Elle soupira.

21

Harriet se sentait beaucoup mieux. De son lit, elle regardait le plafond taché, et là où elle voyait auparavant un brouillard gris, se dessinaient maintenant de gentils nuages roses. Plus rien ne lui semblait triste. Elle avait Jake et il l'aimait, elle avait Victoria, qui était parfaite, le bébé le plus parfait qui ait jamais existé. Il y avait de l'argent, pas beaucoup, mais assez, et elle avait même une bonne amie en la personne de Natalie. Il ne manque plus qu'un chien, se dit-elle. Ce serait amusant.

Elle s'étira et regarda ses bras. Elle était vraiment en meilleur état que Natalie. Les femmes avec des formes naturelles qui arrivaient à les garder dans des proportions raisonnables ne devenaient jamais décharnées et sinistres. Non que Natalie le fût – pas encore. Mais cela ne tarderait pas. Harriet s'autorisa une petite bouffée de triomphe. Aujourd'hui, elle allait se laver les cheveux quatre fois pour que la teinte rouge devienne un reflet cuivré acceptable. Et pourquoi avait-elle fait une telle bêtise avec ses cheveux? Comme cela lui ferait du bien de confier sa tête à un grand coiffeur qui réglerait le problème à sa place. Pour l'instant, elle allait faire ce qu'elle pouvait, et au moins acheter un jean neuf et deux hauts en coton. Après, elle cuisinerait quelque chose de délicieux pour ce cher, cher Jake, qui en avait tant supporté, et elle laverait le sol de la cuisine.

Dommage qu'elle ne pût sortir dépenser une fortune en vêtements, regretta-t-elle. Elle avait le sentiment qu'elle pouvait avoir beaucoup de style, mais qu'elle s'était empêchée de le montrer. Parfois, elle pouvait être merveilleuse; trop souvent elle ne l'était pas. A l'avenir, elle allait courir les friperies pour être élégante à peu de frais.

Jake entra, l'air sombre, mais quand il la vit, son visage s'éclaira d'un de ses rares vrais sourires.

– Oh, mon Dieu, tu es transformée! J'ai retrouvé mon Harriet.
– Je me sens à nouveau moi-même. Je vais me lever, dit-elle en sortant les jambes des draps.
Mais il l'arrêta.
– Non, pas question, vas-y doucement. Je ne veux plus que tu retombes malade.
– Mais je vais vraiment beaucoup mieux. Et j'ai faim!
– Pas étonnant, tu n'as pris que quelques bols de soupe ces derniers jours.
Il s'assit sur le lit et la regarda. Elle leva la main et lui toucha les lèvres du bout des doigts.
– Tu es tellement gentil avec moi, dit-elle doucement.
Le visage de Jake se fripa et il se cacha les yeux de la main.
– Non, non! dit-elle en tendant les mains.
Elle aurait voulu le prendre par les épaules et sentir ses muscles rouler contre ses paumes, mais elle n'y arriva pas. Il avait les épaules d'un homme beaucoup plus grand.
– Je suis désolé de ce que je t'ai fait, dit-il d'une voix épaisse.
– Tu ne m'as rien fait! protesta-t-elle en riant d'un rire léger et joyeux.

Dans le jardin, les roses étaient emprisonnées dans des ronces. Harriet en coupa plusieurs dont les pétales commençaient déjà à tomber. Elle remarqua que l'herbe perdait sa fraîcheur et que les feuilles des arbres semblaient fatiguées et ternes. C'est la fin de l'été, se dit-elle en ramassant une mûre précoce, encore un peu trop rouge, mais sur le point de noircir.
Le bébé jouait sur le petit carré de pelouse qu'ils avaient coupé, juste un espace de terre et de mauvaises herbes, en fait. L'an prochain, ils auraient une vraie pelouse, une pataugeoire et un bac à sable, décida Harriet, et l'année d'après un portique, et peut-être, un jour... un autre bébé. La journée avançait, non plus menaçante mais pleine des promesses des bonnes choses à venir.
Le dîner était presque prêt, une fricassée de poulet avec des pommes de terre nouvelles et des petits pois. Jake était encore au hangar alors que tous les autres étaient déjà rentrés chez eux, et Natalie... Où était Natalie? Harriet prit Victoria, qui avait enfin sommeil, et l'emmena à l'étage pour la mettre au lit. Pour une fois, l'enfant ne s'y opposa pas, alors qu'elle protestait au moins dix minutes d'habitude. Harriet profita de cette

chance pour descendre tout doucement, traverser le jardin et aller au hangar.

Tout était calme. La porte s'ouvrit sans bruit sur ses gonds bien huilés. La coque du bateau la surplombait, beaucoup plus grande qu'il n'y paraîtrait une fois dans l'eau. Dans un mois, ils auraient fini. Ils pourraient mettre le bateau à l'eau et terminer les finitions intérieures et le gréement. L'argent empoché, ce serait la fin des économies et des restrictions, il y aurait d'autres commandes, et Jake pourrait choisir lesquelles, tout cela avant même que le premier bateau ait fait ses preuves. Comme ce serait bon de pouvoir à nouveau dépenser, ne plus s'inquiéter du prix des biscuits ni se demander si on pouvait manger de la viande tous les jours. Elle entendit des voix étouffées par la coque et avança avec précaution, évitant poutres de soutien et cordages. Jake et Natalie. Elle ouvrit la bouche pour les appeler, mais la referma.

– Viens, bête d'amour, disait Natalie d'une voix grave et passionnée. Tu sais ce que je veux. Harriet n'en saura rien. Tu me dois bien ça, salaud.

– Arrête, tu veux? répondit Jake d'une voix dure. Elle va mieux maintenant, et je ne veux plus. Je ne dis pas que je n'ai pas apprécié, mais c'est fini.

– Elle m'a remplacée?

– Tu sais que je ne veux pas la brusquer.

– Alors, tu ferais mieux de passer le temps ailleurs...

Rage pure, douleur glacée, Harriet était étouffée par une boule dans la gorge. Mais Jake allait l'arrêter, bien sûr. Il ne pouvait pas, il ne voudrait pas... Est-ce qu'il avait...?

– Oh, au diable! dit-il en riant. Penche-toi sur le bastingage, salope en chaleur.

Elle les vit, Natalie nue, Jake derrière elle qui souriait. Elle les regarda jusqu'au bout. Puis Jake s'essuya les mains sur son pantalon.

– Bon, j'en ai pour dix minutes. Dis à Harriet que j'arrive.

– D'accord. Tu devrais mettre le chauffage, ici, il y fait trop froid.

Le cœur battant, Harriet revint vers la porte. Elle ne supportait pas l'idée qu'ils sachent qu'elle les avait vus; son humiliation serait trop totale. Comment avaient-ils pu, comment... Prétendre qu'ils s'inquiétaient pour elle, et en même temps... Et ils étaient tous les deux tellement à l'aise. Etait-elle la seule à y attacher une telle importance? Jake dirait probablement que c'était sa faute, parce qu'elle était malade. Comment osait-il? Elle était rongée par une rage froide, meurtrière.

Quand ils rentrèrent, d'abord Natalie, puis Jake, sans la moindre indication de la moindre trace de culpabilité, elle les accueillit avec le sourire.

– Vous devez être fatigués. Venez dîner.
– Merci, ma chérie. Ça sent délicieusement bon.
Il lui entoura la taille de son bras et l'embrassa dans le cou. Elle ne put faire mieux qu'éviter de lui planter un couteau entre les côtes.
– Et toi, Natalie, qu'as-tu fait cet après-midi?
– Oh, rien de particulier. J'ai vu le boulanger. Il laissera une miche de plus demain. Et si on allait faire des emplettes le matin?
– On annonce de la pluie. Pourquoi ne pas décider demain?
Natalie et Jake se regardèrent. Elle était agitée et souriait trop. Et si elle rechutait?
– Et si on allait prendre un verre dehors ce soir? dit Jake. Natalie peut garder la petite.
– Non, merci, dit Harriet. Je préfère me coucher tôt.
Tandis que Jake dormait d'un sommeil agité près d'elle, sa jambe le faisant souffrir, et c'était bien fait, Harriet ne dormait pas et s'organisait. Elle aurait sa revanche, que oui! Jamais elle n'avait eu davantage d'arguments. Elle avait vendu le tableau pour lui offrir son chantier, elle avait utilisé son corps pour lui donner un bébé. Qu'il se débrouille sans elle! Qu'il voie un peu ce que c'était sans elle, et s'il installait cette salope de Natalie à sa place, elle reviendrait et la tuerait d'un coup de poignard dans le cœur. Elle se rendit soudain compte qu'elle avait mal aux paumes. Elle regarda et vit qu'elle y enfonçait ses ongles. Au matin, Harriet avait les yeux gonflés.
– Passe une bonne journée, ma chérie, dit Jake. Ne te fatigue pas à cuisiner, je ramènerai du poulet frites ce soir.
– D'accord, dit-elle d'une voix terne.
Il lui déposa un baiser sur le front.
– Je déteste te voir triste. Qu'est-ce que je peux faire pour te rendre heureuse?
– Rien, dit-elle franchement.
Elle s'écarta de lui et Jake la suivit des yeux. C'était sa première vraie parole de la matinée, et Jake reçut un choc. Pouvait-elle savoir? Il se maudit, et ce n'était pas la première fois, pour ce désir auquel il ne savait pas résister. Dans ces moments-là, il aurait préféré mourir que renoncer à ce qui s'offrait à lui.
– Je vais demander à Natalie de partir aujourd'hui, dit-il.
Harriet se retourna et lui jeta un regard meurtrier.
Quand Jake fut dans son hangar, Natalie n'étant pas encore réveillée, Harriet rassembla ses affaires et celles de Victoria et les serra dans un grand fourre-tout. Puis elle prit le carnet de chèques de leur compte joint et le glissa dans la poche de son

anorak, tout en récapitulant mentalement les horaires du ferry. Elle voulait être loin avant l'heure du déjeuner. Comme une automate, elle disposa les miettes du petit déjeuner sur le rebord de la fenêtre pour les oiseaux qui venaient chaque jour, étendit le torchon pour qu'il sèche, balaya les feuilles et les brins d'herbe qui jonchaient le sol. Il croirait qu'elle était juste allée faire des courses.

Un mur de douleur l'écrasa quand elle ferma la porte derrière elle. Elle resta un instant immobile, inspirant profondément et calmement. Cette maison n'avait jamais été la sienne, elle ne l'avait jamais aimée. Elle ne pleurerait pas un bonheur qui n'avait jamais existé, qui n'aurait jamais pu exister. Elle se souviendrait du mal qu'on lui avait fait, jamais elle ne s'autoriserait à l'oublier. Elle se mit en route d'un pas décidé, le sac en équilibre sur la poignée de la poussette, et traversa le champ.

A la banque, l'employé fut stupéfait.

– Vous voulez retirer dix mille livres, madame Jakes? Cela va ramener le compte à la limite du crédit accordé à votre mari. Je ne suis pas certain que ce soit raisonnable.

– Moi si. J'en veux chaque penny.

– En règle générale, nous demandons à être prévenus à l'avance de retraits aussi importants...

– Je suis certaine que vous avez au moins ça en caisse.

– Oui... Si vous voulez bien attendre quelques instants.

Il disparut dans une autre pièce. Harriet sentit les battements de son cœur s'accélérer. Et s'il appelait Jake? Mais c'était son argent à elle, il lui avait toujours appartenu. Jake le lui devait et elle allait le prendre.

Dans le hangar, Jake répondit au téléphone avec son habituel « Oui? » brutal. Tandis qu'il écoutait, son visage se figea et perdit toute couleur.

– Je vois, dit-il au bout d'un moment. C'est très bien. Oui, donnez-lui l'argent. Je sais, je sais. Je ne suis pas idiot à ce point! Je ne peux pas parler maintenant. Vous pouvez faire ce que vous voulez avec votre foutu prêt, mais donnez-lui l'argent, bon sang!

Il raccrocha violemment et resta planté, les yeux dans le vague.

– Mais qu'est-ce que t'as? se plaignit Mac qui essayait d'attraper un dossier.

– Il faut que je sorte, dit Jake de la même voix désagréable. Il est arrivé quelque chose. Quel idiot j'ai été!

Il sortit, se cognant l'épaule à l'embrasure de la porte, titubant comme un homme ivre, malade ou mourant.

Elle s'était assise dehors pour regarder arriver le ferry. Dans une demi-heure, elle serait partie, et c'était partir qui comptait, pas savoir où elle irait. L'argent faisait une bosse dans la poche de son anorak. Curieusement, elle se moquait même qu'on le lui vole, tout ce qu'elle voulait, c'était que Jake sache combien elle était en colère. Quelqu'un arriva et s'assit près d'elle. Elle ne regarda pas qui c'était.

– Papa, papa, dit Victoria.

– Tu étais dans le hangar, hier soir, dit-il.

– Oui.

– Je lui ai déjà dit de partir.

– Un peu tard, si tu veux mon avis. C'est la banque qui t'a prévenu ?

– Oui. L'argent est à toi, tu peux en faire ce que tu veux. Mais je veux t'expliquer. Et m'excuser.

– Je ne crois pas que dire que tu es désolé résoudra quoi que ce soit, dit-elle en le regardant soudain. Vous l'avez fait pendant tout le temps où j'étais malade, hein ?

– Oui, aussi souvent qu'on a pu. Et ce qui me fait le plus honte, c'est que je me fous de Natalie, et que je t'aime. Je voulais que tu le saches.

– Drôle de façon de le montrer, dit-elle.

Elle pleurait, et elle aurait à tout prix voulu éviter cela. Elle s'essuya furieusement les yeux.

– Pourquoi l'as-tu fait ? Tu n'étais pas obligé !

– Mais si ! Tu ne sais pas ce que c'est, tu ne sais pas... Essaie de te mettre à ma place, ma chérie. Construire un bateau, ça va, ça m'est égal, c'est un bon moyen de gagner sa vie, mais chaque jour ressemble au précédent, et les seules distractions, c'est quand quelqu'un se trompe dans la lecture du plan. C'est affreusement monotone, Harriet ! Et j'ai pensé – je pense – que je vais perdre cette jambe, dit-il en soupirant pitoyablement. C'était une dernière folie avant que je sois vieux, avant que je sois infirme, avant que je sois si fatigué et si sénile que je ne puisse plus le faire. Ça n'arrivera plus jamais. Je t'ai dans mon lit, je n'ai pas besoin de Natalie.

– Tu ne m'auras plus dans ton lit, dit froidement Harriet. Je ne pourrais pas le supporter, pas après t'avoir vu avec elle. Jamais je n'oublierai.

– Bien sûr que si !

Il posa la main sur son bras et elle le repoussa brutalement.

– Ne me touche pas ! Va peloter Natalie, si ça t'amuse. Je ne suis que la pauvre Harriet sans intérêt à qui on peut demander n'importe quoi. Ça ne te gêne pas que je sois là, ni Victoria, mais tu ne veux pas de nous ! C'est juste que tu as peur de perdre ce qui est à toi. C'est comme ton foutu bateau, le *Fuite rapide*. Tu as préféré sauver cette coque de noix plutôt que de rester avec moi. Tu fais tout passer avant moi, tout!

– Je savais que tu n'avais pas oublié ça. Peu importe le nombre de fois où je t'ai dit que je n'ai pas voulu partir, tu croiras toujours que je l'ai fait exprès. Tu pensais à ça quand on faisait l'amour, c'est ça?

– Oui, dit-elle en léchant ses lèvres sèches. Et au fait que j'étais seule pour mettre au monde ton bébé. Et à... des choses que m'a faites le vieux. Je veux être indépendante.

– Oh, Seigneur, dit Jake qui refoulait ses larmes.

Le ferry accostait et une cacophonie de moteurs, de cordages et de cris ébranla l'air.

– Tu vas y perdre, dit-il en luttant pour se contrôler. Tu vas être misérablement seule.

– C'est mieux que rester et se dire qu'on est du deuxième choix.

– Toi, du deuxième choix? La première fois que je t'ai vue, j'ai cru que tu étais la fille d'un millionnaire! Tu as plus de beauté et de courage que n'en mérite n'importe quelle femme, mais tu es tellement têtue! Pourquoi ne pas ravaler un peu de ta fierté pour gagner beaucoup d'amour?

Elle se leva et installa Victoria sur sa hanche.

– Parce que je crois que ton amour ne vaut pas grand-chose. Tu veux que je te rende l'argent? Je n'ai pas besoin d'autant, dit-elle en pliant la poussette d'une main experte.

– Bien sûr que non! Tu peux tout avoir. Je mettrai tout à ton nom et je recommencerai à zéro, mais, s'il te plaît, Harriet. Non... Je ne peux pas y arriver sans toi.

Il serrait les poings dans ses poches, le visage tourné. Tous ses amis peuvent le voir, se dit Harriet, ils vont tous voir sa douleur. Comme il serait facile de rentrer à la maison maintenant, de couper des roses, de ranger la cuisine et... la chambre de Natalie. Elle le revit, souriant sur cette femme dont le corps se tordait.

– Il faut que je parte, dit-elle d'une voix étranglée. Dis au revoir à Victoria.

– Dis-moi au moins où tu vas. Je viendrai te voir. Je ne... Harriet, je t'en supplie! Sur cette île, c'est *toi* qui m'as quitté. Je t'ai dit que je ne pouvais pas maintenir le bateau à cet endroit. Dis-moi... écris-moi et dis-moi.

A un mètre de lui, les cheveux comme un nuage autour de son visage livide, elle le regardait. Il la connaissait si bien, il savait qu'elle ne tenait le coup que grâce à la rage qui l'habitait. Il n'y avait rien de plus à dire. Il desserra les mains et reprit conscience de sa jambe.

– Au revoir, Jake.

Il la vit monter à bord avec tous ses fardeaux, refusant qu'on l'aide comme si on l'insultait. Qu'allait-il lui arriver quand sa colère s'adoucirait et qu'elle se retrouverait seule dans un lieu étranger et hostile? Pourquoi fallait-il toujours qu'elle se fasse du mal? Elle le regardait du haut du pont. Le bébé leva son petit bras potelé et dit « Ava, ava, ava », à son père. Il ne put en supporter davantage. Etouffé de sanglots, il tituba jusqu'à la camionnette.

Mac entendit le fracas au retour de la camionnette. Son visage se crispa.

– Les plantations de Harriet? demanda-t-il calmement quand Jake entra comme un fou.

– Non, cette foutue porte d'entrée. Et c'est aussi la fin pour cette petite chose!

Sous le regard stupéfait de Mac et de deux ouvriers, il saisit une barre de fer et frappa de toutes ses forces contre le flanc de la coque. Construite pour supporter d'énorme pressions, elle résista vaillamment.

– Merde, dit Jake en entreprenant de faire tomber un des étançons qui la soutenaient.

– Qu'est-ce que tu fais, vieux? demanda Mac d'une voix tremblante. Tu as perdu la tête?

– Si c'est le cas, je ne chercherai pas à la retrouver. Cette coquille de noix va finir ses jours ici même. Je ne veux pas la voir à l'eau, c'est un bateau maudit!

Il réussit à faire sauter un des étançons et la coque fut ébranlée. Les hommes se rassemblèrent, pas très sûrs qu'il était sérieux, attendant de voir la conclusion de cette plaisanterie.

– Jake, réfléchis un peu. C'est Harriet? La gamine?

Mac décrivit un arc de cercle pour éviter de prendre la barre de fer dans la tête. Il savait bien que Jake, dans une telle colère, était capable de n'importe quoi. Et c'était plus qu'une colère. C'était la peine, la douleur, la honte de soi.

– Faites pas ça, patron, supplia un des gamins qui imaginait déjà son œuvre défiant les tempêtes, j'ai passé des heures sur ce bateau.

Jake se tourna vers lui, son arme brandie.

– Des heures! *Tu* as passé des heures! J'ai passé ma vie à rêver de ça. J'ai mis tout ce que j'ai jamais appris dans ce bateau, et il est là, concentré de tout ce que je vaux, attendant de faire ses preuves. Je ne quitterai pas ce hangar avant qu'il soit réduit à un tas d'allumettes.

Le gamin recula et Mac prit sa place.
– On te laissera pas faire. C'est aussi notre bateau.
– Tu parles! Et comment vous allez le faire quand la banque va couper les fonds? Il faudra bien que quelqu'un paie.
– Le bateau est presque terminé. On sera payés dans quatre semaines. Laisse-le, Jake. Le casser ne réglera rien. Allons parler à Harriet.
– Harriet m'a quitté! dit Jake en se retournant d'un bloc. Sors de mon chemin!
– Arrêtez-le, les gars! ordonna Mac.
Mais Jake se débarrassa des mains qui l'approchaient, attaqua un nouvel étai et le délogea. Cette fois, la grosse coque bascula.
– Elle va tomber sur toi! dit Mac en reculant de peur devant les oscillations terribles de la coque.
– Je l'espère bien! rugit Jake.
Encore un coup, et le bateau plongeait du nez, à peine en équilibre. Les hommes se mirent à crier :
– Sortez de là-dessous, patron, il va vous tuer!
Jake rit et resta immobile, levant les yeux vers sa création qui se balançait au-dessus de lui.
– Viens, viens, mon bébé, appela-t-il.
Et le bateau tomba. Jake eut un moment de soulagement exquis parce qu'une douleur insupportable allait être extirpée de son cœur.
Mac profita de cette seconde d'inattention pour saisir Jake par le col et le tirer en arrière avec une force née de la terreur. Le bateau ne tomba pas de très haut. Il se coucha sur le côté, tout un fatras d'équipement et d'outils dégringola avec lui. Deux hommes furent pris dans les cordages. Une bonbonne de gaz roula jusqu'à eux.
– Pauvre crétin, dit Jake. Tu crois toujours que c'est toi qui as raison.
– Je sais quand tu es cinglé. Il va falloir trouver une grue pour le relever.
Mac ébouriffait ses cheveux pour en retirer la poussière. Les hommes restaient les uns près des autres, marmonnant, les regardant. Une brève bouffée de colère anima Mac.
– Pourquoi est-ce que tu ne peux jamais rien terminer? Pourquoi tu gâches toujours tout?
Toujours par terre, Jake pressa sa joue dans le mélange de peinture et de graisse qui recouvrait le sol.
– Je ferais autrement si je pouvais.
– Oh, ouais! C'est ta faute, si elle est partie. Tout ce mal que tu t'es donné pour l'avoir, une fille pareille, intelligente, belle. J'ai cru que t'étais un peu plus sensé, pour une fois. Mais j'ai

même pas à deviner ce qui est arrivé, parce que c'est toujours la même connerie. Harriet a de la chance d'être débarrassée de toi !

– Tu crois que je ne le sais pas? dit Jake en se frottant à nouveau par terre.

– Tu peux te lever, non?

– Pas vraiment, articula péniblement Jake. En fait, il y a un bout d'os et une tige de métal qui sortent de ma cuisse.

22

La ville commerçante de Markham est située au pied des dunes, à quelques kilomètres de la côte. On y trouve une place du marché et bien des bâtiments historiques qui abritent aujourd'hui des boutiques d'artisanat ou d'antiquités, destinées aux estivants. Au nord, la ville nouvelle, endommagée par les bombardements pendant la guerre, a été reconstruite. Elle est d'une laideur uniforme. Mais c'est à l'ouest, dans le quartier des terrasses édouardiennes, que Harriet chercha une chambre. Personne ne voulait d'enfant.

La journée devenait fraîche. Partout les gens rentraient chez eux, on allumait les lampes et on préparait à dîner. Deux petites filles sortirent en courant d'une maison. Jamais de sa vie, Harriet ne s'était sentie aussi exclue. Le petit hôtel où elle avait passé les deux nuits précédentes n'était ni bon marché ni particulièrement accueillant. Elle n'avait fait accepter la présence de Victoria qu'en prenant la plus mauvaise chambre, un espace étouffant dont elle ne pouvait ouvrir la fenêtre de crainte de voir Victoria tomber. Elle n'osa pas brancher la bouilloire électrique, seule concession au confort, parce qu'elle était posée en équilibre précaire sur la coiffeuse, cinq centimètres au-dessus de la tête de Victoria. Sur la table, la nappe était trouée. Les nuits dans ce lieu la déprimaient à tel point qu'elle cherchait avec un zèle farouche un endroit où s'installer.

Elle était fatiguée maintenant et, sur la rive, dans la pénombre, elle s'assit un instant pour regarder les canards qui remontaient la rivière avec la marée, bavardant à l'occasion. Bientôt ils se retrouveraient dans des lieux plus sûrs où ils pourraient vivre paisiblement, loin des caprices de l'Océan. Certaines personnes sont des canards et d'autres non, se dit-elle. Il valait mieux savoir à quoi s'en tenir.

Maintenant qu'elle était plus calme, elle s'interrogeait sur sa stupidité. Jake n'était pas le genre d'homme à vivre sans excitation, et elle s'était montrée très peu excitante. Elle pensa à Natalie. Il était difficile de savoir si on pouvait la blâmer de s'être conduite comme d'habitude, comme on aurait dû prévoir qu'elle se conduirait. La gentillesse de Natalie désarmait tout soupçon, même si vous saviez la vérité. Ses besoins sexuels avaient toujours été énormes. C'était étrange, comme chacun attendait que son partenaire soit fidèle – mais pas lui : ce que je fais est compréhensible, ce que tu fais est impardonnable. Soudain Harriet se sentit heureuse d'en être sortie. Elle en avait terminé avec le sexe, elle ne nagerait plus dans ces eaux-là. Si elle niait son désir, il s'atténuerait, et elle pourrait être heureuse, toute seule, avec Victoria.

Elle se leva, décidée à se rendre aux deux dernières adresses qu'elle avait notées avant de rentrer à son hôtel inconfortable. Le 6 Lincoln Villas était la première. L'homme de l'office du tourisme avait dit que c'était en général un foyer d'étudiants, mais qu'elle pourrait avoir une chance. Aiguillonnée par la fraîcheur de cette soirée d'été typiquement anglaise, elle fonça dans les rues.

Une grande dame aux cheveux gris, portant un collier de perles de verre et un pantalon orange, vint lui ouvrir.

– Entrez, entrez, quelle adorable petite fille! Oh, dites-moi que vous voulez une chambre! Je lis un courage tragique sur votre visage. Tout ce qu'on vous demande, c'est de payer, de payer régulièrement. Vingt-cinq livres par semaine, d'accord?

– Est-ce que je pourrais voir la chambre? demanda Harriet, un peu désarçonnée par cet accueil.

Tous les autres avaient été si méfiants, si fermés, tellement inaccessibles à toute tentative de persuasion... Ils les avaient vues arriver et repartir avec haine. Ils détestaient les gens qui louaient des meublés, surtout les jeunes femmes seules avec enfant.

– Appelez-moi Iris, dit la dame aux cheveux gris. Dodie! Dodie! Où est la clé pour la chambre du haut?

Elle disparut dans sa propre chambre pour appeler cette Dodie inconnue. Harriet regarda le hall. Il n'avait hélas pas d'autre décoration que des bouquets de fleurs séchées ici et là et un carillon suspendu en bas de l'escalier, juste à la bonne hauteur pour qu'on le prenne en pleine figure. Un jeune homme boutonneux descendit en bondissant et évita les clochettes avec une aisance due à une longue pratique.

– Salut! dit-il avant de disparaître dans la rue, laissant à Harriet le soin de refermer la porte.

Iris reparut, suivie de Dodie, plus petite, plus ronde, avec des perles, elle aussi, mais en plus, une clé.

– On adore les bébés! déclara-t-elle, n'est-ce pas, Iris?

– Tous et chacun, déclara Iris. Il nous arrive même d'aller nous promener à la maternité. Il y a en ce moment un petit bébé noir avec un bonnet rose qui pourrait faire pleurer un ange. Mais quel trésor vous avez là! dit-elle en sortant Victoria de sa poussette pour la porter dans l'escalier. Harriet les suivit avec une légère appréhension. Etait-elle entre les griffes de voleuses d'enfants?

Elles montèrent quatre étages de plus en plus miteux. Cela sentait l'humidité et... quelque chose qui lui rappela le cottage, sans qu'elle l'identifiât immédiatement. Mais la chambre était immense, réunion de plusieurs petites pièces, probablement. Un lit double, une grande armoire, plusieurs fauteuils défoncés et une table laissaient encore beaucoup d'espace.

– Nous avons un berceau qui ira parfaitement dans l'alcôve, promit Dodie.

– Vous avez votre propre réchaud à gaz. La salle de bain est à l'étage en dessous, mais cela vous assure une certaine intimité : vous serez la seule en haut, vous comprenez.

– Oui, oui, dit Harriet en rassemblant tout son courage. Cela me semble très bien. Je la prends.

– Dieu merci! s'exclama Dodie, radieuse.

– Les feuilles de thé nous avaient prédit une bonne journée, déclara Iris. Vous pouvez payer, n'est-ce pas? C'est très désagréable de demander, mais...

– Voulez-vous une semaine d'avance?

Elles protestèrent, mais mollement.

Harriet s'installa dès le lendemain matin, achetant à manger et quelques affiches pour couvrir les taches du papier peint. Elle était bien décidée à ne pas dilapider son argent, puisqu'elle n'avait aucun moyen de savoir comment en gagner plus. Tout à coup, elle se sentit très fatiguée. Iris et Dodie s'occupaient de Victoria pendant qu'elle s'organisait, et elle en profita pour s'effondrer sur le lit, laissant l'épuisement envahir son corps. Quelques larmes filtrèrent sous ses paupières closes. Si Jake était là, ce serait une aventure, se dit-elle. Il pourrait tout arranger, rien que par sa présence. Comme il lui manquait! Une douleur tenace la saisit à nouveau, comme de l'eau de mer; la première fois, c'était à Corusca, et maintenant, ici. L'impression était la même, seul le lieu était différent.

Elle se remémora tout ce qui en lui la mettait en rage : ses humeurs, son côté tête de cochon, sa façon de croire que ce qu'il voulait pour vous était forcément ce que vous vouliez aussi, et surtout, son infidélité. Mais il était Jake, et on n'avait rien à ajouter. Elle sut soudain avec certitude qu'elle n'aurait jamais pu mener la vie qu'ils avaient prévue, parce qu'il était une flamme qui brûlait tous ceux qui s'approchaient trop de lui. Si l'on ne dégageait pas une lumière aussi brillante que la sienne, on était consumé. Dans sa vie, il y avait lui-même, en premier, toujours, et même s'il vous aimait, il ne lui restait guère d'amour à donner. Curieusement, elle était pourtant certaine qu'il l'aimait, mais ce qu'il aimait en elle, il l'anéantissait méthodiquement.

Ses larmes séchèrent en taches de sel, ses yeux étaient secs et grands ouverts. Dans un moment, elle irait chercher Victoria. Demain, elle réfléchirait aux moyens de gagner sa vie. Elle laisserait passer pas mal de temps avant d'écrire à Jake.

Dans leur jeunesse, Iris et Dodie étaient superbes et compétentes. Il fallait oser, à l'époque, s'afficher en couple de lesbiennes, et elles avaient même devancé la mode en défendant les baleines et en manifestant contre le nucléaire. Les temps avaient changé, et le monde les avait rattrapées pendant une période, quand elles avaient participé aux grandes marches pour la paix et l'amour. Quelques pirouettes de plus et le monde continua son chemin vers le capitalisme, la croissance et l'économie de marché, et aussi les émeutes et les familles noires effrayées s'entassant dans des immeubles en ruine. Iris et Dodie furent abandonnées en route. Elles ne savaient pas participer au stress du nouveau style. Le « stress », en fait, leur était inconnu : enfermées dans un argot d'un autre âge, piégées dans des normes qui ne s'appliquaient plus, elles trouvaient de plus en plus difficile d'y arriver, elles qui s'en étaient toujours sorties seules. La perplexité ne cadrait pas avec l'image qu'elles avaient d'elles-mêmes ni avec l'image de compétence qu'elles offraient encore aux autres, bien longtemps après que sa substance eut été épuisée.

Le premier matin, alors que le bébé était grognon et que la dépression tirait encore Harriet par le coude, Dodie frappa à la porte.

– J'ai apporté quelques petites choses pour Victoria. J'ai pensé que vous n'étiez pas encore bien organisée.

Elle déposa ses offrandes de muesli et de petits pains sur la table, puis s'installa dans un des fauteuils, croisant les mains en un geste presque monastique. Harriet lui adressa un sourire gêné. Elle ne se sentait pas en état de recevoir des visites.

– Nous sommes tellement contentes que vous soyez là, dit Dodie. Nous avons eu des locataires si déplaisants, ces derniers temps – il y en a même eu un qui sniffait de la colle, au dire d'Iris. On apprend à tolérer le bruit, mais il y a des choses...

dit-elle en frissonnant de façon expressive. Et, bien sûr, il n'a pas payé.

– Cela doit arriver trop souvent, dit nerveusement Harriet dont la tête était si lourde qu'elle se demandait si elle n'allait pas avoir la grippe.

– C'est bien vrai. Et jamais ceux qu'on pourrait soupçonner. Bien sûr, de nos jours, les étudiants n'ont pratiquement pas d'argent, et on ne peut pas les jeter à la rue quand ils sont dans les ennuis, n'est-ce pas? C'est pourquoi nous sommes un peu fatiguées des étudiants.

– Avez-vous de réels ennuis? demanda Harriet qui n'était pas d'humeur à tourner autour du pot.

D'une voix plus basse, Dodie expliqua :

– J'en ai bien peur, ma chère. Iris dit qu'il va falloir vendre. On n'arrive plus à payer les factures, et M. Briggs, à la banque, dit que nous n'avons pas le choix. Iris a pensé que nous pourrions mettre le feu, parce que bien sûr personne n'a envie d'acheter. Mais, ma pauvre, une villa des terrasses! Et M. et Mme Singh qui vivent juste à côté! Non, impossible de prendre un tel risque.

– Effectivement, dit Harriet. Et puis on vous soupçonnerait.

– Et pourquoi? On aurait mis la maison en vente, et il n'y aurait plus de locataires... Mais, mon petit, vous n'avez pas l'air très en forme. Parlez-moi un peu de vous.

Harriet donna à Victoria un des petits pains et l'enfant se mit à le grignoter d'un air pensif. Que pouvait-elle dire?

– Je me suis séparée de mon mari. Il m'a donné de l'argent, si bien que vous n'avez pas à vous en faire pour le loyer. Mais je dois trouver un travail, parce que cette somme ne durera pas éternellement, et aussi parce que je deviendrais folle si je restais toute la journée à ne rien faire et à penser à... des choses, dit Harriet en se levant.

– Si vous voulez que nous nous occupions de Victoria, proposa Dodie, nous en serions tellement heureuses! De toute façon, si vous travaillez et que vous gagnez de l'argent, alors peut-être – c'est odieux de parler d'argent quand bien sûr elle est un trésor en elle-même – mais peut-être...

– J'y réfléchirai. Et puis, ne voulez-vous pas d'abord en parler avec Iris?

– Mais nous en avons parlé! dit Dodie en se levant. Nous avons eu tellement de chance de nous trouver toutes les deux, il y a maintenant de si nombreuses années! On ne peut jamais arriver à une totale compréhension avec un homme. Ils ont des priorités différentes des nôtres, dans la vie. En fait, je n'ai jamais rencontré d'homme capable d'un véritable altruisme, alors que c'est courant chez les femmes. Si vous désirez davantage de muesli, demandez-nous, Harriet chérie, nous le faisons nous-mêmes. Il paraît que le muesli du commerce contient des colorants, ce qui est un scandale absolu. Iris et moi sommes très inquiètes.

– Je vous comprends, dit faiblement Harriet.

Dodie partit enfin. Harriet s'effondra dans le fauteuil que sa visiteuse venait de libérer et se pressa le front du bout de ses doigts. Rien ne se passerait avant qu'elle trouve un travail, c'était maintenant son besoin le plus pressant. Si Dodie et Iris étaient prêtes à garder la petite, cela lui permettrait de chercher un travail de jour, au lieu d'être serveuse de bar, ou Dieu sait quoi, et de payer une baby-sitter. Elle regarda Victoria si fixement que l'enfant commença à pleurer. Harriet la prit dans ses bras, savourant la douceur des cheveux du bébé contre sa joue, le petit derrière potelé sur ses genoux. Jamais elle ne serait complètement seule, cet amour-là durerait toujours.

– Tu n'as pas besoin de lui, et moi non plus, murmura-t-elle d'un ton de défi. Il n'avait pas besoin de nous, sinon il aurait été différent.

Dans une petite ville comme Markham, il était difficile de trouver du travail. Elle se présenta comme dactylo, mais rata les tests, parce que cela faisait un an qu'elle avait touché une machine à écrire pour la dernière fois – et qu'elle n'avait jamais été très bonne. Cela lui laissait la possibilité d'être serveuse dans un restaurant ou un bar, mais le patron du café voulait de l'expérience, et celui du pub lui tâta les seins. Pendant quinze jours, elle tint boutique, jouissant d'un splendide isolement derrière le comptoir d'une vieille blanchisserie qui ferma après avoir été vendue à une chaîne de laveries automatiques.

– Vous auriez pu me prévenir, se plaignit Harriet. Vous auriez pu me dire que ce ne serait pas durable.

– Vous avez été très bien, dit le propriétaire pour s'excuser.

Mais elle n'avait pas été très bien, elle s'était ennuyée à mourir, à tel point qu'il lui avait fallu d'immenses efforts pour faire même le peu qu'on lui demandait – ménage à la va-vite, caisse qui ne tombait jamais juste...

La prochaine fois, je ferai quelque chose d'intéressant, se promit-elle, et elle se demanda ce qui l'avait intéressée ces derniers temps. Sa maladie et sa séparation d'avec Jake avaient rempli sa vie, excluant tout le reste. Qu'aimait-elle faire? Regarder des tableaux, murmura-t-elle doucement. Elle s'était toujours sentie bien dans les musées; un de ses rares plaisirs à Corusca avait été les superbes œuvres d'art de son mari, et maintenant, elle était presque une experte. A Corusca, elle avait vu ce qu'il y avait de mieux, et elle avait beaucoup appris, ajoutant l'expérience à plusieurs strates de connaissances acquises au fil des années grâce à l'intérêt qu'elle portait à l'art. Dans le passé, elle avait souvent emmené sa mère dans les musées l'après-midi, et lu le soir tout ce qu'elle trouvait sur ce qu'elle avait vu. Elle devait bien pouvoir utiliser ces connaissances. Peu de gens avaient dû vivre comme elle entourés d'autant de tableaux sans prix.

Prenant son courage à deux mains, elle ouvrit la porte de la plus grande galerie d'art de Markham, une jolie boutique à la devanture dans les bruns et crème, pleine de scènes de chasse et d'études de chiens vendues très cher.

– Puis-je vous aider ?

La question était plutôt hautaine, parce qu'elle portait son uniforme de travail, jupe bleu marine, blouse blanche et talons plats. Le propriétaire, lui, arborait une veste de tweed de bonne coupe, avec une pochette pourpre, pour montrer qu'il travaillait dans un milieu d'artistes. Entre deux âges, il avait l'air de s'ennuyer, et méprisait visiblement ceux qui n'étaient pas assez riches pour acheter ses tableaux.

Harriet leva le menton. Dans son esprit, la cape des Hawksworth descendit sur ses épaules.

– Je cherche un travail, dit-elle d'une voix claire. J'ai de grandes connaissances en art, et j'aimerais quelque chose d'un peu plus stimulant que juste vendre dans une galerie. Je me demandais si vous auriez besoin de mes services, ou si vous connaîtriez quelqu'un dans ce cas.

– Désolé, répondit froidement le vendeur.

– J'aimerais que vous le soyez, dit Harriet avec une certaine irritation. Je vous assure que je sais de quoi je parle.

L'homme soupira. Elle ne lâcherait pas prise, et sa tasse de thé refroidissait.

– Quel est le faux dans cette pièce ? demanda-t-il. Montrez-le-moi.

Harriet regarda autour d'elle, et fronça le nez devant les toiles mièvres.

– J'imagine que vous ne parlez pas de ces horribles copies de Turner ? Pourquoi les avez-vous ?

– Elles se vendent, dit l'homme avec un dédain qui n'était rien comparé au mépris de Harriet.

– Oh, oui, c'est une raison, j'imagine.

Elle s'approcha d'une marine brumeuse sur un chevalet, post-impressionniste d'inspiration et d'exécution. De style pointilliste, ses petites taches de couleur se transformaient en eau, en peau, en un phare – débuts de l'abstraction sans que la recherche de la représentation soit encore rejetée. Mais le tableau avait quelque chose de lourd.

– Bonne imitation de Signac, dit-elle. Assez ancienne.

Le propriétaire leva un sourcil.

– Je vous félicite. Le marchand qui me l'a vendu le croyait authentique.

Harriet prit l'anse de son sac à deux mains.

– Y a-t-il une ouverture? Il faut que je trouve quelque chose rapidement.

L'homme la regarda, l'air ennuyé, mais pas par elle.

– Je déteste embaucher, dit-il. Les gens ne savent pas partir quand on n'a plus besoin d'eux.

– Moi, si. Je ne cherche pas un travail à vie; nous verrions bien comment les choses évoluent.

A la perspective de ce travail, elle avait retrouvé toute son assurance. Elle avait besoin de sécurité et de routine, sinon elle ne savait comment garder toute sa raison.

– Il faut que j'y réfléchisse, dit l'homme prudemment. Pourquoi ne reviendriez-vous pas demain?

Etait-ce une façon de la repousser? Elle le regarda du coin de l'œil, d'un regard brillant et assuré. Il redressa sa cravate; à l'évidence, il se sentait un peu menacé.

– Je peux vous assurer que je vais y réfléchir très sérieusement, dit-il.

– Je reviendrai donc à dix heures, affirma Harriet. Nous en reparlerons.

– C'est parfait.

Il lui tint la porte, souriant soudain avec une certaine chaleur. Dès la porte fermée, il décida qu'il ne serait pas là le lendemain à dix heures, et qu'il laisserait à son assistant la tâche de lui dire non. Si elle ne l'avait pas regardé comme ça... Non, de toute façon, il n'aurait pas pu l'engager. Il ne savait rien d'elle, et comme pour les copies de Turner et les paysages mièvres qui se vendaient toujours, il avait l'habitude de ne pas prendre de risques.

Harriet passa la soirée à se convaincre que tout se passerait bien. Il avait été impressionné par ses connaissances, et ce n'était certainement pas une coïncidence s'il lui avait montré un faux Signac, alors qu'elle avait dîné chaque jour face à un vrai à Corusca. Le lendemain matin, elle mit ses plus beaux atours, un tailleur bleu pâle non doublé acheté dans un grand magasin et qui perdrait toute tenue au bout de quelques jours; mais il ferait l'affaire aujourd'hui. Un chemisier de nylon qu'on pouvait prendre pour de la soie et de grosses boucles d'oreilles dorées complétaient l'ensemble. La Harriet qui pouvait négocier avec des marchands d'art et des gens riches n'était pas femme à porter du nylon.

A dix heures précises elle ouvrit la porte de la galerie et entra. Pendant le trajet, elle avait balancé entre optimisme et pessimisme, parcourant toutes les étapes intermédiaires, et elle avait les nerfs à fleur de peau. Et s'il disait non? Il fallait qu'elle gagne de l'argent. Sans revenu, ses dix milles livres fondraient comme neige au soleil. Le silence régnait dans la boutique. Au bout d'un moment, la porte du bureau s'ouvrit et un jeune homme apparut.

– Oh, oui... êtes-vous la dame...?

Il était encore plus nerveux qu'elle.

– J'en déduis que la réponse est non, dit-elle froidement, et qu'il n'a pas eu le courage de me le dire lui-même.

– Euh... il a eu un rendez-vous impossible à déplacer.

– Il ne l'avait pas hier soir. Merci. Ses mauvaises manières n'ont d'égal que son manque de professionnalisme. Au fait, je crois que je dois lui dire que ce Matthew Maris exceptionnellement affreux, là-bas, est à coup sûr un faux. Mon mari possède l'original. Bonne journée!

Elle fit demi-tour, sortit et claqua la porte. Toute cette anxiété, tous ces efforts, et l'homme n'avait même pas eu le courage de lui parler! Elle bouillait de rage et, comme une chaudière sans valve de sécurité, elle courait le risque d'exploser. Elle espérait qu'il la croirait pour le Maris, bien qu'elle eût menti. Elle marchait si vite que ses talons crépitaient sur le trottoir comme une rafale de mitraillette. Elle ne se demanda même pas où elle allait. Comment avait-il osé, comment osaient-ils tous? Elle en avait assez d'être toujours du même côté des petites plaisanteries de la vie, elle qui travaillait si dur et ne recevait rien en retour!

Elle se perdit et se retrouva devant une église. Eh bien, se dit-elle, je n'ai plus Jake, je n'ai pas de travail, et même si je ne meurs pas encore de faim, ça ne va pas tarder, alors, allons voir ce que Dieu dit de tout ça.

Il faisait froid dans l'église. Quelques touristes déambulaient et regardaient les vitraux. Seule avec sa colère, Harriet ressentit les prémices de la désolation là même où elle aurait dû trouver la paix. Elle s'assit sur un banc et tenta de se calmer, de trier ses pensées turbulentes. Si seulement les choses étaient différentes. Si seulement elle pouvait rentrer à la maison maintenant et tout raconter à Jake!

Mais tu n'es pas pauvre, criait une partie de son esprit. Tu as dix mille livres! Tu dois bien pouvoir en faire quelque chose qui te permettra de vivre, c'est une grosse somme. Mais elle savait que c'était trop peu pour à peu près tout. Elle leva la tête et regarda le soleil pâle qui projetait, à travers les vitraux, des sortes de joyaux sur le sol pavé. Que devait-elle faire? Quel chemin la conduirait hors du labyrinthe au lieu de la ramener une fois de plus à son point de départ? Le pavage, solide et sûr, quand tout s'écroulait autour d'elle, lui parut frais sous ses pieds.

Victoria montra sa joie au retour de sa mère à la villa, et tendit les bras pour qu'elle la prenne. Harriet la souleva, soudain apaisée par la petite tête si douce contre sa joue.

– Pas de chance, dit Iris qui avait tout compris. Oh, eh bien, on n'y peut rien! Prenez donc un peu de thé.

Harriet prit une gorgée d'un breuvage clair et sans goût, quelque herbe de culture biologique dont les demoiselles pensaient le plus grand bien.

– J'ai beaucoup réfléchi, dit Harriet. Je me suis demandé si je ne devrais pas acheter une maison de rapport.

Dodie fit s'envoler ses mains tremblantes et Iris grogna :

– J'ai cru que la nôtre vous aurait dissuadée. Mérule, moisissures, électricité, plomberie, locataires qui partent à la cloche de bois, assurance incendie, décoration – ça ne cesse jamais.

– Le pire, c'est le mérule, expliqua Dodie avec une grimace. Jamais on ne s'en débarrasse.

Harriet comprit soudain que c'était l'odeur du mérule qui lui avait rappelé le cottage en arrivant.

– On ne peut pas se permettre de tout faire, vous comprenez, dit Iris dont les yeux brillaient d'anxiété. Et chaque chose qu'on fait se retrouve mangée par le mérule. Nous avons tant dépensé! Nous aurions tout aussi bien pu jeter notre argent dans le canal.

– Pas le canal, ma chère, rectifia Dodie. Il sent si mauvais, à cette époque de l'année.

– Ne sois pas ridicule, Dodie! gronda Iris.

– Est-ce pour cela que vous ne pouvez vendre? demanda Harriet.

– Les gens ne veulent même pas venir voir. Et nous ne pouvons pas payer les travaux de modernisation, si bien qu'il est impossible de demander des loyers décents, et ce M. Briggs à la banque veut que nous vendions à n'importe quel prix.

– Et alors, où vivrions-nous? demanda Dodie en tordant ses petites mains.

Harriet buvait son thé d'un air pensif.

M. Briggs avait passé toute sa vie à Markham. Petit homme rond et joyeux, il détestait contrarier les gens. Jusqu'au mérule, il avait toujours levé son chapeau en croisant Iris et Dodie dans la rue, mais maintenant, il se faisait tout petit, comme un violeur sortant de prison, tandis que les deux demoiselles le toisaient, outragées et silencieuses. Harriet le trouva plutôt tendu jusqu'à ce qu'il fût convaincu qu'elle n'était pas venue le réprimander pour cruauté envers deux vieilles demoiselles.

– Combien vaut la maison? lui demanda-t-elle brutalement.

Il forma un arc de ses doigts, une de ses nombreuses affectations.

– Pour le moment, je dirais douze mille livres. Si elle était en bon état, elle en vaudrait trente-cinq. Cela doit vous donner une idée de l'ampleur du problème. Il ne faut pas le prendre à la légère, je le crains.

– Non, mais je pourrais emprunter pour faire les réparations, n'est-ce pas?

– Naturellement. Tout dépendrait du montant de votre contribution. Ces demoiselles ont beaucoup emprunté au fil des années.

Et leur découvert l'empêchait de dormir, aurait-il pu ajouter. Il avait grande hâte de prendre sa retraite et de se consacrer à la tâche de trésorier d'une troupe de théâtre amateur.

Comme d'habitude, Harriet en eut assez de rester dans le vague. Elle ne savait que se montrer directe dans les affaires, et d'ordinaire, cela ne lui nuisait pas.

– Je veux donner dix mille livres et que les demoiselles gardent leur appartement, annonça-t-elle. Ensuite j'emprunterai dix mille livres et je réparerai la maison.

– Vous pouvez la réparer pour dix mille livres? s'étonna-t-il.

– J'en suis sûre. Si je peux engager mes propres ouvriers au lieu de passer par un entrepreneur, j'y arriverai peut-être même avec moins.

Elle le regarda avec une confiance suprême. En fait, elle n'avait pas la moindre idée de ce qui devait être fait, ni de ce que cela coûterait, et l'idée d'utiliser des ouvriers dont elle serait l'employeur ne lui était venue que parce que Jake le faisait. Le fait qu'il connût le travail et pas elle ne lui semblait qu'une broutille.

Une merveilleuse image se forma dans l'esprit de M. Briggs : il pourrait à nouveau entrer dans la bibliothèque sans crainte d'y croiser les demoiselles; sa femme ne serait pas accablée de reproches par leurs amis à la Guilde des Citoyennes.

– Si vous pouvez m'apporter quelques devis, dit-il avec espoir, je suis certain que nous arriverons à nous entendre.

Ce soir-là, elles célébrèrent la nouvelle à Lincoln Villas. Harriet, Iris et Dodie burent une bouteille géante de vin italien et jetèrent des idées sur le papier.

– Il faut remplacer les solives et les poutres du toit, déclara Iris en agitant une main ivre.

– Pas tout le toit, ma chère, rectifia Dodie, juste une poutre ou deux.

– Et les planchers, ajouta Iris. C'est très important, les planchers. Il a fallu mettre le lit de Mark sur le trou pour qu'il ne tombe pas à l'étage en dessous le matin. Un jour, c'est tout le lit qui va tomber.

Harriet inscrivit trois mille pour le toit, et trois mille pour les planchers, se demandant si elle pourrait dépenser le reste de l'argent pour des tapis et de nouvelles salles de bain. Elle se sentait riche! Au matin, elle recopierait tout proprement pour M. Briggs et elle irait voir le notaire. Tout devrait être prêt avant la fin du mois.

23

Pendant les douces journées d'été, les Lincoln Villas avaient été lumineuses et chaudes. Maintenant, à trois semaines de Noël, il y faisait un froid mortel. La lumière grise de cet après-midi d'hiver n'illuminait que les traces d'humidité et les planchers arrachés, et on ne trouvait de réconfort que près du poêle à gaz d'Iris et Dodie. Victoria jouait en bas presque tout le temps maintenant, parce que le gaz était coupé depuis longtemps à l'étage de Harriet. De temps à autre, on fermait aussi l'eau quand on découvrait une nouvelle poutre atteinte, et qu'il fallait l'enlever. A présent, Harriet connaissait parfaitement les ruses du mérule et pouvait repérer le champignon destructeur à trente pas et les yeux bandés, rien qu'à l'odeur – bien qu'elle craignît de perdre l'odorat : elle ne sentait plus rien derrière le masque qui l'étouffait. Elle avait vite compris qu'elle ne pourrait payer un traitement complet par un spécialiste, et elle s'occupait en personne des pulvérisations.

Bien qu'elle fît attention à chaque penny, elle n'était pas loin de la banqueroute : le bois coûtait les yeux de la tête, les ouvriers prenaient un temps infini. Quand bien même tout se passerait au mieux, elle se retrouverait avec le toit et l'étage supérieur refaits, mais plus un sou pour l'escalier. Elle avait oublié que l'escalier était en bois. Au pire, elle aurait un toit sur une maison vide. Dix mille livres envolées en un clin d'œil. Et alors, comment vendrait-elle ? Et on était presque à Noël.

La cloche sonna. Harriet retira son masque et cria de toute sa voix :

– Dodie !

Mais la télévision diffusait les émissions pour enfants, et personne ne répondit. En ronchonnant, elle enjamba les poutres – exercice pour lequel son entraînement sur les échelles de cordage s'était avéré précieux – et descendit l'escalier condamné. Quand elle ouvrit la porte, le vent fit entrer une bouffée de bruine et une grande femme élégante en manteau de fourrure.

– Puis-je refermer la porte ? Il fait si froid !

– Il ne fait pas beaucoup plus chaud ici.

L'accent de la visiteuse indiqua immédiatement à Harriet qu'elle était française. A la lumière de l'ampoule nue du hall, Harriet scruta un visage mince, plus âgé qu'elle, au nez busqué – et curieusement familier. En dépit de l'odeur du mérule et des pulvérisations, la femme dégageait un merveilleux parfum.

– Vous n'êtes pas... ? Je suis désolée, pendant un instant, j'ai cru vous connaître, dit Harriet.

– Peut-être me connaissez-vous. Je pense que vous devez être Harriet. Je suis Simone.

– Oui, dit faiblement Harriet. Comment allez-vous ?

– Je vais assez bien. Pouvons-nous parler, Harriet ? J'ai fait une longue route aujourd'hui.

Harriet reprit son sang-froid et étudia sa visiteuse de plus près.

– Gareth est-il avec vous ?

– Est-ce important ?

– Il ne serait pas le bienvenu.

– Alors non, il n'est pas là. Je peux même vous jurer qu'il ne sait pas où vous êtes. J'ai préféré qu'il l'ignore. Vous voyez, nous sommes sur la même longueur d'ondes, vous et moi.

– Sinon du même sang, dit Harriet. Il y a des gens en bas, je crains que nous devions monter parler dans ma chambre, qui n'est guère confortable.

– Mais qu'est-il arrivé, ici ? s'exclama Simone alors qu'elles montaient dans les étages. C'est abominable !

– Nous sommes en pleine rénovation, dit calmement Harriet. Ce sera ravissant au printemps.

– Les maisons anglaises ne sont jamais bien chauffées, dit Simone.

Harriet ne répondit pas. Le chauffage... encore une chose qu'elle ne pourrait payer.

Il restait un canapé en équilibre sur une plaque d'aggloméré dans la chambre de Harriet, et Simone s'y installa, Harriet s'asseyant sur le lit.

– Eh bien, dit Simone avec un sourire, c'est vraiment agréable de vous rencontrer enfin.

– En effet.

– Quelle maison intéressante...

– Simone, pourquoi êtes-vous venue ici ? Vous avez dû avoir beaucoup de mal à me trouver. Pourquoi avoir pris cette peine ? Qu'est-il arrivé ?

Simone déboutonna son manteau. Elle portait en dessous une robe de lainage prune ornée d'une broche sertie d'un diamant. Harriet, sans savoir pourquoi, fut immédiatement certaine qu'il était faux.

– J'ai des nouvelles, dit Simone, au sujet de mon père. Votre... mari. Il est mort.

– Je me suis souvent demandé... dit Harriet en poussant un gros soupir. Je savais qu'il n'en avait pas pour longtemps.

– On dit que c'est à cause d'un sort. C'est ce qu'il disait. J'ai une lettre qu'il a écrite avant sa mort. Elle vous est adressée.

Elle tendit une longue enveloppe. Harriet ne fit pas un geste pour la prendre.

– Lisez-la-moi. Je ne veux pas la toucher.

– Alors, vous y croyez? dit Simone avec un sourire interrogateur.

– J'ai vécu là-bas. Je... j'y crois assez pour être prudente.

Simone haussa négligemment les épaules et ouvrit l'enveloppe de ses longs doigts. Elle en sortit deux pages qu'elle lut à haute voix.

Ma chère Harriet,

Grâce à toi et à tes manigances, je suis sur le point de mourir. Je ne m'en plains pas, et tu peux m'en remercier. Les années me pèsent. Depuis ton départ, aucun de mes jours n'a plus été agréable, et tu sais que je ne suis pas un grand sentimental.

Ta venue ici fut ma chance. Il arrive si souvent qu'un homme puissant ne puisse léguer ce qu'il a à ceux qui doivent prendre sa suite. Mon fils, mon fils légitime, est gouverné par ses passions; mon autre fils est noir. Que peut-on faire dans de si pitoyables circonstances? Rien de bon, je le crains.

C'est pourquoi je te lègue tout ce que j'ai. Harriet, ma chère, tu es forte et tu as du courage. Je sais ce que tu seras prête à donner pour garder ce qui est tien, je t'ai mise à l'épreuve et je t'ai trouvée d'acier trempé. As-tu hésité à me tuer? Non. Comme tu n'as pas hésité à me faire plaisir quand le besoin s'en manifestait. Ton corps est encore à découvrir. Si seulement j'avais été assez jeune pour l'éveiller!

Ainsi, tout est à toi. L'île, la Corporation, les tableaux – surtout les tableaux. La disparition de mon Hogarth ne m'a pas échappé. Un excellent choix, comme je pouvais m'y attendre, une tableau de petite taille et peu connu qui valait très cher. Si tu en as tiré moins de cent mille dollars, tu t'es fait rouler, bien que, pour rendre les choses un peu plus difficiles, je l'aie déclaré volé. Es-tu en prison en ce moment? Je me le demande. Ce serait assez cocasse.

Tout cela m'amuse, en fait. Je regrette seulement d'être absent quand les événements se dérouleront parce que, naturellement, je ne crois pas que tu gardes facilement ce que je te donne. Mes fils vont faire valoir leurs droits : laisse-les. Mes filles vont pleurer pour en avoir une part : ferme tes oreilles! Accroche-toi, Harriet, si tu le peux, si tu l'oses. Seul un homme fort peut vaincre une femme forte. Si mes fils sont assez forts, la défaite sera ton lot. Prends ta cuiller et mange dans le bol d'or, Harriet Hawksworth.

Je reste, dans la mort, ton mari,

Henry Samuel Hawksworth.

L'haleine de Simone formait un nuage dans l'air de décembre. Même à travers son fort accent, Harriet reconnaissait le ton Hawksworth dans sa voix. Il lui sembla que Henry était là avec elles, fantôme à une très étrange réunion.

– Je ne l'ai pas tué, protesta Harriet. Et ce document ne peut être légal.

– Il a rédigé un nouveau testament que le Dr Muller a fait parvenir à ses avocats. C'est tout à fait officiel.

– Et Gareth? Et Madeline et vous?

– Rien, répondit Simone en fixant Harriet de ses petits yeux bruns.

Il y eut un silence. Harriet regarda à nouveau le diamant de la broche, si parfait qu'il ne pouvait être vrai.

– Alors, que fait Gareth?

– Il conteste le testament. Jusqu'à présent, il a gardé le contrôle de la Corporation, parce qu'on n'arrivait pas à vous trouver.

– Ce sont les hôtels? Il ne s'y intéressait pas, avant.

– Il n'avait pas besoin de s'y intéresser.

Harriet tira le dessus-de-lit et s'en entoura les épaules. Il lui revint le souvenir du jour de son mariage, jusqu'à l'odeur des fleurs, comme si elles étaient là, dans cette chambre froide et bouleversée. Elle n'avait jamais pensé à l'héritage, même pas ce jour-là.

– Pourquoi m'avez-vous recherchée?

– Parce que si le testament en votre faveur est écarté à cause de l'état mental de mon père à l'époque, le précédent sera appliqué, et je n'aurai rien. En revanche... je pourrais faire appel à votre générosité si...

Simone resta un instant sans bouger puis sortit nerveusement un paquet de cigarettes de son sac et en alluma une de ses doigts tremblants.

– Vous avez cruellement besoin d'argent, n'est-ce pas?

– Mon mari est couturier. Nous avons fait une très mauvaise saison et vécu dans l'espoir d'un héritage, parce que le vieux m'a toujours promis une part. Maintenant, nous avons des dettes. Et il était mon père... alors que vous n'étiez son épouse que de nom.

– Et Gareth n'en tiendra-t-il pas compte?

– Ma chère, rien n'arrêtera Gareth pour obtenir ce qu'il veut, vous le savez certainement.

– Oui, dit Harriet en hochant la tête lentement. Descendons.

Elles parvinrent avec quelques difficultés jusqu'à l'appartement de Dodie et Iris et burent du thé clair avec des scones grumeleux tandis qu'Iris reprochait à Simone les centrales nucléaires françaises de l'autre côté de la Manche. Au bout de peu de temps, Simone prit ses gants et son sac.

– Avec qui dois-je entrer en relation? demanda Harriet.

Simone lui tendit une carte.

– C'est le notaire anglais qui est en contact avec les avocats de Floride. Il pourra certainement vous donner une avance, mais il vous faudra retourner aux Etats-Unis. Harriet... Je me demande si je peux compter sur vous?

Harriet pencha la tête de côté et regarda à nouveau Simone. Etait-il bien sage de compter sur elle? Elle douta soudain de jamais pouvoir faire de nouveau totalement confiance à quiconque, mais l'opportunisme devenait une seconde nature.

– Je ne vous laisserai pas tomber, dit-elle gentiment. Nous devons nous serrer les coudes contre Gareth. Si vous m'aidez, je ne vous oublierai pas.

Quand le soir froid et humide eut englouti Simone, Harriet revint vers le feu.

– Qui était-ce? demanda Iris. Est-ce que toutes les Françaises se baignent dans du parfum, ou quoi?

– C'était ma... belle-fille, dit Harriet avec un sourire. Elle est venue m'apporter des nouvelles. Peut-être finalement pourrons-nous installer le chauffage central.

Il se passa des jours avant qu'elle croie que ce pourrait être vrai. Elle alla voir le notaire et lui montra ses certificats de naissance et de mariage, puis alla retrouver Simone pour le thé à son hôtel. Quand elle rentra chez elle, le téléphone sonnait. C'était le notaire, qui l'informa que les avocats américains autorisaient la mise à disposition de cent mille dollars à son compte afin qu'elle puisse organiser son voyage.

Ils croient peut-être que j'ai besoin d'un avion personnel! se dit Harriet. Longtemps après que le notaire eut raccroché, elle resta assise, le combiné à la main. Argent. Pouvoir de créer la beauté. Liberté de passer ses jours selon ses souhaits. Plus de pulvérisations contre le mérule, plus de nuits d'angoisse devant les relevés de compte en banque. Cette année, ils auraient le plus merveilleux des noëls!

Comme d'habitude, Victoria faisait tourner Dodie en bourrique en refusant son goûter. Harriet prit la cuiller et introduisit habilement de la purée de haricots de soja dans la bouche de l'enfant. Quel dommage qu'elles doivent passer Noël ici avec Iris et Dodie, qui refusaient résolument de manger de la dinde, remplacée chez elles par un rôti de céréales.

Argent. Grosse dinde rose fourrée aux marrons, oranges et dattes empilées dans des coupes d'argent, merveilleux présents enveloppés de papier rouge et or – bonnets de fourrure, vrai cuir, foulards et cachemires. Soudain, brutalement, elle pensa à Jake. Quand elle était avec lui, tout semblait une occasion de fête, et puis il fallait qu'il voie sa fille pour Noël. On ne pouvait ressasser éternellement le passé. Cela leur faisait du mal à tous. Quel mal pourrait faire leur réunion à Noël?

Le soleil brillait quand le ferry entra dans le port de Cowes. Emmitouflée dans un ensemble bleu vif, le nez rouge sous son bonnet, Victoria frappait des mains et appelait les mouettes. Harriet écarta les cheveux de sa figure pour essayer de les voir aussi. On avait du mal à respirer directement le vent tant il était froid; elle enfonça le menton dans le col en lambswool de sa veste. Elle avait soigneusement choisi un pantalon de velours vert, des bottes en fourrure, une veste en daim doublée de lainage et, en dessous, un chemisier de soie crème. Mais ses cheveux merveilleusement bouclés et colorés seraient inévitablement emmêlés quand elles accosteraient, puisqu'elle ne pouvait rester dans la cabine. Elle se sentait très mal.

On abaissait la passerelle. Harriet regarda le quai et vit Pete. Son cœur s'accéléra.

– Salut, Pete!

– Oh, ben ça alors... Harriet!

– Tu as l'air en pleine forme. Est-ce que Jake... est au cottage?

– Euh... Je ne sais pas vraiment. Il est peut-être sorti. Viens boire une tasse de café, je vais vérifier.

– C'est sans importance, je vais prendre le bus.

Elle prit son sac et Victoria et descendit à terre. Le regard épouvanté de Pete la suivit sur le quai. Abandonnant son poste, il courut sur le pont du bateau.

– Capitaine! C'était Harriet. La Harriet de Jake!

– Nom de Dieu! Espérons qu'il est sobre. Marin, à ta bicyclette. Quoi que tu fasses, assure-toi que les filles sont sorties.

– A vos ordres, capitaine, dit Pete en quittant le bateau aussi vite que s'il coulait.

Jake était au lit avec Margaret, la serveuse du bar de la Rose – et avec l'amie de celle-ci, Hazel, venue pour Noël.

– Occupe-toi de moi, se plaignait la serveuse, sinon je viendrai plus et je ne ferai plus ta lessive.

– Tu ne fais jamais la lessive.

La porte de la chambre s'ouvrit d'un coup.

– Jake! Sors de là! s'écria Pete.

– Oh, tu ne vas pas t'y mettre aussi! gémit Jake. Occupe-toi donc de Margaret.

– Non, je ne veux pas de Pete, décréta Margaret, qui ne se montrait pas toujours aussi difficile.

– T'as pas le temps de finir, Harriet est dans le bus.

– Harriet! dit Jake en se levant d'un bond. C'est une blague?

– Non. Elle était dans le ferry. J'ai doublé le bus sur la route. Elle a la petite avec elle. Ça va, Jake?

– Oui, ça va, dit Jake qui avait tourné au vert. Bon, les filles, hors d'ici, et vite!

Margaret s'exécuta en ronchonnant, mais Hazel resta allongée dans une posture aguichante. Jake lui saisit le bras et la jeta par terre.

– J'ai dit dehors!

– Salaud!

Les filles rassemblèrent leurs vêtements et Jake passa à la salle de bain pour se savonner rapidement sous la douche. Ce ne pouvait pas être Harriet. Pas après aussi longtemps. Pete avait dû se tromper. S'il croyait que c'était Harriet et que finalement ce n'était pas elle, il fondrait en larmes. Seigneur, il avait un si mauvais goût dans la bouche! Il tartina sa brosse de dentifrice et se lava les dents en souhaitant pouvoir aussi facilement nettoyer les vestiges de la nuit.

Il était sorti de l'hôpital un mois plus tôt, et depuis ce jour, jamais il ne s'était couché sobre, et rarement seul. Dans les limbes de l'hôpital, la douleur apaisée par la morphine, le sommeil assuré par des comprimés, il avait été possible d'oublier. Mais quand il était revenu au cottage, il avait reçu un choc beaucoup plus violent qu'il ne l'aurait cru. Elle n'était pas là. Son absence s'imposait plus à lui que sa présence, lui sembla-t-il à l'époque. Lui qui avait toujours si bien suffi à ses propres besoins se retrouvait tout à coup dépendant d'une table dressée de telle façon, d'une lessive rangée de telle autre, d'un visage à la fenêtre quand il rentrait du hangar. Comme elle n'avait ni écrit ni téléphoné, il n'y avait rien eu d'autre à faire que continuer. Chaque matin, il promettait à Mac de trier le courrier qui lui demandait de construire des bateaux, et la nuit tombait sans qu'il ait rien fait. Son premier bateau battait tous les records, et alors qu'à une époque il ne l'avait considéré que comme un coup d'essai, il se disait maintenant qu'il ne pourrait rien faire de mieux. Il ne voulait rien construire du tout, alors un meilleur bateau... Il avait une bonne jambe à nouveau, il avait une bonne affaire. Et bien sûr, il s'en foutait royalement.

La chambre sentait le sexe et les draps sales. Il fit une boule des draps qu'il jeta dans un coin de la pièce. Il n'arrivait pas à se souvenir de la dernière fois où il les avait changés. Dans la cuisine, le vieux chien à moitié aveugle qu'il avait adopté avait sali par terre et s'excusait en battant de la queue.

– Gros dégeulasse, dit Jake en nettoyant avec un journal.

Mais ce n'était pas la faute du chien : personne n'avait pensé à le faire sortir. Oh, Seigneur. Harriet. Je vous en supplie, pria-t-il, faites que ce soit Harriet!

Alors qu'il jetait le papier dans la boîte à ordures, qui débordait déjà de bouteilles et de boîtes, il vit le bus s'arrêter sur la route. Une silhouette en descendit, une deuxième. Une femme et un enfant. Soudain, il ne les vit plus clairement. Il cilla furieusement dans l'avare soleil d'hiver, la gorge serrée comme si on l'étranglait. Le vieux chien se mit à aboyer.

Il fit un signe du bras. Elle n'avait pas de main libre, mais elle posa son sac et lui répondit joyeusement. Il mit tous ses espoirs dans ce signe, il n'y vit que ce qu'il souhaitait y voir. Sautant le muret, il courut à travers champs vers elle. Elle s'arrêta quand il fut tout près, et il s'arrêta aussi, à un mètre d'elle.

– Pete a dit que c'était toi.

– Ta jambe! Jake, ta jambe va mieux?

– Je suis sorti de l'hôpital le mois dernier. Ils sont assez bons pour ces trucs-là, en Angleterre.

– Je suis tellement contente!

– Vraiment?

Il secoua la tête, craignant de pleurer, éprouvant une sensation tellement inhabituelle qu'il ne savait plus comment se comporter. Il avait pleuré quand elle était partie, mais plus jamais depuis. Il tendit les bras sans un mot et, à cause de sa douleur, Harriet approcha, l'enfant toujours dans les bras. Il les serra toutes les deux contre lui, enfouissant sa tête dans les cheveux de Harriet, embrassant la joue si douce du bébé.

– Je croyais que tu ne reviendrais jamais, murmura-t-il. Jamais.

– C'est vrai ? Oh, Jake, tu sens si bon.

Elle absorba son odeur d'homme, tellement absente de sa vie, et s'en laissa pénétrer. Elle comprit combien il lui avait manqué. Elle sentit venir une faiblesse et s'appuya sur lui, laissant sa force les soutenir toutes les deux.

Ils entrèrent dans le cottage. Le chien tordait la tête pour essayer de les voir. Dans la pièce au plafond bas qui avait tellement consterné Harriet la première fois qu'elle y avait posé le pied, des fleurs séchées se couvraient de toiles d'araignée sur une étagère. C'était la seule chose qui restât d'elle. Tout autour, c'était l'horreur : canettes de bière, bouteilles de whisky, mégots, boue, boîtes en carton qui avaient contenu des victuailles grasses. Il flottait une odeur répugnante.

– Des copains sont venus hier soir, dit Jake.

Harriet ramassa un carton où prospéraient trois centimètres de moisissures.

– Ils viennent assez souvent, corrigea Jake. Je vais nettoyer, ne t'en fais pas.

Elle monta à l'étage, fronçant le nez à l'approche de la chambre, se détournant de la salle de bain à la vue d'une plaquette de pilules contraceptives sur le lavabo. Elle décida de laisser Jake la trouver et la cacher. Ce n'était pas son affaire. Victoria avait faim, et elle était fatiguée. Elle se mit à pleurnicher, et Harriet eut bien envie d'en faire autant.

– Je me suis dit... C'est presque Noël, dit-elle d'une voix faible.

L'énormité de la tâche l'épuisait avant même qu'elle eût commencé, et elle était déjà épuisée par des semaines de travaux aux Lincoln Villas. Pourquoi fallait-il qu'elle recommence tout ici ?

– Tu aurais au moins pu conserver la maison dans un état acceptable, s'insurgea-t-elle soudain.

– Et pourquoi est-ce que je l'aurais fait ? Il n'y avait personne ici que moi.

– Eh bien moi, je ne peux pas le faire. Je ne peux pas !

– J'ai dit que je le ferais. Si tu m'avais prévenu de ton arrivée, la maison aurait été impeccable.

Il s'approcha de Victoria et la prit dans ses bras. Elle lui sourit et lui donna une grande claque.

– Exactement comme ta mère, dit-il en riant. Emmène-la dehors une demi-heure. Je vais tout nettoyer.

Harriet sortit un biscuit de son sac et le donna à Victoria.

– Je vais faire l'étage, dit-elle.

– Euh... Non, c'est moi. Ramasse seulement les ordures ici et mets tout dans un grand sac.

Il monta l'escalier deux à deux. Enfin un petit sentiment de culpabilité, triompha Harriet. Elle se mit à ranger.

Ce soir-là, ils s'installèrent devant le feu pour manger le premier repas décent que Jake ait eu depuis sa sortie de l'hôpital. La conversation avait du mal à démarrer.

– Tu avais dit que tu écrirais, dit enfin Jake.

– Non, je n'avais rien dit de tel. J'ai acheté une maison de rapport à Markham.

– Seigneur! Elle te rapporte?

– Pas un radis. Le mérule la ronge. Mais je suis en train de régler ce problème. Je pense pourtant manquer d'argent pour terminer les travaux. Du moins, c'est ce que je croyais.

– Qu'est-ce qui a changé?

– Oh... des choses. Qu'est-ce que tu peux faire si je n'y arrive pas? C'est destiné à des étudiants, en grande partie, et il a fallu que je la vide.

– Où en es-tu des travaux?

– J'ai fait le toit et je devrais avoir assez pour l'étage supérieur. Mais je ne peux payer ni l'escalier ni les étages inférieurs. Je peux me charger du mérule, mais je ne peux pas tout réaménager.

– Tu as des devis?

– Non.

– Alors tu mérites d'être dans la mouise, c'est évident.

Elle attendit, mais il ne dit rien de plus.

– Qu'est-ce qu'il faudrait que je te donne pour que tu t'en occupes?

– Eh bien... Que dirais-tu de fêter ton retour au lit?

– Je crois que tu as eu ta dose, à en juger par les pilules dans la salle de bain.

Elle n'avait pas eu l'intention de dire ça. Elle se demandait parfois si elle exerçait le moindre contrôle sur sa langue. Jake se racla la gorge.

– Je te l'ai dit, tu aurais dû me prévenir. C'était la serveuse du bar. Oh, et merde! Elles étaient deux. Certains hommes sont des moines. Il ne semble pas que ce soit mon cas.

– Non, dit Harriet d'une voix glaciale en pensant à Noël. J'oublierai si tu me dis oui pour ma maison.

Il se pencha vers elle et lui prit la main pour lui embrasser la paume.

– Je te le ferai gratuitement. C'est tout à toi, ma chérie. Je te l'ai dit, c'est évident. Installe plusieurs appartements, vends-les, utilise l'argent pour acheter une autre maison, et dans dix ans, tu te retires dans les Caraïbes... Sauf que tu as déjà fait ça, alors ce sera Bournemouth!

– Oh, dit-elle en riant, oh, oui. Que c'est idiot!

Il rassembla la vaisselle et alla la laver. Pour la première fois, elle sentait qu'elle avait la haute main sur leur relation, et c'était étrange.

– A quoi penses-tu quand tu fais l'amour avec d'autres femmes? Natalie, la fille du bar? Tu penses à moi?

– Parfois, oui... Mais la plupart du temps, je ne pense pas. C'est à ça que sert le sexe, à arrêter de penser. Et toi, tu penses à quoi?

– Quand j'étais déprimée, j'établissais la liste des courses dans ma tête. Avant ça, je ne m'en souviens plus.

Il s'adossa à l'évier et la regarda. Elle se sentit rougir sous son regard insistant et grave. Ses seins frottaient son chemisier, lui rappelant tous ces mois d'abstinence. Elle qui avait décidé de ne plus jamais avoir de relations sexuelles avait tout à coup envie d'un homme qui prenait des femmes sans y accorder plus d'importance qu'au fait de manger un sandwich. Mais elle était spéciale pour lui, forcément.

Elle se leva et alla lui entourer le cou de ses bras. Elle posa sa tête sur son épaule.

– Ne fais rien, demanda-t-elle en sentant qu'il la serrait contre lui. Ce soir, je voudrais simplement qu'on soit proches.

– Je t'ai scandalisée, parfois, n'est-ce pas? dit-il en soupirant dans ses cheveux. Quand je te faisais l'amour.

– Seulement quand j'étais malade. Je t'ai presque haï de m'avoir laissée sur cette île.

Elle s'abandonna. Où était passée toute sa colère froide? Elle n'en avait plus besoin.

24

Harriet était assise devant le feu qui l'éclairait en craquant. Ils avaient mis leur dernière bûche, et Jake était dehors pour en couper d'autres, sa hache fendant l'air glacé sous les étoiles cristallines et une lune réduite à un trait. Depuis les cadeaux du matin, en passant par le festin du déjeuner et le repentir de sa gloutonnerie, il avait nagé dans le bonheur. Victoria avait eu un train pas du tout adapté à son âge, bien sûr, mais elle avait bien récompensé son père par son ravissement quand il l'avait fait marcher. Il avait acheté un anorak pour Harriet, parce qu'il trouvait sa veste trop chic, et elle lui avait donné un nouveau pantalon qu'il avait accepté à contrecœur parce qu'il aimait les vieux vêtements. Harriet avait tant attendu de cette journée, et tant reçu, et pourtant, avant même qu'elle se termine, elle pensait au lendemain. Jake croyait – elle l'avait laissé croire – qu'elle resterait.

La porte s'ouvrit d'un coup de pied et la flamme dans le poêle doubla de taille. Jake posa son chargement en une cascade de bois et de poussière.

– Même en coupant du bois toute la nuit, on en aurait à peine assez pour un jour et demi. Ce poêle est un ogre.

Il sentit que Harriet le regardait et se retourna. Elle avait les yeux brillants et les flammes éclairaient ses cheveux.

– Je t'aime, dit-il soudain.

Elle détourna le regard et poussa l'extrémité de la bûche qui brûlait.

– Où en es-tu de ton travail, maintenant? J'ai senti Mac un peu impatient.

Ils étaient allés jusqu'au pub le voir pendant que la dinde cuisait. Il s'était montré taciturne, un peu brusque, ne sortant de sa réserve que lorsque le vieux chien était venu exiger une goulée de bière.

– Il veut que je commence un autre bateau. J'ai beaucoup de demandes.

– Que vas-tu faire?

Il s'accroupit devant elle, ses dents blanches luisant dans son visage buriné.

– Je vais en construire un. J'ai commencé pour toi, pour Victoria. Quand tu es partie, je n'ai pas vu l'intérêt de continuer. Mac a réglé les histoires d'argent et terminé le contrat. J'ai essayé... ça ne m'intéressait plus. Ces dernières semaines, je n'avais pas grand-chose dans la tête, à vrai dire.

– Qu'est-ce que Mac a voulu dire quand il a marmonné que tu devrais me parler du procès? Tu as eu des ennuis?

Il grimaça. Il avait été en colère quand Mac avait fait cette sortie, et il avait délibérément détourné la conversation.

– C'était rien. Juste des copains qui m'ont mis au défi une nuit de faire traverser la rivière au vieux chien dans le dinghy. Il va à gauche et à droite à la demande, alors je l'ai attaché à la barre et je l'ai mis à l'eau. Il était content. Il a tout bien fait jusqu'au moment où il n'a plus pu m'entendre. On a cru qu'il allait se retrouver dans le détroit du Solent, alors on a tiré Pat Jameson de son lit et on a poursuivi le dinghy dans son canot à moteur. Je l'ai rattrapé facilement et je l'ai emmené faire un peu de voile, parce qu'il aime ça. Mais après, tu sais... enfin, on n'a pas eu de chance.

– Qu'est-il arrivé?

– On s'est retrouvés face à un gros bateau de ligne, dit Jake en souriant, tout illuminé. On est passés tout près, sans lumières, et ils nous ont dénoncés.

– C'est tout? Parce que vous n'aviez pas d'éclairage?

Son visage exprima le doute. Devait-il le lui dire, ou juste prier pour qu'elle ne l'apprenne jamais?

– C'était juste un de ces soirs où on avait un peu trop bu et où on faisait un peu les imbéciles. Je ne t'en dirai pas plus.

– Qui y avait-il d'autre dans le bateau?

– Ecoute, dit-il avec colère, tu veux un récit qui te fasse mal? Tu n'étais pas là, n'oublie pas. C'est toi qui étais partie. C'est moi qui me suis retrouvé sans argent, avec un bateau à moitié terminé et une jambe malade.

– C'est formidable comme tu arrives toujours à retomber sur tes pieds!

Enfin une querelle. Elle n'aurait jamais pu le lui dire au milieu des célébrations joyeuses.

– Je pars après-demain, dit-elle.

– Quoi? Juste à cause d'une blague en bateau? Enfin, Harriet!

– Ce n'est pas ça, honnêtement. Mais c'est le genre de choses que tu fais, que je sois là ou non. Tu ne sais pas te conduire comme les autres.

– Je ne sais pas comment te rendre heureuse, c'est certain. Hier soir, imagine que je t'aie mise enceinte? Tu y as pensé?

– Alors j'aurai à m'occuper de deux enfants.

Il lança son bras en arrière pour la frapper et elle se recroquevilla. Il y eut un craquement : il avait frappé le bras d'un vieux fauteuil qui s'était retrouvé par terre. Il se leva et arpenta la pièce en tous sens, frappant tout ce qu'il trouvait. Harriet se leva d'un bond et l'enlaça.

– Ce n'est pas à cause de toi, tu ne peux pas le comprendre? C'est aussi à cause de moi. Je ne peux pas vivre comme ça, à t'attendre, toujours, sans jamais rien faire pour moi! Je ne veux plus être ce genre de personne, je veux savoir ce que *je* peux être. Jake, s'il te plaît, ne crois pas que je ne t'aime pas!

Il lui saisit les cheveux et lui secoua la tête, gentiment menaçant.

– Quand on aime quelqu'un, on reste avec, on ne lui vole pas son enfant, on ne lui vole pas tout espoir, on ne jette pas ses rêves dans la poussière!

– C'est toi qui jettes mes rêves, murmura-t-elle. J'ai un rêve, moi aussi.

Il la lâcha et traversa la pièce pour s'adosser au mur, les bras croisés.

– D'accord. Parle-moi de ce merveilleux rêve qui ne peut être réalisé que par Harriet toute seule, revenant à l'occasion pour une bonne baise et un autre bébé. Dis-moi comment tes problèmes ne peuvent pas être résolus par une machine à laver et un lave-vaisselle.

– Tu pourrais venir aussi, si tu voulais, dit-elle doucement. Mais je ne crois pas que tu viendras.

– Tu paries?

Elle lui dit alors, en se tordant les mains, qu'elle était riche, ou qu'elle le serait bientôt, qu'elle allait toucher une fortune.

– Je risque de ne pas la garder. Gareth va se battre, il va dire que le mariage n'a pas été consommé et que le vieux était fou.

– Alors pourquoi es-tu ici? demanda Jake en s'essuyant la bouche.

– Je suis venue pour Noël! dit-elle avec un regard torturé. J'ai pensé que nous pourrions être amis. Ecoute, Jake, je te connais mieux que tu ne te connais toi-même. Si on recommençait comme avant, on ne serait pas heureux. Tu t'ennuierais tellement que, tôt ou tard, tu me tromperais encore, ou tu enverrais tout balader et tu nous emmènerais vivre sur un bateau au milieu de l'océan. Je ne veux plus de cette vie pour nous. Pourquoi ne pouvons-nous pas seulement admettre que nous ne pouvons pas vivre ensemble? On n'est pas forcés de devenir des ennemis, on peut encore s'aimer.

– Tu veux cet argent plus que tout.

Elle redressa la tête, la poitrine gonflée dans son chemisier. Elle était plus désirable, plus pleine de désirs que jamais.

– Non, c'est faux. C'est toi que je veux plus que tout, mais tu n'es pas disponible.

– Harriet, je me donne à toi, je te donne la clé, la bête et toute sa descendance!

– Tu ne donnes jamais qu'un morceau de toi. Le reste n'est à personne d'autre qu'à toi.

Il sortit dans la nuit, comme il était, en bras de chemise. Il marcha pendant des heures, furieux. Jamais dans une relation il n'avait perdu le contrôle de l'évolution des choses, et maintenant, avec Harriet, il le perdait. Comme un oisillon, elle avait étendu ses ailes sur sa main, comme une hirondelle à son premier vol, elle s'était élevée et elle avait plané. Devait-il admettre maintenant que l'oiseau qu'il avait aimé et protégé devait être rendu à la liberté? C'était lui qui avait la liberté, lui, perdu mais jamais perdant. Même maintenant, l'amour qu'il ressentait pour Harriet le retenait, le contraignait à se conduire d'une façon qui ne lui convenait pas. Il regarda la rivière et l'aube grise qui commençait à éclairer le ciel. Harriet s'approcha de lui.

– Je t'ai apporté ton manteau.

– Quelle considération! Et Victoria?

– Elle dort. Ne me déteste pas. Je ne peux pas le supporter.

– Si je te détestais, tu ne pourrais plus parler.

– Alors... réfléchis, Jake, tu vas pouvoir faire tout ce que tu veux. Tu n'auras pas à gagner d'argent pour nous nourrir tous, et quand nous aurons vraiment besoin les uns des autres, nous serons là. Je t'aime, Jake. Je t'aime comme tu es, pas comme tu devrais être pour qu'on soit heureux ensemble.

– Tu as tellement foi en l'argent. C'est mal, c'est une erreur.

Il l'attira vers lui et glissa ses mains glacées dans sa blouse. Il l'excita comme un sauvage, sans aucune retenue. Ils firent l'amour debout dans la boue, et Harriet cria de plaisir.

– Pourquoi est-ce que tu n'aimais plus ça, avant? s'écria Jake, furieux. C'était une arme, de rester là comme une pierre, hein?

– Je t'en voulais, dit-elle en lui frappant l'épaule de son poing fermé. De toute façon, tout est ta faute. Je ne serais même pas Mme Hawksworth, sans toi!

La colère les unissait, alors même qu'elle les séparait.

25

Welman et Bradley avaient leur cabinet à Miami, ville dont l'argent engorgeait le centre alors que les bords restaient misérables. Harriet détesta Miami dès qu'elle y posa le pied. Les tours de bureaux perçaient le ciel bleu comme des cigarettes et, autour de leurs bouts filtres, à la base, les gens s'affairaient dans une lumière d'un blanc aveuglant. Trop de soleil avait flétri trop de peaux, brûlé tout le caractère du lieu. Rien de grand ni de novateur ne voyait jamais le jour à Miami, c'était un terrain de jeu, un endroit pour perdre son temps. Harriet avait hâte de repartir.

Le cabinet était installé dans un appartement somptueux, et une réceptionniste à l'accueil extrêmement froid régnait sur le hall que décorait une profusion de verdure. Harriet eut l'impression qu'elle n'avait pas vraiment rendez-vous et que bientôt on lui demanderait de s'en aller. Assise dans un fauteuil trop profond, elle croisa les jambes d'un air de défi. Elle n'était pas d'humeur à se laisser bousculer simplement parce qu'elle n'avait pas eu le temps de s'acheter des vêtements convenant à la température. Vêtue de laine, elle avait chaud, elle était mal à l'aise, mais non pas intimidée. Contre elle qui pouvait affronter les colères de Jake, cette fille ne faisait pas le poids.

Elle entendit qu'on ouvrait une porte au loin, dans un couloir. Incroyable : M. Younger venait lui-même accueillir son rendez-vous de dix heures et demie. La réceptionniste regarda un peu mieux Harriet, et découvrit certes une femme en vêtements sans intérêt et trop chauds, mais aussi avec un visage frappant. Si elle avait mieux su s'arranger, elle aurait pu être ravissante, se dit la jeune femme en admirant sa propre jupe à la coupe élégante.

– Madame Hawksworth ! Comme c'est gentil d'être venue ! s'exclama M. Younger en lui tendant la main.

C'était un homme grand, habillé avec élégance. Harriet se leva pour l'accueillir, et lui serra la main sans chaleur particulière.

– Vous m'attendiez ? J'ai eu l'impression que ce pouvait ne pas être le cas.

– Mais bien sûr que vous êtes attendue ! Shirley, apportez-nous du café.

– Oui, monsieur Younger.

La réceptionniste regarda Harriet s'éloigner dans le couloir. Ses chaussures étaient hideuses. Enfin, si cette femme était aussi riche que l'accueil de M. Younger le laissait entendre, elle pouvait se permettre de s'habiller comme elle le voulait.

Le bureau de l'avocat, grand comme une salle de bal, dégageait une odeur de rose synthétique et dominait la baie. Harriet décida d'observer avec circonspection. Tout cela ne sentait pas seulement la rose, mais aussi l'argent des pourcentages prélevés sur les gros clients.

– Je crois que vous avez vu Mme Lalange hier ? demanda Harriet.

C'était Simone qui l'avait accueillie à l'aéroport, l'avait emmenée à l'hôtel et s'occupait aujourd'hui de Victoria. Harriet s'installa non pas dans le coin plus intime du canapé moelleux devant une table basse, mais dans le fauteuil droit devant le bureau.

M. Younger hésita un moment, puis alla s'installer derrière son bureau. Cela rendait tout d'un formalisme déplaisant qu'il aurait voulu éviter.

– Je l'ai vue en effet, et je n'ai rien pu lui dire qui soit de nature à lui plaire.

– Elle n'hérite de rien, quel que soit le testament retenu, c'est cela ?

– Je le crains. Alors que je suis certain que, dans le cas peu probable où le testament en votre faveur serait écarté, un arrangement ménageant vos intérêts irait de soi. Peut-être même un arrangement substantiel.

– Avez-vous des contacts avec M. Hawksworth ? M. Gareth Hawksworth ?

– Eh bien... naturellement nous avons été en contact. M. Hawksworth risque de perdre gros.

Harriet inspira longuement puis frappa du doigt sur le bureau.

– Monsieur Younger, si vous devez me représenter, je vous demande de ne plus avoir aucun rapport d'affaires avec M. Hawksworth. Je l'ai connu quand je vivais à Corusca, et c'est un homme difficile et dangereux. Si votre cabinet travaille pour lui, je me verrai dans l'obligation de vous demander d'envoyer tous les documents concernant ma demande à Blumfront, Harding et Wiles.

Il s'agissait du deuxième cabinet de la ville, qui jusque-là n'avait pu écorner le prestige de Welman et Bradley, mais avec le compte Hawksworth...

– Il vaut parfois mieux régler ces différends en dehors des tribunaux, madame Hawksworth. Les contacts entre les intéressés ne sont pas nécessairement une mauvaise chose.

– Gareth ne négociera pas. Je suis persuadée qu'il se battra toutes griffes dehors et qu'il ne se contentera de rien moins que du tout. Si je dois vous parler franchement, je dois être certaine que Gareth ne pourra savoir ce que j'ai dit.

– Si vous doutez de ma discrétion...

– Bien sûr que non! Mais il existe entre nous un conflit d'intérêts évident.

Elle posa la main sur le bureau et le regarda longuement. Il avala sa salive. Elle était tellement directe!

– Je... Je vais voir ce que nous pouvons faire.

Ils s'installèrent de façon à pouvoir consulter ensemble les documents. La succession se composait de trois éléments. Le premier, la Corporation Hawksworth, était une chaîne hôtelière couvrant toute l'Amérique, mais en piteux état. Elle manquait d'allant quand Hawksworth l'avait achetée, et depuis, elle s'était encore détériorée.

– Les hôtels sont merveilleusement situés, dit Younger. Ils constituent tout de même un capital substantiel.

Les huîtres mangées la veille au soir dans le restaurant de l'hôtel se rappelèrent à la gorge de Harriet. Le Florida Hawksworth était poussiéreux, désuet et mal géré. L'air conditionné faisait toute la nuit un bruit d'enfer, les téléphones ne marchaient pas, et elle avait dû demander qu'on vienne retirer le cafard trouvé dans sa salle de bain – demande qui avait étonné la réception, qui trouvait tout à fait normale la présence de ces charmantes petites bêtes.

– Il faudra que je fasse quelque chose pour les hôtels, dit-elle pensivement.

Le deuxième élément était la collection d'art, dont personne ne pouvait estimer la valeur, parce que personne ne savait vraiment ce qu'elle comportait. Les trésors artistiques de Hawksworth étaient légendaires. On soupçonnait même que bon nombre d'œuvres volées chez des particuliers et dans des musées s'étaient retrouvées sur les murs de la grande maison de Corusca.

– Gareth n'a pas encore accepté que l'on vienne établir l'inventaire de la collection, dit Younger.

– Bien sûr! Et d'ici que vous alliez le faire, la moitié des œuvres auront disparu. Il faut prendre des mesures immédiates pour que la collection soit évaluée! dit Harriet en frappant le bureau du plat de la main.

– C'est un peu difficile. Gareth réside toujours à Corusca. L'île elle-même est une possession Hawksworth de valeur indéterminée.

– Oui, dit-elle d'un air pensif. Faites-lui une offre, dit-elle comme dans un rêve. Il peut garder Corusca et la collection s'il me laisse la propriété pleine et entière de la Corporation. Je trouve que ce serait équitable.

– Plus qu'équitable! dit M. Younger.

Il n'en revenait pas, lui qui avait l'habitude des divorces où l'équité n'avait guère de place.

– Je crois que Mme Lalange serait d'accord. Gareth devra s'occuper de Madeline sur sa part, et je m'occuperai de Simone sur la mienne.

– Rien ne vous oblige à vous occuper des enfants de M. Hawksworth, expliqua Younger.

– Je crois que si. Je ne suis arrivée que tardivement dans la vie de mon mari. Les enfants ont vécu depuis l'enfance dans l'attente de cet héritage. Ils ont droit à quelque chose. Mon mari... n'était pas un homme facile.

Younger resta silencieux, sa curiosité se lisant clairement sur son visage. Comment était Hawksworth? Pendant toutes les années où il l'avait représenté, jamais il ne l'avait vu en chair et en os. Les légendes ne manquaient pas à son sujet, on racontait des histoires de mort par magie, d'attirance perverse pour les femmes. Pourquoi avait-il épousé cette jeune femme-là? Harriet lui sourit, et il la trouva très belle.

– Les vieillards s'adoucissent, dit-elle gentiment.

Sur le chemin du retour, elle s'arrêta pour boire un café. Elle avait pris une décision. Elle n'avait pas osé le dire à Younger, mais elle avait l'intention d'écrire en personne à Gareth pour essayer de le calmer. Se faire des ennemis ne pourrait que la desservir, se dit-elle en ouvrant son bloc de papier. Il était sûrement très monté contre elle, mais elle pouvait se montrer magnanime. Elle écrivit rapidement.

Cher Gareth,

Je sais que vous serez surpris de recevoir une lettre de moi, mais je considère que je dois vous écrire avant que mes avocats prennent contact avec vous. J'ai discuté avec eux d'un accord de compromis, qui vous sera proposé dans un proche avenir. J'espère que nous pourrons nous mettre d'accord, pour le bien de tous. Votre père n'était pas un homme facile, et vous avez dû beaucoup supporter de lui, mais pourquoi devrions-nous être ennemis?

Selon le compromis, je reprendrais la Corporation, vous auriez l'île. Cela me semble juste, et comme je pense qu'il faudrait régler l'affaire dès que possible, j'apprécierais que vous donniez votre accord.

Dans l'espoir d'une réponse favorable,

Harriet.

Selon toute probabilité, se dit-elle en fermant l'enveloppe, c'est une lettre que je n'aurais pas dû écrire. Mais elle s'était sentie obligée de le faire. Les revendications de Gareth étaient justifiées par le sang, il avait le droit de protester quand tout semblait devoir revenir à une femme qui n'était entrée dans leur vie que par hasard, et bien qu'elle n'eût aucune intention de renoncer, elle voulait montrer sa bonne volonté. Devant la boîte aux lettres, elle s'arrêta et tapota sa lèvre du tranchant de l'enveloppe. De quoi Gareth avait-il l'air? Soudain, elle ne s'en souvint plus.

Simone était assise sur le lit, fumant pour se calmer. Victoria, d'humeur belliqueuse, déchirait des mouchoirs en papier en la regardant fixement. Quand Harriet entra, leurs deux visages s'éclairèrent de soulagement.

– Maman! Maman!

– Harriet! Jamais je n'ai eu de matinée aussi difficile. Ma tête explose.

Harriet prit Victoria dans ses bras et embrassa sa joue ferme et chaude.

– Ma pauvre, dit-elle d'un air vague. Il va falloir trouver une nurse.

– Et vite! Comment faire ce que nous devons avec une enfant aussi prenante? Même si, bien sûr, elle est ravissante! ajouta Simone, comme il était de son devoir.

Et dire qu'il y avait eu un temps où elle avait regretté de ne pas pouvoir avoir d'enfant!

– Que devons-nous faire? demanda Harriet. Il nous suffit d'attendre que les avocats nous mâchent la besogne, non?

Simone se toucha l'arête du nez de ses longs doigts. Comme pour aggraver sa migraine, Victoria émit un long cri. Simone ferma les yeux.

– Allons déjeuner, décida Harriet.

Elle avait hâte de sortir de cette pièce humide où tout était en plastique et, naturellement, vieillissait mal. Le bois se patine avec élégance, le plastique devient minable, se dit-elle.

Devant une pizza et une salade à la terrasse d'un café, Simone commença à revivre en buvant un verre de vin rouge.

– Il faut vous habiller, décida-t-elle. Vous n'avez aucun style, Harriet.
– Je n'ai surtout jamais eu d'argent.
– Cela n'a rien à voir avec l'argent. Le chic est sans prix.
– Je n'ai tout de même jamais pu me l'offrir.
– Maintenant, oui. Une femme doit toujours veiller à sa tenue. Sinon, c'est... comme un homme partant en guerre sans son arme. Une femme dont l'aspect est négligé est toujours sous-estimée, personne ne la remarque. Une femme ravissante est toujours respectée.
– Je ne sais jamais ce qui me va, soupira Harriet.
Victoria posa sa main pleine de sauce tomate sur sa manche et Simone inspira l'air en sifflant entre ses dents serrées.
– Il faut rapidement trouver une nurse, dit-elle d'une voix hystérique.
Elles trouvèrent Leah, une jeune fille couleur café au sourire lumineux, qui avait fait ses armes avec plusieurs frères et sœurs. Elle connaissait son affaire et semblait prête à travailler dur, comme elle l'avait fait dans des places où on exigeait plus d'elle que Simone ou Harriet. Dès qu'elle arriva dans l'horrible chambre d'hôtel, elle se mit à plier les vêtements et à ramasser les jouets, comme par réflexe.
– Vous ne la laisserez pas trop au soleil, demanda Harriet.
– Non, ma'ame. Mais par ce beau temps, elle sera bien dehors. Je la laisserai jouer à l'ombre jusqu'à ce qu'elle s'habitue. Peut-être que je pourrais lui acheter un chapeau, ma'ame?
– Bien sûr, tout ce qu'il faut, dit Harriet en fourrant une poignée de billets dans la main de Leah.
Simone se détendit dès que Harriet et elle se retrouvèrent dehors sans le fardeau que représentait l'enfant. Harriet, elle, était anxieuse.
– Et si ses références étaient des faux?
– On l'a prise à l'essai, Harriet. Et on a téléphoné à cette dame en Californie, qui a dit que ses enfants l'adoraient.
– C'est peut-être un truc, elle connaît peut-être des gens en Californie qu'elle aura payés pour dire qu'elle avait travaillé pour eux quand ils vivaient ici. Ce ne serait pas si difficile.
– Si vous vous inquiétez à ce point, nous pouvons y retourner et voir ce qu'elle fait. Au pire, elle sera en train de dépenser en bonbons cette somme d'argent ridicule que vous lui avez donnée.
– Mais ça gâterait les dents de Victoria! dit Harriet en se couvrant le visage de ses mains.
– Oh, zut! Ressaisissez-vous, Harriet!
Harriet reprit son chemin. Puisqu'elle ne pouvait s'occuper en personne de Victoria, il ne servait à rien de s'angoisser à

l'idée de ce qui pouvait arriver en son absence. Ne l'avait-elle pas laissée sans arrière-pensée à Iris et Dodie? Mais c'était différent... deux vieilles dames, dans son propre pays, où elle comprenait les règles selon lesquelles les gens vivaient. Ici, bien qu'on y parlât sa langue, le style de vie lui était plus étranger qu'elle l'aurait jamais cru. Enormes voitures, vastes demeures, repas gargantuesques, accueil extravagant, tout et tous étaient à une bien plus grande échelle que chez elle.

Simone semblait s'y trouver bien, dépensant avec la liberté d'une femme qui a toujours eu de l'argent, qui se sent toujours riche en dépit de son compte en banque vide. Harriet, dont le compte était plein, redoutait sa propre extravagance. Comme une anorexique refusant de manger parce que toute nourriture signifie qu'on va prendre de l'embonpoint, elle craignait de dépenser parce qu'elle savait qu'une fois qu'elle aurait commencé, rien ne l'arrêterait plus. Mais Simone était bien décidée, et, honnêtement, Harriet devait s'avouer que toute sa vie elle avait souhaité rencontrer quelqu'un qui la prendrait par la main et l'habillerait. Comme Simone était belle, en ce moment, en robe sans manches jaune citron, sandales blanches, boucles d'oreilles et fine chaîne en or! Elle avait rassemblé ses cheveux dans un bandeau citron et brun qui aurait dû jurer, mais qui faisait très chic. Harriet savait reconnaître le chic chez les autres, mais n'arrivait pas à l'atteindre pour elle.

Elles pénétrèrent dans une boutique silencieuse et discrète dans une rue latérale très chère. Sans rien regarder, Simone poussa Harriet dans un vaste salon d'essayage.

– Retirez vos vêtements, ordonna-t-elle, je veux vous étudier.

Harriet se mit nerveusement en soutien-gorge et en slip, et Simone recula pour la regarder d'un œil critique.

– Vous devez avoir plus de soutien pour votre poitrine, qui est assez volumineuse. Et puis vous avez le buste court. Vos jambes sont très longues. C'est la clé de votre style, Harriet, souvenez-vous de ce buste court. Un peu trop gonflé, ici, dit-elle en lui posant la main sur le ventre.

– La nourriture est trop riche, ici. Je dois faire attention, mentit Harriet.

Elle ressentit un petit pincement d'excitation. Deux semaines de retard. Ce petit gonflement ne pouvait signifier qu'une chose.

Simone passa dans la boutique et dit quelques mots à la directrice – deux professionnelles devant relever un défi en femmes d'affaires et en experts.

– Nous éviterons toute excentricité, dit Simone en fronçant le nez devant une création enrubannée et volantée. La ligne doit être longue, toujours longue. Ce tailleur et ce chemisier, et aussi cette robe de cocktail, en vert, s'il vous plaît. Essayez ça, Harriet.

Les couleurs chantaient, même à la lumière du salon d'essayage. Harriet se glissa dans le chemisier en lourde soie crème et grimaça un peu au décolleté qui laissait exposés deux centimètres de ligne entre les seins. Ce serait étrange sous le tailleur en shantung abricot à jupe droite longue et à veste largement épaulée. Elle se regarda dans le miroir : indéniablement juste, indéniablement sexy.

– Vous devez vous coiffer de différentes façons, dit Simone, en ajustant la jupe. Parfois des peignes, parfois un bandeau, parfois un chignon. Vous êtes trop prévisible, ma chère, trop conservatrice. Avec ça, une perle aux oreilles et ce que vous voudrez d'autre. Vous n'utilisez pas assez les vêtements. Maintenant, la robe de cocktail.

Harriet se laissa faire. La robe était froncée à la taille, remarqua-t-elle d'un air dubitatif, mais l'encolure était jolie. Elle l'aurait volontiers achetée, mais Simone la lui arracha presque du dos.

– Elle a le buste court, voyons! Quelque chose de plus droit, madame, vite!

La directrice revint avec une robe en dentelle rouge sombre, montant haut sur le cou devant, mais avec un décolleté plongeant jusqu'à la taille dans le dos. De ligne pure, elle couvrait tout mais ne cachait rien, triomphe de provocation subtile. Simone était ravie.

– Je vous apporterai une ou deux choses de ma propre collection. Vous êtes faite pour la haute couture, ma chère. Quelle élégance radieuse! La robe est merveilleuse, tellement respectable, mais avec tant d'allure. Il vous faut de très hauts talons, avec ça, Harriet, et seulement des boucles d'oreilles, aucun autre bijou, vous comprenez!

Harriet secoua sa chevelure et Simone et la directrice échangèrent un sourire. C'est ce qu'elles aimaient : une femme qui prenait vie dans leurs vêtements, comme une actrice dans un rôle.

Ivre d'obéissance, Harriet se laissa promener de boutique en boutique. Simone n'hésita pas à acheter une brassée de chemisiers blancs, trois jupes de coton, un choix de ceintures de cuir de différentes couleurs, le tout très cher. Harriet eut envie d'un ensemble de sport vert vif, que Simone n'aimait pas.

– Je ne peux pas être élégante tout le temps! gémit Harriet.

– Pourquoi pas? fut la réponse sans concession.

Retour dans l'atmosphère déprimante de l'hôtel. Pour une fois, la chambre était en ordre, et Victoria était assise par terre pour un jeu de construction avec Leah.

– Je lui ai acheté ça, ma'ame, j'espère que vous êtes pas fâchée.
– Mais pas du tout!
Elle se sentait épuisée, comme au début de sa première grossesse. Que dirait Jake, s'il savait? Il valait mieux qu'il ne sache rien.
Ils s'étaient séparés un peu amers, et il avait été presque heureux de la voir partir. Qu'avait-il dit? « Tu me gênes. » Et c'était vrai, parce qu'il avait une double personnalité, et l'homme qui pouvait vivre avec elle n'était pas celui qui allait en mer. Il arrivait et cassait tout, comme des vagues attaquant une digue. Ce n'était la faute ni de l'un ni de l'autre, et il le savait aussi bien qu'elle.
Et puis il n'était peut-être même pas à la maison. Au moment de la séparation, ils avaient jonglé avec des mots dangereux... Comme toujours quand elle était fatiguée, elle commençait à douter d'elle. Peut-être devrait être rentrer, renoncer à son indépendance et lier son étoile à celle de Jake, pour le meilleur et pour le pire... Ce n'était sans doute pas la meilleure chose à faire, mais certainement la plus familière.
Le téléphone sonna. Simone décrocha, les yeux mi-clos de délice parce qu'elle venait d'allumer une cigarette.
– C'est pour vous, Harriet.
– Madame Hawksworth, dit M. Younger, j'ai été contacté ce matin par la direction de Hawksworth Corporation à New York. Il semble qu'il y ait une crise, et qu'on ait besoin de directives. Je dois vous dire... J'ai essayé de joindre M. Hawksworth, mais il est à Corusca et indisponible. J'ai donc pensé que je devais vous informer de la situation.
Harriet ferma la bouche en faisant claquer ses dents. Quand elle la rouvrit, elle dit d'une voix glaciale :
– Pourquoi ce délai? Je croyais vous avoir ordonné de ne plus avoir aucun contact avec Gareth. Je vais vous dire une chose, monsieur Younger : s'il arrive encore que vous tardiez ainsi à m'informer d'un problème important, ce sera la dernière fois que nous nous parlerons. Est-ce que je me fais bien comprendre?
– J'ai pensé que M. Hawksworth était le mieux placé pour régler tout problème concernant la Corporation, madame Hawksworth.
– Eh bien, il faut que vous changiez immédiatement de façon de penser. Je pars pour New York ce soir même. Bonsoir.
Elle raccrocha, consciente que la fureur l'envahissait, sans en connaître la véritable cause. Fierté blessée, peut-être : il ne la croyait pas capable de diriger l'entreprise. Simone la regardait avec intérêt, comme si elle voyait quelque chose qu'elle n'aurait jamais cru possible.

– Et pourquoi devons-nous partir pour New York?

– Nous ne partons pas. Je pars. Leah peut accompagner Victoria. Je sais que vous devez avoir beaucoup de choses à faire, ma chère Simone.

C'était une façon efficace de lui signifier son congé. Et Simone montra qu'elle avait compris en levant un sourcil.

– Il est vrai que j'ai quitté la maison depuis un certain temps. Mais... N'oubliez pas notre accord...

Harriet leva les yeux vers elle, surprise. Elle éclata de rire.

– Je crois que vous ne me connaissez pas très bien : je ne reviens jamais sur ma parole, jamais. Et je suis toujours choquée quand d'autres le font.

– C'est très naïf.

– Non, je fais confiance aux gens, jusqu'à ce que je découvre que je ne le devrais pas. Mais alors, j'ai beaucoup de mal à oublier.

Son visage s'assombrit et Simone se demanda ce dont elle venait de se souvenir.

– Il arrive qu'on puisse faire confiance à quelqu'un pour certaines choses et pas pour d'autres.

– Hum. L'ennui, c'est qu'on ne sait pas quelles choses, non? On ne sait jamais à quoi s'attendre.

– Je trouve que c'est tout le charme de la vie, ma chère, dit Simone en riant. Si tout se passait comme on le prévoit, ce serait tellement ennuyeux!

26

L'avion était plein. Harriet crut que jamais on ne lui apporterait la boisson qu'elle avait demandée, que jamais on ne servirait le dîner. Leah était au hublot et Victoria entre elle et Harriet. C'était plus qu'inconfortable. Harriet essayait de comprendre son premier bilan comptable et sa fille ou les gens qui passaient dans la travée ne cessaient de lui cogner les coudes. Elle finit par demander à Leah de changer de place avec Victoria et retrouva un peu de paix. Les chiffres flottaient devant ses yeux.

C'était inutile. Elle ne savait même pas ce qu'elle regardait. Elle rangea les papiers et tenta de faire le tri entre ses pensées et ses impressions sur la Hawksworth Corporation. A première vue, c'était un monstre qui avait posé ses pattes partout en Amérique. Comment était-il possible pour une chaîne d'hôtels de tenir compte de la diversité d'un pays aussi vaste? En tout cas, la Corporation n'y était pas parvenue. La réponse apportée par la chaîne était ennuyeuse, uniforme, sans style – partout les mêmes chambres et, sans aucun doute, la même nourriture médiocre et la même incompétence. Seule certitude qu'elle avait acquise en étudiant le bilan : Hawksworth Inc. perdait de l'argent.

Elle réfléchit à la question des hôtels, se demandant ce que les gens en attendaient. Du confort, une certaine amabilité, et un anonymat suffisant, conclut-elle. Personne n'avait envie de devoir écouter les bavardages de la femme de chambre pendant une escapade amoureuse, mais l'homme d'affaires fatigué ne souhaitait pas non plus sentir qu'il ne présentait pas plus d'intérêt que le numéro de sa carte de crédit.

– S'il vous plaît, ma'ame, Victoria doit aller aux toilettes.

Pour les laisser passer, elle se leva et dut s'adosser au siège d'en face. L'homme qui l'occupait lui toucha les fesses et elle sursauta.

– Je suis tout à fait désolé! mentit l'homme. Puis-je vous offrir un verre?

– Non, merci, dit-elle en se rasseyant sans un autre regard.

Pourquoi toujours repousser les gens? se demanda-t-elle. C'était inutile. Elle n'appartenait pas à Jake. S'il était libre, pourquoi ne le serait-elle pas aussi? Sauf qu'elle ne l'était pas. Elle prit des notes d'un air sérieux sur son bloc de papier, jusqu'à ce qu'elle se rende compte de la légère transparence des chemisiers achetés par Simone.

A New York, il faisait un froid mordant, et elle commença par s'acheter un manteau trois-quarts en laine prune avec un chapeau assorti et des bottines en cuir naturel. Avant Simone, elle aurait acheté des bottines noires, mais elle eut l'impression que la couleur claire allait mieux. Cette année-là, comprit-elle plus tard, tout le monde à New York portait des bottines en cuir naturel. Comment savoir quand, en n'étant pas prévisible, on se retrouvait prévisiblement imprévisible? Seulement en étant française, sans aucun doute.

Deux jours déjà, et elle n'avait toujours pas appelé la Corporation, par simple lâcheté, bien qu'elle se fût trouvé de fausses excuses : elle était fatiguée, elle avait dû faire des achats, il fallait installer Victoria. Le troisième jour, plus rien ne pouvait retarder l'échéance, ni tremblement de terre, ni rougeole, ni même un ongle cassé. Elle se sentit mal, peut-être à cause de sa grossesse, mais plus probablement à cause de la peur. Elle n'arrêtait pas de bâiller comme un hippopotame. Elle enfila son tailleur abricot et s'enveloppa dans son manteau. En mettant ses bottines, elle eut envie d'emporter ses chaussures à talons pour plus tard, mais hésita à arriver avec un sac en plastique au siège de la Corporation. Elle embrassa Victoria et bredouilla quelques indications à Leah, qui se débrouillait très bien toute seule.

Le portier lui appela un taxi et elle arriva devant l'immeuble Hawksworth, flèche argentée pointée vers le ciel. Il semblait tout aussi imprenable qu'une forteresse médiévale, armé et soutenu par l'argent. Mais la prospérité était une illusion que la Corporation avait du mal à s'offrir. Enfin, qu'en savait-elle, elle qui, sans l'avance sur l'héritage, n'aurait même pas été capable de rénover sa maison de Markham, elle qui était assez stupide pour croire ce que les gens lui disaient?

Elle se sentit mal au point de craindre de s'évanouir. Encore une excuse? Elle recula d'un pas et pensa à Gareth : il savait qu'elle avait l'intention de reprendre la Corporation. Mais qu'est-ce qui lui avait pris de croire qu'elle y arriverait? Comme M. Younger allait se moquer d'elle quand elle reviendrait la tête basse et lui dirait qu'elle devait réfléchir encore! Il ne lui restait plus qu'à y aller, et si elle échouait, tant pis, elle saurait pour la prochaine fois. Les larmes aux yeux, elle entra.

A dix heures et demie du matin, dans le hall silencieux, les talons de Harriet claquèrent sur le sol jusqu'à la réception. La jeune fille leva les yeux et vit une dame élégante, un peu pâle, qui triturait ses gants.

– Je suis Mme Hawksworth. Je souhaite voir M. Somers.

– Je suis désolée, madame, notre directeur adjoint est parti hier.

– Vous voulez dire qu'il est en voyage?

– Non, madame, il a quitté l'entreprise.

– Alors qui le remplace?

– Personne pour le moment. Dois-je appeler M. Thomas? C'est le directeur financier, expliqua la jeune femme devant l'air inquiet de son interlocutrice.

Harriet attendit en arpentant le hall. L'immeuble était désespérément tranquille pour un matin de semaine. On aurait dit une entreprise de pompes funèbres, pas la maison mère d'une affaire en pleine activité. L'ascenseur arriva et un homme mince et grisonnant en sortit, l'air irrité.

– Madame Hawksworth? Je suis Claude Thomas.

– Bonjour, monsieur Thomas. Je suis désolée, est-ce que j'arrive mal? demanda-t-elle en voyant qu'il l'entraînait vers la sortie.

– Nous avons un problème en ce moment, oui. Je serais ravi de vous voir à un autre moment, bien sûr...

– C'est votre problème que je suis venue voir, dit Harriet en s'arrêtant net. Il ne s'agit pas d'une visite mondaine, monsieur Thomas.

Il s'arrêta aussi pour reprendre contenance.

– Peut-être voudriez-vous monter?

Contrairement au calme qui régnait en bas, l'étage de la direction était en plein tumulte. Deux hommes en costume avaient une violente altercation, une secrétaire, debout au centre de la pièce, répondait à deux téléphones à la fois, et un troisième sonnait sans qu'apparemment quelqu'un songe à décrocher. Claude Thomas traversa la pièce et alla rejoindre les deux querelleurs. Le téléphone sonnait toujours. Harriet décrocha.

– Allô? Je suis désolée, mais nous sommes très occupés pour l'instant. Rappelez-nous plus tard. Merci.

Elle raccrocha, retira les combinés des mains de la secrétaire et les replaça aussi sur leur support.

– Pouvez-vous faire du café ? lui demanda-t-elle gentiment.

Elle avança vers le trio d'hommes en colère et frappa dans ses mains, attendant qu'ils se tournent vers elle.

– Messieurs, dit-elle dès qu'ils la regardèrent tous, je suis Harriet Hawksworth. A partir d'aujourd'hui, je dirige la Corporation. J'aimerais que vous veniez tous dans ce bureau et que vous m'expliquiez ce qui se passe.

C'était le soir. Une petite neige mouillée tachait la fenêtre, et en contrebas rugissait la meute des banlieusards cherchant à sortir leur voiture de la ville. Harriet était assise dans le bureau du président de Hawksworth Corporation et se disait que ce M. Somers s'était bien servi. Bureau de chêne ancien, vaste et recouvert de cuir, murs tapissés de tissu damassé à filets d'or, rideaux vert et or. Sur les étagères, des espaces vides trahissaient la disparition d'objets. Hier, M. Somers était parti, soupçonné d'avoir détourné plusieurs centaines de milliers de dollars. Son départ avait été précipité par l'appel de la banque réclamant le remboursement de l'énorme emprunt Hawksworth. En fait, l'héritage que Harriet avait cru tellement fabuleux était à ce jour un coffre vide.

Harriet avait passé toute la journée avec MM. Thomas, Waldenheim et Brunstein, se renseignant officiellement sur le désastre, mais en vérité essayant de découvrir si eux aussi avaient puisé dans la caisse. Thomas, elle en était certaine, n'avait rien à se reprocher : il avait été exclu des confidences de Somers depuis des mois, et il n'appréciait guère que sa vie soit gâchée par un escroc. Brunstein, engagé peu de temps auparavant, et peut-être abandonné par son mentor, était le plus douteux. Il attendait dehors, maintenant, comme les autres. Ils pensaient qu'elle allait leur dire quoi faire.

Harriet approcha de la fenêtre et regarda la neige. Elle portait la responsabilité de cette crise, elle en était sûre. Naïve, innocente, stupide, elle avait écrit à Gareth et lui avait dit son intention de lui retirer son jouet, et il s'était assuré qu'il serait cassé avant qu'elle mette la main dessus. M. Younger l'avait trouvé « indisponible ». Gareth avait décidé qu'il était temps que Harriet découvre combien elle était ignorante.

La neige couvrait tout d'une couche plus épaisse maintenant. Quelle horreur de penser que ce soir elle devait retourner dans le confort douteux du New York Hawksworth, sinistre et impersonnel ! Si elle pouvait transformer cet hôtel, et tous les autres, elle serait la première à fournir aux voyageurs confort et style. A moins qu'elle ne vende la chaîne, tirant ce qu'elle pourrait de chaque maillon. Elle se retrouverait avec un million de dollars. Mais si elle faisait marcher la chaîne comme elle le devrait et la vendait après, elle en tirerait dix fois plus.

Elle appuya sur un bouton du téléphone.

– Voulez-vous entrer, s'il vous plaît, Claude?

Elle remarqua qu'il avait l'air fatigué, comme s'il n'avait pas eu une seule bonne nuit depuis des semaines.

– Somers vous en a fait voir de toutes les couleurs, n'est-ce pas? dit-elle.

Il était trop prudent pour approuver. Il ne lui faisait pas encore confiance. Il prit place face au bureau, serrant et desserrant les doigts.

– Bien, dit Harriet. Nous n'avons qu'une alternative. Soit nous vendons : tout le monde à la rue, tous les hôtels fermés, la fin de la Corporation Hawksworth. Vous pensez peut-être que ce ne serait pas une grande perte. Elle n'existe pas depuis si longtemps. Je n'en sais rien.

– Je... Je suis un peu trop vieux pour retrouver facilement un autre emploi.

– C'est le cas de bon nombre de ceux que nous employons, à n'en pas douter. L'autre solution est de refinancer l'emprunt, et vite, avant que les banques ne nous mettent en liquidation. Ensuite, il nous faudra assez d'argent pour remettre les hôtels sur pied, pour qu'ils soient à nouveau bénéficiaires. Je suggère, en priorité, que nous vendions cet immeuble. C'est un luxe que la Corporation ne peut plus se permettre. Et nous devrions aussi envisager de vendre le New York Hawksworth.

– Mais c'est notre hôtel phare!

– Et il est en train de sombrer, dit Harriet avec un regard féroce qui intimida Thomas. Pouvons-nous obtenir un autre prêt?

– Nous pouvons essayer.

– Alors, nous devons essayer, Claude. Je veux que vous compreniez que la seule façon pour vous de garder votre emploi et de gagner assez pour jouir de votre retraite, c'est de travailler de tout cœur avec moi, maintenant. Je ne comprends rien aux chiffres, je ne m'en cache pas. Si vous êtes prêt à rester ici cette nuit et à travailler, alors je resterai travailler avec vous, et les autres aussi. Sauf que... je vais virer Brunstein.

– Vous êtes sûre? sursauta Claude Thomas.

Harriet pressa à nouveau le bouton, et convoqua Brunstein. Non, elle n'était pas sûre, mais le dos au mur. Elle ne pouvait attendre de certitude. Jusqu'à l'instant où elle se retrouva face à Brunstein, elle ne savait pas ce qu'elle allait lui dire, mais quand elle vit son sourire trop large, elle sut.

– Je suis désolée, dit-elle doucement, mais je suis certaine que vous comprenez dans quelle position se trouve la Corporation.

– Vous ne voulez pas dire que je suis renvoyé ?
– Je n'ai pas le pouvoir de renvoyer les gens. Il se trouve simplement que votre emploi n'existe plus. J'attends les autorités demain pour la liquidation. Il vaudrait mieux que vous vidiez votre bureau ce soir, avant que tout soit saisi.
– Je n'ai fait que suivre les instructions de M. Somers, bredouilla-t-il. Je suis tout prêt à rembourser...
– Oui, dit Harriet avec la plus grande froideur. Peut-être que cela vaudrait mieux.
Elle attendit que le bruit de ses pas ait disparu dans l'ascenseur pour appeler Waldenheim. Il entra comme un homme qui marche vers le poteau d'exécution.
– Je crains que vous ne deviez rester ici un bon moment, dit Harriet. Prévenez votre femme.
Comme il la regardait d'un air hagard, elle croisa les mains et se mit à rire.
– Asseyez-vous. Il nous reste une douzaine d'heures pour trouver comment conserver tous nos emplois.

Le samedi, Harriet donna sa journée à Leah et emmena Victoria au parc. Des gens passaient en patins à roulettes, couraient ou promenaient leurs chiens dans les allées. Elle se sentait épuisée. Les trois jours précédents, elle avait été de réunion en réunion, avec une banque, une autre banque, tel ou tel financier... Elle connaissait maintenant le bilan de Hawksworth Corporation mieux que sa propre main. Elle savait que les colonnes de chiffres cachaient autant de choses qu'elles en révélaient. Il y avait eu des détournements massifs de fonds, non seulement de la part du président, mais aussi de ceux, à tous les niveaux, que personne ne surveillait plus : les barmen revendaient les bouteilles en stock, les chefs les denrées alimentaires; jusqu'aux femmes de chambre qui distribuaient les serviettes aux membres de leur famille. Elle avait tout compris quand un financier à l'œil acéré avait déclaré sans ménagements :
– Ces hôtels sont lamentables.
Alors même qu'elle se promenait dans le parc avec sa fille, ce même financier était penché sur le plan de sauvetage que Waldenheim, Thomas et elle avaient mis sur pied. Sacré Mark Benjamin ! Il était confortablement installé en famille, pour trancher le sort de milliers d'autres familles. Se rendait-il seulement compte de ce qu'il faisait ?
– Mieux vaut en finir tout de suite que continuer à jouer les canards boiteux et se retrouver avec moins encore, avait-il dit froidement.
– Je suis sûre qu'on peut s'en sortir.

– Et dans le cas contraire?

C'était ce qui la tracassait maintenant. Elle avait peur d'un refus, et plus encore de faire ce à quoi elle s'était engagée. Pour montrer de quelle trempe elle était, elle avait déjà mis l'immeuble Hawksworth en vente et clairement exprimé son intention de vendre aussi l'hôtel new-yorkais de la chaîne, si cela s'avérait nécessaire. Mais ils voulaient savoir à quel point elle était prête à s'engager.

– Je ne peux pas être plus claire, avait-elle dit à Benjamin. Je n'ai rien d'autre que cette entreprise.

Maintenant, elle luttait contre la tentation d'appeler M. Younger en Floride pour l'informer qu'elle retirait sa proposition à Gareth. Mais ce ne serait pas juste. Elle avait confiance en son étoile et elle était certaine que si elle ne faisait pas ce qui était juste, elle la verrait s'envoler très loin hors de portée.

– Glace, déclara Victoria.

Harriet lui acheta un hot-dog – que la fillette jeta par terre. Plutôt que de faire de la discipline en cette unique journée qu'elles passaient ensemble, elle lui acheta finalement une glace. Elle considéra sa faiblesse, et la justifia par le fait que pendant tant de jours elle avait été forte. Il était difficile de se détendre tant que rien n'était décidé, comme Jake quand il avait un bateau à moitié terminé. Il détesterait cette situation, se dit-elle, tous ces chiffres, ces projets, cet argent, rien de tangible.

Quand elle rentra, le téléphone sonnait. C'était Mark Benjamin.

– J'aimerais vous voir pour parler un peu, dit-il d'une voix cassante. On pourrait aller dîner ce soir.

– Oh, merci, mais... on est samedi, est-ce que ça n'ennuie pas votre femme?

– Je travaille à n'importe quelle heure. Je passe vous prendre à sept heures.

Elle ne savait qu'en penser. La robe de cocktail que Simone lui avait fait acheter était bien trop habillée; elle choisit donc un tailleur en soie grise et se demanda que porter avec. Elle finit par ressortir en coup de vent et acheter un chemisier abricot au drapé croisé à une vendeuse de mauvaise humeur parce qu'elle avait hâte de rentrer chez elle. Ce n'était qu'un rendez-vous d'affaires, mais, comme disait Simone, il valait mieux se mettre en valeur, quelles que soient les circonstances. Elle n'avait pas aimé ce Mark Benjamin. Il avait trop vite percé à jour ses failles mal dissimulées et brisé son assurance.

En se pulvérisant du parfum sur les poignets, elle se le représenta : bel homme, il entrait dans la maturité, son front commençait juste à se dégarnir et son corps réclamait davantage de soins. Il était à un âge où l'on a besoin de quelques satisfactions de vanité, conclut-elle, en défaisant son chignon pour laisser cascader ses cheveux sur ses épaules.

Il fut d'une ponctualité rigoureuse, bonne leçon pour Harriet qui avait habituellement dix minutes de retard. Elle fut surprise de le voir en taxi, lui qui disposait d'une limousine avec chauffeur.

– Où allons-nous? demanda Harriet en croisant les jambes.

C'était bon de sortir dans la nuit new-yorkaise, de regarder les lumières et les couleurs, et même les sans-abri qui se réchauffaient devant leurs braseros.

– Nous allons dans un petit restaurant que je connais bien. Nous pourrons y parler.

Il l'observa qui se penchait pour regarder par la fenêtre du taxi. Elle dressa un peu la tête pour dégager son menton, son cou et sa poitrine, et l'entendit qui retenait sa respiration. Un frisson lui parcourut l'échine – plaisir, peur, anticipation? Qu'allait-il arriver ce soir? Que voulait-elle qu'il se passe?

Le restaurant était très discret, l'entrée éclairée par une lampe tamisée, la porte gardée par un homme fort et attentif en costume sombre. Il y avait un bar où un autre couple bavardait et, par-delà une arche gardée par deux statues de Maures grandeur nature, quelques tables entouraient une petite piste de danse. Le pianiste, presque dissimulé derrière des plantes vertes, jouait de la musique douce en grignotant des biscuits apéritifs sans pour autant faire la moindre fausse note. Harriet regardait tout avec voracité, les chaises en cuir, les lourds verres en cristal, tout ce qui créait l'opulence. Pouvait-on arriver au même résultat sur une plus grande échelle? Elle n'en était pas certaine.

– Parlez-moi de vous, Harriet, demanda Benjamin en fixant sur elle des yeux inquisiteurs.

– Non, répondit-elle avec un sourire provocant. Vous imagineriez de moi des choses fausses.

– Mais comment vous êtez-vous mariée à Hawksworth? Personne ne voyait jamais ce vieil original. Il était retenu sur cet île et personne ne l'approchait jamais. Je connais son fils, naturellement.

– Ah oui? dit Harriet dont les antennes se dressèrent.

– Je ne l'aime pas, dit Benjamin en souriant.

Harriet se détendit. Il n'était pas stupide; il fallait qu'elle ne l'oublie pas.

Ils dînèrent d'une sole farcie au caviar, et Harriet prit comme dessert une meringue en forme de cygne, plus jolie à voir que bonne à manger.

– Alors, allez-vous nous accorder ce prêt? demanda-t-elle en posant sa cuiller.

– Cela dépend... dit-il en la fixant.

– Je n'en crois rien, dit Harriet avec un petit rire. Pas pour ça. Pas vous!
– Pourquoi pas moi? J'admets que je n'ajoute généralement pas cette condition. Je suis un homme marié et heureux en ménage, mais...
– La vie devient un peu monotone, dit froidement Harriet en pensant à Jake. Allons danser.
Benjamin était maladroit sur la piste de danse. Il serait probablement maladroit au lit. Elle se demanda comment il serait nu. Est-ce qu'il rentrerait le ventre pour avoir l'air plus mince?
– Il doit y avoir bien d'autres femmes avec lesquelles vous pouvez coucher, murmura-t-elle alors qu'il la serrait assez fort pour qu'elle sente son excitation.
– Je n'ai pas d'attirance pour les secrétaires. J'aime les femmes qui sont à ma hauteur.
– New York regorge de brillantes jeunes femmes. Je ne suis qu'une débutante.
– C'est ce que j'aime. Vous êtes encore douce. Je n'aime pas les femmes masculines. Il y a une chambre à l'arrière que je peux réserver. Allons y prendre du bon temps!
Dans la lumière tamisée, il lui caressa les seins, faisant glisser la soie contre sa peau. Elle le regarda et se demanda pourquoi cela ne lui faisait rien. Est-ce que c'était cela, les affaires? Se vendre pour ce qu'on voulait obtenir? Elle s'écarta de lui et retourna s'asseoir à la table. Il la suivit.
– Est-ce que je demande la chambre?
– Non, dit-elle en prenant son sac.
– Ma femme n'en saura rien, si c'est ce qui vous tracasse.
C'était exactement ce qu'il ne fallait pas dire, et il le comprit sur-le-champ. Harriet raidit ses épaules comme pour écarter un manteau sale et sa bouche se tordit en une moue amère.
– Si vous pensez que je devrais avoir ce prêt, dit-elle d'une voix sourde et passionnée, alors donnez-le-moi, mais ne me le faites pas payer au lit. Peut-être que les femmes de New York sont dures, mais ce sont les hommes de New York qui les rendent ainsi, en les utilisant, en usant toute leur douceur. Je ne veux pas réussir dans les affaires si au bout du compte je dois finir par me haïr.
Mark Benjamin la regarda. La douleur se peignait si sincèrement sur son visage qu'il en ressentit une forte émotion. Il admira cette femme condamnée à être déçue parce qu'elle ne savait pas transiger, mais il devait admettre qu'elle était par trop téméraire, imprudente même.
– Je vais vous reconduire, dit-il gentiment.
Dans le taxi, il l'embrassa et perdit tout contrôle quand elle le laissa faire.

– Je pourrais vous aimer, murmura-t-il comme un fou.
– Je ne veux pas qu'on m'aime, dit-elle en le repoussant. Les hommes ne savent pas aimer.

Elle resta assise dans sa sinistre chambre d'hôtel une partie de la nuit. Leah parlait en dormant, à côté. Elle s'ennuyait de chez elle et souffrait du froid. Harriet aussi. S'il devait ne pas y avoir de prêt, elle n'avait d'autre solution que de présider aux funérailles de l'entreprise, découpant le cadavre pour voir ce qui restait après que les charognards se seraient servis. Elle finit par se coucher dans son mauvais lit, et elle dormit.

27

Les lundis humides à New York figurent très haut dans la liste des désagréments. Harriet arriva tard, enjambant avec précaution les ordures qui tourbillonnaient dans les ruisseaux bruns et glacés des caniveaux. Fatiguée et aussi sinistre que cette journée, elle entra lentement dans le hall de l'immeuble Hawksworth.

– Bonjour, madame Hawksworth.

Le salut fut répété par tous ceux qui reculaient pour la laisser passer, des employés qu'elle ne connaissait même pas. Est-ce qu'ils montreraient autant d'entrain quand elle les licencierait?

Un homme à cheveux gris qu'elle avait déjà vu lui tenait la porte de l'ascenseur. Son bureau était situé au troisième, mais elle ne savait pas bien ce qu'il faisait. Il s'inclina légèrement.

– J'aimerais que vous sachiez, madame, combien nous sommes reconnaissants de tous vos efforts pour nous, dit-il respectueusement. Nous apprécions beaucoup.

Elle se sentit rougir et ne trouva pas les mots pour répondre. Après un silence embarrassé, la porte se referma et elle monta. Claude Thomas l'attendait.

– Chère madame Hawksworth! Félicitations!

– Je ne vois vraiment pas où vous avez pris l'idée que nous étions sortis d'affaire, dit-elle en passant devant lui sans s'arrêter.

– Eh bien, naturellement, nous avons un long chemin à parcourir, mais vous l'avez dit vous-même, avec l'emprunt refinancé...

– Il n'a pas été refinancé! J'ai... J'ai parlé à M. Benjamin samedi.

– Et son bureau a travaillé tout dimanche. Je suis désolé,

madame Hawksworth, je croyais que vous saviez. Les papiers ont été apportés par coursier ce matin, et dans ces circonstances...

Elle le regarda avec des yeux ronds. Au bout d'un moment, elle alla s'asseoir à un bureau qui une semaine plus tôt appartenait encore à quelqu'un d'autre, et lut lentement les papiers qui y étaient posés. Puis elle ouvrit un tiroir, en sortit une feuille vierge et y griffonna un mot avant de la placer dans une enveloppe.

– Faites porter ceci à M. Benjamin tout de suite, s'il vous plaît, dit-elle doucement. Claude, il faut convoquer les directeurs de tous les services pour une réunion dans une demi-heure.

Mark Benjamin, dans son bureau à quelques pâtés de maisons de là, environné de papiers qu'il parcourait tout en répondant au téléphone, ouvrit en personne l'enveloppe Hawksworth. A l'intérieur, un mot non signé disait :

« *Mark Benjamin, vous êtes ce que j'appelle un gentleman.* »

En dessous, trois croix figuraient autant de baisers.

La résurrection de la Hawksworth Corporation se produisisit à un moment où il ne se passait pas grand-chose dans le monde des affaires et où les nouvelles tant nationales qu'internationales n'étaient guère exaltantes. Les journaux en parlèrent donc abondamment, et même les magazines s'enthousiasmèrent pour l'aventure, publiant toutes les photos qu'ils pouvaient trouver de Harriet Hawksworth.

« Qui est cette femme? s'interrogeait l'un d'eux. Belle, froide, sophistiquée, elle a pris possession de New York comme un ouragan. Où a-t-elle acquis le goût et les capacités nécessaires à la transformation des hôtels de la chaîne Hawksworth en un modèle de style moderne? Elle ne nous l'a pas confié, pas plus qu'elle ne nous a dit qui est le père de son adorable petite fille. Une dame mystérieuse qui passe ses soirées chez elle devant un feu de cheminée. Est-il possible que Harriet Hawksworth soigne un cœur brisé? »

Harriet jeta le magazine à l'autre bout de la pièce. La photographie la montrant en train de sortir d'une limousine de la Corporation était merveilleuse. Elle mettait en valeur une jambe découverte jusqu'au dessus du genou, à la fois sexy et correcte. Mais c'était horrible, d'insinuer qu'elle pleurait le soir jusqu'à s'endormir. Tout le monde le croirait alors que la vérité était tellement plus banale : personne ne l'invitait jamais nulle part. A la fin d'une journée épuisante où elle avait essayé de faire aboutir un projet bien plus éloigné de sa réalisation que les autres le croyaient, elle rentrait chez elle parce qu'elle n'avait nulle part ailleurs où aller. Que ne donnerais-je pas pour une nuit de folles réjouissances! se dit-elle en regardant l'exemplaire usé du *Petit Chaperon rouge* qu'elle avait lu pour la dixième fois à Victoria ce soir-là. Dans moins d'un mois sa grossesse serait évidente et cela lui rognerait certainement les ailes, et pourtant la seule invitation qu'elle avait reçue était pour une grande réception d'une agence de relations publiques, le lendemain.

Le matin, elle interrogea nerveusement Claude à ce sujet.

– Ma présence ne sera pas déplacée, n'est-ce pas?

– Je ne crois pas, madame Hawksworth. Pensez-vous que nous ayons besoin d'une nouvelle agence pour s'occuper de nos relations publiques?

Elle n'y avait jamais réfléchi.

– Je n'en sais rien, peut-être. Je ferais mieux d'y aller de toute façon.

Elle retourna à la lecture déprimante des rapports sur les hôtels. Tout coûtait plus qu'elle ne l'aurait cru, le personnel regimbait à tout changement. Avec la publicité donnée à ses efforts, les clients devaient se demander pourquoi tout était encore si médiocre. Maintenant qu'elle avait du recul, elle se dit qu'elle aurait dû tout garder secret jusqu'à ce que les transformations soient presque terminées, elle aurait même dû écrire en personne à chaque directeur d'hôtel pour lui expliquer ce qui se passait. Mieux valait tard que jamais, elle allait s'y mettre. Elle se battit donc avec un texte qui insistait pour ressembler à un discours-programme de la reine.

« Ne pouvant faire face seule à ce défi, j'en appelle à votre coopération, à votre confiance, à votre compétence! » Des mots dépourvus de signification la regardaient depuis la feuille de papier.

– Et merde! dit-elle en se levant. Elle allait mettre ses plus beaux atours et s'amuser – et peut-être trouverait-elle aussi une idée pour galvaniser ses troupes.

L'hôtel où se tenait la réception semblait à première vue aussi luxueux et impressionnant qu'elle le souhaitait pour les hôtels Hawksworth. En fait, il était plutôt ordinaire, mais quand elle était nerveuse Harriet avait toujours tendance à se sentir inférieure et incompétente. Elle avait cru que Jake l'avait guérie de ce travers, mais dans de tels moments elle avait à nouveau seize ans, et elle n'osait pas aller au bal de l'école. Rassemblant tout son courage, elle regarda sa robe et ses chaussures, la fameuse robe en dentelle avec les escarpins assortis, et se prépara à descendre de la limousine de l'entreprise. Son chauffeur lui murmura du coin de la bouche :

– Seigneur, regardez un peu tous ces photographes! Vous êtes belle à croquer!

Cela la fit rire, si bien que les photos qui parurent dans tous les journaux le lendemain montraient une Harriet Hawksworth souriante comme si le monde était à ses pieds.

Le président de l'agence de relations publiques entendit les murmures qui entouraient son arrivée, se retourna et la vit. Il traversa la pièce, délaissant le grave monsieur à qui il répondait distraitement.

– Madame Hawksworth! Je suis si heureux que vous ayez pu venir! Puis-je vous offrir une flûte de champagne?

Il la pilota en direction d'un photographe qui allait graver sur la pellicule leurs images jointes. Hawksworth Corporation montrait tous les signes d'un épanouissement faisant d'elle une de ces merveilleuses entreprises qui attiraient la publicité comme le fer file vers l'aimant. Il n'avait pas osé espérer sa venue, et après les photos, il tenta de l'entraîner dans une pièce plus discrète.

– Mais je voulais voir la présentation! protesta Harriet comme un enfant à qui on a refusé une glace.

– Mais bien sûr!

Sa remarque l'avait pourtant affolé. Il envoya des messages codés à ses employés qui les devancèrent dans la salle de conférence. Harriet se demanda s'ils passaient des films cochons.

Si les employés n'avaient pas tenté de le faire sortir, Harriet ne l'aurait pas rencontré en entrant. Mais dans de telles circonstances, elle ne pouvait l'éviter. Invité l'année précédente, il l'avait encore été celle-ci – bévue qui ferait rouler des têtes dès le lendemain. Sous le choc, Harriet s'arrêta net dans l'embrasure de la porte. Il se frotta les mains et sourit de son sourire sans vie. Elle se souvint du jour où il avait tenté de la tuer.

– Ma chère Harriet! dit-il en lui tendant la main, qu'elle prit par réflexe.

– Gareth. Je vous croyais à Corusca.

– Des affaires à régler avec les avocats. Après cette gentille lettre que vous m'avez écrite, j'ai eu beaucoup de travail. Nous devrions nous voir davantage, ma chère. Nous pourrions parler... de l'ancien temps.

– Je ne crois pas, Gareth, dit Harriet en dégageant sa main. Comment va Madeline?

– Je l'ai amenée avec moi pour ce voyage. Corusca est un peu différente, depuis quelque temps. Nous avons quelques ennuis avec Jérôme.

– Quelle sorte d'ennuis?

– Il semble penser qu'il est le nouvel Henry Hawksworth, et les habitants se conduisent comme si on était sur le point de s'entre-tuer. Permettez-moi de vous guider dans votre visite, Harriet. L'exposition est la même chaque année.

– Merci, mais je suis accompagnée.

– Ne fais pas de scène, chérie, ne fais pas de scandale, lui murmura-t-il dans l'oreille en lui serrant le coude dans sa main. De toute façon, je voulais te parler de ton offre si intéressante. Je ne peux pas te laisser toute la Corporation, ce serait ridicule.

– Je ne souhaite pas en parler maintenant, dit-elle en se dégageant.

– Allons, allons ! dit-il en levant l'index en un geste anodin mais menaçant.

– Vous avez déjà assez extorqué à la Corporation.

Elle avait du mal à garder son sang-froid, mais Gareth ne fit pas tant d'efforts et se montra beaucoup plus furieux que les circonstances ne l'imposaient.

– Sale traînée ! s'exclama-t-il à voix haute en s'essuyant les lèvres du dos de la main comme si elle l'avait frappé – ce que certains dirent plus tard. Tu as séduit mon pauvre vieux père et tu l'as conduit à sa tombe. Tu n'as même pas pu attendre qu'il meure ! Tu es partie avec ton amant en sachant très bien qu'il était trop faible pour modifier le testament, et maintenant regarde-toi ! Tu parades dans mon héritage. Qu'est-ce qu'il y a pour mes sœurs et moi ? Juste des miettes.

– D'assez belles miettes, rétorqua Harriet. L'île et la collection. Je me retrouve avec une affaire en déficit, que *vous* avez mise à genoux, et je m'occupe de Simone. Je vous conseille d'accepter le compromis, Gareth.

– Oh, tu me le conseilles, hein ? Tu fais comme si tu étais quelqu'un, maintenant, avec l'argent des Hawksworth ! Quand mon père t'a prise, tu étais enceinte, et tu n'avais pas un sou ! Il a donné un foyer à ta bâtarde, et qu'est-ce que tu lui as donné en retour ?

– Des soins attentionnés. C'est vous qui l'avez cloué sur un fauteuil roulant, vous vous en souvenez ? Je ne souhaite pas vous parler. Ecartez-vous de mon chemin.

Elle essaya de passer, mais il lui saisit les cheveux et la retint contre lui. Elle laissa échapper un cri involontaire. Il lui soufflait une haleine brûlante dans la figure, lourde de whisky, et ses pupilles étaient larges et noires.

– Je te reprendrai tout, murmura-t-il entre ses dents. Je ne te laisserai même pas ce que tu avais pour commencer.

– Vous êtes drogué, dit Harriet.

Elle lui enfonça son talon aiguille dans le pied et il la relâcha avec un gémissement.

On l'entraîna dehors de force et on entoura Harriet de toutes les attentions. Le spectacle semblait avoir plu à beaucoup.

Malgré elle, Harriet tremblait, comme toujours quand elle avait dû lutter contre quelqu'un. Jake ne semble jamais avoir ce problème, se dit-elle. Peut-être que les hommes en général étaient plus à l'aise dans la lutte. Quant à elle, elle avait l'impresssion que son existence même était sapée à la base. Une fois la rage passée, elle ne put oublier son ennemi.

Elle partit tôt et rentra. L'hôtel était silencieux, sans beaucoup de monde dans le hall. Un des ascenseurs était en panne, et elle dut en prendre un autre qui la conduisit dans un couloir assez éloigné de sa chambre. Elle marchait sans entrain, pensant combien cet hôtel était déplaisant, combien il était urgent de le vendre, peut-être à quelqu'un qui le détruirait pour construire quelque chose de beau.

Soudain, quelqu'un la saisit par-derrière. Elle inspira fortement pour crier, mais avant qu'un son ne sorte de sa gorge, son agresseur l'entraîna dans une chambre et la jeta à plat ventre sur le lit. Elle n'avait pas besoin de se retourner pour savoir qui c'était, elle aurait dû s'y attendre. Elle s'agrippa au couvre-lit. Inutile d'espérer du secours, l'hôtel était à moitié vide. Elle se retourna.

– Si vous osez me toucher...

– Personne n'entendra rien, dit Gareth en retirant sa veste.

Elle était en position de faiblesse, avec sa jupe relevée au-dessus des genoux, ses hauts talons qui glissaient par terre...

– Vous n'oserez pas. Pas ici, pas à New York. Tout le monde le saura.

– On ne le saura que si tu le dis. Et tu ne le diras pas. Sinon, tu sais ce que je te ferai, ce que je ferai à cette petite fille.

Il rit. Une sorte de miaulement rauque monta dans la gorge de Harriet mais elle l'arrêta en essayant d'avaler sa salive. Il n'avait pas l'intention de la tuer.

Il tenait une cordelette à la main. Alors qu'elle tentait de passer de l'autre côté du lit, il plongea vers elle et l'attrapa. Elle le frappa mais il lui saisit un poignet et le retint tandis qu'il l'attachait au lit.

– Non, je vous en prie, je vous donnerai tout ce que vous voulez !

– Je l'aurai de toute façon. Tu n'as rien à me donner. C'est une punition que je veux t'infliger.

Quand il lui saisit l'autre poignet, elle le griffa et lui donna des coups de ses talons pointus jusqu'à ce qu'il lui retire ses chaussures et lui menace le visage des pointes d'acier.

– Je pourrais te rendre aveugle, murmura-t-il.

Elle le crut. Il retira son pantalon et elle vit qu'il n'avait pas encore vraiment d'érection. Elle pria qu'il n'y arrive pas et se demanda ce qu'il ferait dans ce cas. Mais sa peur semblait l'exciter. Quand il s'approcha d'elle, elle détourna la tête et il rit. Elle eut peur que, perdant toute mesure, il ne l'étrangle vraiment, cette fois.

Il déchira sa robe et la mordit férocement à plusieurs reprises. Puis il la pénétra. Elle se dit que ce serait bientôt terminé, qu'elle pourrait partir et aller se laver. Mais il n'en finissait pas. La douleur fut soudain insupportable.

– Que ça te serve de leçon, dit-il d'une voix pâteuse. C'est tout ce que méritent les femmes comme toi, dit-il en la détachant.

Elle entendit qu'il fermait la porte. Elle garda les yeux fermés, comme pour s'empêcher de voir la réalité. Ce n'est pas vrai, se dit-elle. Il y a une heure, ce n'était pas arrivé. Si je n'ouvre pas les yeux, si je n'y pense plus, je peux me retrouver une heure plus tôt, en sécurité.

C'est la douleur dans son ventre qui la força bientôt à bouger. Elle releva les genoux, incapable de respirer normalement. Il se passait quelque chose de grave à l'intérieur d'elle. Les marques des dents de Gareth sur son ventre et sa poitrine la firent frissonner. C'était comme s'il l'avait marquée au fer. Le besoin de revenir chez elle, au milieu de ce qui lui était familier, fut soudain presque intolérable. Elle s'enveloppa dans le couvre-lit et ramassa tout ce qui lui appartenait – chaussures, lambeaux de vêtements, sac à main – puis gagna discrètement sa chambre.

Elle n'avait qu'une idée : se laver, envoyer de l'eau à l'intérieur d'elle pour éliminer de son être l'essence putride de cet homme. Quand elle serait propre, complètement récurée, elle se mettrait au lit, remonterait les couvertures sur sa tête, et n'en ressortirait jamais, jamais plus.

Des visages approchaient et repartaient, traversant ses rêves. Parfois, elle croyait leur parler, mais personne ne répondait, si bien qu'elle ne disait peut-être rien du tout. La réalité était dans sa tête, pas dehors.

– Qui devons-nous prévenir, madame Hawksworth ? Qui voulez-vous qui vienne ?

Ils le lui avaient déjà demandé, ils le demandaient sans arrêt, et chaque fois elle disait : « Jake. » Mais peut-être que la réponse restait elle aussi dans sa tête, peut-être qu'elle ne la prononçait pas. Comme ce serait bon de l'avoir ici ! Elle saurait alors où elle en était ; au moins de quel côté de la tombe. Alors elle essaya à nouveau, et le docteur approcha son oreille de ses lèvres pâles et l'entendit murmurer.

L'infirmière parcourut son calepin d'adresses et ne trouva aucun Jake. En fait, il n'y avait que bien peu d'adresses dans ce calepin. Elle montra au docteur le nom de Jake Jakes, et ils se demandèrent si c'était lui. On confia à l'infirmière le soin de passer l'appel, parce que c'était une tâche difficile qui pourrait avoir des répercussions. Ce fut le cas, mais pas de la façon qu'aucun d'entre eux avait imaginée.

28

C'était comme si, sous ses paupières, il y avait eu du sable qui lui aurait irrité la cornée chaque fois qu'il cillait. Ce qu'il avait bu dans l'avion lui avait laissé un goût désagréable dans la bouche et n'avait pas réussi à chasser sa mauvaise humeur. Jake était furieux.

Il suivit d'un air bougon le postérieur ondulant d'une infirmière dans le couloir. Que Harriet dise un mot de travers, et il ne cesserait pas de crier pendant toute une semaine! Il ne se souvenait pas d'avoir jamais éprouvé une telle colère, et c'était la seule chose qui le gardait encore éveillé.

– Nous avons une blouse et un masque pour vous, monsieur, dit l'infirmière.

– N'est-ce pas un peu exagéré?

– C'est la règle dans cette unité, monsieur.

Il la laissa donc lui enfiler une blouse, un bonnet, un masque et des bottes en caoutchouc, tout le saint-frusquin, et l'entraîner comme un enfant qu'on présente à un concours de déguisements et qui n'a eu son mot à dire ni sur le costume ni sur l'endroit où on l'emmène. Il passa devant une rangée de cabines vitrées, occupées chacune par un corps immobile relié à des tubes et des fils. Il retint l'infirmière par le bras.

– Vous devez vous tromper. Harriet Hawksworth a fait une fausse couche, c'est tout.

Il ne prononçait qu'avec dégoût son nom d'épouse.

– Elle est là, monsieur. Est-ce que personne ne vous a expliqué? Mme Hawksworth est très gravement malade.

Il eut un frisson soudain, comme si quelqu'un avait ouvert une fenêtre sur la nuit froide.

– A quel point? Est-ce que vous essayez... est-ce qu'elle va mourir?

– Nous espérons que non, monsieur, répondit l'infirmière en posant sur lui un regard indéchiffrable par-dessus son masque.

Non, c'est impossible, se dit Jake, il doit y avoir deux Harriet Hawksworth. Pendant un instant, quand il vit la femme dans le lit, il fut soulagé. Ce n'était pas Harriet, impossible ! Puis il vit sa main, au premier plan, parce qu'elle portait un cathéter, et jamais il n'aurait pu oublier ses doigts, de longs doigts fins au bout d'une paume curieusement carrée. Il avait toujours adoré ses doigts.

L'infirmière lui avança une chaise et il s'assit. Sans le moniteur cardiaque, jamais il n'aurait pensé que ce corps devant lui était en vie. Il aurait préféré être n'importe où plutôt que là, il voulait partir, dormir, en finir avec tout ça. Pourquoi les moments importants de la vie arrivaient-ils quand on y était le moins préparé ? se demanda-t-il avec colère. Une bonne nuit de sommeil, et il saurait que faire.

– Bon sang, Harriet, dit-il d'une voix dure. Est-ce que tu sais combien de temps ça prend, d'arriver jusqu'ici ? Et il pleut, dehors. Ecoute, je dois te dire quelque chose : ça m'est égal que tu mènes ta vie, si c'est ce que tu veux, mais je ne vais pas rester là à me lamenter. C'est complètement ridicule ! Si tu ne veux pas vivre avec moi, alors pourquoi veux-tu que je vienne quand tu meurs ? Tu as toujours été douée pour le drame ; il n'y a que toi pour transformer une fausse couche en lit de mort !

La tête posée sur l'oreiller plat et inconfortable se tourna légèrement vers lui. Il y eut une lueur entre les paupières.

– Si tu étais restée en Angleterre, on aurait pu te faire soigner gratuitement, dit-il comme un fou, mais ne t'en fais pas, je trouverai l'argent. C'est pour ça que tu m'as fait appeler ? Bon sang, tu sais comment utiliser les gens ! Et reste tranquille, tu veux bien ? Tu as un tube dans le nez.

Il posa la main sur le bonnet blanc de Harriet, qui laissa échapper un petit soupir avant de refermer les yeux. Jake se mit à lui caresser la joue au même rythme que le bip de la machine. Il s'était traîné sur la moitié du globe pour lui crier sa colère, et elle avait réussi à lui voler la vedette. Pour ça, on pouvait faire confiance à Harriet. On pouvait toujours faire confiance à Harriet. S'il n'avait pas été si fatigué, il aurait pu pleurer. Il posa sa tête sur le lit, près de l'oreiller, et s'endormit.

Au cours des jours suivants, il apprit beaucoup de choses sur Harriet. Après sa visite à l'hôpital, il alla à l'hôtel voir Victoria et fit la connaissance de Leah. Ni l'une ni l'autre ne semblait savoir que penser de lui.

– Est-ce que ma'ame Hawksworth va bientôt revenir ? demanda Leah avec anxiété.

Elle resta éveillée toute la nuit à se demander ce qui arriverait à Victoria si sa mère mourait. Que devrait-elle faire, alors?

Jake regarda la chambre triste, anonyme et trop exiguë où Harriet et sa fille étaient installées.

– Elle est encore parmi nous, répondit-il à Leah. Elle n'a jamais été du genre à laisser tomber.

De l'hôtel, comme il n'avait pas envie de retrouver les tensions de l'hôpital, il se rendit à l'immeuble Hawksworth, où il vit Claude Thomas. Après quelques instants de prudence, celui-ci lui infligea vingt minutes de monologue affolé, énumérant en détail tous les désastres qui menaçaient à cause de la maladie de Mme Hawksworth.

– Il y a même eu M. Hawksworth, M. Gareth Hawksworth, qui a essayé de venir ici. Je vais être honnête avec vous : je ne l'ai jamais aimé. C'est sur sa recommandation que Somers avait été engagé. Ce que j'aimerais savoir, c'est où les fonds sont partis, dans quelle poche. Mais rien n'est réglé, vous comprenez, et il n'y a plus personne à la barre. Et puis la rénovation dépasse largement le budget initial, et Mme Hawksworth est la seule qui sache exactement ce qui se passe à...

– Qu'est-ce qui vous fait croire qu'elle sait? demanda Jake avec un sourire sardonique. Vous avez une foi touchante en elle, monsieur Thomas, mais je connais assez bien Harriet : elle a de bonne idées, mais elle ne sait pas bien les appliquer.

Sans rien demander, il prit le dossier de chiffres que Claude Thomas avait placé sur le bureau près duquel ils se tenaient, et il le parcourut. Il s'arrêta au coût actuel des transformations.

– En tout cas, elle n'y va pas avec le dos de la cuiller! A part la recherche spatiale, je ne vois pas bien ce qui pourrait coûter plus cher – sauf la construction de bateaux. Bon, je ferais mieux d'emporter ça à l'hôpital.

– Si elle pouvait seulement y réfléchir, dit Thomas, que le soulagement semblait regonfler comme un ballon. Elle avait parlé de vendre l'hôtel de New York, mais comme il n'y a rien d'écrit, on hésite...

Mais Jake était parti. Pour lui, ces derniers jours, toutes les routes conduisaient au calme de l'hôpital, avec le bruissement léger de l'oxygène et le bip des moniteurs, et parfois Harriet qui le regardait.

Il lui parlait beaucoup de son travail, d'une coque de conception toute nouvelle pour un bateau qui devait être construit en Australie.

– Est-ce que tu te rends compte que je devrais être là-bas, en ce moment? gronda-t-il. Deux jours plus tard et je n'aurais plus été au cottage. Et il a fallu que je me mette à genoux pour entrer dans ce foutu pays. Ils ne te donnent pas de visa pour peu que tu aies simplement oublié de payer même un ticket de parking. Au fait, tu ne pourras plus payer ton parking non plus si tu continues comme ça. Je vais donner à Thomas l'autorisation de vendre le Hawksworth de New York – ordre venant de toi, naturellement. D'accord? T'es une bonne fille; je savais que tu comprendrais. Et il y a un acheteur pour l'immeuble Hawksworth. Il ne veut pas payer ce qu'il vaut, mais tu ne peux pas te permettre de faire la difficile, alors, tu es d'accord. J'ai envoyé Waldenheim aujourd'hui trouver quelque chose de petit, de bon marché, mais de prestigieux. Il pense que ta maladie est un coup bas. Je lui ai dit que c'était bien de toi.

Il s'arrêta de parler et la regarda. La peau de son visage était presque transparente. Elle aurait tout aussi bien pu être très vieille que très jeune.

La veille, le docteur lui avait parlé.

– Elle a une infection que nous avons beaucoup de mal à contrôler. La perte de sang a été importante, et comme elle est très affaiblie, c'est une situation dangereuse, mais normalement, elle devrait s'en tirer.

– Ça fait une semaine, maintenant, et elle est toujours à peine consciente.

– Cela nous inquiète aussi, dit le médecin d'un air sombre.

Jake alla prendre sous la fine couverture la main de Harriet qui ne portait pas de cathéter et la serra. Puis il saisit chaque doigt tour à tour et les enveloppa de sa propre main poilue, usée par les cordages, le vent, la mer, un ongle définitivement tordu après un accident en course.

– Avec un peu plus d'expérience, tu serais une sacrément bonne femme d'affaires, dit-il d'une voix soudain rauque. Je n'aurais jamais cru que tu y arriverais, tu sais? Je croyais que tu te faisais des illusions, que tu pensais que tu aurais de l'argent sans rien faire. Je m'attendais à ce que tu reviennes après t'être brûlé les doigts. Est-ce que je t'ai dit que j'ai acheté le cottage? C'est pourtant pas pour ce que j'y vis, ces temps-ci...

Il se demanda s'il devait lui parler de la fille du village avec laquelle il couchait de temps à autre, une gentille fille qui voulait l'épouser, une de ces femmes paillassons sur lesquelles on marche avec quelque remords, mais pas trop. Elle n'aimerait pas qu'il parte en Australie pour un an, mais c'est ce qu'il ferait. Il caressa les doigts de Harriet.

– Je me disais que ça me serait égal si tu mourais, murmura-t-il, mais c'est faux, tu sais. Je ne connais personne qui m'embête autant que toi, mais quand il n'y a plus rien au monde qui compte pour moi, au moins je peux me mettre en colère contre toi. Oh, Harriet...

Les doigts qui jusqu'à maintenant semblaient sans vie se

serrèrent soudain avec force. Il la regarda et vit ses yeux s'ouvrir, les cils semblant trop lourds pour ses paupières fatiguées. Mais ils restèrent ouverts et le regardèrent avec une clarté parfaite. Il était assis près d'elle depuis des jours, il lui avait parlé pendant des heures, mais soudain, il se sentit gêné.

– Salut, toi, dit-il d'une voix hésitante. Tu veux un verre?

Elle fit un signe imperceptible de la tête. Elle le regardait, et tandis qu'il l'observait, une larme se forma au coin d'un œil de Harriet et s'écoula vers ses cheveux.

Trop faible pour manifester plus que des réactions élémentaires, Harriet restait couchée et absorbait vaguement ce que Jake lui disait. Sa présence lui apportait un réconfort immense; il était une constante dans un monde effrayant, hostile, plein de démons. Il lui faisait des rapports sur ses affaires, ou plutôt il lui disait ce qu'il pensait qu'elle devrait savoir. Mais c'était sa voix qu'elle écoutait, pas les mots qu'il prononçait. Rien ne l'intéressait plus dans le monde extérieur, il ne comptait plus.

Le mythe de Harriet contrôlant la Corporation depuis son lit d'hôpital perdura, et dans l'immeuble Hawksworth, on s'en référa à Jake, le médiateur. Ce n'était pas une situation plaisante pour lui, et cela se voyait à sa façon de gérer les tâches quotidiennes. Claude Thomas le trouvait brusque, presque grossier, Waldenheim le jugeait déraisonnable, et la secrétaire de Harriet le haïssait tout en se demandant si elle devrait céder tout de suite au cas où il lui faisait une proposition. Quant à Mark Benjamin, qui s'était endurci contre le traitement fantasque des comptes de la Corporation, il s'émerveillait de la capacité de travail de Harriet, de la façon dont elle prenait des décisions difficiles, dont elle coupait des morceaux de la Corporation comme on trancherait du saucisson. Et pourtant elle était très malade, puisque chaque fois qu'il appelait l'hôpital, on lui répondait que les visites étaient interdites. Il envoyait alors des fleurs, et la chambre de Harriet ne tarda pas à ressembler à une échoppe de fleuriste. Jake en arriva à haïr l'odeur que dégageait l'endroit.

En fait, plus il restait à New York, moins il aimait cette ville. Il passait d'une pièce surchauffée à une autre, persécuté par des secrétaires et des chefs de départements quand il allait au bureau, par le personnel médical quand il était à l'hôpital. Malgré ses journées épuisantes, ses nuits restaient sans sommeil, et il repartait chaque matin la tête douloureuse, avec un goût désagréable dans la bouche. Un matin où il arrivait au bureau de plus mauvaise humeur encore que d'ordinaire, il déclara à la secrétaire de Harriet :

– Ne laissez personne entrer. Je ne suis pas d'humeur.
– Bien, monsieur Jakes.
Elle n'en revenait pas de sa tenue. Il portait un jean, des chaussures de sport et un vieux pull, et il ne s'était pas rasé, parce qu'on le rasait toujours quand il arrivait à l'hôpital, et qu'il en avait assez du rasoir toutes les quatre heures.
Mais il n'était pas plus tôt assis à son bureau pour une nouvelle étude des rapports financiers que le téléphone sonnait.
– M. Gareth Hawksworth veut vous voir, monsieur, murmura la secrétaire.
– Bon Dieu, Maud, j'ai dit personne! rugit Jake. Dites-lui d'aller se faire foutre.
Il raccrocha si brutalement qu'il en grimaça. Une seconde plus tard, la porte s'ouvrit et Gareth entra. Les deux hommes se regardèrent, Jake les paupières lourdes, négligé, Gareth comme s'il allait participer à un concours d'élégance, en costume sombre, chemise crème et cravate à pois. Il sourit et s'avança vers un fauteuil pour s'asseoir face au bureau.
– Fous le camp, dit Jake.
Gareth n'y prit pas garde et s'installa.
– Oh, là là! Mais on est hargneux, à ce que je vois. Ce doit être l'angoisse que vous cause la santé de Harriet. Je ne saurais vous dire combien je me fais de souci.
L'ironie de Gareth alla droit aux nerfs à vif de Jake.
– Ce ne serait pas difficile de te recasser le bras, dit-il d'un air menaçant. Ou la gueule! Qu'est-ce que tu fous là?
– Je pensais que c'était évident. Quand je vais aller voir mes avocats ce soir, je veux pouvoir leur dire que Harriet a laissé la Corporation entre les mains d'un amant fantaisiste qui en profite pour vendre des biens de valeur sans en avoir l'autorité. Dans ces circonstances, j'ai l'intention de reprendre ma place.
– Essaie donc, beau gosse! dit Jake en éclatant de rire. Je dois te dire que j'ai fait établir un rapport qui donne le détail de tout ce qui a disparu pendant que tu étais censé diriger ce bordel. J'y ai ajouté un titre : *Cuisine pour débutants,* à moins que tu ne préfères *La main dans le tiroir-caisse.* Tu aurais pu t'offrir un comptable un peu plus malin. Tu as laissé une trace d'un kilomètre de large.
– Je n'en crois rien, dit Gareth dont la joue se crispa.
– Tu paries combien? dit Jake en se penchant sur son bureau, les mains posées sur les piles de papier devant lui.
Soudain, Gareth se leva et rugit :
– Je ne renoncerai pas. Cette salope peut faire ce qu'elle veut, mes avocats se battront jusqu'au bout. Tu ne sais pas qui elle est. Tu aurais dû la voir avec mon père! Elle laissait le vieux la tripoter pour qu'il lui donne l'argent. Sale petite putain!

Jake plongea sur le bureau, mais Gareth recula tout en envoyant sa main comme pour donner une gifle à une femme. Il rata sa cible, tituba, et Jake en profita pour lui saisir le poignet qu'il tordit derrière son dos en un geste cent fois répété dans les bouges de tous les ports du monde. Ils tombèrent ensemble par terre, et Gareth gémit de douleur.

– Oh, mon Dieu ! Que se passe-t-il ? Que faites-vous ?

Jake leva les yeux, surpris. Une femme très grande et très élégante se tenait à la porte et les regardait. Il se rendit compte du spectacle qu'ils devaient offrir, Gareth l'immaculé terrassé par un voyou pas rasé. S'il ne faisait pas attention, les journaux pourraient s'en réjouir.

– Euh, bonjour, dit-il prudemment.

Gareth s'éloigna en roulant sur la moquette et la femme l'aida à se relever.

– Dieu merci, tu es là, Simone, dit-il affolé. Il m'a attaqué. Tu sais qu'il vend des propriétés ? D'ici que Harriet sorte de l'hôpital, il n'y aura plus de Corporation.

– Mais c'est impossible ! s'exclama Simone en se couvrant le visage de ses mains. Il n'en a certainement pas le droit !

– J'ai tous les droits dont j'ai besoin, intervint Jake. Je suppose que vous êtes la sœur française ? Et où est l'autre... Celle qui se drogue.

– Madeline n'a rien à voir avec ça, dit Simone d'un ton hautain. Nous ne souhaitons pas parler des problèmes de notre famille avec vous.

– Et je ne souhaite pas parler des problèmes de la Corporation avec vous, rétorqua Jake. Dégagez, tous les deux !

Gareth se mit à rire en passant un bras autour des épaules de Simone.

– Tu vois comment il est ! Une brute stupide et vulgaire. Et Harriet fait tout ce qu'il lui dit.

– Un zéro pointé pour votre performance de psychologue, déclara Jake. Vous partez ou je vous jette dehors ?

– Il se trouve que je suis prêt à partir, dit Gareth en passant dans le hall. J'en ai assez vu. Et toi, Simone, est-ce que tu viens ?

– Pas encore.

Elle attendit que Gareth soit dans l'ascenseur, puis ferma la porte du bureau derrière elle. Jake ne dit rien, le regard glacial. Quoi que cette Française pense lui extorquer pendant que Harriet était malade, elle ne l'aurait pas.

– Harriet m'a promis de l'argent, dit Simone de son air de grande dame. Je suis sûre que vous le savez, j'ai accepté de me ranger de son côté en échange de quelque soutien financier. Il est évident que je voulais éviter de parler de cela devant Gareth...

– Quoi? Une famille tellement unie!

Jake s'amusait beaucoup. Il ne croyait pas que Simone ait pris le parti de Harriet. C'était un complot manigancé entre Gareth et elle. Son agressivité choqua Simone.

– Je peux vous assurer que c'était convenu. J'ai besoin de trente mille dollars pour l'entreprise de mon mari. Gareth n'a rien à y voir, je vous le jure.

– Et l'autre, Madeline, elle n'a rien?

Simone remonta son col de fourrure. Sa bouche était comme une blessure sanglante dans son visage blanc.

– Elle est dans une clinique ici, elle ne va pas bien. Devez-vous absolument vous conduire comme si je mendiais alors que nous étions d'accord, que nous avions passé un contrat?

– D'accord, dit Jake après l'avoir longuement regardée. Je vais vous payer. Vingt mille contre des parts dans l'entreprise de votre mari. C'est à prendre ou à laisser.

– C'est une honte! Je veux parler à Harriet!

– Personne ne parle à Harriet en dehors de moi.

Il décrocha le téléphone et appela Claude Thomas.

– Vingt mille dollars pour Simone... c'est quoi, votre nom?... Lalange. Contre des parts de son entreprise. Je veux qu'on établisse un contrat, et assurez-vous qu'il est sans faille. Je ne veux pas de problème. Merci.

Il raccrocha et fit un signe de tête à Simone pour lui signifier que l'entretien était terminé.

– Jamais on ne m'a insultée ainsi! C'est scandaleux!

– Comme vous dites. Il m'a semblé que vous, les Hawksworth, méritiez un peu de votre propre médecine de temps à autre. Cela pourrait vous faire du bien.

Elle tourna sur ses talons et sortit en trombe, laissant la porte ouverte. Jake inspira profondément. Dieu, qu'il était en colère! Ils étaient tous de la même eau, ces Hawksworth, avides et violents. La secrétaire entra et resta plantée au milieu de la pièce, tremblante, certaine qu'on allait la renvoyer.

– Il faut qu'on améliore la sécurité, dit Jake d'un air vague. Gareth Hawksworth en sait beaucoup trop sur ce qui se passe ici, quelqu'un le renseigne. J'ai aussi besoin d'un rapport sur la façon dont il dirigeait l'entreprise, et vite! J'ai dit à Hawksworth que je l'avais déjà, alors, que Waldenheim arrive au triple galop.

– Oui, monsieur, dit Maud.

Elle sortit avant qu'il se souvienne de ses péchés. Jake alla au bar et se servit une vodka. Tout était du bluff, rien de solide nulle part dans ce château de cartes. Il regarda l'horloge. Encore une heure et il pourrait aller voir Harriet.

Il arriva enfin un matin où Harriet se réveilla et trouva quelque intérêt au jour qui commençait. Comme d'habitude, Jake viendrait la voir, et il avait promis d'amener Victoria. Les larmes faciles de la maladie menacèrent de l'étouffer sans aucune raison.

Comme c'était un jour spécial, l'infirmière vint lui laver les cheveux, mais avant de commencer, elle s'assit un moment et regarda Harriet avec des yeux calmes, pleins d'expérience.

– Je dois vous parler, madame Hawksworth, dit-elle.

– De quoi? demanda Harriet en serrant son drap dans ses poings.

– Je crois que vous le savez. Est-ce que vous vous souvenez, quand vous avez été admise ici? Vous avez dit quelque chose à ce moment-là.

– Non. Non, je ne m'en souviens pas.

Mais c'était un bien piètre mensonge, et elles le savaient toutes les deux.

– Si vous avez été agressée, ce n'est pas une bonne chose de le nier. Vous ne pouvez l'ignorer, madame Hawksworth. Il faut que vous regardiez la vérité en face pour la supporter. Personne ne pourrait continuer à vivre comme si rien ne s'était passé. Personne n'est fort à ce point.

– Mais je vous l'ai déjà dit, cria presque Harriet. Il n'est rien arrivé. C'était une fausse couche, c'est tout. Bien sûr que je suis bouleversée, mais j'aurai un autre bébé... n'est-ce pas?

Il y eut un silence. L'infirmière lui caressa la main crispée sur le drap.

– Vous avez une délicieuse petite fille, à ce qu'on dit. Cela suffirait à bien des femmes. Ne vous suffira-t-elle pas?

Dans l'espace à venir, Harriet aperçut sa vie qui s'étendait devant elle, privée de fertilité, privée de jeunesse. Son âme mourut d'une petite mort contrôlée.

– Eh bien, dit Harriet avec un sourire forcé, il le faudra bien, semble-t-il. Je préférerais que vous ne me laviez pas les cheveux tout de suite, si cela ne vous ennuie pas. Assurez-vous que personne n'informera M. Jakes de tout cela; je ne pense pas qu'il doive le savoir. Je vais me reposer un peu, je suis assez fatiguée.

L'infirmière s'approcha, mais Harriet la repoussa. Elle voulait être seule, complètement seule, pour pleurer, pleurer encore, et ensuite... les accueillir tous comme si rien n'avait d'importance. Comme si rien ne s'était passé.

L'après-midi, toute pimpante et souriante, elle s'assit dans son lit pour l'arrivée de Jake et Victoria, vêtue d'une délicieuse robe de dentelle à rubans. La petite fille se jeta au cou de sa mère.

– Papa m'a donné ça, annonça-t-elle en montrant un bracelet.

Harriet n'aimait pas que les enfants portent des bijoux. Elle grimaça. Mais c'était papa par-ci, papa par-là, Leah plus rarement, et Jake, accoudé à la fenêtre, l'écoutait avec un sourire indulgent. Harriet sentit ses nerfs se nouer. Quel rôle jouait-elle dans tout ça?

Victoria continua à babiller.

– Moi et papa on va y aller au parc, dit-elle.

– Papa et moi, on va aller au parc, rectifia Harriet. Enfin, Jake, est-ce que personne ne corrige son langage? Elle parle comme une gosse de banlieue.

Le visage de Victoria se figea d'horreur. Harriet la serra dans ses bras, pleurant presque.

– Tout va bien, tout va bien, dit Jake en prenant l'enfant qui gémissait de terreur. Il l'emporta dans le couloir et la confia à Leah.

– Maman a besoin de dormir, ma chérie, dit-il à sa fille. Tu vas rentrer, maintenant, et je te rejoindrai plus tard. Je t'apporterai un cadeau. Qu'est-ce que tu veux?

– Une poupée! dit Victoria avec un grand sourire.

Leah resta impassible. Cette enfant était vraiment trop gâtée, mais avec Mme Hawksworth tellement malade et M. Jake si décidé, elle ne savait pas ce qu'elle devait faire. On ne disait jamais ni à elle ni à l'enfant ce qui se passait.

Harriet se mouchait quand Jake revint près d'elle.

– Tu veux un verre? demanda-t-il.

– Seulement si c'est de l'alcool.

– De l'eau minérale. Qu'est-ce qui t'a prise?

– Rien. Je ne sais pas. Je perds tout contrôle sur ce qui m'entoure, même sur l'éducation de ma fille, parce que je ne suis plus là. J'avais l'intention de l'inscrire à un jardin d'enfants pour qu'elle rencontre d'autres petits de son âge, mais je ne peux rien faire d'ici.

– Je peux l'inscrire dans un jardin d'enfants. On ne demande pas leur sexe aux parents quand même!

– Non, dit-elle en essayant de rire. Je crois même que c'est assez à la mode d'envoyer les papas, dans ce genre d'endroit. Mais je voulais y aller, regarder comment c'était, l'y emmener, tout ça...

C'était une bonne excuse, trop bonne, parce que Jake y crut. Harriet se cachait derrière un mur de mensonges plausibles pour que tout le monde croie qu'elle allait bien, qu'elle y arriverait, qu'il n'y avait pas de séquelles. Le soir, elle avalait des somnifères parce que l'hôpital, de construction trop légère, était bruyant. Le jour, elle regardait la télévision sans la voir, et attendait la venue de Jake. Elle se sentait en sécurité quand il était là.

Un jour, en arrivant, il déclara :

– On parle de te laisser sortir dans un jour ou deux.

– Vraiment ?

Elle sourit comme si elle était contente, mais en réalité, elle était terrifiée. Que ferait-elle dehors, dans ce monde dangereux et menaçant ?

– Alors, j'ai pensé qu'on devrait discuter. De nous, continua Jake.

– J'aimerais mieux pas.

Il soupira, déjà en colère, et se jeta dans le petit fauteuil.

– Ecoute, Harriet ! Je n'ai pas le temps d'attendre ton bon vouloir. Je devrais être en Australie, en ce moment. Tout le temps que j'ai passé ici à m'occuper de toi, c'est du temps qu'il me faudra payer là-bas, parce que le boulot doit être fait, et que la date limite ne recule pas. Tu t'es mise dans ce pétrin, et tu veux que je passe des mois à t'en sortir. Tu vas quitter l'hôpital, et ensuite, il faudra qu'on parle de l'avenir. D'accord ?

– Oui, demain, dit-elle en secouant la tête. Je suis fatiguée.

– Je refuse que ma fille soit élevée dans cet hôtel, déclara-t-il.

Harriet prit son verre d'eau et le lui jeta à la figure. Il s'écrasa contre le mur, envoyant des éclats de verre dans toute la pièce.

– Tu ne l'auras pas, dit-elle entre ses dents serrées. Elle est tout ce que j'ai.

– Nom de Dieu, Harriet ! Je voulais seulement dire que je vous ai trouvé un appartement. Leah et Victoria s'y installent demain, et tu les rejoindras. Jamais je n'ai songé à te la prendre !

– Ça viendra, sanglota Harriet. Je le sais. Et alors, je n'aurai plus rien.

Il eut un mal fou à contrôler son envie de hurler.

– Que veux-tu que je fasse ? demanda-t-il d'une voix sourde. Que veux-tu que je dise ?

– Je ne veux pas que tu me laisses toute seule, dit-elle d'une voix affolée. Tu dois rester avec moi, je t'en supplie, Jake.

– Pourquoi ? Pour que tu puisses partir encore une fois ? J'ai eu ma dose, chérie. Tu l'as fait une fois de trop. Est-ce que tu vas arrêter de pleurer et m'écouter, s'il te plaît ?

Il s'approcha du lit et s'accroupit pour pouvoir la regarder dans les yeux. Elle était pitoyable, les yeux gonflés, le nez rouge, et il avait envie de l'embrasser.

– Tu ne veux plus de moi, gémit-elle.

– Il me semble que je t'ai, que je le veuille ou non ! Je viendrai te voir. Je viendrai souvent, et tu peux venir me voir aussi. Mais – c'est toi qui l'as dit la première, je ne t'ai pas crue, mais c'est vrai – nous faisons chacun des trous dans la vie de l'autre. Et regarde un peu ce que tu as ici, un empire florissant tout à toi. Tu ne veux pas que je le dirige.

– Ah non?

Jake prit un dossier qu'il avait apporté, en enleva les débris de verre et le lui tendit.

– Voilà où tu en es. Il y a une douzaine de personnes qui veulent venir te voir et te dire toutes les horreurs que j'ai commises, et ce con de Hawksworth a assigné la Corporation en justice. On a demandé un délai pour porter toute l'affaire en bloc devant les tribunaux. L'accord proposé sera entériné. Il est plus que généreux de ta part.

– Je ne signerai pas, dit Harriet en repoussant ses cheveux de ses yeux. Je ne peux plus.

– Combien te faut-il donc, pour l'amour de Dieu? Tout va bien.

– J'ai décidé que je veux tout ce qui devait me revenir. Je veux tout. Je ne veux pas laisser un centime à ce salaud de Gareth.

29

L'appartement était passable, assez grand, assez calme, mais pas assez beau pour Harriet. Pour Jake, des pièces étaient des pièces, pour Harriet, elles étaient les signes extérieurs de sa stature intérieure. Soudain, elle avait besoin de choses comme jamais auparavant, de maisons, de voitures, de quantités de vêtements. Elle brûlait d'avoir des choses. Chaque centimètre de mur sans tableau lui reprochait ce qu'elle n'avait pas et que Gareth avait.

Elle n'était pas assez forte pour sortir, si bien qu'elle commandait tout par téléphone : jouets pour Victoria, chaussures pour elle dont la taille ne convenait jamais et qu'elle n'échangeait pas... Tout cela rendait Jake furieux.

– Comment est-ce que je peux te quitter alors que tu te conduis comme une idiote? ragea-t-il un jour en remettant tout dans les paquets comme un possédé. Tu veux que j'enlève le téléphone? C'est tout ce qui me reste à faire?

– Non.

Harriet se leva et arpenta la pièce, les bras entourant son corps. Mince, la peau lisse, les cheveux brillants, elle était élégante et infiniment désirable. Il s'approcha d'elle et l'embrassa dans le cou. Il sentit qu'elle se raidissait.

– Ne sois pas bête, dit-il doucement en tournant son visage vers lui.

– Jake, dit-elle en le regardant, pourquoi est-ce que tu vends la propriété de Floride?

– De Floride? demanda-t-il un instant désarçonné. Bien sûr qu'il faut vendre. Cette terre ne vaut rien, ce ne sont que des marécages. C'est cet idiot de Gareth qui l'a achetée, ce qui m'amène à croire qu'il y a une combine dans la transaction. On en reparlera plus tard.

Il pencha la tête et approcha ses lèvres de celles de Harriet, mais alors qu'il allait l'embrasser, elle dit :

– Je vais la développer.

Il s'arrêta net, la lâcha, recula d'un pas.

– Est-ce que tu es devenue complètement folle? Tu dépenses comme si tu possédais la moitié du pays et pas seulement quelques hôtels minables, tu te lances dans un procès qui risque de te coûter chaque centime qui te reste, et comme si ce n'était pas assez, tu décides de dilapider le peu que tu as pour essayer de construire sur un marécage! Tu essaies de me convaincre que tu ne peux pas t'en sortir sans que ton papa te surveille? C'est ça?

Elle s'assit sur le canapé purement utilitaire qu'avait choisi Jake.

– Seulement en partie. Il me semble que nous avons trop d'hôtels pour hommes d'affaires, et rien pour les vacanciers et les amoureux de la nature. Le marché est énorme, en Floride. Tout le monde ne souhaite pas bronzer idiot sur une plage. Nous pouvons proposer quelque chose de différent.

– Pour ça, ce sera différent : mouches, moustiques, alligators, chaleur humide étouffante!

Il alla se servir un verre et prépara pour Harriet un gin tonic, sans lui demander si elle en voulait.

– Je m'en vais demain, dit-il doucement.

– Non, tu ne peux pas faire ça! gémit-elle, et son visage sembla se craqueler comme de la porcelaine. Je ne suis pas prête, tu ne peux pas...

– Si je ne pars pas maintenant, tu ne seras jamais prête, tu me laisseras tout faire. Et je ne veux pas, Harriet. Ce n'est pas mon rêve.

– Cela pourrait l'être.

Elle plongea les doigts dans son verre et projeta des gouttes par terre. Elle redevenait une petite fille, faible, dépendante, mais vilaine. Jamais il ne l'avait vue ainsi, et il fut décontenancé. Elle s'approcha de lui pour se faire câliner, soudain prête à lui accorder ce qu'il voudrait.

– Prends soin de moi, murmura-t-elle. Ne me laisse pas seule.

La nuit s'étendait devant lui, laps de temps immanquablement plein des supplications de Harriet. Elle se lova contre lui, tentant de le piéger par ce à quoi il ne pouvait résister, elle le savait. La passion lutta en lui contre la raison. Quand il l'aurait prise, est-ce qu'elle pleurerait, supplierait encore qu'il ne parte pas? Bien sûr que oui!

– Je dois partir, dit-il gravement. Je dois partir maintenant.

Il la repoussa presque brutalement. Harriet cria pendant tout le temps qu'il lui fallut pour ranger ses affaires, lui lançant à la tête toutes les insultes, trahisons et moments d'inattention qu'il lui avait fait subir.

– Tu me laisses toujours tomber, conclut-elle d'une voix suraiguë.

– Je suis venu, non?

– Et ce n'est pas assez! Tu dois rester et m'aider, je ne peux pas y arriver seule.

– Je t'ai dit plusieurs fois la même chose, dit-il en tirant la fermeture à glissière de son sac, et ça ne t'a pas arrêtée.

– Ce n'était pas pareil, dit Harriet d'une voix rauque d'avoir tant crié.

Elle savait que Leah devait avoir entendu, que Victoria était probablement réveillée. Et cela n'avait servi à rien. Il partait, elle le connaissait assez bien pour le savoir.

– Pourquoi est-ce que tu ne me demandes pas de partir avec toi? dit-elle d'une voix éteinte.

– D'accord. Alors, viens, chérie, fais tes valises. Mais tu laisses tout – et je dis bien tout – derrière toi.

Harriet ne bougea pas. Il hocha la tête, presque fier de la connaître si bien. Soudain, elle se jeta contre lui, s'accrochant à son corps avec désespoir.

– Si j'étais malade à nouveau, tu reviendrais? Tu ne m'oublieras pas?

Harriet déclenchait en lui des émotions dont il ne se savait pas capable. Son cœur semblait trop gros pour sa poitrine.

– Je ne t'oublierai pas, dit-il d'une voix épaisse. Prends bien soin de Victoria pour moi.

Il pressa son visage dans ses cheveux, inspirant profondément comme pour emporter avec lui l'odeur de Harriet. Et il partit.

Pendant un ou deux jours, Harriet ne sut que pleurer et attribuer à Jake la responsabilité de tout ce qui lui arrivait. Puis, comme elle n'avait rien d'autre à faire, elle se fit coiffer et retourna au travail. Elle éprouva un certain réconfort à la vue de son bureau, des visages de ses collaborateurs qui, en si peu de temps, étaient devenus sa famille. Ils l'accueillirent comme si elle était vraiment vitale à la Corporation, alors qu'elle avait craint que Jake ne l'ait écartée à tout jamais.

– M. Jake était très capable, naturellement, expliqua Claude Thomas, mais il n'a pas votre intuition, madame Hawksworth. Un hôtel, ce n'est pas seulement une question d'argent. Il n'était pas... Il n'a pas... commença-t-il avant de prendre une grande inspiration... Je crains qu'il n'ait choqué beaucoup de gens.

– Oh, mon Dieu ! s'exclama Harriet en jetant un regard amusé à sa secrétaire, qui ne le lui rendit pas.

– Nous sommes tous tellement contents que vous soyez de retour, madame Hawksworth, dit Maud sans tenter de dissimuler sa ferveur. C'était comme travailler sous les ordres du capitaine Bligh !

– Charançons dans les biscuits et fouet deux fois par jour, dit Harriet en triant les papiers de son bureau.

Qu'on reconnaisse ainsi son importance la faisait se sentir importante, leur confiance dans ses talents de dirigeante lui donnait envie de diriger. Quel soulagement après tant de jours de panique impuissante ! Sur un coup de tête, abandonnant prudence, sagesse, elle décida de marquer son retour d'un événement important.

– J'ai besoin d'un architecte, Claude, déclara-t-elle. On va construire un hôtel tout neuf : le Lac de Floride.

Une des choses qui fascinaient Harriet dans les affaires, c'était la façon dont une idée, une fois exposée, prenait de l'envergure toute seule. De son vague désir d'utiliser un bout de terrain sans valeur était né un projet grandiose, le plus ambitieux que Hawksworth Corporation ait jamais conçu. Les architectes l'inondèrent de propositions, des entreprises posèrent des jalons, comme des prédateurs humant le sang. Avant même que les premières fondations se soient enfoncées dans le sol spongieux, le bureau de Harriet recevait quotidiennement des propositions concernant l'aménagement intérieur, la décoration, et même les draps !

Ses journées de travail, commencées à huit heures et demie du matin, ne se terminaient qu'après neuf heures du soir. Elle savait qu'elle touchait à beaucoup de choses à la fois, mais c'était ainsi qu'elle le voulait. Pas le temps de souffler, Alors, quant à penser... Welman et Bradley, ses avocats de Floride, étaient engagés dans une lutte sans merci pour obtenir un inventaire de la collection et, sur ses instructions, prirent les précautions nécessaires pour empêcher toute vente d'œuvres dont elle connaissait l'existence. Une fois par mois, avec une régularité d'horloge, une œuvre importante apparaissait dans une vente. Un Rembrandt par-ci, une esquisse de Gauguin par-là, et même un Manguin qui se retrouva sur un catalogue de Christie's, à Londres. La provenance des œuvres restait toujours dans le vague, et chaque fois, Harriet réussit à faire retirer l'œuvre de la vente – ce qui ne fut pas inutile pour noircir l'image de Gareth et faire avancer sa cause en justice.

Et puis il y eut Simone. Maud s'était montrée dure avec Jake, mais Simone, elle, enrageait encore, l'injustice dont elle s'estimait victime alimentant une fureur toujours aussi vive.

– Il m'a traitée comme une criminelle! cria-t-elle en paradant sur la moquette du bureau comme une girafe de luxe.

– Mais qu'a-t-il dit? demanda Harriet qui savait que Jake pouvait être difficile, mais pas à ce point.

– Cet homme est un monstre, déclara Simone sans épiloguer.

A la décharge de Jake, il fallait dire que Simone s'était arrangée de la somme réduite qui lui avait été donnée, mais Harriet savait qu'elle devait à tout prix la garder de son côté. Sans beaucoup de certitude sur l'opportunité de son choix, elle lui proposa le poste de consultante en décoration pour les hôtels Hawksworth.

– Nous pouvons naturellement engager des entreprises extérieures, expliqua-t-elle à Simone en se demandant si elle n'allait pas regretter son geste sa vie durant. Mais vous êtes européenne, et vous savez ce que je veux. Je recherche une sensation de patine des ans, de bon goût, d'élitisme. Mais je veux aussi de la couleur, du confort, et tout doit être de bonne qualité, les matériaux doivent savoir vieillir. Les tapis peuvent perdre leur éclat, mais non pas s'user jusqu'à la corde. Pas de tables en plastique. On doit éprouver du plaisir à manger. Pour le moment, personne ne comprend. Je dois avoir l'œil à tout. Je voudrais que vous soyez mon œil.

Simone la regarda longuement. Harriet attendit avec crainte les cris et les insultes, ou un enthousiasme malvenu. Est-ce que quiconque en dehors d'elle savait ce qu'il fallait?

– Des tapis d'Orient, dit soudain Simone. Nous devons trouver un importateur. Et des lumières. Il nous faut de très belles lampes.

– Vous aurez un salaire, naturellement, ajouta Harriet.

– Quoi? demanda Simone qui sembla redescendre d'un petit nuage. Oui, bien sûr. Ce sont les restaurants qui poseront le plus de problèmes : ces pièces immenses avec des tables, et encore des tables. Il faut les personnaliser. Comment demander aux clients de manger à l'hôtel s'il n'y a aucune atmosphère?

– En effet, dit Harriet.

Elle sentit soudain la fatigue l'envahir. Peut-être que cela se passerait bien, finalement. Peut-être, en fin de compte, si elle y travaillait assez, une belle réalisation et une bonne publicité pourraient-elles transformer l'aventure en une brillante réussite.

L'été venu, tout le monde marqua le pas, sauf Harriet, qui ne pouvait rien imaginer de pire que des semaines sans rien faire. Le soir, elle buvait pour s'endormir, en fin de semaine elle emmenait Victoria au cinéma ou en excursion, n'importe quoi plutôt que rester seule avec ses pensées. Elle faisait un cauchemar, toujours le même, où un monstre, un géant horrible, la dévorait. Quand il en avait terminé avec elle, il passait à Victoria. Après une nuit où elle avait fait ce cauchemar, elle ne put supporter que Claude Thomas fût assis près d'elle, et imposa entre eux la barrière du bureau. Curieusement, avec le temps, au lieu de se rassurer, elle avait de plus en plus peur des hommes. Un jour, dans la rue, en pleine foule, un homme la saisit par le bras pour lui signaler qu'elle venait de perdre un gant. Elle cria. Elle comprit alors qu'il fallait qu'elle fasse quelque chose.

Elle retourna à l'appartement, chargée de ses inévitables paquets. Aussi occupée qu'elle fût, elle trouvait toujours le temps de faire des achats, pour elle, pour Victoria, pour Leah, et aussi pour l'appartement, achetant lampes, tapis, chaises et canapés, si bien que l'ameublement utilitaire du début dut être envoyé chez de petits revendeurs. Quand Victoria posait ses chaussures sales sur un canapé recouvert de soie damassée crème, ou quand elle envoyait une balle dans un vase en cristal, Harriet comprenait bien que ces luxes n'étaient pas raisonnables, mais c'était sans importance : elle ne pouvait s'en passer.

La nuit approchait, avec le sommeil, sa plus grande menace. Elle se servit un verre en écoutant le son étouffé du téléviseur dans la chambre de Leah. Elles devraient déménager, pour que Leah ait plus de place et Harriet plus d'intimité. Mais ce soir, ce n'était pas d'intimité qu'elle avait besoin, mais de libération.

Elle décrocha le téléphone et composa le numéro personnel de Mark Benjamin. Une femme répondit.

– Pourrais-je parler à M. Benjamin, s'il vous plaît? demanda Harriet d'une voix de femme d'affaires. De la part de Hawksworth Corporation. Mme Hawksworth à l'appareil.

– Harriet! s'exclama Mark d'une voix basse et chaleureuse quand il prit le combiné. Quel plaisir de vous entendre! Que puis-je faire pour vous?

– Je suis un peu seule ce soir. Je me demandais si vous seriez libre. Je n'ai pas dîné. Je sais combien vous êtes occupé...

– Je ne suis jamais trop occupé pour parler à mes clients importants, dit-il d'une voix professionnelle où Harriet sentit néanmoins une certaine excitation. Pensez-vous que l'endroit où nous étions l'autre fois conviendrait?

– Oui, dit Harriet qui fut soudain envahie de désir en repensant aux chambres de l'établissement. Ce serait sans doute le mieux. Passez-vous me chercher?

– Dans vingt minutes.

Elle enfila une robe foureau beige sans manches mais non décolletée. Depuis son séjour à l'hôpital, elle était presque maigre et elle n'aimait plus son décolleté un peu osseux. Elle avala rapidement un autre verre et se rinça la bouche à l'eau dentifrice.

– Je sors, Leah, dit-elle en frappant à sa porte. Je risque de rentrer très tard.

– Très bien, madame Hawksworth. Passez une bonne soirée.

On sonna d'en bas. Harriet prit son sac à main et sortit. Tout était si facile. Il était sans doute écrit que cela devait arriver.

Il lui caressa la cuisse dans la voiture. Est-ce que ça m'ennuie? se demanda-t-elle. Est-ce que ça me rappelle cette chambre? Mais la torture qu'elle avait subie n'avait rien à voir avec les gestes gentils de cet homme qui ne voulait de mal à personne.

– Les nuits d'été font leur œuvre, dit-il.

Ils étaient en feu quand ils entrèrent dans le restaurant et, pendant tout le repas, ils brûlèrent. Ils prirent un consommé froid et une tourte au gibier avec du champagne, puis ils dansèrent.

– Je crois que je ne peux plus attendre une seule seconde, lui murmura-t-il dans l'oreille.

– Allons-y! répondit-elle en se serrant contre lui.

Il ne lui fallut pas plus de dix secondes pour signer la note et, par-delà un rideau discret, monter dans une chambre.

Une fois la porte fermée, ils n'entendaient même plus la musique. C'était la chambre la plus silencieuse que Harriet ait jamais vue, avec un lit, un fauteuil et une petite salle de bain. Lentement, Harriet saisit l'ourlet de sa robe et l'enleva par le haut. Benjamin se débarrassait précipitamment de ses vêtements. Elle le laissa lui retirer son soutien-gorge. Avec précaution, doucement, ils s'allongèrent. Cet homme n'avait pas besoin de faire souffrir. Elle sentit combien tout cela était absolument juste.

Plus tard, alors qu'ils reposaient côte à côte, elle dit :

– Comment cela se passe-t-il avec ta femme?

– Pas souvent. Elle n'aime pas beaucoup ça. Il m'arrive de penser qu'on se connaît trop bien.

– Je sais ce que tu veux dire.

Concilier une sexualité sauvage la nuit avec un comportement correct le jour n'était pas évident. Il se révélait parfois plus facile de s'amuser avec quelqu'un qu'on n'avait pas à respecter.

– Et si on recommençait toutes les semaines? demanda

Mark. Pas ici, il y a trop de monde. Je vais louer un appartement quelque part. On pourra s'amuser ensemble.

– Et comment ?

– Sous la douche, je ne sais pas, moi !

– Je crois qu'il vaudra mieux amortir le loyer, dit Harriet.

– Je croyais que tu ne voulais pas mélanger affaires et plaisir.

– On peut toujours faire des exceptions.

30

HAWKSWORTH RACOLE, lisait-on en première page du journal. En dessous de ce titre, une photo montrait Mark Benjamin tenant le coude ganté de Harriet en robe de soie moulante gris perle.

Il n'y avait rien de particulièrement grave dans l'article, mais beaucoup d'insinuations. Leurs relations étaient « amicales après les heures de bureau », il l'escortait à des dîners professionnels « tandis que sa délicieuse épouse Patti restait à la maison pour s'occuper des enfants ». La conclusion était un chef-d'œuvre d'hypocrisie : « Mais nous sommes certains que M. Benjamin ne ferait jamais rien qui risquât de salir sa réputation immaculée. »

– Quel torchon, dit Harriet en jetant le journal à Mark. Qu'en pense ta femme?

– Je lui ai dit que c'étaient des balivernes, et elle a dit qu'elle me croyait.

– Et est-ce qu'elle te croit?

– Elle sait qu'il y a quelque chose qui cloche, dit-il en la regardant dans les yeux. J'ai déjà eu des aventures, mais rien... Elle sait que cette fois, c'est différent.

Harriet se tut. Elle ne s'attendait pas à ça. Elle était la débutante, et lui le séducteur expérimenté; à coup sûr, c'était elle qui aurait dû s'y laisser prendre. Elle avait trouvé normaux les cadeaux, l'affection, les rires qu'ils partageaient. Elle n'avait pas compris qu'ils étaient spéciaux pour lui.

– Eh bien, c'est plutôt une bonne chose que je parte en Floride pour quelque temps. L'hôtel a des problèmes, et quelqu'un doit s'en occuper.

– Mais pas forcément toi, dit-il en lui caressant le bras.

– Oh, si. Je crois qu'il faut que ce soit moi. On a besoin d'une coupure, Mark, pour réfléchir. Ta femme... est une femme bien.

– Comment le sais-tu ? Tu l'as rencontrée ?

– Non, mais je sais que tu n'as pu choisir que quelqu'un de gentil. Tu devrais la sortir davantage.

Il se leva et déambula dans la pièce. Harriet remarqua son ventre un peu plus lourd, sa démarche un peu moins légère.

– Est-ce que tu essaies de me dire que c'est fini ?

– Bien sûr que non ! Je pense seulement que nous entrons dans des eaux dangereuses, et je ne suis pas certaine de savoir y nager – et je ne suis pas certaine que tu saches vraiment y nager non plus. Je vais aller en Floride, Mark.

– Je n'avais pas prévu de tomber amoureux de toi, dit-il avec un soupir triste.

Elle le regarda. Elle savait qu'elle aurait dû être flattée, mais elle se demanda ce qu'il lui trouvait. Elle représentait une deuxième chance, peut-être ? Une femme plus jeune, plus en vogue, avec qui chevaucher les vagues du succès et de la réussite ? Elle n'avait aucun moyen de le savoir.

La chaleur lui mordait la peau, même à travers la soie de sa robe. Une voiture l'attendait en bordure de la piste privée, mais elle n'approcha pas. Harriet titubait sur ses talons aiguilles, furieuse avant même de commencer. Le projet prenait trop de temps et coûtait trop cher, et ils n'étaient même pas capables de lui avancer une voiture ! Alors qu'elle approchait, un grand homme brun en costume léger s'extirpa de derrière le volant.

– Madame Hawksworth ?

– Non, ce foutu Dr Livingstone ! Elle est en panne ou quoi ?

– Non, madame, pourquoi ?

M. McIntyre somnolait, et c'était un réveil un peu brutal.

– Allez prendre les bagages, dit Harriet avec plus de glace dans la voix que dans n'importe lequel de ses hôtels.

L'air conditionné dans la voiture la calma un peu. S'éloignant de la côte, ils s'enfoncèrent dans un pays vert et luxuriant, où l'air bruissait de chants d'oiseaux. Le taux d'humidité était si élevé que la chaleur coulait. L'idée de l'hôtel lui avait semblé brillante depuis New York, mais maintenant, elle n'en était plus aussi fière. Au bout d'un moment, la route s'élargit en une zone de gravier et de pierre à chaux, où de grosses machines étaient garées devant un vieux bus transformé en cafétéria. Ce débris donnait une impression de permanence.

– Où est l'hôtel ? demanda nerveusement Harriet.

– A un petit kilomètre par là, dit le conducteur en montrant du menton une piste pleine d'ornières.

– Pourquoi si loin des machines? Cela ne doit pas être très productif.

Il leva un sourcil d'une façon qu'elle eut du mal à ne pas trouver insolente.

– C'est un marais, madame. Vous construisez un hôtel sur un marais.

Elle sortit et s'approcha du bus-cafétéria. La sueur collait sa robe à son corps. Elle savait qu'elle n'avait pas l'allure qu'il fallait, trop élégante et trop féminine. Dans le bus, une vingtaine d'hommes bavardaient en jouant aux cartes.

– Bonjour, dit Harriet.

Ils se tournèrent tous pour la regarder. Un homme siffla.

– Je m'appelle Harriet Hawksworth. Je suis la propriétaire de cet hôtel.

Un grand homme velu en chemise à carreaux se leva et hocha la tête.

– Eh bien, à la vôtre, Harriet Hawksworth! Je parie qu'une belle fille comme vous sait comment prendre ce qu'elle veut.

– Et qui êtes-vous? demanda-t-elle d'une voix sévère pour cacher son irritation.

– Je suis le contremaître, Big Tom.

– Et pourquoi ne travaillez-vous pas, Big Tom? demanda-t-elle non sans ironiser sur le nom de son interlocuteur.

– Parce qu'il fait bien trop chaud, ma petite dame, rétorqua Big Tom pour ne pas être en reste.

– Je me moque qu'il fasse cinquante à l'ombre. Retournez au travail! A partir d'aujourd'hui, toute personne qui fera une pause sans autorisation sera renvoyée.

Elle tourna sur ses talons et sortit du bus. Des mouches zonzonnaient dans son oreille tandis qu'elle marchait, raide comme la justice, vers la piste conduisant à l'hôtel. Un moustique la piqua sur la paupière. Qui avait eu l'idée idiote de construire un hôtel ici? Est-ce qu'elle était folle? La boue aspirait ses chaussures, et elle entendit McIntyre qui jurait en la suivant. Elle se retourna d'un coup :

– Pourquoi cette route est-elle en aussi piteux état?

– C'est à cause du temps, madame...

– Vous allez la réaménager et rapprocher le bus de l'hôtel. On aura peut-être une meilleure surveillance du site.

Glissant et trébuchant, elle finit par arriver à l'hôtel. Quelqu'un frappait des coups espacés quelque part, et quand elle appela, des oiseaux s'envolèrent, mais les coups ne s'interrompirent pas. Elle monta sur un bloc de béton et regarda autour d'elle.

L'hôtel comportait quatre ailes, comme des rayons issus d'un immeuble central où se trouvaient la réception et l'administration. Deux des ailes étaient réservées au restaurant et aux salons, les deux autres aux chambres. Toutes s'avançaient dans l'eau sur des pilotis. Rien n'avait dépassé l'état grossier du béton juste décoffré – dont l'armature rouillait déjà.

– Deux ailes devraient être terminées, s'écria Harriet. C'est ce qu'indiquait le rapport que j'ai reçu.

– C'était le rapport de l'architecte, madame, dit McIntyre.

– Et alors? Est-ce que vous travaillez pour moi? Qui êtes-vous?

– Je coordonne les travaux, dit-il d'une voix faible.

– Mes compliments! dit-elle.

Harriet ne s'était pas rendu compte à quel point elle s'était habituée au confort et même au luxe. Quand elle arriva au Hawksworth de Floride, en sueur et éclaboussée de boue, elle fut reçue par un directeur plein d'admiration et de crainte qui voulait absolument lui présenter tout le personnel de l'hôtel, mais Harriet prit le temps d'un bain, et elle se changea.

Comme tout était différent depuis sa dernière visite! Serviettes moelleuses, moquette épaisse, fenêtres propres, et beaucoup de faïence, parfaitement adaptée au climat. Elle reconnut la main de Simone, en particulier dans le hall argent et bleu. L'argent venait de miroirs réfléchissant la verdure, un bassin ornemental, une superbe serre qui arrivait à paraître du siècle dernier en dépit de sa conception moderne. En regardant tout cela, Harriet réussit à oublier le cauchemar boueux du marais.

Rafraîchie par son bain et vêtue d'un tailleur de lin vert pâle que la femme de chambre lui avait repassé, elle se brossa les cheveux jusqu'à ce qu'ils luisent comme du cuivre – couleur qui semblait un peu osée à New York, mais convenait tout à fait à la Floride – puis elle appela le directeur pour se faire présenter le personnel.

Au fil des couloirs, ils passèrent en revue les femmes de chambre et les garçons d'étage, dans la cuisine les cuisiniers avaient mis des toques et des tabliers immaculés, et leur équipement luisait dans un agencement parfait. Elle parla aux barmen, goûta un nouveau cocktail, considéra que les nappes du restaurant étaient très bien choisies. C'était une visite royale, et elle commença à se comporter comme la reine, souriant et hochant la tête au personnel en rang d'oignon, s'arrêtant devant le plus grand, le plus petit, le plus noir, le plus blanc pour un court échange de banalités, remarquant parfois quelqu'un d'une telle fadeur que cela constituait en soi une performance. A la fin, quand elle eut admiré l'intérieur des chambres froides et souffert pour trouver quelque chose d'intelligent à dire – « Mon Dieu, qu'il y fait froid! » ne lui sembla pas du tout original –, elle refusa avec tact l'invitation à dîner du directeur et demanda à être servie dans sa chambre.

– J'ai énormément de travail, ce soir, mais je serais ravie si vous et un ou deux de vos collègues, ainsi que vos épouses, naturellement, vouliez vous joindre à moi pour dîner demain. J'aimerais beaucoup goûter ces mets délicieux dont vous m'avez parlé, et je ne peux certainement pas tous les commander pour moi!

C'était exactement ce qu'il fallait dire. M. Lieben, le directeur, fila mettre la cuisine en alerte rouge pour le lendemain soir avant d'appeler sa femme pour lui ordonner de s'acheter une tenue époustouflante, même si elle devait hypothéquer la maison. Seule dans sa chambre, Harriet s'assit sur le lit et éclata de rire. Est-ce qu'elle devait s'attendre à cela partout, maintenant? Il était difficile de savoir si elle devrait venir plus souvent, pour qu'ils s'habituent à elle, ou si elle devait se faire rare et précieuse. A la réflexion, elle se dit qu'il vaudrait mieux continuer à faire confiance à Simone pour les contrôles de routine, parce que sa présence bouleversait trop les habitudes.

Elle accorda quelques minutes de ses réflexions à Simone. Elle lui avait semblé tendue, ces derniers temps, et Harriet avait mis cela sur le compte d'une trop longue séparation d'avec son mari, mais avant même que Harriet lui eût offert ce nouveau travail, elle avait l'habitude de passer des mois loin de France, rentrant à la maison quand il lui en prenait l'envie. Quel genre d'homme pouvait tolérer ce genre de vie? se demanda Harriet. Etait-ce toujours un mariage, ou une simple convention?

On frappa à la porte. C'était son repas. Elle avait demandé du poisson, et elle vit arriver un saumon entier. Si elle avait demandé la tête de Lieben sur un plateau, c'est ce qu'elle aurait eu, elle n'en doutait pas.

– Merci, merci, merci, répéta-t-elle à la demi-douzaine de laquais venus dresser la table et apporter mets et champagne. Mon Dieu! s'écria-t-elle soudain avec impatience, est-ce que vous allez rester là et me nourrir à la petite cuiller? Sortez, je peux me débrouiller. Oui, c'est très gentil, mais je ne suis pas manchote!

Elle les fit sortir, referma la porte, se servit une cuillerée de chaque plat dans une assiette et alla s'installer sur le lit pour étudier le rapport sur le Lac de Floride tout en mangeant.

Une chose lui apparut clairement : quelqu'un se faisait beaucoup d'argent sur cet hôtel, et ce n'était pas elle. La moitié des matériaux semblait avoir mystérieusement disparu; des hommes figuraient sur la liste des employés alors que selon toute probabilité ils n'existaient pas. Elle allait commencer ses coupes sombres par le cabinet d'architectes, elle les traînerait même en justice. Mais se venger ne construirait pas l'hôtel.

Elle posa son menton dans ses mains et réfléchit : ne valait-il pas mieux mettre de côté sa fierté personnelle pour le moment ? Devait-elle abandonner le projet, considérer l'aventure comme une erreur et tout arrêter? Etait-ce une idée stupide? Elle n'aurait aucun moyen de le découvrir, entourée comme elle l'était par des esclaves au Hawksworth de Floride, c'était évident. Elle passa un coup de téléphone et se mit en mouvement, prenant dans le placard à l'ordre impeccable un jean de marque, des sandales et un chemisier de coton (elle n'avait rien de plus banal). Une fois habillée, elle noua ses cheveux, prit une veste et sortit de sa chambre, se glissant dans l'ascenseur juste au moment ou une phalange de garçons d'étage et de femmes de chambre prenaient place dans le couloir pour répondre à ses moindres souhaits. Ed McIntyre l'attendait au coin de la rue.

– Ce n'est pas une très bonne idée, dit-il d'un air malheureux.

– Et alors? C'est mon idée, pas la vôtre, rétorqua Harriet en montant près de lui dans la voiture. Allons prendre un bateau. Je veux voir ce marais.

– Oh, Seigneur! dit-il en regardant ses belles chaussures blanches.

Harriet essaya de ne pas rire. Il leur fallut un moment pour trouver quelqu'un qui fût prêt à les emmener en pleine nuit. Harriet s'était installée au bord d'un ruisseau tandis que McIntyre tentait de négocier leur excursion, et des mouches venaient l'agacer alors qu'elle essayait d'identifier les animaux qui faisaient de drôles de bruits dans l'eau. Finalement, lasse d'attendre, elle entra dans la cahute et écouta un instant les faibles efforts de persuasion de McIntyre. Elle regarda l'homme assis derrière le bureau, las mais trop poli pour dire à McIntyre de ficher le camp.

– Ecoutez Ed, dit-elle en s'appuyant au bureau, cet homme ne veut pas nous emmener, alors il vaudrait mieux que nous achetions un de ses engins et que nous y allions seuls.

– Vous feriez pas ça! s'exclama l'homme. Des gens se sont perdus, là-dedans. Vous voulez rencontrer des serpents et des alligators?

– Oui, tout à fait. Payez-le, Ed.

– Mais je suis pas vendeur! protesta l'homme. Et puis une dame comme vous connaît rien aux bateaux.

– Vous pariez combien? D'accord, vous feriez mieux de venir. Donnez-lui l'argent quand même, Ed. On le fait sortir alors qu'il pourrait être chez lui, les pieds dans ses pantoufles. Quel bateau allons-nous prendre?

Ils prirent une barque, et l'homme se retrouva en train de ramer dans la nuit. Il marmonnait des jurons, et leur énumérait toutes les maladies qu'ils pourraient attraper dans les miasmes nocturnes. De temps à autre, il s'arrêtait de ramer, écoutait, allumait la grosse lampe torche qu'il avait emportée. Le faisceau lumineux révélait un monde étrange et mystérieux. A leur passage, un alligator ouvrit sa gueule depuis la rive boueuse, puis glissa dans l'eau. Des arbres tombaient en rideaux de branchages aux feuilles argentées, comme s'ils portaient le deuil.

– Un gros, là! dit l'homme soudain en montrant une longue traînée dans l'eau, si longue qu'ils frissonnèrent à l'idée de ce qui nageait en dessous.

Ed McIntyre essayait de garder ses chaussures hors de la boue accumulée au fond de la barque, et se giflait le cou chaque fois qu'un moustique l'attaquait. Harriet était ravie.

Elle dormit tard le lendemain, réveillée par le soleil et l'odeur de vase que dégageaient ses chaussures. Elles avaient taché la moquette et Harriet s'en excusa auprès de la femme de chambre, stupéfaite, quand elle vint faire le ménage.

C'était bon de se sentir en vie ce matin-là, décida Harriet. Pour une fois, elle avait les idées claires. McIntyre pourrait lui être utile pendant son séjour, mais elle le renverrait à son départ. Il était inefficace et ne s'intéressait pas au projet. Elle se dit que jadis, prendre une telle décision eût été terriblement difficile pour elle, mais c'était avant Gareth. Il ne lui avait pas été facile de survivre depuis, mais elle avait survécu, et pour ce faire, elle avait changé. Aujourd'hui, elle existait sous une carapace solide, et seuls de bien rudes coups pourraient la briser.

Il fallait à l'évidence superviser de façon extrêmement stricte les travaux, si on voulait qu'ils se terminent un jour. Les matériaux livrés devaient être les matériaux commandés, et ils devaient servir à l'hôtel, pas disparaître. Quelqu'un devait surveiller cela, mais qui? Il y avait les architectes, bien sûr. On lui avait recommandé un autre cabinet avant son départ de New York, mais elle se méfiait. Tant qu'ils n'auraient pas fait leurs preuves, elle ne leur ferait pas confiance. Il ne restait plus qu'elle. De fait, qui d'autre qu'elle pouvait comprendre que si cette entaille dans les finances de la Corporation n'était pas vite suturée, ils allaient tous saigner à mort? Qui d'autre n'accepterait pas de pots-de-vin, ne se reposerait pas à l'ombre alors qu'il fallait affronter le soleil, ne réceptionnerait pas une livraison avant de l'avoir vérifiée à fond? New York pouvait se passer d'elle un moment; quant à Victoria, elle pourrait venir la voir. Oui, cet hôtel serait construit sous les yeux de Harriet, ou pas du tout.

Le lendemain matin, elle partit, élégamment vêtue, et dit au revoir au directeur de l'hôtel et au personnel rassemblés sur le perron. Les passants, étonnés, prirent des photos, pensant qu'ils découvriraient bien un jour l'identité de cette femme, parce qu'elle était forcément importante. Dans l'après-midi, Harriet, en jean et bottes, réceptionna une vaste caravane qui fut traînée jusque sur le terrain instable jouxtant l'hôtel. Ce serait son nouveau chez elle.

Chaque matin elle s'éveillait en se demandant comment elle allait trouver la force de sortir du lit, et chaque soir elle s'effondrait, morte de fatigue. Entre les deux, elle s'équipait de bottes et d'un casque de chantier, mangeait à la cafétéria et criait.

Big Tom était son ennemi personnel. Puissant chef de gang, il se faisait obéir au doigt et à l'œil, pour le travail comme pour la résistance. Harriet ne comptait plus ses tentatives pour le motiver. Elle avait essayé la persuasion, la menace, les bonus et les retenues sur salaire – cette dernière méthode ayant entraîné deux jours de grève. Finalement, exaspérée, elle interrompit une pause café qui durait depuis près d'une heure, et frappa Tom sur la tête avec le bout de bois qu'elle tenait. Du sang jaillit. Harriet resta figée d'horreur, persuadée qu'elle venait de commettre un meurtre. Sous le choc, elle alla s'asseoir dans sa caravane, tremblante, attendant qu'on vienne l'arrêter. Rien ne se passa. Quand elle ressortit, elle eut la surprise de trouver tous les hommes au travail, Big Tom parmi eux, la tête enveloppée d'une énorme bandage blanc. Ce fut la fin de ses problèmes de main-d'œuvre.

Mais pas de ses problèmes d'architecture. L'idée de base de l'hôtel était bonne, mais la conception technique bourrée d'erreurs. Les pontons qui auraient dû flotter coulaient, les joints laissaient passer l'eau. Elle fit appel à un expert en ponts flottants et découvrit des joints utilisés sur les plates-formes pétrolières en mer. Mais ce problème réglé, elle se heurta aux écologistes qui voulaient faire annuler le permis de construire de l'hôtel. Ils affirmaient, à juste titre, que la circulation des engins de construction causait des dommages irrémédiables à la nature environnante. Harriet fut contrainte de suspendre le travail pendant un mois pour laisser à une certaine variété de grenouilles le loisir de rejoindre par bonds successifs leur lieu de frai. Elle prit les choses avec courage, chargea même un naturaliste de commander une sculpture représentant une grenouille qui serait exposée dans l'hôtel terminé. L'opposition ne baissa pas les armes.

– Est-ce que cela finira un jour? murmura-t-elle un soir en claquant la porte de sa caravane.

Alors, elle lisait beaucoup, surtout des livres d'art, s'arrêtant sur les œuvres qui stimulaient le plus son imagination, gravant dans sa mémoire les détails qui les lui feraient distinguer si jamais elle les voyait. Sa caravane n'était pas la seule sur le site, mais la seule occupée depuis la mise en chômage technique. La nuit était particulièrement silencieuse, pas de télévision, pas de disques, juste les marais alentour. Elle se dit qu'elle devrait rentrer à New York pour un temps, ou faire venir Victoria en vacances, mais il faisait froid à New York, et Leah lui racontait presque chaque jour combien Victoria aimait ses nouveaux amis, et toutes les fêtes auxquelles elle était invitée. Elle allait bien. Inutile de la déranger.

L'air était agréablement tiède, et la clairière éclairée par la lune et les étoiles. Harriet enfila ses bottes, prit une lampe torche et partit se promener dans le marais. La solitude s'avérait parfois délicieuse.

Un moteur ronronna dans la nuit et s'arrêta. Harriet en eut la chair de poule. Les bruits inexpliqués effraient toujours, la nuit. Elle reprit la direction de la caravane pour voir qui arrivait, puis se dit : Je suis seule ici, ce pourrait être n'importe qui. Elle éteignit sa lampe. Malgré un certain sentiment de ridicule, elle s'accroupit derrière un buisson. Quelque chose s'éloigna en glissant dans l'eau. Quoi que ce soit, cela ne l'effrayait pas autant que la grande silhouette noire qui se profilait devant la paroi claire de la caravane. Qui était-ce? Pourquoi était-il là?

– Madame Hawksworth!

Ce cri figea ses pensées. Soudain, elle était à nouveau sur l'île, à Corusca, par une nuit noire sur la montagne. La blancheur de la caravane remplaçait le feu derrière lui. Elle se rappela sa terreur face aux scènes de sorcellerie.

– Madame Hawksworth! Harriet!

– Que voulez-vous, Jérôme? demanda-t-elle sans quitter l'endroit d'où il ne pouvait la voir.

– Je veux vous parler, Harriet. Vous n'avez rien à craindre de moi.

– Ah, non?

Elle se leva et s'approcha lentement de lui. Sa seule stature l'intimidait, ses épaules deux fois plus larges que les siennes qui la dominaient de trente centimètres. Il était en costume, et cela lui allait bien, mais son visage trahissait sa retenue.

– Entrez, dit Harriet en le précédant dans la caravane. Voulez-vous boire quelque chose?

– Non, merci. Est-ce que Gareth est venu par là?

Il dut se baisser pour entrer et s'assit sur la banquette. Il y avait indubitablement en lui quelque chose de Henry Hawksworth, peut-être l'arrogance.

– Si Gareth vient ici, je le tuerai, dit-elle calmement. J'ai un fusil. Vous pouvez le lui répéter.
– Gareth et moi, on se parle pas, dit-il avant de laisser le silence s'installer.
– Que voulez-vous de moi? demanda enfin Harriet. Je croyais que vous disputiez l'île à Gareth.
– J'y ai autant droit que lui.
– Et moi plus que vous deux, dit Harriet.
– C'est possible, mais vous arriverez à rien, pourtant.
Il lui sourit pour essayer de détendre l'atmosphère, mais un petit muscle se crispa près d'un œil. Quelque chose est arrivé, se dit Harriet. Il a été contraint de partir.
– C'est à vous de me dire ce qui se passe, dit-elle en s'installant pour attendre sa version des faits.
La haine poussa Jérôme à parler plus vite que d'ordinaire, stimulé par une émotion si puissante que Harriet en fut effrayée : c'était Hawksworth en lui, avec une telle intensité, une telle détermination. A différents degrés, tous les Hawksworth possédaient ce trait de caractère.
– Je l'ai laissé seul dans la grande maison, dit Jérôme. Ça m'est égal. Il peut avoir les tableaux, ils ne signifient rien, ni pour moi ni pour mon peuple. J'ai pas voulu lui laisser sa sœur. Elle est en sécurité avec moi, je prends soin d'elle. Mais il aime pas ça. Il est venu une nuit et l'a emmenée. Il paraît qu'elle est ici à l'hôpital.
– Et Nathan, son fils?
– Il est avec moi. On s'occupe de lui. Gareth veut pas de Madeline, vous comprenez, c'est seulement qu'il veut pas que je l'aie. Quand elle est partie, on a mis le feu à la grande maison, mais il l'a éteint. Certains tableaux étaient plus si beaux après, alors il a eu peur. Il a commencé à essayer de les faire partir de l'île, et je l'ai laissé faire, ça m'est égal. Je veux seulement qu'il quitte l'île. Maintenant, il en a assez, il les a mis en sécurité. Il veut pas vraiment Corusca, mais il veut pas que je l'aie. Il est allé voir les autorités pour leur raconter des histoires. Il dit qu'on pratique le vaudou, qu'on tue des gens. Ils vont envoyer des policiers et faire dire aux gens ce qu'il veut. C'est un coup monté. Il va faire ça contre moi, madame Hawksworth.
– Etes-vous un méchant homme, Jérôme? demanda Harriet en le regardant fixement. Cette nuit-là, près du feu... Je me souviens de tout.
– C'était de la grande, grande magie, dit-il en posant un long doigt sur ses lèvres. Les gens n'ont plus besoin de magie.
– De quoi ont-ils besoin?
– De médecins, d'un hôpital, de nourriture, de vêtements. Corusca est pauvre, si pauvre! Les gens ont besoin de leur terre,

Harriet ! Je la leur donnerai. Je la veux pas pour moi. Gareth, lui, il leur donne rien.

– Mais je n'ai pas l'île, elle n'est pas à moi, dit-elle d'un air innocent.

– Venez sur l'île. Vous serez avec moi quand la police viendra. On leur dira comment était le vieux Hawksworth et ce qu'il a fait. Tout le monde vous connaît, tout le monde vous croit ! Vous leur direz que vous me faites confiance pour prendre soin de Corusca, puisque ça vous fait mal de voir les gens souffrir par la faute de Gareth qui ne veut pas lâcher prise. Comment il a pris la collection, qui vaut beaucoup d'argent. On n'est pas des gens qui aiment l'argent, vous et moi. On dira comment on va donner la terre au peuple.

– Je ne lui laisserai pas la collection, dit Harriet en se levant. Elle est à moi et je la veux. En plus, si je donne la terre au peuple, comme vous dites, qu'est-ce que ça me rapporte ? Je n'ai pas à faire ça pour vous.

– Si. C'est une très belle île, Corusca. Il y a une très belle maison. Si j'ai l'île, vous pourrez avoir la maison, et après, vous pourrez construire un hôtel. Pas trop grand, mais spécial. Un hôtel très spécial sur une île très spéciale. C'est ça que vous pouvez avoir.

– Je veux quand même la collection.

– Alors, battez-vous pour l'avoir, ma fille. C'est pas ma guerre.

Ils parlèrent longtemps, de l'île, du temps passé, de l'avenir. Harriet finit par aller au lit et Jérôme partit se coucher dans une des caravanes vides. Avant de s'endormir, elle se demanda si tout cela était bien raisonnable. Cette île était maudite, rien de bon n'en était jamais sorti, et Jérôme en était l'âme. Mais si elle ne l'aidait pas, Gareth gagnerait, et c'était une chose qu'elle ne permettrait jamais.

31

Le chalutier peinait et roulait sur la mer agitée. Harriet s'était adossée contre le cockpit, écœurée par l'odeur de poisson, et regardait la ligne sombre d'une terre qui s'épaississait à l'horizon. Les nerfs à vif, elle repoussait les souvenirs de son séjour là-bas qui la hantaient. Le ciel était couvert, le vent changeant et inégal. Elle enregistra automatiquement ces données et ne se rendit compte que plus tard que le vent n'avait aucune importance quand on ne naviguait pas à la voile. A sa grande surprise, elle regretta tout à coup le pont toujours penché, l'air tranquille et propre entourant un voilier, elle qui avait pourtant juré de ne plus jamais recommencer l'expérience.

L'île était déjà plus proche. Elle distinguait les arbres protégés de la mer par un ruban de sable blanc. Tout en haut, dans la brume, s'élevaient les collines. C'était d'une beauté poignante.

– Elle change pas, elle reste toujours la même, dit Jérôme.

– Est-elle diabolique? Je l'ai pensé, jadis.

– C'était pas l'île. C'était Hawksworth.

Le chalutier entra en toussant dans le port. Harriet regarda autour d'elle, se souvenant de tout comme si c'était hier. Un enfant les observait, un enfant blanc.

– Salut, Nathan! dit Harriet en lui tendant la main.

Mais l'enfant ne s'approcha pas. Il la fixait de ses yeux bleus sous une frange blonde taillée irrégulièrement au couteau. Il portait des vêtements d'adulte : pantalon aux jambes coupées et chemise sans poignets. Harriet se sentit soudain coupable, bien que ce ne fût pas sa faute. Personne ne prenait soin de cet enfant.

Jérôme retira la veste de son costume et la tendit à l'enfant qui courut la prendre avec respect.

– Tu as été sage? demanda Jérôme en prenant le petit menton.

– Non.

Jérôme rit et ébouriffa les cheveux de Nathan.

Harriet se devait d'habiter dans la grande maison. Cette idée la terrifiait mais, si elle voulait vraiment posséder l'endroit, il fallait qu'elle considère la maison de son mari comme la sienne. Il n'y a personne, là-bas, se dit-elle. Pas de fantômes, pas de meurtrier. Victoria est née ici, tout n'a pas été horrible. Elle monta dans la carriole qui devait la conduire chez elle.

Pendant le trajet, elle ressentit à nouveau le charme de Corusca. Ce serait un crime d'entraîner dans le XXe siècle ce paradis tropical odorant, d'y introduire le béton, les moteurs, le plastique. C'était le jardin d'Eden, où on avait eu la chance de tuer le serpent. Pourquoi le remplacer par une autre sorte de monstre? Son esprit flottait dans l'air tiède et ensoleillé. Elle voyait le petit hôtel au toit de palmes qu'elle construirait, si discret qu'on ne le distinguerait pas de loin – ni parasols sur la plage, ni enseignes au néon. Ce serait son charme... un joyau dissimulé dans l'île merveilleuse.

Quand la carriole tourna dans le parc de la maison, Harriet s'accrocha à son siège pour regarder autour d'elle. Tout poussait à sa fantaisie, comme la première fois. Et la maison... des traces de fumée noircissaient les murs et une partie du toit s'était effondrée. On avait jeté par les fenêtres des meubles brisés, des cadres de tableaux, des rideaux calcinés.

– Oh, Seigneur, murmura-t-elle, comme je déteste ce genre de désordre.

Elle alla de pièce en pièce, se forçant à ne pas ressentir trop d'émotions. Jérôme disait vrai : Gareth avait enlevé la collection. Çà et là restaient encore quelques tableaux inconnus, mais sur chaque mur des marques témoignaient de la disparition d'une œuvre. Certains meubles manquaient aussi – les meubles Louis XV, ceux d'un galion de la grande époque. Elle eut un sentiment de perte, même si elle n'avait jamais considéré que tout cela lui appartenait. Mais c'étaient les biens de la maison, qui se retrouvait diminuée par leur départ.

Les dommages dus à la fumée et à l'eau n'étaient que superficiels. Cette maison lutte contre sa destruction, se dit Harriet, ils n'arrivent pas à la vaincre. Elle tendit la main et secoua un lourd rideau de velours dont elle se souvenait. Il était poussiéreux et mité à l'ourlet, mais sa couleur était aussi riche que lors de sa première arrivée. Que ces pièces étaient harmonieuses, vastes, aérées! Une telle maison n'était pas faite pour un Gareth.

Le lendemain, alors qu'elle était à peine installée, la police arriva en bateau à moteur, et quelqu'un sonna la cloche réservée habituellement aux appels à l'aide quand un bateau de pêche avait raté l'entrée du port et s'échouait sur les récifs. Harriet comprit, mais quand Nathan arriva à vélo, elle s'accrocha à lui.

– Ils sont là, ils sont là! Il a dit que tu sois prête, cria-t-il.

– Combien sont-ils? Est-ce que Gareth est là aussi?

– Bien sûr, dit Nathan en crachant par terre avec mépris.

– Reste ici, ordonna Harriet. Tu dois rester avec moi. C'est Jérôme qui le veut.

Il la regarda d'un air rebelle, mais quand elle redescendit après s'être changée, elle fut surprise de le trouver encore là.

– Tu es bien habillée, dit-il avec un hochement de tête approbateur.

Il valait mieux être élégante quand on rencontrait des étrangers qu'on voulait impressionner, et elle avait sorti le grand jeu en choisissant une robe en jersey de coton blanc qui n'aurait pas été déplacée dans une garden-party.

– Tu n'as pas de chaussures? demanda-t-elle à l'enfant, qui secoua la tête. Quand je te parlerai de tes chaussures, tu diras que tu les as mouillées.

– Pourquoi?

– Parce que je ne veux pas qu'ils pensent que tu n'en as pas. Je t'en achèterai, promis.

Il haussa les épaules. A l'évidence, il se moquait d'avoir des chaussures. Ils attendirent. Des perroquets babillaient dans les arbres, inhabituellement loquaces, semblait-il. Harriet sentait le sang battre à ses oreilles, si vite que c'était un grondement presque continu. Elle n'arriverait pas à regarder Gareth, elle s'en sentait incapable. Soudain, elle rassembla ses jupes et courut vers l'escalier, ne s'arrêtant qu'une fraction de seconde en entendant le bruit de roues qui approchaient.

– Tu peux pas partir, ils arrivent, affirma Nathan.

Non, elle ne pouvait pas fuir. Elle allait en finir avec cet homme, Dieu lui en était témoin! Quand ils arrivèrent, elle était à quelques marches du pied de l'escalier, comme si elle descendait juste.

Il y avait six hommes, dont quatre en uniforme, les deux autres en costume tropical. Elle ne les regarda pas; l'un d'eux devait être Gareth.

– De quel droit entrez-vous ainsi chez moi? demanda-t-elle d'une voix posée. Y aurait-il un problème? Je crois pourtant que le heurtoir est toujours en place.

– Comme si c'était ta maison! Tu vas sortir, Harriet, et sur-le-champ! Mon avocat est ici pour me soutenir. Dites-lui, Clive!

L'avocat ne dit rien. Il fallut à Harriet un énorme effort pour tourner la tête et regarder Gareth. Il avait les cheveux en broussaille, la cravate de travers, les joues rouges.

– Mon Dieu, dit-elle, vous êtes en piteux état. Je suis surprise qu'ils n'aient pas tenté de vous lyncher à la minute où vous avez posé le pied sur l'île.

Gareth rougit plus encore et la regarda. Jérôme avait en effet convoqué un petit comité d'accueil qui, à sa vue, s'était fait un devoir d'exploser de colère avec l'apparence de la plus grande spontanéité.

– Nous aimerions vous parler, madame, dit courtoisement un des policiers. Nous avons reçu une plainte de M. Hawksworth, ici présent, et nous devons enquêter.

– Je n'aurais jamais cru qu'un jour viendrait où la maison de mon mari serait ainsi investie, dit Harriet d'un ton las. Très bien, entrez. Je crains que la maison ne soit dans un état pitoyable. Des choses ont été emportées, il y a eu un incendie – je ne sais par où commencer.

Elle les précéda dans le vaste salon, si impressionnant avec ses lustres. Nathan les regarda passer et lança une tomate mûre sur le pantalon de Gareth.

– Petit salaud !

– Nathan ! s'écria Harriet en se précipitant pour protéger l'enfant.

Elle n'avait guère envie de le prendre dans ses bras, mais elle le fit.

– Tu ne dois pas faire ça, mon chéri. Je sais ce que tu ressens, mais... tu ne dois pas. Où sont tes chaussures, mon chéri ?

– Je les ai mouillées.

– Gros bêta ! Mets-les au soleil.

– Je peux pas rester avec toi ?

– D'accord, dit-elle doucement.

Main dans la main, ils avancèrent dans le salon. Cet enfant ira loin, se dit Harriet. Ils s'assirent côte à côte, tableau touchant. Gareth resta debout, arpentant la pièce. Harriet frissonnait chaque fois qu'il passait près d'elle.

– Veuillez vous asseoir, monsieur, s'il vous plaît, dit le sergent. Vous rendez cette dame nerveuse.

– Merci, sergent, dit Harriet d'une voix sourde. Il peut être très violent.

Gareth éclata de rire.

Le sergent lut le motif de la plainte d'une voix forte et monocorde qui rendait tout ce qu'il disait hautement improbable.

– Nous sommes ici pour enquêter sur des accusations graves portées par M. Hawksworth contre vous et un métisse du nom de Jérôme, entre autres. Il nous signale diverses pratiques, dont le vaudou et la prise de drogue, et accuse le sus-mentionné Jérôme de meurtre d'enfant. Il dit que certains des îliens s'en porteront garants, et qu'il peut nous conduire en un lieu de culte vaudou où nous trouverons des restes humains.

– Eh bien, dit Harriet, êtes-vous certain qu'il n'y a rien d'autre? Piraterie en haute mer, esclavage, prostitution? Des gens aussi dépravés que nous ne verraient certainement aucun mal à quelques petits crimes!

– J'ai bien peur que nous devions prendre ces accusations en compte, madame, dit le sergent d'un air gêné.

Soudain, Nathan se leva et pointa son doigt sur Gareth.

– C'est lui! s'écria-t-il. C'est lui qui fait toutes les mauvaises choses. Il a emmené ma mère!

– Sois sage, Nathan, dit Harriet.

L'avocat se mit à fouiller dans sa serviette. Gareth se rongeait les ongles. Harriet soupira.

– Il est vrai, commença-t-elle, que dans la jeunesse de mon mari, le vaudou n'était pas rare sur cette île, pas plus que sur aucune autre. Mon mari mourut très âgé, et beaucoup de choses avaient changé au cours de sa longue vie. Mais à l'évidence Gareth a entendu des histoires du passé et il s'en est souvenu, maintenant que les gens l'ont chassé de l'île. Il veut se venger. C'est tout.

– Voulez-vous dire qu'on ne pratique plus le vaudou? demanda le sergent.

– On peut penser que certains s'y adonnent encore dans les collines, dit Harriet, mais sous une forme atténuée : porte-bonheur, philtres d'amour, ce genre de choses. Il leur arrive peut-être même de sacrifier des poulets, mais c'est une façon de pouvoir les manger ensuite. Vous voyez, mon mari était un grand homme, mais il appartenait à une époque révolue. L'île ne s'est pas du tout développée, elle est terriblement pauvre. Vous trouverez bien des bébés morts, mais ils meurent de faim et de maladie. C'est à cela que Jérôme veut s'attaquer, et j'ai l'intention de l'aider.

– Et vous niez toute connaissance de prise de drogue?

– Pas du tout. Je sais que Gareth en prend. Sa propre sœur est en ce moment en clinique pour être désintoxiquée. Vous comprendrez que je préfère ne pas parler de tout cela ici, dit-elle en montrant Nathan.

Le policier hocha la tête. Chacun dans la pièce pensait qu'elle était raisonnable, honorable, de bonne moralité et très maternelle.

– Elle raconte n'importe quoi! intervint Gareth. Ne vous en faites pas, sergent, je vous trouverai des preuves. Je vous trouverai des gens qui étaient là et qui vous raconteront ce

qu'ils ont vu. Cette femme ferait n'importe quoi pour obtenir ce qu'elle veut.
– Nous allons devoir enquêter, madame, dit le sergent en se levant. Nous resterons quelques jours pour regarder autour de nous et interroger quelques personnes.
– S'il reste, dit Harriet en donnant un bref coup d'œil à Gareth, je veux un garde du corps.
– Nous allons voir ce que nous pouvons faire, dit le sergent en les regardant l'un après l'autre.

Le lendemain, Jérôme arriva tôt à la maison. Il était tendu et inquiet. En murmures précipités, au cas où un policier occupé à fouiller le jardin l'entendrait, il expliqua :
– Ils montent dans les collines. Ils vont trouver des choses. On peut pas tout cacher.
– Ils ne trouveront pas grand-chose, chuchota Harriet, pas sous ce climat. De toute façon, vous n'en êtes pas automatiquement responsable. Mettez tout sur le dos des habitants des collines.
– Quelqu'un parlera, dit-il d'un air sombre.
– Ne vous en êtes-vous pas occupé? Et en utilisant un sac?
– Je ne peux plus leur faire peur, pas avec la police sur l'île.
– Vraiment?
Elle s'approcha de la fenêtre et regarda le policier qui creusait sous le frangipanier. Les odeurs du jardin entraient dans la pièce, si douces, si sensuelles. Elle revint vers Jérôme et le saisit par ses énormes bras.
– Ne laissez pas Gareth gagner, dit-elle doucement. Il ne doit rien avoir de tout cela.

On raconta que les policiers avaient trouvé des choses dans les collines et prélevé des échantillons pour analyse. L'air, épais et poisseux, semblait plein de menaces, de mensonges, de mystères. Nathan vint et regarda Harriet qui nettoyait les traces de fumée sur les murs tendus de tissu de la bibliothèque.
– Ils creusent près du rocher, dit-il soudain.
– Vraiment?
Harriet s'arrêta, avala sa salive, puis reprit son nettoyage.
– Et on a trouvé Barnaby mort ce matin.
Harriet laissa tomber sa brosse. Elle connaissait Barnaby, un homme de l'âge de Jérôme, gentil, sans signe particulier.
– Comment est-il mort?
– Il est mort dans son lit, dit Nathan en haussant les épaules. Quelqu'un l'a tué. Je crois qu'il allait parler.

Elle se leva et s'approcha de l'enfant pour le prendre par les épaules et le secouer.

– Tu ne dois pas dire des choses comme ça! Peut-être a-t-il eu une crise cardiaque. Est-ce que quelqu'un a appelé le Dr Muller?

– Personne l'a vu depuis que la police est là. Il se cache tout le temps. Il croit qu'il va mourir aussi.

Elle descendit en courant et alla chercher la vieille bicyclette, seul moyen de transport à sa disposition. Elle monta dessus et s'éloigna, grimaçant à chaque tour de roue grinçant qui trahit son départ au policier. Mais personne ne la suivit. Elle arriva en ville hors d'haleine, par cette journée étouffante où les nuages cachaient le soleil.

Les rues étaient désertes. Il n'y avait personne. Au port, quelques bateaux clapotaient sur les vaguelettes, mais personne ne s'en occupait. Toutes les ouvertures de la maison du Dr Muller étaient obturées. Elle s'approcha et frappa à la porte jusqu'à ce qu'enfin une voix faible se fasse entendre.

– Partez, je ne sortirai pas!

– C'est Harriet Hawksworth. Laissez-moi entrer sur-le-champ! Je dois vous parler. Si vous ne m'ouvrez pas, vous allez avoir des ennuis, croyez-moi!

Au bout d'un long moment, les serrures jouèrent bruyamment et Harriet se glissa dans une pièce sombre, surchauffée, sentant la sueur. Le docteur avait l'air sale et bien plus vieux, effrayé aussi au point de fuir l'inévitable.

– Je dois partir, dit-il. Avec la police ici, je ne sais pas ce que je dois faire. Au bout de tout ce temps...

– Avez-vous vu l'homme qui est mort, Barnaby?

– Qu'est-ce qu'il y avait à voir? Je m'en moque. Ils vont bientôt venir pour moi.

Harriet regretta d'être venue. Muller avait lié son destin à l'étoile de Henry Hawksworth, puis à celle de son fils Gareth, et maintenant il perdait la partie. Il méritait bien son sort, mais il était horrible à voir.

– Je croyais que vous parleriez à la police, dit Harriet.

Ce n'était pas la sueur qu'elle sentait, mais la peur.

– Ne les laissez pas venir, supplia-t-il en lui prenant la main. Ne les laissez pas m'emmener.

– Je ne vous dois rien, rétorqua Harriet en lui retirant sa main, qu'elle essuya sur sa jupe.

Elle ouvrit la porte toute grande et s'enfuit en courant dans la rue au silence mortel.

Les policiers fouillèrent les collines toute la journée. Le soir, le vent criait dans la forêt. Une petite procession emprunta des sentiers secrets jusqu'à un lieu de sépulture. Depuis l'époque des pirates, et même avant, les morts étaient ensevelis en silence au flanc des collines. La police ne connaissait pas l'existence de Barnaby, et elle ne saurait rien de son départ.

Vers minuit, la pluie se mit à tomber, remplissant chaque trou, chaque ravine. Dans ce sol, avec cette chaleur, tout s'enfonçait dans la terre et y pourrissait, si bien que lorsque les policiers remontèrent sur les collines au matin, ils ne retrouvèrent même plus les trous qu'ils avaient eux-mêmes creusés la veille. Ils interrogèrent des villageois, et personne ne dit mot. Il s'était passé de mauvaises choses, oui, quand le vieux était jeune. Mais maintenant tout allait mieux. Si seulement ils avaient un peu d'argent, un peu d'aide pour cultiver la terre, un hôtel peut-être. L'île se refermait devant les intrus.

Le sergent rendit visite à Harriet avant de partir. Nathan et elle aéraient des tapis, maintenant que la pluie avait cessé. Elle se tourna vers lui en s'essuyant les mains.

– Vous partez? Je croyais que vous resteriez plus longtemps parmi nous.

– Il faut qu'on rentre. Je vais faire mon rapport, naturellement.

– Pouvons-nous savoir ce qu'il contiendra?

Le sergent lui sourit. Il aimait bien Harriet. C'était la personne la plus directe de l'île. Il ressentait un malaise dû à la façon dont les gens le regardaient. Il était depuis trop longtemps dans la police pour ne pas sentir la peur. Mais enfin, c'était un lieu isolé, et ces petites communautés se méfiaient des étrangers. Il pouvait les comprendre.

– J'ai des échantillons à faire analyser, mais nous n'avons pas trouvé grand-chose. Votre... euh... beau-fils ne vous aime pas beaucoup, n'est-ce pas?

– Gareth? C'est compréhensible. J'ai son héritage. Mais si vous le connaissiez un peu mieux, vous comprendriez pourquoi je l'ai.

– Oui, sans doute...

Le sergent s'attarda un peu, parce qu'elle était si fraîche et si pleine de santé, parce que l'enfant et elle formaient un si joli tableau...

– Que va-t-il se passer pour le gamin? Vous allez l'envoyer à l'école?

– Je n'ai rien décidé.

Harriet le regarda partir, secoué par la carriole tandis que le cheval avançait sur le sentier raviné. Chaque fois qu'il pleuvait, les pierres, lavées de la terre qui les recouvrait, affleuraient à la surface. Il faudrait qu'elle fasse goudronner. Elle se retourna et regarda la maison. L'avait-elle gagnée? Etait-ce le premier ou le dernier round? Les tracasseries juridiques pourraient durer des années, mais si elle se conduisait comme si elle était chez elle, si elle prenait ce qu'elle considérait comme lui appartenant, qui l'arrêterait ? Et une fois qu'elle se serait établie ici, comment Gareth pourrait-il l'en évincer ? Elle pensa à l'appartement de New York, si exigu et si froid. Comme Victoria adorerait courir sur les plages, se baigner dans les vagues bleues qui semblaient si innocentes au soleil ! Il serait toujours impossible de vivre à Corusca, mais y venir de temps à autre pour oublier les rigueurs de la ville serait une bénédiction.

Elle se retourna et croisa le regard de Nathan. Un si beau petit garçon !

– Le Dr Muller s'est tiré une balle dans la tête hier soir, dit-il.

Harriet eut soudain une faiblesse dans les genoux. Elle s'assit sur l'herbe humide et l'enfant la regarda, impassible.

– Parfois, je déteste cet endroit, murmura-t-elle.

32

Après Corusca, les marais de Floride lui semblèrent presque accueillants. Harriet ressentait un immense désir de reprendre contact, de renouer ces fils qu'elle avait laissés pendre pendant son séjour sur l'île.

Le travail avait repris à l'hôtel du Lac pendant son absence, et les problèmes étaient légion. Harriet était déchirée entre le besoin d'aller à New York voir Leah et Victoria, ainsi que Simone et Claude Thomas, et la nécessité de faire ici ce que personne d'autre ne pouvait entreprendre à sa place. Alors elle arrangea tout ce qu'elle put par téléphone et écrivit à sa fille des lettres et des cartes d'une tendresse débordante, lui envoyant même un jour un ours en peluche si énorme qu'elle savait qu'il prendrait la moitié de la place dans la chambre de l'enfant. C'était sans importance. Bientôt elles ne seraient plus à New York, bientôt elles seraient... Où? Peut-être à Corusca, peut-être ailleurs, elle n'avait pas le temps d'y réfléchir pour l'instant, alors qu'il y avait tant à faire pour l'hôtel.

Big Tom vint la voir un soir dans sa caravane. Tout propre et en costume de ville, il semblait étrangement étriqué et mal à l'aise.

– Entrez prendre un verre! proposa Harriet, qui se demandait s'il préparait une autre grève.

Elle ne pouvait se le permettre, pas à cette étape. Il fallait que l'hôtel soit terminé dans trois mois, au-delà la banque perdrait patience. Son crédit auprès de Mark Benjamin ne s'étendrait pas jusqu'à la banqueroute. Elle servit une bière à Tom.

– Je voulais vous parler, commença-t-il en appuyant son coude massif sur la table fragile de la caravane – qui émit un petit craquement. Il se passe quelque chose.

– Quel genre de chose?

– Eh bien, je sais pas vraiment. Pendant que vous étiez pas là, j'ai pas mal regardé et surveillé. Tout semblait aller bien, mais quand on a repris le travail, j'ai commencé à avoir des doutes. On fait un boulot un jour, et deux jours plus tard, ils viennent vérifier et trouvent un défaut. Alors, on doit recommencer. Parfois on refait la même chose trois ou quatre fois, et c'est jamais ça, alors qu'on a bien fait le boulot dès la première fois, je peux vous le jurer.

– Qu'est-ce qu'on vous fait refaire?

– Je sais pas, des joints, des poutrages, parfois les soudures sur ces trucs flottants qu'a inventés ce foutu architecte. A mon idée, y a quelqu'un qui vient ici la nuit et qui sabote.

Harriet frissonna. C'était si horriblement possible!

– Est-ce que les hommes font attention? Je veux dire, ils peuvent mal faire, personne n'est parfait.

– Ils font attention. Mais il y a beaucoup d'hommes sur le chantier. C'est pas souvent l'homme qui a fait le boulot la première fois qui doit le recommencer. Ils y mettent quelqu'un d'autre. Au début, j'ai surveillé, parce que je croyais qu'ils travaillaient mal, mais c'est pas le cas.

Harriet se leva et fit quelque pas dans la caravane qui les contenait à peine tous les deux. Si seulement elle n'avait jamais eu l'idée de construire cet hôtel! Si seulement elle était restée en sécurité!

– Qu'est-ce que je dois faire, Tom? demanda-t-elle. J'appelle la police?

– Non. On va s'en occuper, dit-il en frappant de son poing la paume de son autre main. Vous payez les heures sup, OK?

– Vous ne perdez pas le nord! Et ne tuez personne, ça ferait une publicité désastreuse.

Il se leva, tout sourire.

– On s'y met, ma'ame Hawksworth.

La nuit suivante, Harriet resta assise dans sa caravane, tous les sens aux aguets. Les hommes étaient dehors, quelque part, à attendre. Ils avaient pris soin, dans la journée, d'accomplir de nombreuses tâches qui pouvaient facilement être sabotées. Si quelqu'un devait venir faire un sale boulot, il viendrait cette nuit.

L'attente était terrible. Deux, trois heures, et seulement le chant des oiseaux de nuit dans le marais, le coassement des crapauds et des grenouilles. Elle étouffait, elle aurait voulu sortir de la caravane, mais si elle sortait, elle avait toutes les chances de se retrouver plaquée au sol par un de ses hommes. Alors elle attendit, attendit encore.

L'aube pointait et Harriet luttait contre le sommeil, toujours habillée, quand il y eut un cri soudain, une sorte de cri d'Indien, puis un chœur de voix comme une meute de chiens de chasse. Surprise, elle resta figée sur son siège, puis se précipita vers la porte et l'ouvrit. Elle s'encadra dans l'ouverture lumineuse.

– Qui est-ce? demanda-t-elle. Qui avez-vous pris?

La cloison de plastique de la caravane, juste à côté de sa tête, se désintégra. Des morceaux volèrent jusqu'à son visage et elle tomba à l'intérieur.

Big Tom arriva en courant.

– Ma'ame Hawksworth? Ça va?

– Je n'en sais rien, dit-elle en s'asseyant. Qui était-ce?

– On en a un. Deux autres se sont enfuis. L'un d'eux a tiré sur vous.

– Quelqu'un m'a tiré dessus? s'étonna Harriet, qui porta la main à sa figure. Quelqu'un a essayé de me tuer?

– Aussi vrai que je m'appelle Tom, ma'ame.

Quelques hommes traînaient leur prise vers la caravane. Harriet se sentait mal, choquée. Quand elle regarda le visage ensanglanté d'Ed McIntyre, quelque chose se passa dans sa tête, mais elle ne fit pas le rapprochement.

– Que fait-il ici?

– C'était lui, ma'ame. Il était avec eux. Ils utilisaient forcément un homme qui connaissait les lieux.

– Oui, oui, sûrement, dit-elle en fixant McIntyre pour essayer de trouver que faire de lui. Je vous ai seulement renvoyé, dit-elle d'une voix vague, je ne voulais pas...

Un œil fermé, les lèvres tuméfiées, il articula péniblement :

– Vous ne vouliez pas quoi? Est-ce que vous avez pensé à ce que ça signifiait pour moi? Vous vous en moquiez. J'ai plus de voiture. Nous avons perdu notre maison. Ma femme parle de demander le divorce. Vous m'avez mis sur le dos tous les emmerdements de cet hôtel.

– Qui vous a engagé?

– J'en sais rien, et je m'en moque. Je regrette qu'ils vous aient pas eue!

Elle croisa les bras, comme pour se défendre contre tant de haine. Il avait mal fait son travail, et elle avait eu raison de le renvoyer. Mais il avait raison aussi, elle n'avait pas réfléchi au-delà. Son licenciement n'avait été qu'un bref épisode dans une journée bien remplie. Des gens se faisaient renvoyer tous les jours de la Corporation, elle n'était quand même pas censée s'inquiéter pour chacun d'entre eux!

– Laissez-le partir, dit-elle à contrecœur. Je ne veux plus le voir. Emmenez-le plus loin et relâchez-le.

– On pourrait le livrer à la police, dit Tom.

– Non, on ne pourrait pas. Ils diraient que nous sommes des vigiles, et c'est ce que nous allons devenir à partir de maintenant. Je veux des gardes armés sur le chantier, nuit et jour. Vous pouvez vous en occuper Tom?

Une fois seule, elle se cacha le visage dans les mains et pleura. Des gens la détestaient, et c'était tellement injuste, alors qu'elle essayait seulement de faire de son mieux. Des gens la détestaient qui ne la connaissaient même pas, ils détestaient ce qu'elle représentait, ce qu'elle faisait. Elle se sentit soudain si seule... Elle s'ennuyait de Victoria, et plus encore de Jake. Lui comprendrait. La main tremblante, elle décrocha le téléphone et retint une place sur un vol pour New York.

Un photographe la surprit alors qu'elle traversait l'aéroport, trop fatiguée pour sourire. Le lendemain, elle apparut dans le journal, le visage fermé, sous le titre :

PROBLÈMES POUR HAWKSWORTH
EST-CE QUE C'EST FICHU?

Harriet Hawksworth est rentrée en hâte à New York hier pour sauver sa compagnie bien malade. Epuisée par le double fardeau du nouvel et désastreux hôtel de Floride et des lourds procès qu'elle a engagés pour exclure son beau-fils de l'héritage, Harriet Hawksworth semble avoir du mal à garder ses affaires à flot. Même son banquier et « excellent ami » Mark Benjamin a exprimé quelque inquiétude. Que veut donc dire cette expression triste?

Harriet ne lut pas le journal avant la fin de l'après-midi, et cela ne l'affecta pas outre mesure. La vie publique était une chose, la réalité une autre – très différente. En arrivant à son appartement, elle était fourbue. Elle ne tenait debout qu'à l'idée de retrouver Victoria. Sur la porte, une banderole souhaitait « Bienvenue à la maison, Maman! » Des ballons multicolores étaient attachés à la poignée. Elle sonna en claironnant :

– Bonjour, tout le monde! Je suis rentrée!

Elle entendit qu'on bougeait à l'intérieur et se demanda quel genre de surprise on lui avait préparé. Puis la porte s'ouvrit, dévoilant une Leah qui souriait nerveusement.

– Leah! Que c'est bon de vous revoir. Où est-elle? Où est ma petite fille?

Deux pieds sortaient de derrière le canapé. Harriet alla les chatouiller.

– Je sais où elle se cache!

Les pieds donnèrent des coups vigoureux.

– Va-t'en! Va-t'en! Je t'aime pas. Je te veux pas ici! Va-t'en!

– Mais c'est moi, ta maman! dit Harriet dont la voix se brisa de surprise et de douleur.

– Je suis désolée, madame Hawksworth, dit Leah en s'approchant, elle est un peu nerveuse, ces derniers jours. Cela fait si longtemps...

– Pas si longtemps. Je suis sa mère!

Harriet tira vigoureusement les jambes de sa fille et la fit sortir de sa cachette. Des yeux gris furieux la regardèrent.

– Je te veux pas. Je veux Leah. Leah!

Elle tendit les bras à sa nurse. Harriet combattit son envie de renvoyer sur-le-champ la jeune femme. Elle lutta contre cette situation pendant presque une semaine, quand d'autres problèmes l'assaillirent. Elle ne s'était pas rendu compte à quel point les choses allaient mal à New York. Elle déjeuna avec Mark Benjamin.

– Je suis revenue pour me reposer, dit-elle d'une voix tremblante. Pourquoi personne ne m'a-t-il dit ce qui se passe ici?

Il haussa les épaules et lui toucha le dos de la main avec sa fourchette – geste d'une intimité surprenante dans un lieu public.

– Ce n'est pas si terrible. Si tu termines bientôt l'hôtel, tout ira bien.

– Et les procès? Je ne laisserai pas tomber maintenant que je l'ai presque battu.

– Je n'en suis pas si sûr. Si ça passe en jugement, tu es fichue. Même si tu avais vécu sur cette île pendant dix ans, le juge n'en tiendrait aucun compte.

– Il faudra dix ans de plus pour m'en faire partir.

– Peut-être.

Son pied passa par-dessus la traverse basse de la table et vint lui caresser la jambe.

– Tu m'as horriblement manqué, Harriet!

– Toi aussi.

Réponse automatique, mais était-ce vrai? A y repenser, il ne lui avait pas manqué du tout. Souvent, très souvent, elle avait souhaité que Jake fût là, pour lui parler, parce qu'ils étaient sur la même longueur d'ondes. Jamais il ne gâtifiait comme Mark. Est-ce que ça l'irritait, avant? Maintenant, oui.

– Il faut que j'y aille, Mark, dit-elle en déposant sa serviette en boule sur la nappe. J'ai plein de choses à faire.

– On pourrait se retrouver après le travail. Ce soir, ou un autre jour cette semaine?

– Chéri, je t'adore, mais j'ai quelques problèmes. Victoria est difficile. Je crois que c'est la nurse. On ne peut pas savoir ce qui se passe quand on n'est pas là. Cela peut être n'importe quoi.

Il n'avait aucune envie de parler avec Harriet de ses problèmes d'enfant. Sa propre femme élevait sa nichée toute seule, et cela l'ennuyait toujours quand elle lui parlait d'eux. Il ne manquait plus que Harriet s'y mette aussi!

– Je trouve Leah merveilleuse, et l'enfant l'adore, dit-il avec une certaine brusquerie.
– Oui.
Harriet prit conscience de l'émotion la plus brûlante, la plus torturante qu'elle eût jamais ressentie : de la jalousie pure. Leah devait les quitter.
Dans le taxi qui la ramenait au bureau, elle tenta de faire le tri de ses priorités. D'abord, elle devait parler à Simone. Il semblait qu'elle avait fait le tour des hôtels de façon assez efficace, puis qu'elle avait soudain tout laissé tomber pour rentrer en France. Des projets étaient en attente, mais elle ne semblait pas avoir prévu de date pour son retour. Pourquoi les gens laissent-ils leur vie privée interférer avec leurs affaires? se demanda Harriet avec colère. En second lieu, la presse. Une fois que les gens pensaient que les choses allaient mal, ils ne tardaient pas à vous enterrer. Elle devait donc redonner confiance, écarter d'un grand sourire toutes les histoires sinistres et pessimistes. Le service de relations publiques devrait s'y atteler, organiser une interview avec un grand journaliste. Si seulement ce fichu hôtel était terminé! N'était-ce pas le plus important?
Le taxi s'arrêta devant le bureau. Elle descendit et fit signe au portier de régler la note. Elle avait un mal de tête à hurler. Que diable faisait-elle donc ici alors que la seule personne au monde qui était toute à elle ne l'aimait plus? Ce n'était pas juste! Pour qui faisait-elle tout cela si ce n'était pour Victoria? Leah lui avait volé l'affection de son enfant, c'était tout. Elle devait la renvoyer et trouver quelqu'un d'autre.
Dès qu'elle sortit de l'ascenseur, elle cria :
– Maud! Je veux une nouvelle nurse immédiatement.
Elle se rendit compte qu'il y avait quelqu'un d'autre, mais comme elle n'avait pas l'intention d'accorder d'entretien, elle ne regarda pas de qui il s'agissait.
– J'ai toujours dit qu'on ne pouvait pas te laisser seule.
Harriet se retourna.
– Jake! Oh Jake, Jake, jamais je n'ai été aussi heureuse de te voir!
Il la souleva et la fit tournoyer jusqu'à ce que ses chaussures tombent.
– Tu es formidable! s'exclama-t-il.
Ils s'embrassèrent en riant de délice.
– Est-ce que je dois contacter les agences tout de suite? demanda Maud d'une petite voix.
– Oh, laissez tomber. Je vais en parler avec Jake. Jake sait toujours quoi faire, dit-elle joyeusement.
– Tu détestes que je te dise quoi faire! s'étonna Jake. Quand je te donne un ordre, tu réagis comme un requin à l'odeur du sang.

– Non, pas du tout, roucoula-t-elle. Il se trouve que j'ai vraiment besoin de ton aide.

– Hummm. Allons en parler au lit.

Il lui prit la main et l'entraîna sans chaussures jusqu'à l'ascenseur. Harriet rougit et protesta. Maud ramassa les chaussures et les lui tendit avec un visage impassible alors qu'elle disparaissait dans l'ascenseur.

Ils étaient seuls dans l'appartement. Le poids de Jake écrasait Harriet. Tout en lui semblait ferme, infatigable. Pourquoi avait-elle jamais désiré autre chose que ça?

Plus tard, Harriet prépara des œufs Benedict, qu'elle réussissait assez convenablement, si bien en fait qu'elle en faisait beaucoup trop souvent. Jake, en caleçon, la regardait.

– Pourquoi es-tu ici? demanda-t-elle en essayant de garder une voix légère pour dissimuler son désarroi.

– Pour te voir.

– Sûrement pas seulement ça.

Comme ce serait délicieux si ce n'était que ça!

– Non, bien sûr. Je construis un bateau pour quelqu'un, on discute des plans. Et tu ne croiras jamais qui c'est : ce sacré Angus Derekson!

– Tu dois être fou! Je n'ai jamais vu deux personnes aussi mal assorties.

– Les choses sont un peu différentes maintenant. Nous sommes tous un peu plus vieux, et j'ai quelques bons arguments en ma faveur.

– Par exemple?

– Est-ce que tu ne sais pas que j'ai conçu le bateau qui a gagné la dernière course autour du monde? Le mien, sorti de mes mains! Le seul qui n'a pas démâté, qui n'a pas eu sa coque cassée, dont l'équipage n'a pas eu un mal de mer à tout saloper dans le bateau. Et j'ai battu le record! conclut-il, furieux de son ignorance.

Harriet rit.

– Bien sûr que je le sais! Mais jamais je n'aurais cru t'entendre t'en vanter.

– C'est que..., dit-il en rougissant, j'étais plutôt content.

– Je t'ai envoyé un télégramme. Tu n'as pas répondu.

– Oh, Seigneur, vraiment? J'en ai eu des piles. Tous les gens à qui je ne veux plus jamais adresser la parole m'ont félicité. De toute façon, j'ai été soûl pendant une semaine. Le cottage a un peu souffert...

– Ah, oui? dit-elle en posant une assiette devant lui.

– Ah, oui, dit-il en lui prenant la main. Et je n'étais pas obligé de venir ici pour le bateau, je suis venu te voir. J'ai juste ajouté le bateau pour faire sérieux. Je n'avais pas envie de me tourner les pouces pendant que tu conquiers le monde, ou du moins pendant que tu l'achètes.

Il regarda en grimaçant les gadgets, photos, chaises, affiches et pots qui encombraient la petite cuisine. Ce fut le tour de Harriet de rougir.

Leah ramena Victoria vers quatre heures. Harriet n'arrivait pas à être naturelle, elle ne pouvait même pas regarder la nurse. Jake bavarda avec elle, lui demanda comment elle supportait son séjour, comment allait sa famille, toutes ces choses dont Harriet se moquait. Elle brossait les cheveux de Victoria que le vent avait emmêlés. L'enfant grimaçait.

– Laisse Leah le faire. Leah! cria-t-elle.

– Je le fais, moi!

Elle aurait pu lui casser la brosse sur la tête.

Jake résolut le problème en faisant un lapin avec son mouchoir pendant que Harriet tressait les cheveux de Victoria, en grande partie parce que Leah les lui nouait toujours avec un ruban. Les nattes ne lui allaient pas. Victoria se retrouvait avec un petit visage anguleux et plutôt fade.

– Au fait, on dîne avec Derekson et sa femme, annonça Jake.

– Et si j'avais d'autres projets?

– Et si tu les annulais? Je ne suis là que pour quatre jours, bon sang!

Ce qu'il pouvait l'exaspérer! Mais, oh, comme c'était délicieux qu'il soit là, transformant un monde si menaçant, si imprévisible, si énorme, en un jeu où le sérieux ne prenait jamais le dessus! Il était tellement plus flexible que Harriet, il avançait dans la vie comme un bouchon de liège, alors qu'elle restait ancrée en place et se faisait blesser. Et c'était bien sûr la raison pour laquelle ils n'allaient pas ensemble.

Les Derekson les attendaient dans un de ces restaurants new-yorkais où l'on vient pour être vu. Harriet avait sorti le grand jeu, en robe moulante de satin de soie bordeaux avec une armature pour soutenir sa poitrine, qui débordait presque. Aux oreilles, elle portait des pendants terminés par un diamant ressemblant à une balle de golf miniature.

– C'est des vrais? demanda Jake en attachant son nœud papillon de travers.

– Oui, mais je les loue. Inutile de le crier sur les toits, déclara-t-elle en lui redressant son nœud.

– Tant que tu ne me demandes pas de te protéger contre un voleur de bijoux!

Il plongea la main dans son décolleté et en sortit un sein dont il lécha le bout. Harriet en fut tout étourdie. Jamais elle ne se rendait compte combien le sexe lui manquait avant de recommencer. C'était comme la première fois, elle était tout aussi excitée. Mais Jake se redressa, remit le sein dans la robe et ferma son pantalon.

– On est en retard. Il faudra que ça attende plus tard. Viens, chérie.

Un sentiment de frustration l'envahit. C'était bien la preuve que Jake faisait toujours d'innombrables conquêtes : il n'avait pas besoin de sexe autant qu'elle.

Jusqu'au moment de revoir les Derekson, elle n'arrivait pas à se souvenir de leur tête, mais dès qu'elle posa les yeux sur eux, elle ne put imaginer comment elle les avait oubliés. Derekson était un peu plus vieux, avec les cheveux un peu plus argentés, tandis que le visage de Sheila, bien que mobile, lui donnait maintenant un petit air chinois. Elle avait tiré ses cheveux en un chignon fixé par des barrettes de diamants. Quand Harriet approcha, ils se levèrent tous deux, puis Sheila Derekson se rassit très vite, comme si elle se sentait en état d'infériorité mais voulait le nier. Harriet sentit la puissance couler dans ses veines. Quelle douce victoire d'inspirer ainsi le respect à ceux qui jadis vous considéraient comme un objet de pitié !

– Sheila ! Angus !

– Harriet ! Jake !

Sourires et enthousiasme coulèrent à flots. Derekson commanda du champagne, et donna à Jake deux ou trois grandes tapes sur l'épaule comme pour souligner qu'ils étaient à nouveau amis.

– C'était un vrai rafiot que je t'avais demandé de réviser, dit-il d'un ton jovial. Si j'avais su à l'époque ce dont tu étais capable, je t'aurais demandé de t'installer à Boston et de me construire un gagnant. Une chance de perdue !

– Je ne l'aurais pas fait, répondit Jake. Je ne tenais pas en place.

– J'espère que tu tiens en place, maintenant ! dit Derekson en riant.

Sa nervosité le faisait parler trop fort. Sur l'instant, ils partagèrent tous son cauchemar : Jake abandonnant un bateau à moitié construit.

– Qu'est-il arrivé au *Fidèle Sheila ?*

– Il a été pris sur un haut-fond et il a coulé, expliqua Derekson.

Une arnaque à l'assurance, se dit Harriet, surprise de ses déductions rapides. Avant qu'elle s'intéresse à la Corporation, une telle idée ne lui aurait jamais traversé l'esprit.

– Une bien bonne solution, dit-elle. Heureusement qu'on ne peut pas couler un hôtel, j'aurais eu des tentations.

– A ce qu'on dit, il coule, affirma Derekson sans le moindre tact.

– Ne croyez pas tout ce que vous entendez. Il nous a fait des misères, mais on l'a maté, dit-elle avec un sourire en goûtant le champagne.

Sheila Derekson fit une tentative héroïque pour entrer dans la conversation.

– Jamais je n'aurais pensé, à l'époque, que vous deviendriez un magnat des affaires, Harriet. Ces derniers temps, on ne peut pas ouvrir un journal sans qu'on y parle de vous.

– Et dire qu'elle est partie de rien, ironisa Jake.

– Ne sois pas horrible! Où construisez-vous le nouveau bateau, à Boston?

– Il n'a rien voulu savoir, répondit Derekson. C'est l'Angleterre ou rien. On doit se plier à ses désirs. Il faut croire que rien ne vaut d'être chez soi.

– C'est juste que je me souviens trop bien du *Fidèle Sheila*, dit Jake. Tu étais tellement emmerdant, à venir sans arrêt mettre ton nez dans mes affaires, que je me suis dit que plus tu serais loin, cette fois, mieux ce serait pour nous deux.

– Mais je n'ai rien fait! s'offusqua Derekson. Tu ne me disais rien et tu mettais mon bateau en pièces. Je voulais juste savoir ce qui se passait...

– Angus! intervint sa femme.

– Je te préviens, si tu viens sur le chantier, je te jette dehors, dit Jake en pointant sa fourchette sur Angus.

– Jake! murmura Harriet.

Les deux hommes se regardèrent, bien décidés à régler leurs vieux comptes, même si cela sonnait la fin du dîner. Harriet et Sheila ramenèrent la conversation sur des voies moins risquées.

– Je recherche une nouvelle nurse, déclara Harriet.

– Vraiment, ma chère? Il est si difficile d'en trouver une bonne. Allez-vous recourir à une agence?

Quand Jake commença à écouter ce qu'elles disaient, il intervint :

– Tu ne peux pas renvoyer Leah! Elle est merveilleuse.

– Ah, oui? dit Harriet en grimaçant.

– Qu'est-ce que tu lui reproches? Elle adore Victoria, tu le sais.

– Justement! dit Harriet qui tentait de faire croire qu'elle était raisonnable alors qu'elle était vindicative. Leah n'est pas très honnête envers moi. Elle serait ravie que Victoria oublie qui je suis.

– Foutaises! Tu es partie trop longemps. Je n'avais pas l'intention d'en parler maintenant, mais puisque tu as commencé, je vais le faire : tu ne vois pratiquement pas la pauvre gosse. Si elle t'oublie, c'est parce que tu n'es à peu près jamais là.

– C'est faux!

Harriet était prête à mentir pour qu'il ne croie pas une telle chose. Mais son sentiment de culpabilité la poussait à une véhémence inutile. Si elle était partie, ce n'était pas par plaisir, mais parce qu'elle le devait.

– Oh, regardez! dit Sheila. N'est-ce pas Mark Benjamin? Regardez, Harriet, il vous fait signe.

Harriet regarda et rougit. Elle répondit d'un petit sourire au salut de Mark. Mais il s'approcha quand même et déposa un baiser sur son épaule nue.

– Harriet! Je croyais que tu étais occupée ce soir.

– Comme tu peux voir, je le suis. Connais-tu Sheila et Angus Derekson? Et voici Jake.

– Jake?

Jake découvrit ses dents en un sourire presque carnassier.

– Oui. C'est votre femme qui vous attend avec un air aussi pitoyable?

– Je suis certain qu'elle ne s'offusque pas que je parle à une de mes plus importantes clientes, dit Mark Benjamin en riant. Vous connaissez Harriet depuis longtemps?

– Euh... Nous avons un intérêt commun.

Il sourit à Harriet, qui éclata de rire. La main de Mark vint se poser sur son épaule.

– Quel intérêt commun? Une relation d'affaires?

– Votre femme a l'air malade comme un chien, insista Jake.

– Mon cher Mark, Jake est le père de Victoria, dit Harriet. En quelque sorte...

– Nous nous frottons ensemble à la vie, termina Jake.

Tout le monde rit, sauf Mark Benjamin. Il prit congé avec un visage fermé et retourna à sa table.

– Enfin, Harriet! s'insurgea Jake sur un ton de vierge effarouchée.

– Je ne lui ai pas demandé de venir.

– Ce type va recevoir les papiers de son divorce dès demain. Tu devrais avoir honte.

Elle grimaça en avalant une huître.

– Les journaux ne parlaient que de ça avant qu'elle parte en Floride, révéla Derekson.

– Il a l'air très gentil, dit Sheila qui sentait poindre un autre conflit.

– Ce n'est pas ma faute! dit Harriet sur un ton presque hystérique. Je ne peux pas rester hors de New York pour toujours, Victoria est ici et tu viens juste de me critiquer parce que je la laisse. Je ne peux pas gagner, vous me critiquez tous !

Jake lui prit la main pour la calmer.

– D'accord, chérie, d'accord. On en reparlera. Je sais que c'est dur. On trouve tous que tu es une fille très intelligente.

– Ne sois pas aussi condescendant.

– Alors arrête de m'imposer tes amants dans les restaurants.

La soirée était sur le point de sombrer dans le désastre. Derekson s'essuya le front de son mouchoir, maudissant le jour où l'idée lui était venue de demander à Jake de lui construire un bateau. Mais la jalousie de Jake avait redonné tout son optimisme à Harriet. Elle lui redressa son nœud papillon en gloussant, et lui toucha le lobe de l'oreille, parce que c'était quelque chose qu'ils faisaient parfois au lit. Il se détendit.

– Allons danser. Venez, vous deux, on va tous danser.

Ils avancèrent tous les quatre sur la piste, les Derekson unis devant leurs ennemis, Jake et Harriet soudain inexplicablement amoureux. Ils burent du champagne, dansèrent encore, puis rivalisèrent d'humour en mangeant. Jake leur raconta une histoire très drôle à ses dépens concernant le jour où, ivre mort, il était tombé sur une araignée venimeuse aussi mal en point que lui, et Sheila Derekson stupéfia tout le monde en récitant tout du long un poème obscène. Ce fut une soirée parfaite.

33

Jake regarda si longtemps les plans que Harriet devint nerveuse. Y avait-il quelque chose qu'elle ne pouvait pas voir? Quelque chose de si fondamentalement erroné que son hôtel allait s'effondrer, couler, se renverser et noyer tous les clients dans le marais? Elle alla se resservir à boire.

– Tu bois trop.

– Pas du tout. Tu boirais autant si tu avais mes problèmes. Tant de gens se sont penchés sur ces plans! Et personne n'a trouvé de réponse sensée. Tous ont dit que ça *pourrait* marcher, que c'était *peut-être* la solution, et pas « Voici la réponse à vos prières, la sécurité est assurée. » J'en ai plus qu'assez.

Il se recula contre son dossier et regarda à nouveau les lignes et les projections entre ses paupières mi-closes.

– C'est un foutu problème. Ils n'auraient rien dû faire avant de l'avoir réglé. C'est sans espoir, de se dire que la solution se présentera toute seule en cours de route. Ça n'arrive que rarement.

– Mais ils construisent des centrales nucléaires, non?

– Et alors?

– Ils les construisent sans avoir la moindre idée de ce qu'ils vont faire des déchets. Ils espèrent qu'une solution naîtra spontanément.

– Ils espèrent encore, dit-il en ramassant son crayon, qui était tombé près du fauteuil. N'ayez crainte, jouvencelle, vous êtes en sécurité avec moi. J'ai une idée.

– Dieu merci!

Elle le regarda attentivement esquisser un dessin, gommer, recommencer. Puis il passa sur la table de la cuisine et recommença avec une règle, en grand professionnel qu'il était. Pourquoi n'avait-elle pas fait appel à lui plus tôt? La liaison entre le bâtiment central et les pontons flottants avait retardé le travail plus que tout le reste, même maintenant, alors que le bâtiment central était presque terminé. On avait bouché sommairement les trous où devaient se raccorder les pontons avec du contre-plaqué et du plastique.

– Qu'est-ce que tu fais? dit-elle avec impatience.

– Regarde, les extrémités des pontons doivent être plus hautes, au niveau du raccordement, et elles doivent être plus longues, comme ça. On doit les sceller ici, pour éviter tout accident. Ça ne devrait pas fuir, mais tu ne devrais pas non plus coucher avec des hommes mariés.

– Tu couches avec tout le monde.

– Je ne le nie pas. Le raccordement doit être fait par un escalier qui descendra au ponton, et l'escalier sera sur des joints flexibles, comme ça, pour qu'il puisse bouger verticalement. Seul l'angle de descente change.

– Je dois élever le point où arrivent les pontons.

– D'une cinquantaine de centimètres seulement. Ça marchera. J'en suis sûr. J'en parlerai aux architectes pour qu'ils en fassent un dessin détaillé. J'espère que tu te rends compte que mes tarifs sont astronomiques?

– Combien? demanda-t-elle en lui entourant le cou de ses bras.

– Tu ne renvoies pas Leah et tu passes plus de temps avec Victoria.

– Hummm. Je ne sais pas, pour Leah. D'accord. Comme tu voudras.

– Je veux. C'est aussi mon enfant.

Harriet le lâcha et s'éloigna de lui.

Il partit avant la fin de la semaine. Harriet était épuisée. Jake agissait sur elle comme un véritable aspirateur d'émotions, bouleversant toutes ses journée et la plongeant successivement dans l'excitation ou la dépression, exigeant soudain non plus seulement qu'elle réfléchisse à ce qu'elle voulait, mais aussi aux raisons pour lesquelles elle le voulait. Harriet Hawksworth ne rendait plus aucun compte à personne. C'était fatigant de cacher des choses. Les ennuis avec l'hôtel, la tentative de meurtre, Gareth, le procès... et maintenant le problème de Madeline.

Gareth avait cessé de payer pour les soins donnés à sa sœur vers l'époque où Harriet était allée à Corusca, ce qui représentait pour Harriet un véritable dilemme. La clinique lui envoyait les factures, et peut-être la fille de son mari devait-elle pouvoir compter sur elle. Pourtant, elle n'avait aucune envie d'être responsable de sa belle-fille, pas plus que de son fils étrange et difficile.

Comme si elle n'avait pas assez de sangsues accrochées à son compte en banque! Les factures arrivaient de partout, et elle ne parvenait jamais à trier ce qu'elle devait réellement payer de ce qui avait l'air de demandes arbitraires. Chaque achat, chaque projet lui semblait tout à fait raisonnable; il lui semblait même que ce serait de la folie de ne pas acheter. Elle avait besoin d'une voiture, et une Ferrari correspondait à son image, c'était bon pour la publicité. On lui proposait un modèle de la saison précédente sur lequel on lui accordait une grosse démarque et une livraison immédiate. Pourquoi ne pas l'acheter? Elle méritait bien de s'amuser. Alors elle avait acheté la Ferrari pour se promener quand son chauffeur n'était pas de service, et lors d'une de ces promenades, elle avait vu ces merveilleuses écuries où Victoria pourrait avoir un poney... Rien ne lui semblait déraisonnable sur le coup.

La somme totale était terrifiante. Il lui fallait plus d'argent. Si seulement elle pouvait mettre la main sur la collection, elle aurait des fonds illimités, mais même M. Younger commençait à douter de son succès. Lors de leur dernière rencontre, alors qu'elle restait implacable, il avait explosé :

– Mais cet homme a bien droit à quelque chose, madame Hawksworth!

– A rien du tout. Je veux la collection.

Et ainsi montait le coût des poursuites judiciaires, un peu plus chaque mois, jusqu'à des sommes astronomiques.

C'était là un problème qui n'en était pas un : elle voulait la collection, quel qu'en fût le coût. Mais d'autres choses requéraient son attention. A peine capable de trouver l'énergie de presser le bouton, elle appela néanmoins Maud.

– J'aimerais aller rendre visite à Mlle Hawksworth. Arrangez cela avec la clinique pour cet après-midi, s'il vous plaît.

– Oui, madame Hawksworth.

La clinique, une vaste maison entourée de hauts murs blancs, était hors de la ville. On aurait dit une résidence d'ambassadeur, discrètement fortifiée, alors qu'en fait toutes les précautions étaient prises pour empêcher les malades de sortir. C'était ici que les riches et les célèbres déposaient ceux qui les encombraient, les enfants arriérés, les femmes alcooliques, les adolescents drogués. Quand Harriet sonna au portail, un homme en uniforme sortit. Il portait une arme.

Mais une fois à l'intérieur, la menace était remplacée par une atmosphère de folie douce, souriante, à l'œil vif. Un homme riait sans savoir pourquoi sur un banc du parc, un jeune garçon et une jeune fille passèrent dans l'allée, bras dessus, bras dessous. Ils la saluèrent avec les gestes exagérés communs à ceux qui sont sous l'effet d'un calmant. Des gens en uniformes tout propres s'affairaient, souriants, toujours souriants. C'était comme si tout le monde ici avait subi une lobotomie frontale. Le simple fait d'être là donna à Harriet l'impression qu'elle allait devenir folle.

La « directrice » de la clinique était une dame aux cheveux bleus, d'une cinquantaine d'années. Elle accueillit chaleureusement Harriet et se lança immédiatement dans un discours qu'elle servait visiblement à tout le monde.

– Dans cette société où nous subissons tant de pressions, faut-il s'étonner que quelques-uns échouent en route ? La marque d'une véritable civilisation, c'est de prendre soin des plus faibles, avec amour et compassion, de les protéger des vents mauvais du monde extérieur. Ici, nous leur donnons cet amour, nous leur donnons un abri. Jamais nous ne nous dérobons. Vous dérobez-vous, madame Hawksworth ?

– Non. Oui... Madeline n'est pas vraiment sous ma responsabilité, madame Willerby, dit Harriet qui n'était guère à l'aise sous le regard d'une femme qui dissimulait son avarice sous la compassion. Elle est ici depuis longtemps. Est-ce qu'elle n'est pas guérie ?

– Certains d'entre nous ne seront plus jamais prêts à affronter le monde extérieur, soupira tristement Mme Willerby.

– J'espère que vous n'attendez pas de moi que je finance son séjour ici pour le reste de sa vie, déclara Harriet avec une certaine irritation. Elle n'a pas trente ans. Je pourrais mourir avant elle !

– Le Seigneur ne compte pas ses pardons, dit Mme Willerby en inclinant la tête comme pour prier.

– Je n'ai pas de ressources divines.

L'antipathie qu'elles éprouvaient l'une pour l'autre mit fin à la conversation, et elles se levèrent pour aller voir Madeline. Un enfant en fauteuil roulant faillit renverser Harriet, et reçut une claque de Mme Willerby. En dépit du fauteuil roulant, il semblait en meilleure santé que Harriet. Elles s'arrêtèrent dans une vaste salle ornée de fleurs et donnant sur le jardin.

– Madeline ! appela Mme Willerby.

Une tête aux cheveux blond foncé se retourna. Oui, se dit Harriet, ce pouvait être Madeline – un joli visage un peu marqué, l'élégance tout en longueur des Hawksworth. Mais au lieu de la tignasse de paille dont elle se souvenait, elle voyait des cheveux lisses, coupés avec art, au lieu des vêtements de plage déchirés, une jupe droite et un pull en cachemire.

– Bonjour, Harriet. Comme c'est gentil de venir me voir !

– Je suis ravie que vous vous souveniez de moi, Madeline.

– Comment pourrais-je oublier?

Elle se serrèrent la main cérémonieusement et Harriet se tourna vers la directrice.

– Merci beaucoup. Maintenant, j'aimerais rester seule un moment avec Madeline.

– Nous n'aimons pas qu'elle s'agite.

– Je promets de ne pas l'agiter.

Elles attendirent qu'elle parte et la regardèrent donner des ordres à l'infirmière de garde, qui s'approcha un peu. Madeline revint à son siège près de la fenêtre et fit signe à Harriet de prendre une chaise vide.

– La vieille chouette déteste qu'on parle. Elle a peur qu'on raconte des choses sur elle.

– Quelles choses?

– Je n'en sais rien, répondit Madeline que les ragots n'intéressaient pas. Pourquoi est-ce que Gareth ne vient plus? Qu'est-ce qui se passe?

– J'imagine qu'il est occupé.

Harriet attendit que Madeline dise autre chose, mais la jeune femme se mit à se ronger un ongle, avant de s'en rendre compte et de serrer ses mains sur ses genoux. Elle posa un regard vide sur le jardin.

– Est-ce que vous ne voulez pas sortir d'ici? demanda Harriet. Est-ce que vous ne voulez pas savoir comment va Nathan?

– Comment va-t-il?

– Il va bien, très bien. Il ne vous manque pas?

– Je n'en sais rien. C'est difficile de regretter quelqu'un dont on ne se souvient pas bien. Je crois que j'ai oublié comment il est. C'est ce qui se passe, ici, on oublie.

– Mais vous ne pouvez pas être bien, ici, Madeline! C'est presque une prison.

– J'ai cru que c'était ce que vous vouliez. J'ai cru que c'était pour ça que j'étais là.

– Je ne vous ai pas mise ici. C'est Gareth.

– Il n'aurait pas fait ça.

– Vous pourriez sortir si vous le vouliez. Je ne tiens pas à ce que vous restiez. Vous semblez tout à fait bien. Vous pourriez retourner à Corusca, Jérôme prendrait soin de vous. Vous n'aimeriez pas ça?

– Mais je n'ai pas le droit de partir, on me l'a dit. J'ai cru... Est-ce que je peux vraiment partir? Rentrer chez moi?

– Oui.

Harriet frotta ses paumes l'une contre l'autre, soudain nerveuse. Jérôme prendrait effectivement soin de Madeline, il en prendrait grand soin. Harriet ferma les yeux et pensa à la façon dont ses deux frères prenaient soin d'elle.

– Il vaudrait peut-être mieux que vous ne rentriez pas directement à Corusca, conseilla-t-elle. Vous pourriez faire étape en Floride. J'y ai un hôtel, il est presque terminé, vous pourriez y rester, et travailler peut-être. Et vous pourriez avoir Nathan avec vous.

– Je ferai tout ce que vous voulez, murmura Madeline qui semblait enfin prendre intérêt à la conversation. S'il vous plaît, emmenez-moi loin d'ici!

Sur le chemin du retour, la Ferrari se traînant à quatre-vingts à l'heure, Harriet retourna tout dans sa tête. Rien qu'en lui proposant un foyer et un travail, elle avait gagné Madeline, elle l'avait détachée de Gareth. Gareth était maintenant isolé, seul contre une femme qui s'occupait tendrement de sa famille. Tout aurait été parfait si elle n'avait pas eu le sentiment de perdre son emprise sur l'un d'eux. Elle se promit d'essayer à nouveau de contacter Simone. Toutes ses lettres, de même que tous ses appels, restaient sans réponse. Simone était partie, elle n'était pas disponible, elle se reposait... La semaine précédente, à contrecœur, Harriet avait demandé à un auditeur de vérifier les comptes des sommes confiées à Simone. Elle n'avait rien trouvé d'autre à faire.

Un mendiant tenta de lui soutirer de l'argent devant son immeuble, et Harriet le repoussa avec violence, le détestant autant qu'elle détestait New York. Il était temps de trouver un autre appartement, dans quelque quartier prestigieux où elle n'aurait pas à lutter contre ce genre de personnage entre le garage et la porte d'entrée. Cet incident la contraria plus qu'il n'était normal. Quand elle entra dans l'appartement, elle était au bord des larmes.

– Ma'ame Hawksworth..., tenta Leah d'une voix anxieuse.

– Je suis très fatiguée, Leah, est-ce que ça ne peut pas attendre? demanda Harrriet en se servant un verre.

– C'est Victoria, ma'ame. Elle a eu un accident.

Harriet se figea sur place, la bouteille de gin à demi penchée. Quand elle se retourna, le gin gicla par terre.

– Que lui avez-vous fait? Vous l'avez tuée, salope!

– Ce n'est qu'une coupure, ma'ame Haksworth!

Harriet la poussa pour passer et courut jusqu'à la chambre de sa fille. Victoria était assise dans son lit à faire un puzzle, la main droite enveloppée d'un énorme bandage blanc.

– Ma chérie, mon amour! Tout va bien, Maman est là! Qu'est-ce que t'a fait cette méchante Leah?

– Je me suis coupée toute seule, c'est pas Leah.

– C'est grave? demanda Harriet à la nurse.

– Il a fallu quatre points de suture, ma'ame. Elle est tombée au parc, et il y avait du verre par terre. Le docteur lui a fait une piqûre, et il dit que tout va bien, ma'ame Hawksworth.

La jeune fille tenta un petit sourire. Elle savait depuis des semaines que sa position était précaire. Sans l'amour sincère qu'elle éprouvait pour l'enfant, elle serait partie depuis longtemps. La rancune de Harriet s'élevait entre elles comme un mur.

– Je vous parlerai plus tard, dit Harriet en se tournant à nouveau vers sa fille.

Leah, toute tremblante, gagna sa chambre. Il valait peut-être mieux qu'il en soit ainsi, se dit-elle. Un enfant devait s'attacher d'abord à sa mère. Ces derniers temps, sans jour de congé, assumant toute la responsabilité de Victoria, elle n'avait plus de vie personnelle. Elle ferait aussi bien de rentrer chez elle, de se trouver une place avec plusieurs enfants et d'autres serviteurs, pour ne pas être toujours seule. Elle commença ses bagages, mais ne put s'empêcher de pleurer. Quand Harriet frappa à sa porte et entra, Leah avait le visage boursouflé et les yeux rouges.

– Je crois qu'il vaut mieux que je parte, ma'ame Hawksworth, dit-elle doucement.

Harriet eut honte des paroles dures de renvoi qu'elle avait préparées et sentit sa colère disparaître.

– Je suis désolée, Leah, dit-elle, les larmes aux yeux. Vraiment désolée, mais je crois aussi que cela vaut mieux.

Harriet dîna avec Mark Benjamin quelques jours plus tard. Ce n'était pas dans ses intentions, mais quand il l'avait appelée, elle se sentait si isolée, malheureuse, assaillie de problèmes, que la tentation avait été trop forte. Ils s'installèrent donc dans un coin tranquille d'un restaurant tranquille, et se tinrent la main sous la table.

– Tu as lu les articles sur l'hôtel? demanda Harriet.

– Il suscite beaucoup d'intérêt. Tout le monde attend l'inauguration.

– Je sais, je sais! J'espère seulement que les gens ne seront pas déçus. Je n'ai pas pu mettre la main sur Simone, et tout repose sur un décorateur de vingt-deux ans, Mike Lawns. Il semble avoir compris mes idées, mais... enfin, il est très original. J'aurais tant aimé que Simone s'en occupe!

– Tu vas aller la voir? demanda Mark en frottant son genou contre celui de Harriet.

– Oh, non! dit Harriet sans repousser le genou ni résister à sa pression.

Elle se moquait de coucher ou non avec lui, mais pour le moment, elle se sentait si abandonnée qu'elle avait besoin de sa compagnie. L'hôtel du Lac de Floride lui avait causé plus de souci que tout dans sa vie, à l'exception de Jake.

– Il va nous falloir une grande fête d'inauguration, soupira-t-elle.

– Pas besoin de verser dans les excès, tu peux rester modeste.

Mais quand Harriet avait-elle joué la sécurité ? Elle lui retira sa main et joignit ses doigts sur la nappe fraîche, les yeux brillants.

– On va donner une grande fête, pour un grand hôtel. Je vais inviter tous ceux que je connais, y compris toi. Je vais inviter tous les gens que j'ai connus ! Ce sera la plus belle fête depuis... depuis le commencement du monde ! Personne ne l'oubliera jamais !

Elle rayonnait d'excitation, ses cheveux caressaient son dos nu – elle savait que ce serait le moment de sa vie où le monde entier pourrait voir ce dont elle était capable, ce qu'elle était devenue. Elle avait vaincu la pauvreté, l'obscurité, la peur même. Elle allait se lever devant eux tous, et ils l'acclameraient.

34

Les lucioles, comme des messagers d'un autre monde, traversaient l'obscurité au-dessus des eaux calmes du ruisseau au lent débit. Elles luisaient comme une bougie, puis disparaissaient dans la brume. A la tombée de la nuit, c'était un spectacle magique.

Harriet se pencha à la véranda de sa suite et inspira profondément l'odeur humide qu'elle connaissait si bien. La veille, elle avait entendu un des barmen engagés pour l'inauguration qui disait : « Quel trou de merde! Qu'est-ce qui est passé par la tête de la peau de vache quand elle a décidé de construire un hôtel ici? » Harriet l'avait renvoyé sur-le-champ. Si personne d'autre ne pouvait voir le charme de l'endroit, ce charme si spécial, alors que restait-il à espérer?

Il était temps pour elle de s'habiller. Il semblait qu'il y eût une pause dans les activités, un étrange calme recouvrait les lieux, car il n'y avait aucun autre occupant. Elle seule était autorisée à séjourner à l'hôtel jusqu'à cette nuit. Maintenant que la soirée allait commencer, elle regretta d'avoir choisi une robe vert vif, qui lui avait paru parfaite à New York, au lieu de quelque chose de fluide et de discret en noir. Et si personne ne venait? Et s'ils venaient mais n'aimaient pas? Et si c'était le flop le plus énorme et le plus cher de l'histoire du monde?

Elle retira son peignoir et se regarda dans l'immense miroir que Mike Lawns avait installé dans sa suite, un miroir français dans un cadre doré qui montait jusqu'au plafond. Il lui renvoyait une image sans indulgence. Sa poitrine commençait à tomber. La graisse, si longtemps bannie, reprenait ses droits sur ses hanches. Le temps était venu d'un mois de régime et d'exercice, mais plus mince, plus parfaite, serait-elle heureuse?

Peut-être, finalement, fallait-il reconnaître que ce qu'elle recherchait n'était pas bon.

La robe dissimulait tout, comme elle le devait, vu ce qu'elle avait coûté. Sa poitrine, remontée, offrait un beau décolleté blanc qui faisait trembler son coiffeur tandis qu'il la brossait et la peignait. Elle le regardait de ses yeux bruns dans lesquels se reflétaient les lampes jaunes de la pièce. Ils avaient décidé que, pour cette nuit, Harriet devait porter ses cheveux en couronne au sommet de la tête. Les boucles d'oreilles en diamant, à nouveau louées, rebondissaient contre son cou. Elle semblait très différente, peut-être un peu dure. Elle demanda au coiffeur de ressortir quelques mèches pour adoucir l'ensemble.

On frappa à la porte. C'était la nouvelle nurse, Margaret, qui arrivait avec Victoria.

– Oh, regarde ! Est-ce que ta maman n'est pas merveilleusement belle ?

– Cette robe est indécente, répondit Victoria.

– Ne sois pas bête, ma chérie, dit Harriet. Toi, en tout cas, tu es ravissante.

Victoria avait revêtu une robe de dentelle blanche d'où dépassait un pantalon à volants de dentelle. Ses somptueux cheveux noirs étaient retenus par des fleurs. Elle était belle à croquer, et Harriet mit en péril son maquillage pour la serrer dans ses bras. L'enfant lui rendit son embrassade avec une certaine mollesse.

– Je veux pas aller à la fête, marmonna-t-elle.

– Mais enfin, ma chérie, papa sera là !

– Mais pas Nathan.

– Non.

Le visage de Harriet se crispa. Nathan ne la gênait pas, il avait un côté sauvage et indiscipliné plutôt intéressant. Tant qu'ils ne se mettaient pas en travers de son chemin et ne faisaient pas de dégâts, son étrange mère et lui étaient les bienvenus. Tout ce qu'elle demandait, c'était qu'on essaie d'envoyer cet enfant à l'école plutôt que de le laisser toute la journée chasser l'alligator dans le marais, et que sa mère ne se promène pas nue dans les couloirs. Mais la fascination qu'il exerçait sur Victoria, c'était autre chose. Victoria le vénérait et le suivait partout, dès qu'elle le pouvait. Et Dieu seul savait ce que cet enfant de Satan savait et risquait de lui dire ! Dès la fête terminée, Nathan irait à l'école, Harriet refusait d'attendre davantage. Pour le moment, Victoria boudait.

Madeline n'était pas aussi gênante. Il lui arrivait d'oublier où elle se trouvait, ce qui se traduisait par des déambulations parfois spectaculaires, mais en général assez inoffensives. Elle travaillait de temps en temps et commandait les vins pour la chaîne d'hôtels, mais toujours sous surveillance. Une ou deux fois, elle s'était soûlée, et il lui avait fallu une semaine pour s'en remettre, mais il fallait s'y attendre. Après avoir été si longtemps éloignée de toute tentation, comment s'étonner qu'elle y succombe? Elle semblait distante, à demi endormie, comme si sa vie n'était rien sans l'excitation des excès, de la dégradation, des illusions magiques qui conduisaient à la folie.

D'étranges gémissements montèrent d'une barque géante ancrée dans le marais. C'était l'orchestre de cinquante musiciens qui s'accordait sous la terrasse où les invités allaient danser. Harriet craignit soudain que les musiciens et les serveurs ne soient plus nombreux que les invités. Elle attendait environ deux cents personnes, mais certains avaient décliné l'invitation pour diverses raisons – travail, vacances au loin – sans compter ceux qui avaient expliqué qu'une fête n'était pas une raison suffisante pour aller jusqu'en Floride. Les angoisses de toutes les hôtesses avant une réception commencèrent à tordre l'estomac de Harriet. Comme elle aurait voulu ne jamais avoir pensé à une célébration aussi grandiose!

Pendant ce temps, dans tout l'Etat, des gens se préparaient à assister à la fête de Harriet. Sans qu'elle le sache, même ceux qui avaient décliné l'invitation avaient révisé leur jugement, et son bureau avait été assiégé toute la journée par ceux qui, n'ayant pas été invités, exprimaient leur désir de venir. Un magnat opportuniste loua même son jet privé aux invités.

Le mythe Hawksworth avait triomphé. Une chaîne de télévision locale diffusa la nouvelle de l'inauguration de l'hôtel, puis toutes les autres suivirent. Des meutes de reporters se préparaient à prendre le site d'assaut et à se mêler aux invités – eux qui ne l'étaient pas. Certains avaient même prévu d'arriver par les marais en canoé! Tout le monde était au courant de l'inauguration, et tout le monde voulait en être. Mais Harriet, qui surveillait l'installation de montagnes de mets et de bouteilles, s'était assise sur la dernière marche d'un des escaliers que Jake avait conçus, et rongeait ses ongles manucurés.

Peu à peu, une demi-heure avant le début des festivités, les gens commencèrent à affluer. De somptueuses limousines sorties de la nuit déversèrent leurs passagers sur la route toute neuve. Un des gardiens permanents du service de sécurité arriva en courant vers Harriet.

– Je suis désolé, madame, mais on va avoir besoin d'aide. Il y a des photographes partout, des centaines!

– Ils ne tarderont pas à s'en aller, dit Harriet en se levant d'un air morose. Ils ne nous gêneront pas.

– Mais, madame, insista le gardien en s'essuyant le front, vos invités bloquent la route jusqu'à l'embranchement. Il n'y aura jamais assez de place pour garer les voitures, et les dames ne voudront pas marcher dans la boue! J'ai jamais vu de si belles toilettes, et il y en a des centaines!

– Et moi qui pensais que personne ne viendrait! dit Harriet, qui dut s'appuyer au bras du gardien pour ne pas tomber, tant ses jambes tremblaient.

– On dirait bien pourtant que vous allez avoir une sacrée fête! dit l'homme en riant soudain avec indulgence.

Le goût du succès galvanisa Harriet. Elle entra en action en frappant dans ses mains, ce qui fit apparaître le directeur comme le génie de la lampe.

– Andrew, nous avons besoin d'hommes pour garer les voitures. Et on risque de manquer de champagne, alors faites-en venir. Il faudra peut-être le faire livrer par bateau si la route est bloquée. Oh, et puis oui, envoyez davantage d'hommes au portail. Les gardiens ne suffisent pas pour vérifier toutes les cartes d'invitation.

– Oui, madame.

Même Andrew, choisi pour son flegme imperturbable, semblait secoué par la nouvelle du siège à venir. Il s'éloigna et croisa sur les terrasses les premiers invités, qui s'extasiaient sur les lumières, les fontaines, le paysage splendide. L'hôtel se dressait comme une île de cristal géante surgie de la verdure et de l'eau. On aurait pu imaginer qu'il venait juste d'émerger du marais, appelé par la musique qui emplissait la nuit. On aurait pu le croire en sucre filé, si délicat, si transparent. Et, s'approchant d'eux, souriante, sereine, c'était la légendaire Harriet Hawksworth.

Jake avait eu des doutes quand il avait appris le projet de fête de Harriet. Il la connaissait assez bien pour savoir combien c'était important pour elle, mais en dehors de cela, il n'avait aucune envie d'y aller. Harriet triomphante n'était pas la Harriet qu'il aimait fréquenter, mais aussi, s'il n'y allait pas, où serait le triomphe? Il y a toujours, dans la vie des gens, quelqu'un qui compte plus que tous les autres, et Harriet et lui, quelles que soient leurs différences, venaient en premier l'un pour l'autre. Il ne pouvait la laisser seule à sa fête, si bien qu'à contrecœur, il vint.

Quant à Simone, elle avait hâte d'y être. Cela faisait des mois qu'elle n'avait pas parlé à Harriet, qui n'avait fait que de faibles tentatives pour briser le silence. Pourquoi Harriet n'était-elle pas venue à Paris? Est-ce qu'elle comptait si peu pour elle? Semaine après semaine, elle avait attendu une chance d'assener à Harriet le catalogue de ses malheurs et la justification de ses actes, mais aucune occasion ne s'était présentée jusque-là. Ce soir, devant tout le monde, elle pourrait enfin vider son sac.

Mark Benjamin, accompagné de son épouse, avait aussi prévu une confrontation. Il était certain que Harriet ne le repousserait pas, qu'elle laisserait voir publiquement la place qu'il tenait dans sa vie. Et comme ils étaient des gens civilisés, une fois que tout le monde aurait vu et que la nouvelle serait diffusée, on procéderait aux ajustements nécessaires et il deviendrait, d'un seul coup, un homme en vue. Le déclin dans l'obscurité de l'âge mûr n'était plus pour lui, il ne serait pas diminué par des adolescents ni gêné par les normes de la génération précédente; et il prendrait une nouvelle femme, jeune et brillante. Après l'amertume inévitable au moment de la séparation, Patti et lui seraient à nouveau amis. Elle le remercierait même peut-être un jour de l'avoir libérée pour se tourner vers un avenir plus lumineux.

A cet instant, Patti tendit une main qu'elle posa nerveusement sur son bras, parce qu'elle savait ce qu'il y avait dans l'air et ne voulait pas y croire.

– Nous allons beaucoup nous amuser, n'est-ce pas, Mark? demanda-t-elle pour se rassurer.

A un autre moment, dans un autre lieu, il lui aurait pris la main. Mais il resta immobile.

– Ce devrait être très intéressant, dit-il froidement.

Ce soir-là, quelqu'un d'autre attendait nerveusement ce qui allait venir. Dans son taxi, elle fumait une cigarette mendiée au chauffeur et se demandait si elle n'était pas folle d'agir ainsi. Beaucoup d'eau avait coulé sous les ponts depuis leur dernière rencontre, et elle avait du mal à croire que Harriet puisse encore lui en vouloir. Regarde un peu jusqu'où elle est montée, et tout cela à cause de toi! Qui sait, elle est peut-être même reconnaissante que tu l'aies poussée à quitter Jake? Dans le cas contraire, eh bien ce ne serait pas le premier coup de sa vie, ni de l'année, ni même de la semaine. Natalie s'y habituait.

Mais c'était dans le marais qu'un hôte indésirable attendait avec le plus d'impatience, et depuis plus longtemps qu'aucun autre. Il aurait pu agir plus tôt, facilement, mais ça n'aurait pas eu autant de saveur. Ce soir, Harriet célébrait sa victoire. Gareth préparait sa défaite.

Elle regarda Jake fendre la foule en saluant ceux qu'il connaissait. Jake connaissait toujours plus de gens qu'elle ne le pensait, tout comme il avait plus d'argent, plus de talent et plus de perspicacité qu'il ne voulait bien l'avouer. Ses cheveux noirs grisonnaient sur les tempes, mais son sourire était aussi large, lumineux et canaille que jamais. Harriet fut soudain très fière de lui, et quand il arriva près d'elle, ils s'enlacèrent tendrement.

– J'ai eu peur que personne ne vienne, lui murmura-t-elle dans un souffle.

– Tu savais bien que je viendrais, moi – mais j'aurais bien aimé boire un coup!

– Il faut qu'ils se procurent d'autres verres, on n'en a plus. Qui sont tous ces gens, Jake? Ils ont tous l'air si riches!

– C'est ce qu'ils sont, des gens riches. Est-ce que ce n'est pas tout ce qui compte?

– Que veux-tu dire?

Elle le regardait avec inquiétude, mais il n'allait pas lui faire de reproches, pas à cette fête. Il but une gorgée du champagne de Harriet, qui fut immédiatement remplacé par un serveur au service exclusif de Mme Hawksworth. Jake réprima une autre bouffée de colère en vidant la flûte de champagne.

Il avait l'impression, ce soir, de se faire moucher. C'était donc cela que Harriet avait fait par elle-même... Si j'étais restée avec toi, semblait-elle dire, je ne serais qu'une pauvre mère de famille dans un cottage en ruine, et je devrais en plus te servir de secrétaire gratuite pour tes affaires. Regarde un peu!

– Où est Victoria? demanda-t-il en interrompant la conversation de Harriet avec de nouveaux arrivants.

– Quoi? Dans la suite verte, je crois. Je suis désolée, Jake, mais je dois m'occuper des autres invités.

Elle se détourna, le laissant trouver la suite verte tout seul.

Des gens, des centaines de gens, buvaient, dansaient, regardaient avec rapacité les fantastiques buffets garnis à profusion, qui attendaient qu'on les dévore. De temps à autre, un visage familier; mais il les évita, il ne voulait pas parler. L'ambiance de fête n'était pas pour lui ce soir, ce qui prouvait qu'il vieillissait. Pour une fois, il aurait préféré un dîner tranquille, un verre de vin, une compagne agréable – mais si cela avait été Harriet, elle aurait de toute façon répondu au téléphone et parlé affaires la moitié de la nuit. Soudain, il aperçut quelqu'un dans la foule. Il s'arrêta, les yeux ronds.

– Natalie?

Elle se retourna, le visage anxieux, tendu. Il ne put éviter de voir ses rides, cachées sous un sourire automatique. Mon Dieu, elle était dans un état! Maigre, vieillie, épuisée... Il tenta de ne pas regarder son cou à la peau fripée sur les tendons apparents, un peu jaune.

– Jake! s'exclama-t-elle en s'approchant. Je me demandais si tu serais là. Je veux parler à Harriet, mais il y a tant de gens.

– Oh, oui! Il faut un laissez-passer pour parler à Harriet. Ne me dis pas qu'elle t'a envoyé une invitation?

– Que non! dit-elle avec un petit sourire qui rappelait l'ancienne Natalie. Les cartons se vendent au marché noir depuis des semaines, et j'en ai profité. Il faut que je lui parle, Jake, il le faut.

Il regarda la foule qui se pressait autour de Harriet.

– Aucune chance avant une bonne heure. Je vais voir Victoria, tu veux me suivre? Elle serait dans la suite verte qui, j'imagine, doit être cette symphonie bilieuse, là-bas. Je ne savais pas que les gens comme ça aimaient les murs verts, les tapis verts, les plafonds verts, et même les meubles! On pourrait croire que seuls les petits hommes verts y sont admis.

– C'est beau, toutes ces nuances différentes, dit Natalie en regardant autour d'elle. C'est très judicieusement choisi.

– Oh, ça ne pouvait pas être bête. Harriet est tellement maligne que je pourrais l'étrangler.

Ils marchèrent jusqu'à ce qu'ils trouvent Victoria, assise au milieu de ses flots de dentelle, en train de pignocher dans la nourriture que sa nurse considérait bonne pour elle.

– Bonjour, ma chérie, dit Jake en la prenant dans ses bras pour l'embrasser sur le nez.

Victoria protesta en gloussant, mais lui rendit son baiser, et ils jouèrent une minute à « je t'embrasse sur le nez », jusqu'à ce que l'énervement risque de transformer le jeu en « je te fends le crâne ».

– Ça suffit, maintenant, dit Jake. Où est Leah? Est-ce qu'elle s'amuse bien?

La nurse rougit et Victoria devint morose.

– Alors? insista Jake.

– Maman a dit que je devais rien te dire, qu'elle t'expliquerait elle-même.

– Qu'elle m'expliquerait quoi? demanda Jake en se tournant vers Margaret qui se mit à bafouiller. Est-ce que Leah a été renvoyée? précisa-t-il très doucement.

– Leah a dit qu'elle viendrait me voir, mais elle est pas venue! Papa, j'ai TELLEMENT besoin d'elle! Va la chercher, papa!

– Est-ce que c'est Leah qui a voulu partir, chérie? demanda Jake en prenant sa fille sur ses genoux. Est-ce qu'elle l'a dit?

– Elle a dit que j'étais une grande fille et que j'avais plus besoin d'elle. Mais, Papa, j'ai besoin d'elle! Margaret ne connaît pas nos jeux ni rien. Elle ne sait pas quoi faire quand je suis malade. Mais Maman était en colère parce que je suis tombée et que je me suis coupée, et elle a dit que c'était la faute de Leah. Regarde, il a fallu me coudre la main, sinon tout ce que j'ai à l'intérieur serait sorti par là, dit-elle en montrant la cicatrice encore visible.

– Rien ne va sortir, ma chérie, pas par une coupure.

Natalie et lui restèrent encore un peu, mais la nurse était mal à l'aise. Au moment où ils se levaient pour partir, un gamin aux cheveux blonds entra. Victoria bondit à sa rencontre.

– Maintenant, on peut jouer ! s'exclama-t-elle. C'est Nathan.

– Bonjour, Nathan, dit Jake. Qui es-tu ?

– Nathan, dit l'enfant avec insolence.

– C'est Nathan Hawksworth, dit Victoria. Il vit ici et il est mon ami. Viens, Nathan, on va à la fête.

– Oh, que non ! interrompit Jake en l'attrapant dans sa course. Les petites filles ne vont pas aux fêtes des grandes personnes, elles vont au lit.

– Mme Hawksworth a permis, pour ce soir..., tenta la nurse.

– Ici seulement, ordonna Jake.

– De quoi vous avez peur ? demanda Nathan.

Jake se tourna vers lui et le regarda. L'enfant ne détourna les yeux qu'après un temps infini.

– Quand tu es avec ma fille, tu joues à des jeux d'enfants, dit doucement Jake. Ne les quittez pas des yeux, Margaret.

– Etrange enfant, dit Natalie en repartant sur l'interminable tapis vert.

– Un peu plus qu'étrange. Il vient de cette île. Dieu sait ce qu'il y a vu. Je ne peux pas le laisser fréquenter Victoria.

Natalie gémit et Jake constata qu'elle était très pâle.

– Ça va ?

– Pas très bien. Si on s'asseyait quelques minutes ?

Ils s'effondrèrent dans un profond canapé vert. Jake intercepta un serveur qu'il soulagea de deux flûtes et d'une bouteille de champagne. Natalie but avec un soupir de béatitude, la tête renversée contre le dossier.

– Qu'est-ce qui ne va pas ? demanda Jake.

– Cancer, dit-elle en ouvrant un œil. Ne t'en fais pas. Je ne suis pas mourante... pas encore. Mais le traitement est épuisant.

– C'est pour ça que tu veux parler à Harriet ? Tu veux de l'argent ?

– Pas pour le traitement. De ce côté-là, ça va : la seule chose sur laquelle je n'ai jamais économisé, c'est l'assurance maladie.

Elle leva un doigt doctoral, et ce simple geste sembla l'épuiser.

– Oh, Jake, ma vie est un tel gâchis ! dit-elle soudain. Inutile de me dire que c'est ma faute, je le sais. Mais quand ça m'est tombé dessus, je me suis dit : A quoi ça sert d'y survivre si tout ce que j'ai, c'est une chambre minable et une salle de bain à partager sur le palier ? Pas de travail, pas d'amis, rien. Et j'ai pensé à quelque chose que Harriet avait dit un jour. Je crois que c'était une idée idiote, dit-elle, les larmes aux yeux.

– Qu'est-ce qu'elle a dit?
– C'est vraiment idiot. Elle a dit que la seule chose que je saurais faire, ce serait de tenir un bordel. Je me suis dit... tu sais... On raconte de drôles de choses sur son île, tout le monde sait qu'on y trafique de la drogue... Alors je me suis dit qu'elle voudrait peut-être que je m'y établisse. J'ai juste besoin de la maison. Je peux trouver les filles, et elles seraient au paradis : un endroit chic, bien protégé. Qu'est-ce que tu en penses?
Jake soupira. Comment dire à Natalie que son idée était horrible, que faire appel à Harriet, c'était encourir une humiliation publique?
– C'est un gros boulot de tenir un bordel, dit-il. Pourquoi tu n'ouvrirais pas plutôt une boutique?
– Quel genre de boutique?
– De cadeaux, peut-être, dit-il en haussant les épaules. D'ustensiles pour yachts. Ou bien de vêtements pour naviguer? Les femmes se plaignent toujours de ne rien avoir de beau à se mettre sur un bateau si elles veulent vraiment naviguer. Et quand elles sont élégantes, elles ne peuvent plus rien faire. C'est un boulot qui ne risquerait pas de t'envoyer en prison, au moins.
– Mais je n'ai toujours pas d'argent.
Natalie posa des yeux tristes sur ses mains décharnées qui jouaient avec son verre. Même le jaune de ses ongles paraissait sous le vernis.
– Je t'en donnerai, dit Jake que la pitié rendait sentimental. En souvenir du bon vieux temps.
Natalie fondit en larmes.

Simone dansait avec son mari. Cela faisait des années qu'ils n'avaient pas dansé ensemble, et Georges ne le faisait que parce qu'ici personne ne parlait français et qu'il ne pouvait passer la soirée, comme d'ordinaire, au milieu du cercle exclusif de ses amis. C'était un petit homme arrogant que Simone adorait. Elle savait bien qu'il ne l'avait accompagnée en Amérique que parce que sa dernière maîtresse en date l'avait quitté et qu'il n'y avait pas de scandale politique en cours dans le gouvernement français. En règle général, elle se retranchait derrière son air hautain, mais ce soir, son amour pour lui et l'indifférence qu'il lui montrait touchaient au pathétique.
Fatiguée d'interminables bonjours, Harriet déambulait seule. Les gens semblaient avoir presque peur d'elle tant elle les impressionnait, si bien que rares étaient ceux qui osaient l'aborder. Quand elle vit Simone, elle se figea en bordure de la piste de danse. Pourquoi était-elle venue? D'un pas décidé, elle traversa la piste et saisit le bras de Simone.

– Simone! Je dois te parler.
– Madame, excusez-nous, mais nous dansons.
Harriet baissa les yeux vers le petit homme.
– Vous devez être Georges Lalange. Comment allez-vous? Permettez-moi de me présenter : votre hôtesse, Harriet Hawksworth.
– Toutes mes excuses, dit-il en inclinant la tête. Et maintenant, pouvons-nous continuer à danser?
– Je veux te parler, Simone, dit froidement Harriet.
– Je veux lui parler aussi, Georges, dit Simone. Elle mérite de savoir ce que je pense d'elle.
– Merci.
Harriet monta les marches menant de la piste de danse à un salon, derrière des palmiers. A sa grande surprise, non seulement Simone la suivit, mais aussi Georges. Il alluma une cigarette, et comme Simone claquait des doigts avec irritation, il en alluma une autre pour elle. Tous deux étaient visiblement très en colère.
– Qu'est-ce qui t'ennuie? demanda Harriet. Est-ce que ce que tu as détourné ne t'a pas suffi? J'aurais pu te traîner en justice.
– Tu me devais bien cet argent, grinça Simone. Que m'as-tu donné? Une misère! Tu es une voleuse.
– Si tu voulais davantage, tu aurais pu le demander, dit Harriet. Tu aurais dû me faire savoir que tu n'étais pas satisfaite.
– Et quand j'ai eu besoin de plus, est-ce que tu me l'as donné? Non, tu as dit à ta brute d'ami de se débarrasser de moi, tu l'as fait me traiter en misérable mendiante. Je t'ai aidée parce que je voulais mon héritage. Mais je vois ce qui est arrivé! Chaque fois que nous avons besoin d'argent, tu achètes des parts, de moins en moins cher, et tu continueras jusqu'à ce que nous n'ayons plus rien! C'est comme ça que tu comptes mettre la main sur la haute couture parisienne! Là, tu seras heureuse!
– Mais..., bafouilla Harriet, stupéfaite... Je n'ai pas de parts dans votre affaire. Je n'en ai jamais acheté!
– On doit vendre, dit George en se penchant dans un nuage de fumée âcre. Nos parts ne sont pas sur le marché public. On appelle vos bureaux, et immédiatement, vous achetez. Qui donne l'ordre d'acheter?
– Je n'en sais rien.
Andrew, le directeur de l'hôtel, était adossé à un palmier.
– Andrew! Trouvez-moi M. Thomas, s'il vous plaît! demanda Harriet. Nous devons aller au fond de cette histoire, dit-elle aux deux paires d'yeux hostiles qui lui faisaient face. Vous pensez donc que j'essaie de vous faire perdre votre affaire en vous

refusant des fonds, et que lorsque vous êtes aux abois, j'achète des parts bradées, c'est ça?

– C'est ce qui se passe, dit George en allumant une autre cigarette. Vous prétendez aimer Simone, mais c'est de l'hypocrisie. Ma femme se laisse facilement manœuvrer.

Tandis qu'il regardait Harriet en connaisseur, Simone détourna les yeux.

Claude Thomas arriva très vite, et sa présence familière rassura Harriet. Il lui évoquait le bureau, l'ordre, les messages bien tapés, les instructions claires.

– Claude, dit-elle joyeusement, Simone affirme que Hawksworth Corporation achète des actions de leur maison de couture, sur instructions de ma part. Je leur ai expliqué que je n'ai jamais donné de telles instructions. Pourriez-vous le leur confirmer?

– Je suis désolé, madame Hawksworth, dit-il après avoir regardé les uns et les autres, je ne peux le confirmer. Pendant que vous étiez malade, une transaction a été conclue avec l'accord de Mme Lalange, à ce que je crois. On a donné par ordinateur ordre d'acheter les parts disponibles de cette maison, comme nous le faisons pour bon nombres d'autres entreprises. Quand des parts sont en vente, nous achetons si le prix semble raisonnable.

– Qui a fait baisser le prix? demanda gravement Harriet. Parce que quelqu'un l'a fait.

– Voulez-vous que je consulte Jacobson, notre responsable des investissements? Il est en général au courant des détails de toutes nos opérations.

Harriet eut un haut-le-cœur. Avait-elle besoin d'autres preuves que Hawksworth Corporation la dépassait, si un responsable des investissements qu'elle connaissait à peine négociait des affaires dont elle ignorait tout?

– Je crois que c'est inutile, dit-elle d'une petite voix. Merci, Claude. Retournez vous amuser. Votre femme doit se demander où vous êtes. J'espère qu'elle est contente?

Quand il fut parti, tous trois restèrent un moment silencieux.

– Je suis désolée, dit enfin Harriet. Je peux vous assurer que je n'en savais rien.

– Je crois honnête de te dire que je suis maintenant du côté de Gareth dans cette affaire, dit Simone. Il m'a dit qu'il était sur le point de demander le contrôle de la Corporation en se fondant sur tes extravagances et tes affaires illégales.

– Quelles affaires illégales?

– Le trafic de drogue à Corusca. Les autorités ont réuni beaucoup de preuves. J'imagine que c'est Jérôme, mais comme tu es avec lui sur cette île...

– Alors, c'est comme ça? Juste pour une erreur mineure de mon bureau, tu passes à Gareth? dit Harriet d'une voix qui tremblait de rage. Tu es une salope vénale et sans scrupules, Simone, et ton mari rien d'autre qu'un chien qui fait le beau! Regarde-le qui mate tout sauf toi! Il y a bien du Hawksworth en toi, espèce de voleuse, menteuse, mais tu n'as pas l'ombre de la fierté des Hawksworth. Pas étonnant que Henry ne t'ait rien laissé. Il te méprisait!

Elle s'était levée, et criait maintenant. Des visages apparurent entre les palmes, Claude Thomas, des gens qu'elle ne connaissait pas. Elle les poussa pour passer et descendit les marches. Mark Benjamin la saisit par le bras au passage.

– Harriet, ma chérie, qu'est-ce qui se passe!

– Je ne suis pas ta chérie, lança-t-elle. Et arrête de me peloter! ordonna-t-elle alors qu'il tentait de l'enlacer. Je n'ai pas besoin de ça. Va trouver quelqu'un d'autre pour renforcer ton image et te donner l'impression que tu es jeune, dit-elle devant tout le monde. Je n'en ai ni le temps ni l'envie.

Et elle continua son chemin, silhouette magnifique et terrible de rage dans un flot de soie verte. Il fallait qu'elle trouve Jake. Si elle trouvait Jake, pensait-elle, tout irait bien.

Elle le trouva, vautré sur un canapé, le nœud papillon défait et la chemise ouverte sur son poitrail velu. Et près de lui... Incroyable! Comme sortie d'un cauchemar, c'était Natalie, les pieds sur les genoux de Jake, son long bras mince tendu pour le toucher. Il y eut comme un déclic en Harriet. Elle vit Natalie et Jake, Jake et Natalie, s'accouplant comme des animaux, prenant ce qui était absolument, totalement sien. Elle tendit la main sans regarder pour saisir quelque chose à lancer, n'importe quoi, et ses doigts se refermèrent sur un bol de salade qu'on venait d'apporter. Avec une sorte de rugissement, elle le lança à la tête de Natalie qui riait.

– Harriet! s'écria Jake en tendant la main vers elle.

Elle ne supporta pas l'idée qu'il la touche. Elle s'échappa et courut à travers l'hôtel. Se cacher, fuir, sortir d'ici, murmurait en elle une petite voix. Des gens gênaient sa progression. Elle se représenta ce qu'ils voyaient d'elle, combien elle devait sembler bouleversée. Elle ralentit, souriant mécaniquement, et tourna, comme si elle savait où elle allait, vers un ensemble de chambres. Oh, Seigneur, il fallait qu'elle s'éloigne, qu'elle retrouve une solitude bénie! Une des portes était entrouverte et elle tomba presque dans la chambre à peine éclairée par une lampe de chevet.

La chambre était pleine de monde, et pourtant personne ne se retourna pour voir qui entrait. Une odeur épaisse et lourde la prit à la gorge. Comme Alice au-delà du miroir, elle était entrée dans un autre monde.

Deux hommes s'embrassaient par terre. Sur le lit, une femme complètement nue, et près d'elle un homme vêtu de sa seule chemise. Il dormait, mais la femme était allongée sur le dos, les yeux fixes. Harriet se rendit compte que c'était Madeline. Une femme en robe du soir se leva du sol et tituba jusqu'au couloir et, comme si l'équilibre de la pièce avait été modifié par son départ, des gens se mirent à bouger. Ils avaient les gestes lents et volontaires de ceux qui ont pris de la drogue, comme s'ils marchaient dans de la mélasse. Un gros type se hissa sur le lit et grogna en retirant ses vêtement pour se coucher sur Madeline.

Harriet en eut la respiration coupée. Elle se couvrit la bouche des mains, incapable de quitter des yeux le visage immobile de Madeline. Les pupilles de la jeune femme n'étaient guère plus que des têtes d'épingle et son souffle se faisait de plus en plus rare.

– Madeline, murmura Harriet.

Le nom sonna clair dans la pièce silencieuse, mais personne n'y prit garde. Alors qu'elle allait partir, Harriet lut une étrange expression sur le visage immobile qui la regardait. Etait-ce du triomphe?

Harriet quitta la pièce dans un vertige. Elle avait besoin d'air. Elle avait besoin de solitude. Les sorties vers les terrasses étaient noires de monde, mais personne ne connaissait l'hôtel aussi bien qu'elle. En courant vers une porte de service, elle marcha sur sa robe et la déchira; c'était sans importance. Elle sortit sur l'étroit sentier qui longeait chaque ponton, accrochée à la frêle rambarde. C'était toujours la même chose : chaque fois qu'elle croyait atteindre la victoire, elle ne récoltait qu'un désastre. Elle pouvait subir Simone et comprendre Mark, mais que Jake utilise cette soirée pour l'humilier, cette soirée si spéciale, elle ne pouvait le supporter.

Elle ne voulait plus y penser. Elle tourna son esprit vers Madeline. Pourquoi donc essayer encore de sauver cette fille? Elle aurait dû la renvoyer à Jérôme, le laisser faire d'elle ce qu'il voulait. Elle ne voulait pas qu'on la sauve. Madeline s'était à nouveau enfuie dans sa propre folie.

Moi aussi, je vais devenir folle, se dit Harriet. J'ai besoin d'aide. Pourquoi personne ne veut-il m'aider? Dans l'obscurité, elle regarda l'eau. Pouvait-on se noyer par simple volonté? Ce serait bon de trouver la paix. La musique martelait son cerveau, et elle aurait tant voulu en être libérée! Et aussi des lumières si douloureuses, brillantes, saccadées. Elle leva la main pour se protéger les yeux et regarda à travers ses doigts. La lumière léchait les murs de bois, s'attaquait aux tentures. Une haleine brûlante comme un baiser de dragon fit vibrer l'air. Elle se mit à courir en criant :

– Au feu ! Au feu ! Vite, vite, l'hôtel brûle !

Personne ne l'entendait. La musique jouait, les lumières des terrasses n'éclairaient pas le sentier obscur où elle se trouvait. Elle se tourna à nouveau vers le feu, et pendant un moment, il lui sembla gentil, caressant, lui qui léchait si doucement la structure qui le nourrissait. Elle le contempla. Fais quelque chose ! lui criait son cerveau. Pense à ce qu'il faut faire !

Elle rouvrit la porte de service et courut à l'intérieur. Un couple titubait, complètement ivre. Elle se précipita vers eux :

– Il y a le feu. S'il vous plaît, gagnez votre voiture immédiatement.

Ils la regardèrent bêtement.

– Il y a le feu ! cria-t-elle en pure perte.

L'alarme ! Si elle la déclenchait, tout le monde comprendrait. Elle retira une de ses chaussures et brisa la vitre de la borne avec le talon aiguille. Une sirène retentit alors. Harriet remit sa chaussure et reprit sa course : Victoria, elle devait la trouver ! Les gens avaient l'air étonnés.

– Il y a le feu, répétait-elle inlassablement en chemin. Partez immédiatement, s'il vous plaît !

Et elle tomba sur Jake.

– Mais qu'est-ce qu'il se passe ?

– L'hôtel est en feu, répondit-elle sans presque le regarder. Tout le monde doit partir tout de suite. Appelle les pompiers !

– C'est toi qui as fait ça ? demanda-t-il en la saisissant par le bras.

– Ne sois pas stupide ! Je dois trouver Victoria.

Elle dégagea son bras et repartit en essayant de ne pas courir. Il y avait tant de gens ! S'ils paniquaient, il y aurait des morts.

– Qu'est-ce qui se passe ? demandait-on de toute part.

– Un incendie, pas très grave, mais vous devez quitter les lieux immédiatement.

Petit sourire, calme apparent. Mais où était Victoria ?

Elle croisa la nurse, Margaret, affolée, dans le couloir, son précieux fardeau endormi dans les bras.

– Dieu merci !

Harriet se ressaisit et tenta de réfléchir calmement à ce qu'il fallait faire. Le directeur de l'hôtel apparut près d'elle.

– Madame Hawksworth ? Quels sont vos ordres ?

Elle regarda par la fenêtre. Un des pontons flambait, maintenant, illuminant le lac.

– Margaret, faites sortir Victoria par la porte de service. Montrez-lui le chemin, s'il vous plaît, Andrew. Je dois faire une annonce.

Elle rassembla les plis de sa robe et se fraya un chemin à travers la foule des invités qui ne comprenaient pas. Personne ne semblait vouloir sortir. Ils étaient aux fenêtres à regarder le ponton brûler comme si c'était un feu d'artifice. Elle n'arrivait pas à avancer, et le temps pressait. Elle enjamba une fenêtre et progressa sur l'étroit rebord jusqu'à ce qu'elle puisse sauter sur une terrasse, où elle courut, glissant et trébuchant jusqu'au cabaret. Elle prit le micro en priant pour qu'il soit ouvert.

– Mesdames et messieurs, commença-t-elle.

Ce n'était pas assez fort.

– Montez la puissance de ce truc! cria-t-elle.

Après plusieurs secondes d'angoisse, quelqu'un trouva le bouton. Elle reprit le micro.

– Je vous en supplie, il y a un grave incendie. Il progresse dans tout l'hôtel. Tout le monde doit partir immédiatement. Ne croyez surtout pas que vous êtes en sécurité. Si vous êtes à une fenêtre, sortez par là, tout de suite! Si vous trouvez un chemin, prenez-le, mais sinon, ceux qui savent nager doivent gagner la rive à la nage. J'ai dit TOUT DE SUITE!

Autour d'elle, les gens souriaient. Personne ne croyait que c'était grave. Ce n'était qu'un ponton, tout le reste ne risquait rien, n'est-ce pas? Puis quelqu'un poussa un cri. Les flammes avaient atteint le restaurant, avec une rapidité effrayante.

– Je le savais, murmura Harriet.

– Votre fille est sortie, vint lui dire Andrew, mais les voitures bloquent la route et les pompiers ne peuvent pas passer.

– Oh, Seigneur! dit-elle avec désespoir. Tant pis pour l'hôtel! décida-t-elle soudain. Il faut faire sortir tous ces gens. Je m'occupe du restaurant, vous du reste.

Elle dut lutter contre le flot humain enfin décidé à partir.

– S'il vous plaît, sortez par les fenêtres, ne cessait-elle de dire.

Ils avaient le visage défait, et la peur les rendait sourds à ses conseils. Elle ouvrit elle-même les fenêtres, les unes après les autres, et attrapa les invités jeunes et en bonne santé en leur criant de sortir par là, que tout le monde ne pourrait pas sortir par les portes!

Elle commençait à être incommodée par la fumée à cause des meubles qui brûlaient. Le feu grondait et poussait les gens devant lui. Harriet trouva une serviette de table qu'elle se mit sur le nez. Elle savait qu'on pouvait mourir d'avoir inhalé de la fumée. Dans le restaurant, les gens étaient peut-être déjà en train de mourir. Elle continua, parce que c'était sa faute. Si une seule personne mourait, elle en porterait la responsabilité.

Un vieil homme errait, perdu, sans ses lunettes, les yeux larmoyants. Jamais il ne sortirait à temps. Elle l'entraîna jusqu'à une fenêtre et le fit asseoir dehors sur l'étroit rebord. Dieu merci, quelqu'un avait eu l'idée d'utiliser le radeau des musiciens pour récupérer ceux qui avaient sauté à l'eau. Jake le manœuvrait. Quand il la vit, il cria :

– Harriet! Viens! Tout l'hôtel brûle!

Elle l'ignora et retourna à l'intérieur. Un corps gisait par terre et elle se mit à quatre pattes pour s'en approcher. La chaleur la gifla; des langues de feu traversaient maintenant l'air épais. C'était une femme, inconsciente, peut-être morte. Harriet la prit dans ses bras par le torse et la tira, déployant une force dont elle ne se savait pas capable. Elle réussit à gagner la fenêtre, mais ne put soulever la victime. L'air du dehors nourrissait les flammes. A chaque fenêtre ouverte, le feu rugissait.

Jake était toujours là, son radeau dangereusement surchargé. Il luttait pour le garder tout près. Quand il vit à nouveau Harriet, il sauta, lançant un juron quand ses mains tentèrent de s'accrocher au plastique fondu de la fenêtre. Il attira la femme à l'extérieur et la passa aux gens sur le radeau.

– A toi, maintenant, dit-il en tendant les bras vers Harriet.

– Il y a trop de monde. Je vais longer le rebord.

Elle lui échappa et courut sur ses bas le long du bâtiment. Un photographe de presse, risquant sa vie pour la photo de sa carrière, réussit à la prendre : jupe verte relevée, longues jambes courant, serviette nouée autour de la tête, visage barbouillé de fumée, la petite silhouette se détachait devant le brasier. Aucun de ceux qui virent cette photo ne l'oublia jamais.

Quand les pompiers arrivèrent, il était trop tard. Des gens erraient en pleurant ou témoignaient de cette étrange euphorie qui accompagne les situations où l'on a frôlé la mort. Certains semblaient presque penser que l'incendie avait été le clou de la fête. Heureusement, on ne risquait pas de manquer d'eau, et Harriet resta immobile, inactive pour une fois, tandis que les pompiers faisaient leur travail. Au bout d'un moment, munis de masques, il entrèrent dans le bâtiment pour le fouiller. Comme Jake connaissait les plans, il les accompagna, et comme il n'y avait rien d'autre à faire, Harriet trouva le directeur et organisa une distribution de café depuis la cuisine restée intacte. Elle redoutait l'heure qui allait suivre, car elle savait ce qu'on allait trouver.

Le restaurant était vide, en grande partie grâce à Harriet. Les gens n'y étaient venus que pour visiter, puisque les buffets étaient dressés ailleurs, si bien qu'il n'était pas très plein. Mais les chambres... Comme elle avait peur de retourner dans les chambres noircies! Finalement, ils émergèrent comme des astronautes avec leurs réservoirs d'air et leurs masques, et le chef des pompiers demanda des brancards couverts. Je ne vais pas y penser, se dit Harriet! Je vais m'interdire d'y penser. Quelqu'un s'approcha d'elle.

– Quelle terrible chose, madame Hawksworth! Votre hôtel était si beau! Comment le feu a-t-il pu prendre?

– Comment, en effet? dit-elle sèchement.

Elle se détourna, et ses yeux se posèrent sur Nathan qui mangeait un sandwich en regardant avec beaucoup d'intérêt ce qui se passait. Elle fit signe au directeur.

– Andrew, je veux qu'on emmène Nathan en ville sur-le-champ. Sans attendre une minute de plus!

Elle ne voulait pas les voir arriver. Il y avait six brancards en tout. Mais elle fit comme s'ils n'existaient pas. Les pompiers sortirent, Jake sortit, et elle retourna s'occuper du café et des sandwiches. Tout à coup, tout le monde sembla pleurer, sauf elle.

– Quel merdier! dit Jake.

– Tu parles d'une fête, lui répondit-elle.

– Des gens sont morts! Est-ce que tu le sais? s'insurgea-t-il. C'est plus qu'une fête gâchée! Ton hôtel a tué des gens!

Elle se détourna de lui. Elle ne voulait pas penser à ça maintenant. On ne pouvait penser qu'à un certain nombre de choses en même temps, et ses limites étaient atteintes. Le chef des pompiers vint vers elle.

– Il va y avoir une enquête, madame.

– Oui. Je crois qu'il s'agit d'un acte criminel. Peut-être vos hommes aimeraient-ils se reposer dans une des chambres? Je vais m'en occuper.

– C'est très gentil, madame, nous apprécions beaucoup. Mais je regrette d'avoir à vous ennuyer, madame... Je crois que nous avons besoin de votre aide pour identifier les victimes.

Jake la regarda s'approcher des brancards. Les victimes étaient mortes à cause des émanations de fumée, ce qui diminuait un peu l'horreur. Harriet passa d'une forme allongée à l'autre en secouant la tête. Au dernier brancard, elle s'arrêta. Dès qu'elle avait vu les flammes, elle avait su que cela arriverait.

– Madeline Hawksworth, dit-elle d'une voix claire. Ma belle-fille.

Elle retourna vers le groupe sur la terrasse, le visage calme et impassible. Jake essuya la sueur de son front avec sa main sale. Il était tellement fatigué!

– Mais ça ne te fait rien? demanda-t-il. La gamine est morte, et ça ne veut rien dire pour toi? Ou bien est-ce qu'il n'y a plus que l'argent maintenant, et la célébrité, et les relations? Comme c'est une Hawksworth, qu'elle n'appartient pas au fan-club de

Harriet, elle ne compte pas. Pas plus que moi. Ou Victoria. Ou qui que ce soit d'autre !

Il y eut un craquement et Harriet se retourna. Le toit du restaurant s'effondrait. Elle leva les mains contre sa poitrine, comme pour contenir son cœur.

– Mon hôtel, dit-elle d'une voix sourde. J'ai perdu mon si bel hôtel.

– Que Dieu te vienne en aide, Harriet Hawksworth, murmura Jake dans un long soupir, parce que personne d'autre ne peut plus rien pour toi.

Deuxième Partie

Victoria

1

La cage d'escalier était jusqu'au plafond lambrissée d'immenses panneaux d'acajou ciré portant les noms des filles qui avaient obtenu les meilleures notes, à chaque fin d'année scolaire, depuis la fondation de l'école qui datait de la fin du siècle dernier. Sur le dernier panneau, à la peinture encore fraîche, on lisait une dizaine de noms, et vers le milieu celui de Victoria Hawksworth. La jeune fille en question regardait l'inscription d'un air irrité.

– Je croyais vous avoir dit que mon nom n'est pas Hawksworth, c'est Jakes.

– Ma chère Victoria, votre mère préfère qu'on vous appelle Hawksworth, vous le savez.

– Ma mère aime beaucoup de choses, mais cela ne signifie pas que je doive les aimer moi aussi. Je ne suis pas ma mère, mademoiselle Wild ! Et je sais parfaitement bien que je n'ai obtenu ce classement que grâce à elle, je ne suis pas stupide !

– Victoria ! s'offusqua Mlle Wild dont la voix posée devint glaciale. Vous savez combien nous réprouvons votre façon de vous exprimer. Ce n'est pas bienséant pour une jeune fille de votre niveau, de votre intelligence. Nous n'en accepterons pas davantage !

La jeune fille tourna les talons et partit, tout son corps exprimant le défi. Mlle Wild soupira, les mains serrées l'une contre l'autre. Il lui arrivait de penser qu'elle se faisait vraiment trop vieille pour les jeunes filles et leurs humeurs, et de regretter la brutalité sans complication des écoles de garçons, où l'on pouvait au moins sévir physiquement quand ils se rebellaient. Une ou deux fessées ne feraient certainement pas de mal à Victoria Hawksworth, on aurait même dû les lui administrer bien des années auparavant. Ce n'était qu'une petite peste gâtée, mais négligée, ce qui semblait caractériser les enfants riches – gavés de tout mais si peu de ce qui avait de l'importance !

Elle n'aurait pas été surprise d'apprendre que Victoria partageait son opinion. La psychologie était la dernière passion de celle-ci, qui restait des heures sur son lit à lire Jung et Freud, avalant en bloc les doctrines de *Psychologie et éducation*, qu'elle régurgitait à sa malheureuse camarade de chambre, Carrie.

– Je lutte pour me trouver, déclara-t-elle. Je lutte pour m'écarter d'une mère riche et dominatrice. Je n'arriverai jamais à m'accomplir sans marquer la dichotomie entre l'influence de mon père et celle de ma mère. Alors seulement je serai moi-même.

– Je croyais que tu disais que ta mère ne s'occupait pas de toi, dit Carrie d'un air absent.

Elle n'écoutait que d'une oreille distraite, absorbée déjà dans la double tâche de se vernir les ongles tout en lisant.

– C'est vrai. Mais elle domine par des intermédiaires; elle délègue des gens pour faire ce qu'elle dit. Je t'ai raconté qu'elle a failli aller en prison, un jour? Mlle Wild la trouve, oh, tellement gentille ! Elle ne sait pas qu'elle a failli se faire coffrer pour trafic de drogue !

– Je suis sûre que si, dit Carrie. Je le sais depuis des années, moi.

– Vraiment? s'étonna Victoria. Pourquoi ne m'as-tu rien dit?

– Je pensais que cela risquait de t'embarraser. Moi, cela me gênerait. Je suis déjà gênée par le fait que Gérard soit homosexuel alors qu'il n'est que mon cousin. Toi, c'est ta mère.

– J'espère que tu ne l'inviteras pas quand je viendrai chez toi, dit sombrement Victoria. Je n'ai pas envie d'attraper le sida.

– Mais qu'est-ce que tu avais exactement l'intention de faire avec ce pauvre Gérard? demanda Carrie en lançant une œillade coquine. Je ferais mieux de le prévenir du danger.

Victoria rougit et jeta un coussin en direction de sa compagne.

L'histoire de l'incarcération évitée par sa mère avait été évoquée pendant les dernières vacances de Noël, que Victoria avait passées à New York, au lieu d'aller à Corusca comme d'ordinaire.

Victoria s'ennuyait dans le grand appartement silencieux où Harriet s'était installée dix ans plus tôt. C'était un jour morne et brumeux. Son cousin Nathan était là, lui aussi, ce que sa mère n'appréciait pas du tout. Il avait abandonné l'école dès qu'il l'avait pu, et il bourlinguait de-ci, de-là, surtout dans les Caraïbes. Personne ne savait pourquoi il s'était présenté à la porte de l'appartement new-yorkais deux jours avant Noël, toujours aussi beau, grand et blond. Depuis des années, Harriet avait ordonné que jamais on ne laisse Nathan et Victoria seuls dans la même pièce; on devait aussi les accompagner en promenade. Inutile de dire qu'ils réussissaient de plus en plus facilement à fausser compagnie à Margaret lors des sorties, simplement en se mettant à courir trop vite pour elle.

– Tu crois que c'est moi le criminel, et pas ta méprisable mère, avait déclaré Nathan.

– Que veux-tu dire?

Victoria était fascinée par lui, mais il lui inspirait aussi une certaine répulsion. Il ne connaissait pas l'innocence. Quand il lui parlait, elle avait toujours l'impression qu'il la considérait comme un bébé, alors que lui était vieux depuis toujours.

– C'était après l'incendie du Lac de Floride. L'incendie qui a tué ma mère.

– Est-ce que cela t'attriste d'en parler? demanda-telle gentiment.

– Non. Elle était complètement folle... Elle me parlait des monstres qu'elle avait dans la tête. J'ai été bien plus tranquille sans elle.

– Mais l'hôtel a pris feu par accident! Ce n'était pas la faute de ma mère.

– Ça aurait pu. C'était la faute de quelqu'un. On a dit qu'elle avait tellement besoin d'argent que l'assurance était une manne du ciel. Mais je ne crois pas que c'était elle. Si tout avait brûlé, je l'aurais cru. Elle ne fait jamais rien à moitié.

Il prit la main gantée de Victoria, qui la lui retira doucement pour la glisser dans sa poche.

– Je ne suis plus un bébé, dit-elle froidement. Je ne fais plus tout ce que tu veux.

– Quelle déception! dit-il en lui souriant.

– Dis-moi, pour ma mère. Pourquoi l'a-t-on arrêtée?

– Pour trafic de drogue. Il en arrivait à Corusca; et elle en repartait sur de petits bateaux. Elle a prétendu qu'elle n'en savait rien, mais ils en ont trouvé une tonne dans la grande maison. Ils ont pris Jérôme. Il était comme le roi de l'île. Il a dit qu'elle n'avait rien à voir avec ça, ce qui montre combien c'est un chic type, et plein de gens ont témoigné de son courage pendant l'incendie, de tout le travail qu'elle avait fourni pour arriver à cette soirée. C'est à ce moment-là qu'oncle Gareth a failli reprendre le contrôle de la Corporation. Pendant un temps, elle a dû se battre sur tous les fronts.

– Elle déteste Gareth, en tout cas, dit Victoria d'un air songeur.

– Que oui! Tu sais, ces tableaux qu'elle achète? Ils proviennent de la collection du vieux Hawksworth. Chaque fois qu'il en vend un, elle essaie de l'acheter, même si ça risque de la ruiner. Elle pense qu'ils sont à elle. C'est vraiment effrayant, une telle rapacité.

Victoria découvrit qu'elle n'aimait pas entendre quelqu'un d'autre dire ce qu'elle pensait elle-même si souvent.

– Elle s'y connaît très bien en art, répliqua-t-elle d'un ton agressif. J'ai beaucoup appris d'elle. On a quelques belles toiles, même d'artistes presque inconnus. Il lui arrive d'acheter des tableaux modernes.

– Enfin, on l'a relâchée, dit Nathan. Jake l'a soutenue jusqu'à ce que l'orage soit passé.

Un sourire satisfait illumina le visage de Victoria.

– Il est vraiment gentil, mon père. Je ne comprends pas comment il s'est laissé piéger par elle. Et toi? Je veux dire qu'il aurait pu avoir n'importe quelle autre fille.

Ce Noël semblait le moment ou jamais de découvrir toute la vérité. Bien que ce fût un sujet que sa mère abordait toujours avec réticence, elle se lança :

– Comment as-tu rencontré papa? demanda-t-elle en regardant sa mère se maquiller devant sa coiffeuse. J'ai le droit de savoir. C'est mon père.

Harriet interrompit le parcours de son crayon à sourcils, et son visage prit un air douloureux, comme toujours quand Jake entrait dans la conversation.

– On a en quelque sorte été imposés l'un à l'autre. Nous étions tous les deux dans les ennuis.

– Quel genre d'ennuis?

– Ça ne te regarde pas, dit Harriet en pointant son crayon vers sa fille. Ta vie a été différente de la mienne, et de celle de ton père aussi. Tu ne comprendrais pas.

– Bien sûr que si! s'insurgea Victoria. C'est juste que tu ne veux pas que je découvre comment tu l'as piégé! Je parie que tu as fait exprès de tomber enceinte pour le forcer à t'épouser!

– Victoria!

Harriet était blanche comme un linge, avec deux taches rouges sur les pommettes.

– Tu ne sais rien de rien, et même si tu savais, ce ne sont pas tes affaires, c'est une question trop intime, c'est juste entre lui et moi.

– Tu es toujours méchante avec lui.

– Il n'a pas toujours été très gentil non plus.

– Si! Je sais tout sur le trafic de drogue. Je sais tout. Il t'a bien aidée, à ce moment-là, non?

Le visage de Harriet se défit comme s'il perdait tout soutien interne, mais à l'extérieur il resta immobile.

– C'est Nathan qui te l'a dit?

– Non, mentit Victoria. Je l'ai découvert toute seule. Alors tu n'es pas aussi parfaite que tu devrais l'être!

– Je n'avais rien à voir avec la drogue, affirma Harriet. Je n'ai pas été inculpée.

– Juste parce que papa t'en a tirée. Il aurait dû les laisser te jeter en prison, et alors j'aurais pu partir avec lui et vivre une vraie vie! Tu me traites comme une criminelle. Je ne serais pas enfermée en prison! rugit Victoria en serrant les poings.

– Jake n'est pas aussi merveilleux que tu crois, murmura Harriet. S'il était merveilleux à ce point, nous serions restés ensemble. Je n'aurais pas eu à... Tu ne le connais pas, Victoria. Tu ne sais pas à quel point on ne peut pas lui faire confiance. C'est pendant les longues journées ennuyeuses et ordinaires qu'il te laisse tomber. Et de quelle façon!

– Et jamais par ta faute, je suppose? rétorqua méchamment Victoria.

– Ne me parle pas sur ce ton! Jake n'est pas un saint, pas du tout. Si nous étions restés ensemble, sais-tu quel genre de vie nous aurions eue? On aurait erré de bateau en bateau, de baraque sordide en rafiot puant, sans aucun moyen de te faire suivre une scolarité normale. Jake a toujours un nouveau projet qui interrompt le précédent, rien n'est jamais fixe, rien n'est permanent. Quand tu restes à la maison, tu es seule; lui, il ne tient pas en place.

– Pas avec toi, évidemment!

– Non, dit Harriet en cassant son crayon dans sa main crispée. Pas avec moi.

La fillette eut soudain l'impression qu'elle perdait pied. Pour retrouver son souffle, elle dit méchamment :

– Tu es jalouse! C'est pour ça que tu ne veux pas que j'aille chez lui, tu as tellement peur qu'il me vole à toi. Tu ne veux jamais rien lâcher, tu veux tout retenir jusqu'à ce que tu ne sois plus qu'un vieux squelette. Eh bien, moi, tu ne me retiendras pas. Je te déteste!

– Victoria!

Mais la gamine était déjà sortie et la porte claquait derrière elle. Une longue expérience avait appris à Harriet qu'il ne servait à rien de la raisonner. Il ne lui restait plus qu'à attendre qu'elle se calme.

Harriet sanglota. Elle ne pouvait pas dire ce qu'elle avait justement besoin de dire, que Jake ne voulait pas de Victoria chez lui; Harriet le lui avait demandé, et il avait toujours refusé. Mais ce que sa fille lui avait dit sur sa façon de tout retenir la blessait plus encore. Est-ce qu'elle ne pouvait pas voir que sa mère tentait de la protéger, que, lorsque le jour viendrait, elle lui donnerait sa liberté? Harriet n'exigerait jamais d'elle ce que sa propre mère avait exigé. Elle avait envoyé son enfant en pension pour lui donner son indépendance, des amies, une vie différente, et pourtant tout ce que Harriet avait fait semblait avoir été compris de travers.

Victoria était pourtant repartie pour l'école en ne grognant que les protestations habituelles. Quand elle pensait aux problèmes et aux difficultés de la plupart des parents avec leurs enfants adolescents, Harriet se disait qu'elle ne s'en sortait pas si mal. Bien sûr, c'était en grande partie une question de circonstances. La nurse assumait maintenant le rôle de chaperon, si bien que Victoria n'avait jamais eu l'occasion de prendre de la drogue, de se retrouver enceinte ni de faire une dépression nerveuse. Elle évoluait entre une réclusion quasi monacale à l'école et une surveillance attentive à la maison, et elle deviendrait, quand le moment serait venu, une belle, brillante et pure étudiante. Néanmoins, cet environnement presque totalement féminin n'était peut-être pas parfait. La solution aurait pu être que Jake la prenne de temps à autre, mais jamais il n'avait voulu. Il la voyait brièvement deux ou trois fois par an, marin auréolé de gloire dispensant son charme et sa virilité. Il voyageait sans arrêt, et Victoria était à l'école ou à Corusca en été.

Harriet se lissa la peau sur les pommettes. Il y aurait un temps pour tout quand Victoria serait assez grande, assez mûre, pour comprendre les hommes, son père, le monde extérieur. Mais jusque-là, elle la garderait en sécurité.

Le plan, si simple et si logique quand elle l'avait conçu, ne semblait plus soudain à Victoria qu'une lubie puérile. En faisant ses bagages, elle se rendit compte qu'il y avait tellement de choses qu'elle ne voulait pas abandonner! Son ours en peluche, trois paires de chaussures, la photo de Jake... Son sac finit par être si lourd qu'elle n'arriva qu'à grand-peine à le hisser sur le rebord de la fenêtre.

– C'est complètement idiot, dit Carrie d'une voix chantante.

– Je sais, tu n'arrêtes pas de le dire. Je vais laisser quelques trucs ici. Oh! gémit Victoria en se passant avec désespoir une main dans les cheveux. J'ai besoin de tout! Je ne peux pas partir si loin sans vêtements!

Carrie s'agenouilla près d'elle et entreprit de retirer impitoyablement du sac les vêtements qui lui semblaient superflus.

– Pas besoin de trois chemises de nuit. Et combien de culottes prends-tu? Seigneur! Est-ce que tu ne peux pas laisser tes bottes?

– Elles sont assorties à ma jupe, dit Victoria. De toute façon, j'ai besoin de tout. C'est un long voyage. Il faut que j'aie de quoi me changer.

– Et si tu apprenais à laver? demanda Carrie d'un ton critique.

Carrie fréquentait l'école grâce au legs d'une tante décédée, et quand elle rentrait chez elle, elle se retrouvait dans un milieu très modeste. L'existence protégée de Victoria lui inspirait à la fois de l'envie et de l'horreur.

– Si je ne pars pas tout de suite, le portail sera fermé.

Victoria remit nerveusement les vêtements dans son sac, qu'elle eut du mal à fermer avant de le relancer sur le rebord de la fenêtre.

– Tu ne devrais pas faire ça, dit Carrie sans espoir d'être entendue.

– N'oublie pas, tu dormais quand je suis partie. Et ne poste pas la lettre avant demain soir.

Victoria alla rejoindre son sac à la fenêtre. Tout à coup, elle eut l'air toute jeune et effrayée, une petite fille vêtue avec recherche – jean de marque, pull en cachemire, veste de cuir, chaussures de luxe. Elle s'était trop maquillée, comme pour compenser les jours où, à la maison, on ne lui autorisait aucun maquillage.

– Tu as l'air trop riche! s'inquiéta Carrie. Et si tu te faisais enlever?

– Alors il m'arriverait enfin quelque chose d'excitant! Je pourrais apprendre à tirer sur des gens.

Elle entama sa descente périlleuse sur les tuiles, exploit souvent réalisé, mais jamais avec un bagage. Quand elle atteignit le toit plat du garage, Carrie soupira de soulagement.

– Ne fais rien d'idiot! murmura-t-elle dans la nuit.

– Je t'aimerai toujours, Carrie! Au revoir!

Victoria lança son sac sur le sol, puis bascula habilement sur le côté du garage et se laissa tomber dans l'herbe.

La route était longue jusqu'à la ville, mais elle n'osa pas faire de l'auto-stop. L'internat de jeunes filles avait son lot de fugueuses, et les gens du coin y étaient habitués. Ils les ramenaient comme un colis moins d'une heure après leur départ. Victoria fit donc la route à pied, se dissimulant derrière les arbres chaque fois qu'une voiture passait. Il faisait très sombre. Jamais elle ne s'était trouvée seule dehors la nuit, sauf à Corusca, et là-bas, c'était différent. Sa mère était toute-puissante sur l'île, et même si elle rencontrait quelqu'un, on la reconnaissait et elle ne risquait que de se faire entraîner dans une pêche au lamparot – on savait que Harriet ne s'y opposerait pas.

Victoria adorait Corusca. C'était l'endroit au monde qu'elle préférait, et une des plus violentes querelles qu'elle avait eues avec Harriet avait été provoquée par les projets de construction d'un hôtel près de la grande maison. Finalement, rien n'avait été fait, mais Harriet n'avait probablement que repoussé le projet. Jamais elle ne renonçait.

Le sac lui semblait deux fois plus lourd qu'au départ, et on aurait dit qu'il avait décidé de son propre chef de la heurter derrière les genoux à chaque pas. Victoria eut soudain la nostalgie de son lit, bien en sécurité derrière les murs de la pension. Mais le portail devait être fermé, maintenant, et elle ne pourrait pas rentrer. Il ne lui restait plus qu'à continuer.

Heureusement pour elle, l'argent n'était jamais un problème. Dès son plus jeune âge, on lui avait donné plus qu'elle ne pouvait dépenser, et maintenant elle avait les cartes de crédit de plusieurs magasins et son propre compte en banque sur lequel elle déposait les sommes reçues à son anniversaire. Son père ne lui envoyait jamais d'argent, mais de superbes vêtements pour naviguer ou des livres techniques sur la construction des bateaux – quand il se souvenait des fêtes. Ce n'était pas toujours le cas. Enfin, acheter un billet d'avion n'avait été qu'un jeu d'enfant. Elle l'avait demandé tout simplement par téléphone à l'agence habituelle de sa mère.

– Je vais aller voir mon père en Angleterre. Je n'y suis encore jamais allée. Oui, je suis tellement excitée ! Maman dit que je dois voyager en première, est-ce possible ? C'est très gentil. Merci. Merci beaucoup.

Le prix du billet serait porté sur l'énorme facture de la Corporation, et si quelqu'un devait jamais poser des questions à ce sujet, ce serait de toute façon trop tard : elle serait loin.

Enfin les faubourgs de la ville. Des garçons, adossés à la porte d'un bar, la sifflèrent et lui crièrent :

– C'est toi ma jolie ?

– Et si tu me laissais t'aider à porter ton gros sac ?

Victoria les ignora jusqu'à ce qu'un grand jeune homme maigre la rejoigne.

– C'est quoi ton nom ? Je peux t'offrir un verre ?

– Fiche le camp ! rétorqua-t-elle en le foudroyant du regard. Je n'ai aucune envie de te parler, alors laisse-moi tranquille.

Le garçon obéit, parce qu'elle était vraiment très jolie et qu'il avait encore peur des filles. Les sobriquets dont ils la qualifièrent la suivirent jusqu'au bout de la rue.

Le bus ne partait qu'à une heure du matin. Victoria se recroquevilla sur un banc de la gare routière, très consciente que deux des chauffeurs présents parlaient d'elle. Au bout d'un moment, l'un d'eux, la quarantaine, un peu gros, s'approcha et se pencha vers elle.

– Qu'est-ce que tu fais ici, petite ? Ta mère sait que tu es là ?

– Je vais la rejoindre, mentit Victoria. J'étais chez mon père. Il... Ils sont divorcés. Ils ne s'entendent pas très bien. Je devais rentrer à la fin des vacances, à cause de l'école, mais il n'a pas voulu. Il ne veut pas me laisser partir, mais il travaille toute la journée et il boit. Je me suis dit que je serais mieux chez moi pour les dernières semaines de l'année scolaire. Je vous promets que je l'appellerai dès mon arrivée, mais de toute façon, il saura très bien où je suis.

– C'est bien vrai, tout ça? C'est dangereux, pour une petite fille comme toi, d'être toute seule dehors la nuit.

– J'ai dix-sept ans! Presque.

Le chauffeur hocha la tête. Il revint vers les autres et ils parlèrent un moment de la dégradation choquante de la vie de famille de nos jours. Quelqu'un apporta un café et un sandwich à Victoria et on l'installa dans la pièce réservée au service jusqu'à l'arrivée du bus.

Elle avait calculé à la minute près son trajet. Elle serait à l'aéroport à six heures pour le vol de sept heures, avant que l'école ne découvre sa disparition, avant que sa mère ne soit alertée et ne devine ce qu'elle mijotait. Elle avait cependant négligé d'envisager sa fatigue. Elle était tellement épuisée qu'elle arrivait à peine à mettre un pied devant l'autre en descendant du bus, et elle voyait le monde à travers un brouillard. Cela n'aurait surpris aucun de ceux qui la connaissaient : Victoria pouvait sans problème faire le tour du cadran sans se réveiller. Elle avait presque envie de pleurer. Si sa mère était entrée dans la salle d'attente de l'aéroport ce matin-là, Victoria serait tombée dans ses bras avec soulagement.

Mais tout se passa bien. Apparemment, il y avait tout le temps des filles de son âge qui empruntaient seules des vols internationaux. Elle se rendit aux toilettes pour tenter de se réveiller en s'aspergeant le visage d'eau froide et faillit ne pas entendre qu'on appelait son vol. Elle courut jusqu'à la porte, mais le stewart avait tout son temps, et il engagea la conversation :

– Inutile de courir, mademoiselle, on ne partira pas sans vous. Hawksworth... Auriez-vous un lien avec les hôtels Hawksworth? demanda-t-il avec un sourire, certain qu'elle allait le détromper.

– Oui, c'est la famille, répondit-elle d'une voix tendue. Je vais voir mon père.

– Votre mère vous a-t-elle accompagnée? demanda-t-il en cherchant du regard la silhouette familière de Harriet.

– Je lui ai dit de rentrer à la maison. C'est embarrassant quand tout le monde nous regarde, et puis elle pleure toujours pour les départs. Ne dites à personne qui je suis, vous voulez bien?

– Si vous le souhaitez, mademoiselle.

Il était soudain devenu beaucoup plus respectueux. Victoria pénétra dans l'avion et s'installa. Elle avait réussi ! Tout lui sembla tourbillonner, irréel, dans une brume d'épuisement. Elle était certaine que, si elle fermait les yeux ne fût-ce qu'une seconde, elle entendrait Carrie l'appeler pour qu'elle se lève et s'habille. Ses yeux se fermèrent. Comme ce serait bon de voir Carrie ! Les aventures étaient vraiment effrayantes quand elles se réalisaient ! Elle ne bougea même pas quand l'hôtesse vint lui attacher sa ceinture.

2

Le cottage de Jake n'était pas du tout comme Victoria l'imaginait. Elle s'attendait à trouver une maison bien moins délabrée – clôture cassée, porte d'entrée remplacée par une horrible plaque de verre cathédrale mal ajustée entre les colombages anciens, pots de peinture et débris de bois dans les taillis désordonnés du jardin. La triste maisonnette était de surcroît écrasée par trois vastes hangars en aluminium luisant d'où sortait le son de radios, de marteaux en action, de machines qui grinçaient et bourdonnaient.

Elle eut à peine à toucher la porte du cottage pour qu'elle s'ouvre. Comme on ne lui avait jamais rien refusé, Victoria était habituée à entrer où il lui plaisait. De plus, à l'heure qu'il était, sa mère avait déjà dû prévenir Jake de son arrivée, si bien qu'elle était sûre qu'on l'attendait. Mais l'intérieur du cottage ne montrait aucun signe de préparatifs en vue de son arrivée. Il y flottait une odeur de corps sales, de bière et de chien.

Le chien en question se leva de sa sieste devant les cendres froides de plus d'un feu qui avaient débordé sur un vieux tapis, et se mit à aboyer. C'était une sorte de chien d'arrêt à la mâchoire large, et très bruyant. Victoria s'en écarta, parce qu'elle n'avait pas l'habitude de côtoyer des animaux. Sa mère aimait bien les chiens et disait souvent qu'elle voudrait en avoir un si elle vivait dans une maison, mais en secret Victoria en avait peur.

– Fiche le champ, horrible chose, s'exclama-t-elle en se repliant derrière un canapé crasseux qui perdait son rembourrage.

– Je peux faire quelque chose pour toi?

Une femme s'encadrait dans la porte. Elle avait l'air de sortir du lit avec ses cheveux blonds emmêlés, sa robe de chambre rose froissée et ses orteils nus au vernis écaillé.

– Je cherche mon père, dit Victoria d'un air hautain. Jake Jakes. Je m'appelle Victoria Jakes.

– Oh, oui! dit la femme en levant un sourcil. Ta mère a appelé, à demi folle d'inquiétude. Je lui ai dit ce que je vais te répéter : Jake est pas là.

– Mais... Où est-il?

Jamais Victoria n'avait envisagé cette éventualité. Non, elle n'avait pas enduré un aussi long et aussi pénible voyage pour ça!

– Si je le savais! dit la femme en haussant les épaules. A ce qu'on dit en ville, il est parti discuter bateaux avec un type et s'est retrouvé en mer avec lui.

– Oui, dit Victoria, ça ressemble bien au genre de chose qu'il fait. Il est toujours très gentil.

– Gentil? Jake? Je dirais plutôt qu'il s'est dit qu'il avait une chance de sauter la femme du type. Ce salaud a même pas laissé un message. Il compte sur moi pour rester ici, nourrir le chien et lui souhaiter la bienvenue quand il rentrera.

Victoria ne comprit pas grand-chose, mais elle se dit que cette femme n'était pas du tout le genre de personne qu'aurait dû fréquenter son père.

– Sait-il de quelle façon vous tenez sa maison pendant son absence? demanda-t-elle d'un air de grande dame. Je ne crois pas qu'il aimerait ce désordre.

La femme allait allumer une cigarette. Elle se figea de surprise.

– Ecoute un peu, mademoiselle Toute belle Toute propre, si Jake veut qu'on nettoie sa maison, il a qu'à payer pour ça. J'ai essayé une fois de nettoyer, et j'ai rien eu d'autre en remerciement qu'une baffe. C'est un porc dans une porcherie, c'est ça qu'il est, et je resterai pas là à me faire insulter. J'ai une jolie maison à moi, et j'ai eu bien tort de la quitter. Je m'en vais. Tu pourras nourrir le cabot toi-même.

– Je lui répéterai exactement ce que vous avez dit quand il rentrera, dit Victoria.

La femme poussa un rire rauque et sonore.

– Te fatigue pas, chérie. Je lui ai dit tout ça si souvent qu'il le sait par cœur. Tu devrais appeler ta mère. Elle est très inquiète.

La femme partie, Victoria ne sut quoi faire. Elle avait grand faim, mais le frigo ne contenait que des yaourts moisis, des boîtes de bière et un morceau de fromage dur comme la pierre. Elle songea à se coucher, mais l'odeur des lits lui souleva le cœur. Le chien la suivait partout en bavant horriblement. Victoria sentit monter en elle une vague de colère contre sa mère. Comment pouvait-elle vivre dans le luxe alors que Jake se battait ainsi contre la pauvreté, contre la misère ! Comme il était courageux de ne jamais se plaindre ni réclamer d'argent ! Même si cela devait être le dernier acte de sa vie, elle contraindrait sa mère à faire quelque chose pour Jake. Il devait dépenser tout son argent en voyages pour venir la voir, et elle comprenait maintenant que ses cadeaux fussent si rares. Ces pensées la firent pleurer.

La faim la conduisit finalement aux hangars. Elle frappa doucement à l'une des énormes portes où une pancarte disait : « Entrée interdite – et ça veut dire : fous le camp, qui que tu sois, et va emmerder quelqu'un d'autre. » Comme les coups de marteau et les sifflements ne s'interrompaient pas, elle poussa la porte et entra. Un homme, devant un grand bureau couvert de papiers, la vit et rugit :

– Tu sais pas lire ? Fous le camp !

Victoria trembla, mais avança d'un pas résolu.

– Rien ne vous autorise à me parler sur ce ton. Cette entreprise appartient à mon père.

L'homme posa son crayon et la regarda fixement.

– Victoria... Tu dois être Victoria ! Eh bien, t'es drôlement plus jolie que ton père ! Je m'appelle Mac, au fait. Je t'ai connue quand tu portais encore des couches.

– Bonjour, dit froidement Victoria. Pouvez-vous me dire où est mon père ?

– Pas la moindre idée, dit Mac en se levant.

Les années passant, il était devenu un peu moins taciturne, et beaucoup plus prospère. Il avait maintenant une maison à Cowes et une liaison avec une riche veuve. Ils passaient leurs soirées ensemble à se frotter les mains devant leurs relevés de comptes en banque. A présent, il ne cachait plus qu'il trouvait le style de vie de Jake ridicule, ses méthodes de travail scandaleuses et ses profits stupéfiants.

– Il vaut mieux que je t'emmène à l'hôtel, à Cowes, dit-il à Victoria. J'ai ma Mercedes dehors. Tu seras bien mieux installée ailleurs.

– Je ne peux pas quitter le cottage, dit Victoria. Cette femme m'a dit de nourrir le chien. Mais il n'y a rien à lui donner.

– Oh, Seigneur ! dit Mac en levant les yeux au ciel. Je m'occuperai du chien, et tu vas t'installer dans un lieu décent. Dès que ton père reviendra, vous pourrez bavarder un peu, et tu rentreras chez ta mère. Harriet doit être aux cent coups.

– Vous connaissez ma mère ?

– Que oui ! Et il n'y a pas de meilleure femme sur terre.

L'opinion de Mac était légèrement influencée par la richesse de Harriet, qui avait effacé tous les doutes qu'il avait pu nourrir à son sujet.

– Dans ce cas, je vais rester ici.

Victoria fit le tour du bureau et s'assit dans le fauteuil de Mac. Il la regarda bouche bée.

A cet instant, la porte s'ouvrit et Jake entra. Une odeur de whisky et d'eau de mer se mélangeait en un cocktail écœurant, il ne s'était pas rasé depuis trois jours et ses yeux étaient rouges comme ceux d'un chien de garde insomniaque. Victoria se leva, mais son sourire se figea sur ses lèvres : il ne la voyait pas.

– Saleté de temps ! dit Jake. Tout le monde a été malade, à part moi. Et même moi, je peux pas baiser une bonne femme qui dégueule ! Tu parles d'une réjouissance !

– Et t'as pas eu l'idée de nous prévenir ! dit Mac d'un ton aigre.

– Je n'ai pas pensé que tu me regretterais, vieux salaud ! Admets-le, tu n'as qu'une hâte, c'est de te débarrasser de moi.

Il bâilla en ouvrant un four énorme et retira son ciré.

– Bonjour, papa !

Il tourna la tête comme s'il avait pris un coup.

– Putain de Dieu, Victoria ! Oh, Seigneur, non !

C'en était trop pour elle. Elle s'était imaginé que Jake allait lui ouvrir grand les bras, qu'il l'embrasserait, qu'il verserait peut-être même une larme dans ses cheveux. « Je savais bien qu'un jour tu viendrais vers moi, devait-il murmurer, je suis le seul qui te comprenne vraiment. » Non, elle ne s'attendait vraiment pas à cette expression d'horreur absolue sur son visage. Elle se leva et partit vers le cottage en pleurant.

– Dis-moi que c'est un cauchemar ! Je t'en supplie, fais-la partir ! dit Jake en fermant les yeux pour exclure de sa tête le monde extérieur.

– Elle s'est enfuie pour retrouver son papa chéri, dit Mac avec un petit rire. Harriet appelle toutes les heures, alors il faut que tu la rassures. Ah, et puis tu n'as plus rien pour le chien.

– Est-ce que Deirdre pouvait pas sortir de sa cuite pour aller acheter des boîtes ? Oh, Seigneur ! Je l'avais oubliée. Deirdre !

Il sortit du hangar en courant. Il retrouva Victoria qui sanglotait sur une chaise de cuisine.

– Tu peux arrêter ! dit Jake. Est-ce que Deirdre est là ? Elle était là quand je suis parti.

– Elle est partie à mon arrivée, dit Victoria en reniflant. Elle m'a dit de nourrir le chien, mais il n'y a rien à lui donner !

– Et qu'est-ce que tu crois que c'est, ça ? dit-il en dégageant une caisse de boîtes cachée sous une pile de journaux. Je savais bien qu'il pouvait pas avoir déjà tout bouffé.

Le chien, sentant que le dîner approchait, se hissa lentement sur ses pattes. Jake ouvrit une boîte d'un tournemain et en renversa le contenu sur une assiette encore maculée de traces d'œuf.

– C'est dégoûtant! dit Victoria en se retenant de vomir.

– Oh, nom de Dieu! dit Jake en la regardant à nouveau d'un air épuisé.

Il fit du thé et ils s'assirent de part et d'autre de la table pour le boire.

– Il faut que tu appelles ta mère, dit-il.

– Je ne veux plus jamais lui parler! Comment a-t-elle pu te laisser vivre ainsi! dit Victoria en montrant du bras la cuisinière incrustée de graisse, le chien, les tasses à café sales sur le manteau de la cheminée, le papier peint qui se décollait, tout.

– Oui, c'est un peu en désordre, dit Jake qui avait suivi son regard avec une certaine objectivité. Je ne suis pas souvent là, et deux fois par an une femme vient faire le grand ménage. Elle doit venir dans une ou deux semaines. Mais qu'est-ce que Harriet vient faire là-dedans?

– Pas la peine de faire le brave, dit Victoria en refoulant ses sanglots. Je sais combien tu es indépendant.

– Eh! J'ai une maladie mortelle ou quoi?

– Bien sûr que non, mais tu es pauvre!

Elle avait dit ce mot comme s'il s'agissait effectivement d'une maladie, et mortelle de surcroît.

– On voit tout de suite qui t'a élevée, dit Jake en gloussant. Appelle ta mère, tu veux bien, et dépêche-toi. J'ai une cuite de tous les diables et je n'aime pas me répéter.

Il attendit sur sa chaise que Victoria compose le numéro. Finalement, elle dit d'un ton glacial :

– Bonjour, maman, c'est moi!

Même loin du téléphone, Jake entendait la voix hystérique de Harriet qui montait et retombait, passant des pleurs à la colère, du soulagement aux remontrances. Il fit signe à Victoria de lui passer le combiné.

– Harriet, tais-toi, tu veux, c'est moi. Je la remets dans le premier avion, d'accord?

– Non! cria Victoria. Je ne le prendrai pas!

– Tu feras ce qu'on te dit, ordonna Jake à sa fille. Au fait, Harriet, elle croit que tu me laisses végéter dans la misère. Elle trouve que tu devrais aider le pauvre vieux Jake, c'est pas gentil?

Harriet ne dit rien pendant un moment, puis elle reprit d'une voix calme :

– Ecoute, Jake, je ne crois pas que ce soit une bonne idée de la renvoyer tout de suite. Elle est très instable, ces derniers temps. Garde-la un peu. Vous aurez une occasion de mieux vous connaître.

– Pas question! Je te la renvoie tout de suite, et y a pas à discuter!

Il avait crié si fort que sa tête lui fit un mal de chien. Il n'était pas en état de supporter une altercation.

– Ce serait bien pour vous deux, affirma Harriet. De toute façon il faut que tu la gardes, parce que je l'ai retirée de son école et que je ferme la maison ici pour entreprendre une longue tournée des hôtels. Alors elle n'a nulle part où aller, à part Corusca, et je crois que Nathan y est en ce moment.

– Tu ne lui as quand même pas permis de fréquenter ce vaurien? C'est ça, le fond de l'histoire?

– Pas du tout, dit Harriet dont la voix se cassa. Je voudrais que tu arrêtes de me crier dans les oreilles, Jake. Je n'ai pratiquement pas dormi, et j'étais morte d'inquiétude. Il est temps que tu aies ta part de soucis. J'ai eu ma dose!

Il soupira. Harriet souffrait. Il souffrait plus encore.

– Pas la peine de pleurer. J'essaie seulement de te dire qu'elle ne peut pas rester ici.

– Alors à toi de trouver une autre solution, dit Harriet d'une voix épuisée. Je n'ai plus la force de discuter.

Elle raccrocha. Jake ferma les yeux. C'était trop, surtout avec une cuite, le manque de sommeil, le vague souvenir d'un rendez-vous avec Cassandra à l'hôtel ce soir...

– Il faut trouver quelqu'un pour nettoyer tout ça, dit Victoria d'un air de dégoût. Je paierai.

– Ma chère Victoria, dit Jake en ouvrant péniblement les yeux, mettons les choses au clair une fois pour toutes : je ne suis pas pauvre. En fait, mon comptable aimerait me voir partir pour un paradis fiscal, alors je crois que nous pouvons considérer que je peux subvenir aux nécessités de la vie.

– Alors...? dit-elle en montrant la pièce.

– C'est comme ça parce que je n'ai aucune envie que ça change. Ça me convient. C'est comme ça depuis le départ de ta mère... Je dois admettre qu'à son époque, c'était bien plus propre.

Victoria prit le téléphone.

– Je vais appeler l'entreprise de nettoyage. Maman a toujours ce côté bonne ménagère...

– Non, ma belle, dit Jake en raccrochant le combiné. Si tu veux que ce soit propre, à toi de nettoyer. Je t'aiderai. Nous serons de bonnes ménagères ensemble.

Il lui sourit de ses dents blanches. Un vrai sourire de tigre. Son visage était si différent de celui qu'elle avait l'habitude de voir qu'elle resta sous le choc.

– Pas question! dit-elle en serrant ses mains l'une contre l'autre comme pour les éloigner de toute saleté.

– On va faire le grand nettoyage de printemps, dit Jake en se levant. Tu peux commencer par défaire les lits. Il y a une machine à laver dans le hangar, là-bas. Au boulot!

– Non! dit Victoria.

Elle savait très bien dire non. Chez elle et à l'école, quand elle disait non sur ce ton, tout le monde s'affolait et tentait de la raisonner, de la calmer, de l'acheter, pour qu'elle fasse ce qu'on lui demandait. Jake ne fit rien de tel. Il lança le bras en arrière et la frappa violemment sur les fesses. Elle cria.

– Tu ne peux pas me battre!

– Je viens de le faire, et je recommencerai si tu ne te bouges pas.

– Espèce de brute!

– Exactement, chérie. Au boulot, j'ai dit!

Victoria s'exécuta à une vitesse qui aurait stupéfié son professeur de gymnastique, lequel avait passé des mois à tenter de la persuader de faire un peu plus que déambuler mollement sur le terrain de basket – en se plaignant du froid, en craignant pour ses ongles...

Le soir, le cottage n'était qu'à moitié nettoyé. Chaque soupir de Victoria rendait Jake un peu plus furieux, si bien qu'il prolongea et prolongea encore le temps de travail jusqu'à ce qu'ils se retrouvent presque forcés de passer les solives à la chaux. Les rideaux suivirent les draps dans la machine à laver et rétrécirent. Pendant qu'ils battaient au vent sur le fil, Jake nettoya la moitié des fenêtres de la maison, mais Victoria se dit qu'elle n'y arriverait pas et laissa sa moitié sale. Alors il la fit grimper à l'échelle et nettoyer aussi l'extérieur de celles de l'étage qui ne s'ouvraient pas. Elle gémissait de peur, mais elle craignait trop Jake pour redescendre avant que le travail soit terminé.

Ils retirèrent le tapis du salon et lavèrent le carrelage en dessous. Après, Jake dit à Victoria de passer sur les carreaux une mixture grasse qu'on utilisait sur les ponts des bateaux. Il ne l'avait encore jamais fait, mais cela lui sembla une bonne idée. Puis ils shampouinèrent le tapis dehors.

– C'est ridicule, geignait Victoria dont les cheveux tombaient dans la mousse pendant qu'elle frottait. On devrait jeter un aussi vieux tapis. C'est dégoûtant.

– Il a une valeur sentimentale pour moi, dit sombrement Jake. C'est sur ce tapis que se tenait ta mère quand elle m'a tout jeté à la tête. Rien ne pourrait le remplacer.

– Tu la faisais travailler comme ça?

– Ta mère n'a jamais été paresseuse. Si tu savais ce qu'elle a pu abattre comme travail pour toi, tu serais un peu plus reconnaissante!

Tout à coup, Victoria s'assit sur ses talons, sur le tapis

trempé, dans son jean crasseux, avec ses ongles cassés. Elle était épuisée, affamée, misérable.

– Je veux rentrer à la maison ! gémit-elle avant que les larmes se mettent à ruisseler sur ses joues.

– Dommage. Tu as voulu venir, il faudra que tu restes.

Mais il se dit qu'il était un peu dur. Ce n'était pas la faute de cette gamine si elle avait été élevée dans l'idée qu'il y aurait toujours des larbins pour faire son travail. Et puis sa cuite était presque dissipée, et le besoin de donner des coups de pied à tout le monde et à tout ce qui se présentait n'était plus qu'un lointain souvenir.

– On va le laisser sécher et aller manger, dit-il d'un ton joyeux.

– J'ai cru que tu allais me faire mourir de faim.

Il lui sourit, et elle retrouva le Jake qu'elle connaissait.

– Tu l'as bien mérité, mais ce serait plutôt bizarre si on avait tous ce qu'on mérite. On va faire un saut au pub pour manger un morceau.

– Je ne peux pas y aller comme ça, dit-elle en montrant ses cheveux.

– Si tu ne viens pas comme ça, tu vas mourir de faim. Viens !

Victoria grogna jusqu'au pub où ils entrèrent, sales, dépenaillés, Jake avec son pantalon troué aux genoux et un pull dont même un clochard n'aurait pas voulu.

– Et qui c'est donc ? demanda la serveuse. Un peu jeune pour toi, Jake !

– Ma fille. Une pinte, s'il te plaît, Mabel, un Coca-Cola pour Victoria. Et deux poulets frites.

– Est-ce que je ne peux pas consulter le menu ?

Depuis l'âge de trois ans, Victoria avait dîné à la carte dans les meilleurs restaurants.

– Il y a que ça de mangeable, crois-moi sur parole. Oh, nom de Dieu, Cassandra !

Jake n'était pas du genre à rater un rendez-vous. Il fourra quelques billets dans la main de Victoria.

– Ecoute, tu peux avoir ma part. Nourris le juke-boxe, ou je ne sais quoi, je reviens dans une petite heure.

Il avala presque toute sa bière, dit à Victoria qu'elle pouvait avoir la fin, et partit. Le regard de Mabel passa de la porte qui se refermait au visage choqué de Victoria.

– T'en fais pas, ma jolie ! Tu le vois pas souvent, hein ?

– Non. Il n'a jamais... Il ne s'est jamais conduit ainsi, avant.

– T'en fais pas, c'est tout, dit Mabel en lui tapotant la main. Finalement, c'est pas un mauvais gars, une fois qu'on s'y habitue. Il a trop de charme, et il s'en sort toujours. Tout le monde dit que ta mère était la seule capable de le tenir, mais j'imagine que même elle en a eu marre de ses allées et venues. C'était avant mon époque.

– Que voulez-vous dire... allées et venues?

– Eh bien, dit Mabel en haussant les épaules, comme sont toujours les hommes. Mais tu es trop jeune pour t'en faire pour ça, et en plus, avec toi ici, il se calmera peut-être un peu. Il était plus déchaîné que jamais, ces derniers temps. Qui sait ce qu'il va faire maintenant...

Victoria réfléchit en silence, goûtant tour à tour le Coca-Cola et la bière. Quand les plats arrivèrent, elle dévora tout, frites pas assez cuites et poulet ramolli. Deux jeunes gens jouaient au billard. Alors qu'elle terminait son repas, le plus grand, assez beau garçon, s'approcha et s'assit près d'elle.

– Salut! Ça t'ennuie qu'on partage cette table?

– Pas du tout, dit Victoria avec cet air hautain qu'elle prenait pour cacher sa gêne quand un garçon lui parlait.

– T'es la fille de Jake, c'est ça? Victoria?

– Oui. Comment le savez-vous?

– Oh, je travaille au hangar.

Il s'attendait clairement à ce qu'elle le félicite, mais il fut déçu.

– J'imagine que c'est le cas de beaucoup de gens par ici.

– Non! C'est un travail difficile. Jake prend pas n'importe qui. Dis donc, si je t'offrais un verre?

Il lui commanda du gin. Victoria n'avait encore jamais bu d'alcool fort, même si elle avait goûté les meilleurs vins. Paul, puisque c'était le nom du garçon, se révéla intelligent et drôle. Elle se dit que jamais de sa vie elle ne s'était autant amusée.

– Si on sortait respirer un peu? suggéra-t-il.

– Ce serait bien.

Elle le précéda jusqu'à la porte.

Il faisait très sombre dehors, et plutôt froid. Victoria frissonna.

– Il fait plus chaud par ici, dit Paul en l'entraînant dans l'embrasure d'une porte.

Il lui passa soudain des mains impatientes autour de la taille et alors qu'elle ouvrait la bouche pour protester, il l'embrassa. La sensation d'une langue entrant dans sa bouche comme la tête d'un ver aveugle était tellement incroyable qu'elle fut trop paralysée pour résister. Il sentait la bière. C'était agréable, effrayant, révoltant à la fois. Puis une grande main puissante se referma sur sa poitrine, la première main qui l'ait jamais touchée. Un mélange de sensation parcourut son corps et elle prit soudain conscience d'une impression de chaleur dans son ventre, entre ses jambes. Elle s'écarta de lui.

– Arrête!

– T'aurais pas dû venir ici, si t'aimes pas ça, dit-il très excité. Tu aimes ça, non? Il se pencha pour l'embrasser à nouveau et elle le laissa faire. Mais maintenant sa main était descendue au niveau de son jean, lui touchait les fesses, essayait de se glisser entre ses jambes.

– Non!

Elle s'échappa, mais il la coinça dans un coin.

– Allons, murmura-t-il en l'écrasant contre le mur. Tout en lui était dur, menaçant, avide.

– Non! Laisse-moi tranquille!

– Victoria? Mais qu'est-ce que tu fais là?

Paul fit un bond en arrière quand la silhouette carrée de Jake sortit de l'obscurité.

– Mabel m'a dit que tu étais sortie avec quelqu'un, et regarde un peu qui est là!

– Il ne voulait pas me laisser tranquille, dit Victoria d'une voix larmoyante.

– Non, vraiment?

Jake se tourna vers son employé terrifié.

– C'est elle qui a voulu venir, monsieur! Elle n'a pas dit... Je veux dire... Oh, mon Dieu!

Jake soupira d'épuisement. Cette journée n'avait pas été très bonne pour lui. Elle aurait dû être confortable, détendue, et elle s'était révélée ardue, difficile, et maintenant embarrassante. Comment pouvait-il en vouloir à quelqu'un de faire ce qu'il avait fait un million de fois? Mais à quoi ces filles s'attendaient-elles donc quand elles sortaient dans la nuit avec un type? A philosopher?

– Ecoute, Paul, on en reparlera demain matin. Victoria, monte dans la voiture!

Jake conduisait une vieille Land-Rover inconfortable. Victoria se recroquevilla sur le siège du passager. Elle pleurait doucement.

– Qu'est-ce qu'il a fait? demanda Jake en démarrant.

– C'était horrible, dit Victoria.

– Horrible à quel point?

Jake ne savait pas vraiment où en étaient les connaissances et l'expérience de Victoria. Il imaginait vaguement que toutes les filles en Amérique étaient sans doute sexuellement actives dès treize ans.

– Il a mis sa langue dans ma bouche, dit Victoria en éclatant en sanglots.

Jake conduisit un moment en silence pour réfléchir. Comme il regrettait maintenant de ne pas avoir discuté avec Harriet chaque fois qu'elle voulait qu'ils parlent de Victoria! Mais leurs relations étaient si tendues et si pénibles... Au fil des années, il lui avait semblé plus facile de surmonter ses émotions en restant superficiel avec Harriet. Il arrêta la voiture et regarda sa fille pleurer dans un mouchoir en papier.

– Ça a été une rude journée pour toi, hein? dit-il gentiment.

– Une journée horrible.

Il lui toucha les cheveux, bien que ce geste l'embarrassât. Puis il replaça ses mains sur le volant et regarda droit devant lui.

– Tu sais comment on fait les bébés, je suppose?

– Pas la peine de me le dire. Maman l'a fait.

– Oh, alors c'est à nouveau « Maman », hein? Est-ce qu'elle t'a tout dit? Sur la façon dont les hommes ressentent ce genre de chose?

– Juste les œufs, etc. Certaines filles à l'école ont... tu sais.

– Oh, oui, je sais, dit Jake.

Combien il savait, lui qui avait passé les deux dernières heures avec une dame qui aurait dû savoir... Il n'avait pas vraiment apprécié, ce qui était habituel chez lui lors de telles rencontres. Elles semblaient si indifférentes...

– Ecoute, commença-t-il, les hommes – la plupart des hommes – ont de considérables pulsions sexuelles, surtout quand ils sont jeunes. Alors il n'y a rien qu'ils veulent plus que... le faire, dit-il en transpirant à grosses gouttes tant la conversation le gênait. Tu sais ce qui arrive, alors, hein?

– Maman n'a rien dit de la langue, grommela Victoria.

– Et tu n'as pas aimé ça? C'est plutôt amusant, quand on s'y habitue.

– Tu n'as tout de même pas fait ça à Maman!

– Oh, Seigneur!

Jake se sentit rougir des orteils à la racine des cheveux, et il fut heureux qu'il fît noir.

– Les gens font beaucoup de choses bizarres avant de vraiment... enfin. Mais on doit aimer quelqu'un avant de se mettre à faire ces choses, ce n'est pas à prendre à la légère.

Il se dit soudain que depuis des années il n'avait pas aimé une seule des femmes avec qui il avait couché. Pour éviter la noyade, il continua :

– Tu es une très jolie jeune fille, Victoria. Quand tu sors dans l'obscurité avec un jeune homme comme Paul, dont le seul but dans la vie est de mettre sa... – je veux dire, de faire l'amour –, alors il ne sera pas content si tu fais des difficultés.

– Il a été horrible, pleura Victoria. Il n'arrêtait pas de me toucher.

– Eh bien, c'est ce qu'il était censé faire, protesta Jake. Tu n'aurais pas dû sortir si tu ne voulais pas qu'il le fasse!

– J'ai pensé qu'il pourrait m'embrasser. Je n'ai pas pensé que ce serait...

– La langue, dit Jake avec résignation. Des jeux de grandes personnes, chérie. La prochaine fois, assure-toi que tu veux bien y aller, et que tu connais le type avec qui tu y vas. En fait, Paul est un gentil garçon. Il a dû croire qu'il avait gagné le gros lot.

– Je ne veux plus jamais le revoir! enragea sa fille.

– Ce que j'essaie de te dire..., continua Jake sans relever les humeurs de l'adolescente et sans savoir ce qu'il essayait de dire. Tout le problème c'est..., tenta-t-il à nouveau. Oh! bon sang! Quoi que tu fasses, Victoria, garde ta culotte. Je n'ai pas envie d'aller dire à ta mère que tu as perdu ta virginité. Je n'ai pas ce genre de courage. Est-ce que c'est clair?

Elle le regardait avec horreur.

– Tu es dégoûtant, murmura-t-elle avant de se remettre à pleurer.

3

Au matin, Jake et Victoria furent très polis l'un envers l'autre. Jake se dit que peut-être il n'avait pas fait très bonne impression la veille, et il fut surpris de constater que cela l'ennuyait. C'était sa fille, élevée dans le luxe, sans expérience, et il l'avait fait travailler comme une esclave, l'avait exposée aux désirs incontrôlés d'un de ses ouvriers et enfin l'avait fait dormir dans une chambre lugubre au papier peint à demi décollé. Il mit donc une nappe sur la table du petit déjeuner, y déposa une assiette pour couvrir une tache de moisissure et fit griller du pain.

Victoria mangea avec une étrange expression sur le visage.

– Tu ne manges donc jamais convenablement? finit-elle par demander.

– Qu'est-ce que tu trouves à redire?

Jake n'avait jamais été très intéressé par la nourriture, et ces derniers temps moins que jamais.

– Le pain est moisi. J'imagine que ça ne me tuera pas, dit-elle en continuant de mâcher avec résignation.

– Ecoute, dit Jake au bout d'un moment, tu vois bien que je ne suis pas fait pour ce genre de chose. Tu ne préférerais pas retourner chez ta mère? C'est vrai, qu'est-ce que tu vas faire ici? Tu ne conduis pas, on est à des kilomètres de la ville, et même si tu y allais, tu en aurais vite fait le tour. Il n'y a que la voile, par ici, et personne avec qui tu pourrais en faire.

– Je suis contente de ne pas avoir su comment tu étais, soupira Victoria. Je te croyais merveilleux.

– Merci beaucoup.

Il fallait bien s'attendre à ce qu'elle perde ses illusions, mais cela lui fit mal de découvrir qu'il était décevant à ce point.

– On va l'appeler, hein? dit-il.

– Elle sera au lit.

– Je ne crois pas qu'elle se plaindra d'être réveillée par toi pour lui dire que tu es désolée d'être partie et que tu te rends compte de ta chance.

Jake composa le numéro, et quand Harriet répondit, à demi endormie, il se retrouva soudain transporté à l'époque où ils se réveillaient ensemble et restaient allongés pour parler dans l'obscurité du matin. Il fut comme étranglé par cette nostalgie inattendue.

– Harriet? dit-il dans un souffle.

– Salut, Jake. Elle va bien?

– Oui, très bien, mais elle veut rentrer.

– Pas du tout, c'est toi qui veux t'en débarrasser. De toute façon elle ne peut pas revenir. Je pars ce matin.

– Ne fais pas d'histoires. Tu n'as qu'à t'arranger pour que quelqu'un l'accueille à l'aéroport.

– Mais je ne le ferai pas. C'est ton tour, Jake. J'ai autre chose à faire.

– Harriet, ce n'est pas le moment de discuter, c'est important. Tiens, je te passe Victoria.

– Maman? dit Victoria comme hors d'haleine. Il m'a fait tout nettoyer, et il n'y a rien à faire ici, et ma chambre est horrible. Je veux rentrer. Je suis désolée de m'être enfuie. Est-ce que je peux t'appeler dès que j'ai mon numéro de vol?

– J'ai reçu ta lettre hier, celle que tu as envoyée de l'école, dit Harriet d'une voix presque distante. Je crois que tu as probablement raison, je t'ai fait mener une vie trop protégée. Je suis désolée, ma chérie, mais j'ai organisé mon emploi du temps. Je croyais que tu voulais être avec ton père.

– Mais, Maman, c'est un porc!

– Vraiment, ma chérie? demanda Harriet avec une sorte de petit rire étranglé. Et dans ta lettre tu disais que tu serais parfaitement heureuse si tu vivais chez lui au lieu de chez moi, dans ce luxe scandaleux. De plus, je suis certaine que tu t'habitueras à lui et que tu trouveras quelque chose à faire.

– La salle de bain est immonde, déclara Victoria comme si c'était un argument définitif.

– C'est à ton père qu'il faut le dire. Ecris-moi au bureau, si tu le veux, chérie, ils feront suivre mon courrier. Amuse-toi bien, au revoir!

– Elle ne veut pas me reprendre, dit Victoria à son père d'un ton accusateur.

– C'est ce que j'ai compris.

Il avait l'air d'un homme qui aurait trouvé le Graal et se le serait fait voler. Il n'y avait rien d'autre à faire que de prendre les choses en main.

– Peut-être que c'est ce qu'il te faut, soupira-t-il. Tu n'auras qu'à aider aux hangars, c'est tout.

– Est-ce qu'on ne pourrait pas au moins faire arranger la maison? rugit Victoria. Les rideaux, les horribles taches brunes dans la baignoire, la nourriture...

– C'est vrai que j'ai laissé les choses se dégrader, soupira Jake. Il y a une entreprise en ville qui pourrait s'en occuper. Je t'y déposerai et tu pourras tout organiser.

– Moi? s'étonna-t-elle, à la fois flattée et terrifiée.

– Oui. C'est toi qui veux des tapis épais de cinq centimètres et des toilettes roses!

Il sortit travailler.

Pendant quelques jours, Victoria s'immergea dans les délices de la rénovation. Elle dépensa l'argent comme si elle faisait couler de l'eau : nouvelle porte d'entrée, cuisine intégrée, lambris pour le salon, et une baignoire qui bouillonnait assez bien pour imiter un jacuzzi. Par chance, Jake l'écoutait quand elle parla innocemment du jacuzzi, et il réussit à annuler presque tous ses excès en se rendant à la boutique.

– Elle a dit qu'elle avait la permission, dit le vendeur très déçu.

– Pas à ce point, dit Jake.

Il commençait à se rendre compte qu'il ne fallait pas s'attendre à ce que Victoria soit raisonnable. Elle boudait dans la voiture.

– Une cuisine en stratifié n'aurait pas fait bien, dit-il à son visage tourné de l'autre côté.

– Elle est horrible pour l'instant. Avec mes idées, elle aurait été adorable.

– Dans un appartement new-yorkais, peut-être, mais pas dans un cottage de campagne près d'une rivière.

Comme il ne réussit pas à renvoyer Victoria au magasin, parce que, selon elle, il l'avait fait passer pour une idiote, il y retourna lui-même et commanda un nouveau poêle et un bloc évier.

– Je veux aussi deux buffets anciens en chêne, expliqua-t-il. Trouvez-les chez un antiquaire et portez-les sur la note, je n'ai pas le temps de chercher. Elle peut avoir sa salle de bain, mais pas cette foutue baignoire à bulles.

Il se rendit compte qu'elle lui faisait prendre conscience de son âge. C'était à cause de toutes ces soirées où ils se couchaient tôt; son système n'y était pas habitué. Le pire dans sa situation, se dit-il, c'était l'abstinence. Pas de séduction, pas d'alcool, pas d'absences inexpliquées. Harriet devait mourir de rire, se dit-il en se préparant à une nouvelle soirée avec Victoria, qui allait lire un peu, soupirer beaucoup et regarder par la fenêtre comme une génisse abandonnée dans un marécage.

– Tu pourrais au moins acheter un téléviseur, geignit-elle comme chaque soir.

Mais Jake n'était pas d'humeur à subir ses caprices.
– Pourquoi ne tricoterais-tu pas? Je travaille.
– Je ne sais pas tricoter. Tu vas m'apprendre?
Il fut soudain évident qu'elle cherchait autant la bagarre que lui. Le choc de se retrouver en elle lui fit oublier sa colère. Il rit.
– Allons manger quelque part. On pourra faire des rencontres.
Elle s'illumina comme un lustre, la bouderie disparaissant dans un sourire radieux. Mon Dieu, qu'elle est jolie! se dit Jake. Grande et mince, avec cette peau blanche, ces cheveux noirs et ses yeux gris-bleu si clairs. Elle courut à l'étage, mit un jean propre et un T-shirt moulant qui révélait trop ostensiblement l'absence de soutien-gorge.
– Je ne t'emmène pas dans cette tenue, déclara-t-il.
– Je te promets de garder mon manteau, dit Victoria en sortant en trombe du cottage.
Il n'eut pas la force de la contraindre à remonter se changer. Ils allèrent dans un bar où Jake était certain de retrouver quelques copains pour parler bateau. En effet, deux affréteurs buvaient dans un coin et des membres de divers clubs lui firent un signe de reconnaissance. Jake s'approcha des deux hommes à la table et leur présenta Victoria.
– Victoria, voici Geoff Lewes et Jim Defarge. Ma fille, Victoria.
– Je savais pas que t'avais une fille, dit Geoff, surtout pas aussi jolie.
– C'est pas souvent qu'on te voit en si bonne compagnie, ajouta Jim.
Maintenant qu'ils avaient fait leurs politesses, ils oublièrent totalement la jeune fille et s'engagèrent dans une longue conversation technique sur les fissures et les voies d'eau, les engrenages différentiels et la résistance des matériaux. Au bout d'un moment, Victoria se leva, alla au bar et commanda une salade de crevettes. Elle revint à la table, prit de l'argent dans la poche de Jake pour payer et mangea sa salade, le tout sans que les hommes lui prêtent la moindre attention. Elle retira son manteau.
Le calme relatif du bar fut rompu par l'arrivée d'un groupe de garçons qui apportèrent de l'air frais et leur exubérance. Victoria prit un air d'indifférence hautaine, ce qui changeait de l'ennui qu'exprimait tout son corps quelque secondes plus tôt. Elle avait tout de suite repéré qu'un des garçons était Paul.
Il la vit et rougit. Elle le salua d'un mouvement raide de la tête et regarda Jake nerveusement. Il ne remarqua rien. Paul s'approcha d'elle.
– Bonsoir. Je pensais te voir au chantier?

– J'étais occupée, dit-elle en faisant tourner son verre vide entre ses longs doigts.

– Tu veux boire quelque chose ?

– Ça va, merci.

– Vraiment, c'est sans problème. Du gin, c'est ça ? Viens par là, je te présenterai mes copains.

Quelle merveilleuse invitation ! Mais elle s'appliqua à montrer d'abord quelque réticence avant de traverser la salle et de se retrouver entourée d'un groupe de grands jeunes gens bien charpentés qui se demandaient comment Paul avait réussi un tel exploit. Ils voulaient tant impressionner la jeune fille qu'ils devinrent par trop bruyants et que le propriétaire dut leur demander à plusieurs reprises de mettre une sourdine.

– Et si on allait faire une balade, suggéra Paul. On a deux voitures. On y tiendra tous. Victoria pourra s'asseoir sur mes genoux.

– Je suis censée rester avec mon père, protesta-t-elle. Attendez, je vais lui demander.

Elle retourna à la table et posa son manteau sur ses épaules.

– Papa, je sors faire une promenade en voiture. A plus tard, OK ?

– Oh, Seigneur, ma chérie, dit Jake qui lui accorda soudain toute son attention. Je t'avais oubliée. Qu'est-ce que tu veux faire ? demanda-t-il en apercevant le groupe de garçons et Paul.

– Bon, j'y vais, dit Victoria en gagnant la porte.

Il ne pouvait la rappeler sans l'humilier devant tout le monde, si bien qu'il ne dit rien.

– J'aurais pas laissé ma fille partir comme ça, dit Geoff d'un air sombre.

– T'as pas de fille, ironisa Jake, t'as que des porcs lubriques de fils qui veulent séduire la mienne. Bon sang, où sont passés les bons vieux thés dansants, les chaperons et les ceintures de chasteté ?

– Ma femme aurait jamais laissé notre Annie sortir avec un groupe de garçons, commenta Jim. Quand elle sortait, on venait la chercher à la maison, on nous disait où elle irait, et on la ramenait à dix heures et demie pile. Et regarde maintenant : elle est mariée depuis cinq ans et elle a deux chouettes mômes.

Jake n'arriva pas à revenir à la conversation qui l'avait tant fasciné quelques minutes plus tôt. Il ne cessait de se demander s'il aurait dû faire une scène et refuser de la laisser partir, s'il aurait dû insister pour qu'elle s'habille autrement. Mais c'était sa faute de toute façon, parce qu'il l'avait oubliée... presque exprès. La conversation d'une gamine de seize ans n'est tolérable qu'à petites doses, se dit-il.

En temps normal, il aurait invité les copains pour un dernier verre chez lui après la fermeture du pub, mais ce soir, il n'était pas d'humeur. Il rentra seul au cottage et attendit au salon, toutes lumières allumées et rideaux ouverts, que Victoria revienne. Quelques années plus tôt, il avait tracé une sorte de route à travers champs pour arriver directement à la maison (même si elle était impraticable en hiver). Vers une heure et demie, alors que Jake était sur le point d'appeler la police pour demander s'il y avait eu des accidents cette nuit-là, une voiture s'engagea à pleine vitesse sur sa route, ses phares labourant le ciel noir. Elle s'arrêta dans un grincement de pneus et deux personnes entreprirent de s'extraire de l'enchevêtrement de corps à l'intérieur.

– Dieu merci, murmura Jake avec ferveur. Tant qu'elle n'est pas morte...

Toute gratitude s'évapora quand Paul et Victoria se collèrent l'un à l'autre devant la porte. Paul avait la respiration irrégulière et lourde, et Victoria riait ou disait doucement des choses. La bande, dans la voiture, les encourageait en murmures sifflants et excités. Jake ouvrit la porte d'un coup et alluma la lampe extérieure.

– Et qu'est-ce que vous croyez pouvoir faire là? s'entendit-il crier. Est-ce que tu te rends compte de l'heure qu'il est, Victoria? Paul? Rentre immédiatement, jeune fille, et au lit, tout de suite!

Elle passa devant lui comme une anguille et monta l'escalier.

– Je suis désolé qu'il soit si tard, monsieur, dit Paul qui avait du mal à reprendre contenance. Je ne savais pas que vous attendriez debout.

– Je n'attendais pas, mentit Jake.

Furieux, il claqua la porte – pour entendre une fenêtre de l'étage s'ouvrir et Victoria chantonner :

– Bonne nuit, Paul! Merci.

– A demain, répondit Paul.

Ils allaient continuer cette conversation galante quand Jake rouvrit la porte.

– Est-ce que tu vas filer! rugit-il. Je peux me passer de la scène du balcon!

Quand la voiture fut partie, il se versa un grand verre de whisky.

Au petit déjeuner, Victoria semblait plus heureuse qu'elle l'avait été depuis son arrivée.

– Tu vas beaucoup voir Paul, n'est-ce pas?

– Je ne sais pas, répondit la jeune fille en posant un regard rêveur sur la fenêtre de la cuisine.

– Je crois qu'il vaudrait mieux que tu ne sortes pas avec un groupe de garçons. S'il veut te sortir, il faudra qu'il vienne te prendre ici, qu'il dise où vous irez et qu'il te ramène à dix heures et demie pile.

– C'est complètement idiot, dit-elle en écarquillant ses yeux clairs.

– Ça n'a rien d'idiot. C'est raisonnable, sérieux et plus sûr.

– Si tu as peur que je tombe enceinte, je te promets que ça n'arrivera pas. Je sais tout à ce sujet.

Jake n'en revenait pas.

– La dernière fois qu'on a parlé, tu n'avais encore jamais embrassé personne ! Et maintenant, tu en es déjà à la contraception ?

– Es-tu contre le sexe en dehors du mariage ?

Elle mordit dans sa tartine de pain complet croustillant. Jake avait décidé de se faire livrer du pain frais chaque jour.

– Oui, s'exclama-t-il, absolument ! Pas de sexe avant que tu sois mariée.

– Comme maman et toi ?

– Oui ! Non ! Oh, Seigneur, Victoria, si j'avais su dans quels problèmes j'allais me mettre, jamais... il vaut mieux pas. Crois-moi. Je sais.

– Paul dit que tu as eu des tas et des tas de femmes, dit Victoria. Tes employés les voient repartir, rassasiées de passion.

– Je crois qu'ils confondent passion et cuite, dit amèrement Jake.

Dans cette joute, il n'avait pas le beau rôle, il était sur la défensive. Victoria prit l'habitude d'aller et venir dans les hangars pour aller chercher et transporter des choses, répondre au téléphone, toujours en jean moulant ou en short, ou avec cette robe de fin coton blanc qu'elle avait achetée en ville. La productivité tomba pratiquement à zéro quand le soleil se montra et que Victoria apparut en bikini. Mac exigea que Jake intervienne.

– On peut pas travailler avec tous les gars qui passent leur temps à la mater. Le pauvre Paul va devenir aveugle, à force, c'est sûr. Elle le torture.

– Parfait, dit Jake. Je commencerai à me faire du souci quand il aura l'air heureux. Tu sais, j'ai essayé de parler à Victoria, je n'arrête pas d'essayer. Elle dit que c'est malsain de voir le mal dans le corps humain. Que serait un monde où on ne pourrait pas profiter du soleil ? Elle veut qu'on se rende compte qu'elle serait trop habillée dans un camp de nudistes, ce qui est probablement vrai, je dois l'admettre. Mais je n'arrive pas à voir le rapport...

– Tu dois lui interdire les hangars. Il va y avoir un accident, et Paul deviendra infirme ! Une fille de son âge qui traîne comme...

– Attention, interrompit Jake. Ce n'est que son innocence qui lui permet ce genre de chose. Je ne te laissserai pas te conduire comme si...

– Elle se conduit comme si, insista Mac. Tu es son père, Jake. Pour une fois dans ta vie, il faut que tu prennes tes responsabilités.

Mais était-il vraiment responsable ? Après tout, il ne pouvait pas surveiller Victoria jour et nuit ; elle n'était ici que parce que Harriet l'avait attachée avec une laisse si courte que la gamine pouvait à peine respirer. Tout le monde doit pouvoir faire des expériences qui servent de leçon, raisonna Jake. Plus on l'étouffera, plus elle luttera. Il était temps pour Victoria de prendre une leçon de tenue.

Ce soir-là, quand Paul ramena Victoria à dix heures et demie et resta garé un temps interminable dans l'ombre, Jake fit comme s'il n'avait rien remarqué. Les autres soirs, il ouvrait tout de suite la porte de la voiture et envoyait Victoria dans la maison, mais cette fois, il se dit qu'il allait la laisser aller un peu plus loin, comprendre quel jeu elle jouait. Il ne pourrait pas toujours être là pour l'arrêter, elle devait voir à quel point les choses pouvaient mal tourner. Rien d'horrible ne pouvait se passer devant sa porte, mais elle pourrait avoir un choc. Il monta à l'étage et s'assit sur son lit. Il était tout de même inquiet.

Dans la voiture, Victoria était ivre d'excitation. Elle avait chevauché la crête des vagues pendant des jours, regardant les hommes la regarder, écoutant les déclarations d'amour passionnées de Paul chaque fois qu'ils étaient seuls.

– Laisse-moi me serrer contre toi, murmura-t-il. Laisse-moi sentir comment tu es.

La poitrine de Victoria aspirait douloureusement à ce que des mains la caressent, sa bouche était gonflée du désir des baisers. Elle voulait aller plus loin. Ce soir, elle portait sa robe blanche, délibérément provocante. Elle sentit les mains de Paul sur ses cuisses, elle les sentit tirer sur l'élastique de sa culotte.

– Si ton père arrive maintenant, il me tuera, murmura Paul.

Mais il ne pouvait résister à la tentation de toucher la douce virginité humide de la jeune fille de ses doigts d'ouvrier. Elle avait fermé les yeux. Il déboutonna son jean, plus rien ne pouvait l'arrêter. La précipitation le rendit presque brutal. La douleur ramena Victoria à la raison et elle comprit ce qui lui arrivait.

– Non! Je ne veux pas!

Elle ne voulait vraiment pas, elle voulait seulement le désir. L'homme sur elle n'était qu'un étranger, une brute qui se forçait un passage dans son corps. Elle cria, consciente de la douleur, de la pression, du volume en elle. Paul se retira, hors d'haleine.

Victoria ouvrit à la volée la porte d'entrée et se retrouva dans la maison sombre. Elle sanglotait. Cela lui faisait mal de marcher, ses jambes était gluantes. Jake alluma et la regarda. Rien n'aurait pu cacher ce qui était arrivé.

– Oh, mon Dieu!

Il courut jusqu'à la porte, mais c'était trop tard. Il entendit la voiture s'éloigner à toute vitesse.

– Je ne savais pas ce qu'il allait faire, sanglota Victoria. Je n'ai pas su jusqu'à ce qu'il le fasse! Il m'a fait mal.

Elle s'effondra par terre, les bras repliés sur son ventre. Jake eut envie de pleurer. Il s'accroupit près d'elle et la berça dans ses bras. Une odeur de sexe monta jusqu'à lui, si familière, et aujourd'hui si terrible. L'innocence de sa fille était partie avant qu'elle soit prête à la perdre, parce qu'il ne l'avait pas protégée d'elle-même.

– Je risque d'avoir un bébé!

– Je croyais que tu savais tout à ce sujet, soupira Jake.

Comme il aurait voulu que Harriet soit là! Quelle terrible solitude que d'être le seul responsable! Toutes ces années où il l'avait laissée dans cette situation... Au bout d'un moment, il emporta à l'étage sa fille tremblante et la mit au lit.

Sa première pensée fut d'arracher les membres de Paul et de les acccrocher un à un à la ligne de téléphone. Mais Victoria n'avait vraiment pas besoin que tout le monde sache ce qui était arrivé. Il ressentait un tel sentiment d'échec! Pour la première fois, il faisait l'expérience de la façon dont les parents sont jugés en fonction du comportement de leurs enfants. Tout ou presque doit être votre faute à cause de ce que vous avez fait ou pas fait pour eux. Et les péchés de Jake s'allongeaient en une liste interminable.

Le lendemain matin, une brève conversation suffit à Paul pour savoir ce qui l'attendait.

– Tu pars à la fin du mois, et je veux que personne ne sache que tu pars, dit Jake. Je fais ça pour protéger ma fille, pas toi. Un mot de tout ça et tu n'as plus de dents, compris?

– Je veux l'épouser, monsieur, dit Paul.

– Ne sois pas ridicule. Ma fille n'est pas pour un type incapable de contrôler ses désirs charnels.

– Qu'est-ce qui va lui arriver, monsieur?

Jake se rendit compte qu'il pensait que Victoria allait finir ses jours dans un couvent.

– On n'est plus au Moyen Age, déclara-t-il tout en regrettant qu'on n'y soit plus, pour pouvoir éventrer Paul impunément. Je vais l'emmener avec moi livrer le MX. Et après, elle retournera à l'école.

– Mais vous aurez besoin de quelqu'un pour vous aider, dit Paul désespérément. J'aime vraiment Victoria. Je sais qu'elle me déteste, maintenant, mais si j'avais une chance...

– Tu ne monteras sur ce bateau qu'attaché la tête en bas au gouvernail, dit Jake avec un sentiment d'épuisement infini. Je serais enchanté de te voir te noyer dans deux mètres d'eau. Suis-je assez clair? Tu veux d'autres explications?

Une fois seul à nouveau dans son bureau, Jake s'adossa à son fauteuil et sentit le sang qui battait à ses tempes. Et si elle était enceinte? Jamais Harriet ne le lui pardonnerait. Mais dans la lumière froide du matin, il se demanda si quoi que ce soit aurait pu être évité. Une fille aussi jolie que Victoria, sans aucune expérience des garçons – elle qui n'était probablement même jamais allée faire des courses toute seule! – et qui aspirait à une vie plus excitante... Jamais elle ne s'était rien refusé, toutes les règles lui avaient été imposées de l'extérieur. Si elle n'était pas enceinte, ce n'était pas une tragédie, juste une douloureuse leçon sur sa condition d'être humain. Il avait souhaité qu'elle prenne une leçon, mais il ne l'aurait pas voulue aussi sévère.

Au déjeuner, il trouva Victoria vêtue d'une chemise informe sur une jupe descendue de dix centimètres. Elle n'osait croiser son regard.

– Allons, remets-toi! dit-il. On va aller livrer un bateau, la semaine prochaine, juste toi, Mac et moi. On va aux Caraïbes, alors je pourrai te laisser à ta maman en chemin. Tu n'es jamais allée en Espagne, je crois? On pourrait y faire un peu de tourisme.

– Il vaudrait mieux que je ne vienne pas, dit-elle sombrement. Tu n'as pas envie que je t'encombre. Mets-moi dans n'importe quel moyen de transport pour rentrer.

– Victoria, ce n'est pas la fin du monde! C'est... une expérience, c'est tout. Tout le monde passe par là un jour ou l'autre.

– Il s'est conduit comme un monstre, dit-elle en laissant tomber de tristes larmes dans les céréales qu'elle tentait de manger.

– Tu veux que je te dise quelque chose? demanda-t-il en lui touchant la main. Tu crois que tu t'es très mal conduite, et c'est vrai. Mais les gens se conduisent mal, et ensuite ils font plus attention. Est-ce que ta mère t'a dit pourquoi on s'est séparés?

– Parce qu'elle voulait l'argent, dit Victoria en levant la tête. Elle devait vivre en Amérique et tu ne voulais pas venir.

– Non. Ça, c'était après. Ce qui a réellement mis fin à notre relation, c'est que j'ai couché avec sa meilleure amie. Harriet était malade et son amie était là, et on l'a fait. Ta mère ne m'a jamais, jamais pardonné, et je crois qu'elle ne me pardonnera jamais. Je me dis qu'elle a peut-être raison. C'était impardonnable.

– Pauvre maman, dit Victoria en le regardant.

– Oui, pauvre maman. Mais finalement, pauvres nous trois, parce que si je m'étais mieux conduit, nous aurions eu des vies différentes.

Ils mangèrent en silence, pensifs. Victoria ne cessait de jeter des coups d'œil à son père, comme si elle le voyait pour la première fois. Jake trouvait cela inquiétant. Il revoyait le visage de Harriet, à cette époque maudite, la façon dont elle avait enlevé son masque et laissé voir sa douleur. Jake avait cru que sa propre vie avait pris fin, que rien, plus jamais, ne la rendrait supportable.

– Est-ce qu'elle a des amants? demanda-t-il soudain. Je sais que je ne devrais pas te demander ça, que c'est probablement un des interdits absolus de toutes les règles d'éducation. Elle voyait beaucoup un banquier, à une époque.

– Je n'en sais rien, dit Victoria en le regardant avec innocence. Je ne crois pas. Il arrive que des hommes viennent lui apporter des cadeaux, l'emmener au théâtre, ou ailleurs, mais elle les envoie toujours promener. Ce n'est pas une personne chaleureuse, tu comprends.

– Elle l'était. Elle était adorable, dit Jake qui fut soudain gêné comme s'il s'était dévoilé davantage qu'il ne l'aurait voulu. Est-ce que tu lui parleras de ça? demanda-t-il soudain.

– Non. Et toi?

– Non.

Ils se regardèrent. Pour la première fois, il semblait qu'ils pourraient devenir des amis.

4

Victoria avait souvent fait des excursions dans des dinghies et, une fois, elle passa une semaine à bord d'un bateau de croisière à moteur, quand sa mère accepta l'invitation d'un couple qui avait une fille du même âge qu'elle. Harriet avait détesté ces vacances, et lors d'un de ses rares moments de confidences à sa fille, elle lui dit que si elle avait su qu'ils allaient tourner ainsi en rond, elle aurait suggéré qu'ils passent leurs vacances à regarder le hublot de leur machine à laver à la maison.

– Tu n'aimes pas naviguer? avait demandé Victoria.

– Ma chérie, avait dit Harriet, cela n'a rien à voir avec la navigation.

Jusqu'à ce qu'elle parte en mer avec Jake, Victoria n'avait jamais compris ce que sa mère avait voulu dire. Mais à l'instant où il leva l'ancre du MX sans nom, un bateau de course de taille moyenne sans aucune concession au confort, elle comprit que sa mère avait exprimé la plus pure vérité. Le yacht plongeait, se redressait, les aspergeait d'écume, et l'excitation dépassait l'imagination; c'était l'assouvissement d'une pulsion primaire de lutte contre les éléments. Le vent soufflait fort, le ciel était d'un gris de plomb, et même les plus hardis rentraient au port. Le yacht de Jake, presque couché sous son gigantesque gréement, volait au-dessus des vagues. C'était à la fois palpitant, terrifiant et absolument merveilleux.

– Ça va, ma puce? demanda-t-il une fois. Si tu es malade, n'oublie pas de regarder le sens du vent.

– Je ne suis pas malade. Je voudrais faire quelque chose.

– Prends la barre un moment, pendant que je vais à l'avant. Je veux vérifier que la trinquette ne frotte pas.

Pendant quelques minutes magiques, elle fut aux commandes! Mais elle laissa le bateau tourner dans le vent et Jake cria contre elle.

Les prévisions météorologiques étaient bonnes, une nuit venteuse suivie de quelques jours de calme relatif. Malheureusement, les météorologues s'étaient trompés, et la dépression qui devait descendre plus au sud se creusa sur place. Au matin, il fut clair qu'ils allaient essuyer un orage, et déjà certains yachts, qui avaient pris la mer en comptant sur une traversée sans histoires, faisaient demi-tour. D'autres qui, de l'avis de Jake, auraient dû rentrer au port, persévéraient. Il les regarda lutter et prendre un risque dont ils ne connaissaient pas l'ampleur.

– C'est le genre de truc qui tue des gens, dit-il sombrement.

– Tu veux rentrer? demanda Mac qui sentait bien que Jake pensait à Victoria.

– Non. Mais tous ces marins du dimanche vont bientôt être trop malades pour barrer.

– Est-ce qu'on va se noyer? demanda Victoria.

Jake fit un effort pour ne pas sourire. Les jeunes parlaient d'une mort possible avec un tel détachement apparent! C'étaient pourtant eux qui avaient le plus à perdre. Plus on s'approche de l'éternité, moins on a hâte d'entreprendre le voyage.

– Désolé de te décevoir, mais cet engin est conçu pour supporter la moitié d'un ouragan en semaine et un entier le dimanche. On ne coulera pas, mais peut-être que d'autres, si.

A la radio, ce soir-là, on disait que les vedettes de secours sortaient du port comme des lapins de leur terrier – démâtages, chalutier endommagé par la mer quand son hélice s'était prise dans des algues, bateau de pêche qui n'aurait jamais dû sortir et qui errait maintenant, moteur cassé. Jake ne s'inquiétait pas du temps, mais de tous ces bateaux plus ou moins fiables qui encombraient ces eaux trop fréquentées. Par gros temps, un yacht n'apparaissait qu'indistinctement sur un écran radar et, sur les pétroliers et autres gros bateaux de fret, il y avait toutes les chances pour que personne ne surveille l'écran, certains qu'ils étaient qu'aucun petit bateau ne pouvait être dehors. Mac et lui se relayèrent donc à la barre pour scruter les flots. Parfois, ils restaient ensemble sous la bulle du cockpit, regardant la mer, se parlant peu.

Victoria, confortablement installée sur sa couchette, se sentait un peu laissée à l'écart, parce qu'ils n'avaient pas peur, qu'ils étaient dans leur élément, que ça leur plaisait. Elle sentait les hommes très différents d'elle. Dans le monde de femmes où elle avait été élevée, ils semblaient presque inutiles, sauf pour enlever les ordures ou monter aux échelles. Maintenant, en voyant le calme et la compétence de son père, se sachant en sécurité sous sa protection, elle regretta amèrement une enfance où les deux faces de la vie eussent été équilibrées, où elles lui auraient transmis cet équilibre. Elle ne connaissait pas les hommes, elle ne les comprenait pas, et cela l'inquiétait. Ils exerçaient sur elle un pouvoir qu'elle ne pouvait que deviner. Elle eut soudain envie que sa mère fût là, pour lui demander si c'était pareil pour elle au début, si elle avait renoncé aux hommes parce qu'elle non plus n'arrivait pas à cohabiter avec eux. Jake n'était pas celui qu'elle avait cru. Il était à la fois plus et moins. Pas étonnant que sa mère soit devenue si forte. Pour un homme comme ça, aussi difficile que Victoria soupçonnait qu'il pouvait être, il fallait de la force.

Jake décida de gagner un port de la côte nord de l'Espagne. Le temps restait mauvais et le golfe de Gascogne aussi déplaisant qu'à l'ordinaire, avec ses bourrasques vicieuses survenant à l'improviste. Ils mangeaient n'importe quoi, et Victoria, les cheveux gras, commençait à sentir la fatigue. Quand Jake comprit que c'était seulement parce qu'elle avait ses règles, il fut tellement soulagé qu'il ouvrit une bouteille de rhum et s'assit dans le cockpit pour remercier le ciel.

– Il y a un bateau, là-bas, dit-elle.

– Attache-toi, et je ne te le dirai pas deux fois! Je te jetterai par-dessus bord. Bon sang! C'est pas joli!

Il sauta sur le pont avant pour mieux voir, mais le petit bateau était si profondément enfoncé dans l'eau qu'on le distinguait à peine. Le mât se dressait, nu, vers le ciel, sans trace de voile.

– Il a l'air abandonné, dit Mac en le rejoignant.

– On va s'approcher.

Ils firent virer le MX de bord, manœuvre difficile avec les coups de vent. Victoria se tordit un doigt et Jake s'emporta contre sa stupidité. Alors qu'ils approchaient du petit bateau court et large sous pavillon hollandais, Jake sortit le mégaphone et se mit à appeler. Victoria frissonna. Il y avait quelque chose de fantomatique dans le pont désert et trempé du bateau, mais si elle le quittait des yeux pour regarder les vagues qui roulaient inlassablement comme une source de puissance infinie, elle éprouvait un horrible sentiment d'irréalité, comme s'il n'existait plus ni maison, ni confort, ni sécurité, pas même une cabine humide où elle pourrait trouver refuge, le même sentiment froid d'abandon évoqué par les astronautes, se dit-elle, quand ils regardaient avidement la Terre en dessous d'eux, parce qu'ils se savaient si loin de chez eux et de toute sécurité.

– Descends et allonge-toi, lui conseilla Jake, qui trouvait qu'elle avait l'air malade.

– Je veux voir s'il y a quelqu'un.

En une manœuvre brillante si l'on considère les conditions de son exécution, Jake amena le MX à bâbord du bateau à moteur et cria à nouveau. Au bout d'une minute il y eut soudain des mouvements : l'écoutille s'ouvrit et un homme monta sur le pont. Petit, gros et très effrayé, il agita les bras et cria en hollandais, puis en anglais, des paroles que Jake ne comprit pas. Trois autres visages apparurent, une femme et deux petits enfants.

– Merde, dit Jake, tu parles d'une tuile!

– Notre moteur a cassé, cria l'homme, et le vent est trop fort pour nos voiles. Aidez-nous, s'il vous plaît!

– D'où venez-vous? cria Jake.

– D'Arcachon! On va vers Santander.

Mac, jurant comme un charretier, détacha le dinghy gonflable.

– C'est trop dangereux, dit Jake. On pourrait appeler à l'aide et attendre à côté d'eux.

– Il y en a pour douze heures, et ces gosses en ont assez vu. Leur rafiot va pas si mal, il leur faut juste des voiles.

– Ce qu'il leur faut, c'est un coup de pied au cul! Jamais ils n'auraient dû emmener des gosses en mer par ce temps, dit Jake d'une voix à la fois rageuse et inquiète.

Mac prenait un risque énorme en tentant de traverser vers eux, et le risque ne le menaçait pas seul : ils n'étaient déjà pas trop de deux sur le MX. Ils avaient même l'intention de prendre un ou deux hommes supplémentaires à Lisbonne avant la grande traversée.

– Bon, eh bien, je crois qu'on va tous aller à Santander, dit Jake.

– On devrait les laisser, dit Victoria. Ils n'ont aucun droit d'exiger de l'aide. Ils n'auraient jamais dû prendre la mer.

Jake se dit, à juste titre, qu'elle avait été secouée par les visages terrorisés sur l'autre bateau, mais il n'avait pas le temps de se moquer d'elle.

– Ne sois pas idiote, s'il te plaît, dit-il.

Ils lancèrent un cordage au petit bateau et le Hollandais et sa femme halèrent Mac dans son dinghy jusqu'à eux. Mac attendit d'être à bord pour retirer l'attache de sécurité qui le reliait au MX, et Jake, inconsciemment, attendit aussi cet instant pour recommencer à respirer.

– Cela n'avait pas l'air très facile, dit Victoria.

– Ce n'est rien de le dire, commenta son père. En fait, j'ai cru que j'allais regarder mon meilleur ami se noyer.

Ils restèrent ainsi une demi-heure, le temps pour Mac de calmer la famille et de trier les voiles. Le petit bateau, une fois gréé, avait déjà l'air moins perdu, et le soleil salua l'exploit.

– Ça devrait leur remonter le moral, dit Jake. Bon sang, regarde un peu ce roulis! Pas étonnant qu'ils aient paniqué. Je parie que les gosses ont vomi partout.

– Est-ce qu'on doit rester près d'eux jusqu'au port? demanda Victoria.

– On ne peut pas aller aussi lentement. Il va falloir qu'on navigue en cercles. Non, on va filer devant et on enverra les secours pour les remorquer. Ces engins ne sont pas du tout manœuvrables quand ils sont sous voiles. Oh! comme les sorties en mer aident à égayer nos mornes petites vies! Tiens la barre, je crois qu'on peut mettre un peu plus de chiffon à sécher.

Il sortit hisser plus de voile en pensant que si Victoria s'était fatiguée comme passagère, elle allait connaître l'épuisement comme membre d'équipage.

Au début, elle fut heureuse d'avoir les responsabilités d'un véritable équipier, au lieu de n'être qu'une passagère autorisée parfois à faire des sandwiches. Au fil des heures, l'attrait de la nouveauté se ternit, et elle commença à montrer quelque mauvaise humeur. Quand une fois de plus Jake la ramena sur le pont, dans le froid et l'humidité, alors qu'elle commençait juste à se sentir bien et presque sèche, elle se rebella.

– Va te faire foutre! J'irai pas! jura-t-elle.

Quand elle parlait comme cela à la maison, le tremblement de terre était inévitable. Jake ne s'émut pas.

– Tu mets ton manteau et tu montes, dit-il d'une voix posée, ou je te flanque dehors sans ton manteau. Je n'avais pas prévu de te faire travailler, mais comme on n'a pas le choix, tu ferais mieux de prendre les choses du bon côté.

Victoria choisit de mettre son manteau et de monter, mais elle se dit qu'elle allait d'abord lancer une autre pique à son père :

– Si tu avais eu plus de cervelle, tu aurais embarqué davantage d'hommes. Je crois que maman a raison : on ne peut pas te faire confiance.

Jake ne répondit pas. Il se contenta de la saisir par le bras et de la propulser par l'écoutille d'un bon coup de pied au derrière. Elle tomba dans le cockpit, trempant son pull dans une flaque, et fondit en larmes.

– Je n'ai jamais demandé à venir! Je déteste ton horrible bateau!

– Attache-toi, tu veux, soupira Jake. Si tu regrettes d'être venue, je peux t'assurer que je suis encore plus désolé de t'avoir emmenée. Idiot que je suis, je m'étais dit que tu pourrais montrer le meilleur de toi-même en situation extrême. Mais peut-être que c'est ça, le meilleur de toi-même...

Victoria bouillait intérieurement. « Je le déteste, se dit-elle.

C'est une brute. Je savais que c'était une brute. » Quand enfin Jake la laissa redescendre, elle se retourna :

– Je suis bien contente que tu n'aies pas été là quand j'étais petite. Je ne le pensais pas avant, mais maintenant, je le sais.

Jake encaissa le coup. Plus tard, quand elle eut trouvé des vêtements secs, il dit calmement :

– Je sais que je te semble dur, et j'en suis désolé. Mais il est important de bien manœuvrer ce bateau. Quand il y a des choses à faire, elles ne peuvent pas attendre. Il faut que tu fasses ce qu'on te dit.

– C'est par plaisir que tu rudoies les gens, rétorqua-t-elle. Rien ne t'obligeait à me donner un coup de pied.

– Je suis désolé de l'avoir fait.

– Tu parles!

Il n'allait pas la supplier de lui pardonner. Il avait plutôt envie de la frapper à nouveau. Ils arrivèrent au port peu après minuit. Victoria était blême d'épuisement, et avec ce qui lui restait de conscience, elle ressassait tous les défauts de Jake. La fatigue l'avait même empêchée de dormir. Quand son père revint à bord après une entrevue avec le capitaine du port, elle s'assit et lui dit :

– Je refuse de rester sur ce bateau. Je veux rentrer à la maison par le premier avion.

– Si c'est ce que tu veux, dit Jake.

Il était trop fatigué pour discuter. Il retira ses bottes pour la première fois depuis des jours, et agita voluptueusement ses orteils.

– Tes pieds puent, dit Victoria.

– En effet, dit-il d'une voix menaçante. Et je suis désolé que ça te dérange. Je suis désolé que le bateau te dérange, et que les naufragés t'aient dérangée. La prochaine fois, si je vois des gens en détresse, je penserai que ça risque de t'incommoder et je les laisserai se noyer. Que Mac soit encore au large à se battre pour ramener ce bateau, que j'aie dû manœuvrer ce yacht presque seul parce que tu avais peur de te casser un ongle en m'aidant, que le capitaine du port se prépare à envoyer une équipe de secours au large et qu'une femme sur le quai attende son mari dont le bateau de pêche a disparu depuis hier, ça n'a aucune importance pour toi, n'est-ce pas? Tant que Victoria a bien chaud, qu'elle est confortablement installée, elle est heureuse. Ne t'en fais pas, tu ne resteras pas sur ce bateau. Je te foutrai dehors dès le lever du jour!

Il prit ses bottes pour les lui lancer à la tête, mais elle lui sembla soudain si jeune, si fatiguée et si effrayée qu'il les reposa et s'allongea sur sa couchette. A cet instant précis, il ne pouvait plus la supporter.

Au matin, les nerfs étaient moins à vif et les humeurs moins belliqueuses quand le bateau hollandais arriva, quand le bateau de pêche disparu fut retrouvé en sécurité dans un autre port, et quand Jake eut un peu dormi. Il pensait à tort que les paroles violentes de la veille avaient aussi peu marqué Victoria que lui-même, qui les savait nées de l'épuisement et de l'inquiétude. Victoria but son café avec calme et s'extasia sur le pain frais, mais elle rongeait son frein. Jake avait raison, elle était indifférente, égoïste et paresseuse. Elle ne pensait qu'à elle. Où qu'elle aille, elle apportait gêne, désagrément et douleur. Sa mère ne voulait plus d'elle, son père en avait marre, et même Paul l'avait laissée partir avec une simple lettre de repentir – passionnée, toutefois. On ne l'aimait pas, parce qu'elle n'était pas aimable, décida-t-elle.

Plus tard dans la matinée, Jake l'emmena sur le bateau hollandais. Mac y était encore, en grande partie parce qu'il n'arrivait pas à s'arracher à l'adulation que lui vouait toute la famille. C'était la première fois qu'ils avaient emmené leur bateau si loin de chez eux, mais comme ils avaient tenu le coup dans ce qu'ils considéraient comme un assez gros orage la saison précédente, et que leurs gamins adoraient naviguer, ils étaient partis pour la grande aventure. Jake but du genièvre et les écouta énumérer les exploits de Mac, vanter sa bravoure, son calme, son astuce.

– Il nous a tant appris, dit la mère en le regardant avec adoration.

– Oui, eh bien, veillez seulement à ne plus jamais prendre la mer par un temps pareil, dit Mac d'un air bougon.

Un des enfants commença à fredonner une chanson de marin que Mac lui avait apprise, les vapeurs de genièvre devinrent plus denses, une boîte de biscuits se vit régler son compte et Victoria fondit en larmes.

Jake l'emmena marcher un peu sur la jetée.

– Qu'est-ce qu'il y a? demanda-t-il.

Il lui semblait ne jamais cesser de poser cette question, et les réponses ne s'amélioraient guère.

– Je suis tellement malheureuse!

– Je vois bien. Ecoute, je sais que j'ai été brutal, hier soir. Je sais que je me conduis comme le capitaine Bligh, quand on navigue, ta mère s'en est plainte plusieurs fois. Mais, Victoria, tu ne te conduisais pas bien, ma chérie. Je crois que tu le sais, non?

– Je sais que tu me détestes. Et je ne peux pas t'en vouloir pour ça.

Jake se demanda s'il ne vaudrait pas mieux la noyer, se noyer, ou les deux. Si cette conversation continuait, il savait qu'il perdrait patience et qu'ils se retrouveraient dans une situation pire que jamais.

– Je ne te déteste pas, dit-il patiemment. Je voudrais seulement que tu te conduises en adulte, que tu prennes quelques responsabilités d'adulte, et que de temps en temps tu penses aux autres. Pas souvent, juste de temps en temps.

Victoria ne dit rien et continua de marcher, les mains dans les poches. Une mouette plongea et cria tout près d'eux.

– Il commence à faire chaud. Si on allait déjeuner en ville?

– Je suis trop vieille pour qu'on me fasse tout oublier avec une grosse glace, dit-elle d'un air pathétique.

– Et avec une demi-bouteille de vin? plaisanta Jake. Ou de rhum, ou d'autre chose? Je ne supporte pas qu'on boude, Victoria, je préfère te prévenir!

Elle s'arrêta et lui fit face, et son visage tragique était si adorable qu'il ne put s'empêcher de sourire.

– Je sais que tu me trouves idiote, dit-elle, mais je vais quitter le bateau. J'ai décidé de visiter l'Europe, de me découvrir. Je dois voir Venise avant qu'elle coule. Je pourrais apprendre à être heureuse.

Jake sentit sa mâchoire se serrer et fit un effort pour la détendre.

– Pas question que tu déambules en Europe toute seule. Tu as seize ans, et Venise ne disparaîtra pas avant que tu en aies vingt, je peux te le garantir. Tu te mettrais dans une foule d'ennuis.

– Je le ferai, que ça te plaise ou non, dit-elle en repartant rapidement vers le bateau.

La bataille fit rage presque toute la journée. En secret, Jake était stupéfait de la volonté de Victoria, qui ne lâchait pas prise face à une opposition exprimée avec force; mais comme Mac le dit, ils étaient aussi butés l'un que l'autre. Au milieu de l'après-midi, elle hissa son sac plein sur le pont et Jake le relança à l'intérieur. Elle le fit ressortir par l'écoutille avant et le jeta par-dessus bord. Mac n'eut d'autre solution que de le repêcher pendant que les deux protagonistes hurlaient l'un contre l'autre. Victoria finit par aller sangloter en bas pendant que Jake se réfugiait sur le pont, hors de lui.

– Je ne peux pas la supporter, Mac. Je crois que je préférerais être mort, dit-il d'une voix rauque.

– Sûr qu'elle lâche pas prise facilement, dit Mac avec une certaine admiration dans la voix. Je t'avais plus vu aussi bouleversé depuis Harriet.

– Ça n'est pas une coïncidence. Enfin, est-ce que j'exagère? Bien sûr que non! Elle n'a que seize ans!

– Il me semble à moi qu'elle est bien décidée à grandir, dit

Mac en regardant son ami d'un air sombre. Elle n'a jamais eu d'indépendancce, et maintenant elle en veut. Allonge la corde.

– Pour qu'elle se pende avec ? Non, merci !

– Si on la renvoie à Harriet, jamais elle se calmera, dit Mac en mâchonnant un biscuit hollandais. Tu pourrais pas arriver à un compromis ? Si tu la mettais au pair, ou quelque chose dans le genre ?

Un immense sourire de soulagement détendit les traits de Jake.

– Quelle idée géniale ! Je te revaudrai ça ! Victoria, monte un peu ici ! On va te dire ce qu'on a décidé.

5

A une époque, Jake avait construit un bateau pour un client de Lisbonne, un aristocrate portugais qui partageait son temps entre ses trois maisons, ses six enfants et ses deux épouses. Il avait plusieurs titres dont il n'usait pas et beaucoup de charme. Jake l'appela de Santander, priant pour qu'il soit prêt à prendre Victoria comme jeune fille au pair, comme cuisinière, comme souillon ou ce qu'il voudrait, du moment qu'elle quittait le bateau et s'intégrait dans une famille.

Raoul Pereira ne fut que trop heureux d'aider son cher ami Jake. Il se trouvait justement que cet appel tombait à pic, parce qu'il avait besoin d'un nouveau bateau, pas un yacht de course cette fois, plutôt un yacht de plaisance, pour sa famille. Jake pouvait certainement s'en charger?

Comme ça, au téléphone, Jake s'engagea à construire l'unique yacht de plaisance de sa carrière, abandonnant sans hésiter un des grands principes de sa vie qui stipulait que les bateaux de croisière ne l'intéressaient pas. Cela valait la peine, rien que pour lire la joie sur le visage de Victoria.

– Il est vraiment noble? Et quel âge ont ses enfants? Qu'est-ce que je vais faire pour mes vêtements? Est-ce que Maman va me les envoyer?

Jake marmonna des réponses vagues. Il se préparait à une discussion franche sur les moyens de contraception.

Les Pereira habitaient en dehors de Lisbonne. Dès que Victoria vit les tourelles, le parc à la française, les laquais et les grilles hérissées de pointes dorées, elle décida que la résidence ne pouvait être qu'un palais. Elle était paralysée de peur, ce qui constituait déjà pour elle une expérience toute nouvelle. Depuis ses plus jeunes années, elle était habituée à vivre sur le plus haut barreau de l'échelle sociale, et soudain elle voyait les échelons qui continuaient jusqu'aux nuages et elle, toute petite, qui levait les yeux vers eux.

– Je n'ai rien à me mettre, murmura-t-elle à son père tandis que le taxi les déposait à la porte.

– Je t'ai dit mille fois que j'ai télégraphié à Harriet qu'elle t'envoie tes affaires. Il est bien possible que quatorze malles t'attendent ici, pleines de culottes constellées de diamants.

Irrité, il sortit de la voiture, et la vue des belles pelouses, des fontaines et des paons suivis de leur queue comme les princesses de leur traîne ne le calma pas. La porte s'ouvrit et Raoul Pereira sortit à leur rencontre, les bras tendus en signe de bienvenue.

– Jake, comme c'est bon de te voir, mon ami! Et voici ta ravissante fille. Je suis enchanté.

Victoria quitta son air boudeur et avança, comme Bambi sortant timidement de la forêt, vers l'homme grand, mince, ostensiblement étranger. Jake fut déchiré entre la fierté et l'amusement en voyant toute l'éducation de Harriet ressortir dans la poignée de main polie et les phrases conventionnelles récitées avec grand soin. Raoul s'inclina cérémonieusement, et elle sourit, enchantée.

– Vous êtes délicieuse. Je suis subjugué, dit-il doucement.

– Cesse d'essayer de séduire ma fille, Raoul, dit Jake, sinon je te construirai un bateau où tout le monde sera malade dans l'heure! Cela suffit-il à calmer ton enthousiasme?

– Tu ne sais rien du romantisme, vieux filou! dit Raoul qui voulait montrer, en utilisant une expression familière, combien il était à l'aise dans une langue étrangère.

La famille Pereira se rassembla dans le vaste hall : les deux jumeaux de six ans, et les filles de douze, quatorze et dix-sept ans. Le fils aîné, Jaime, était absent. Teresa, dix-sept ans, fit un large sourire à Victoria, qui se détendit : elle aurait une amie. Elle se rendit vite compte qu'à l'exception des deux petits qui n'en voyaient pas l'intérêt, tous parlaient très bien anglais. Mais malgré ces signes positifs, elle restait anxieuse; elle prit conscience qu'elle craignait que son père ne se conduise pas bien. Et s'il se montrait aussi rustre ici, dans cette magnifique demeure, qu'à la maison?

La mère de Pereira, la comtesse, présida au dîner. Pereira expliqua sans insister que sa femme était en voyage. Jake parla à la comtesse, grande experte en vins et propriétaire de l'entreprise d'exportation de spiritueux de la famille. Il l'avait déjà rencontrée à deux reprises à l'époque où il construisait le yacht de course. Au bout d'un moment, elle se pencha vers lui et lui dit, du ton de la confidence :

– Pourquoi votre fille ne cesse-t-elle de vous regarder? Craint-elle que vous ne vous enivriez?

– Probablement, répondit-il avec un sourire. Je voudrais vous demander, madame la comtesse, de prendre bien soin d'elle. Son enfance a été très protégée; elle n'a aucune expérience.

– On donne trop de liberté aux filles, de nos jours, soupira la comtesse.

– C'est bien vrai.

Jake prit cette réflexion comme une assurance. Il ne pouvait savoir que les Pereira espéraient contre tout espoir que Victoria aurait une bonne influence sur Teresa, qui s'était montrée totalement rebelle depuis le départ de la seconde épouse de Raoul. Raoul avait eu une aventure avec la femme d'un ami, arrangement discret bouleversé quand Teresa les avait surpris, enlacés, dans le pavillon d'été. La maison avait alors été ébranlée jusque dans ses fondations.

Jake trouva le temps de dire quelques mots à Victoria avant de partir.

– J'ai tout organisé pour que tu puisses tirer de l'argent dans une banque de Lisbonne, expliqua-t-il. Si tu as besoin de plus, tu dois me le dire, tu ne dois pas contracter de dettes. Je compte sur toi pour bien gérer ton argent, c'est clair?

– Je ne vois pas pourquoi je devrais apprendre à me priver, à moins que ce soit un exercice de formation de la personnalité, dit-elle avec dédain.

– Tu pourras dépenser quand tu gagneras de l'argent, et pas avant! dit Jake qui n'aspirait qu'à retourner sur le bateau avec pour seule compagnie un Mac taciturne et totalement dénué d'émotions. Et n'oublie pas ce que je t'ai dit sur la réflexion, la retenue et...

– Les préservatifs et la pilule, termina Victoria d'une voix ennuyée. Tu es obsédé par le sexe, papa, vraiment.

– Avant tout, continua-t-il patiemment, tu ne dois causer aucun problème à cette famille, mais je sais que tu n'en causeras pas, mentit Jake. Amuse-toi bien, ma chérie.

– Je croyais que c'était interdit, dit Victoria en posant son joli menton dans ses mains.

Jake se pencha et l'embrassa sur le nez.

– Je faisais ça quand tu étais petite. Ecoute, j'ai prévu d'aller voir Harriet quand j'aurai livré le bateau, et nous parlerons de ton avenir. Jusque-là, sois sage!

Victoria fit au revoir de la main jusqu'à ce que la voiture ait disparu. Puis elle resta au soleil à regarder la campagne, par-delà le jardin, avec la terre jaune, comme cuite, les vignes et les oliviers couverts de poussière. Même l'air avait une odeur étrange. Il sentait l'ail, l'huile et les herbes. C'était merveilleux.

Raoul Pereira sortit de la maison en jean serré et chemise déboutonnée jusqu'à la taille.

– Viens que je te montre nos chevaux, dit-il en tendant la main vers elle.

Teresa sortit à son tour et vint se placer près de Victoria.

– C'est moi qui lui montrerai les chevaux, dit-elle froidement.

Son père haussa les épaules, sourit et rentra dans la maison.

Les jeunes filles gagnèrent les écuries en passant devant des jardiniers qui désherbaient et attachaient les plantes grimpantes.

– C'est un porc, dit Teresa sans savoir qu'elle utilisait les mêmes mots que Victoria pour décrire son propre père. Il ne pense à rien d'autre qu'aux femmes. Je l'ai vu, tu sais, avec la femme de notre voisin, Cristine. Il était sur elle, et elle piaillait, et il avait la chair de poule. Il était répugnant, si maigre et si vieux.

– Tu les as surpris? demanda Victoria en arrondissant les yeux.

– Oh, oui! Mais je savais que ça se passait. Il l'a fait toute sa vie, avec les servantes, avec n'importe qui. Je l'ai vu partir vers le pavillon et je l'ai suivi. Cristine a dû s'enfuir, tant son mari l'a battue. Il va essayer avec toi, tu peux me croire.

Elles entraient dans la cour des écuries, propre et fraîchement balayée, avec des jardinières de fleurs le long des murs. D'un côté s'alignaient les boxes, et à chaque porte la jolie tête d'un pur-sang.

– Voici Douro, Porto, et Ziana, ma jument. Elle est très sensible. Je suis la seule à pouvoir la monter.

– Je suis sûre que je pourrais, dit Victoria. J'ai fait beaucoup d'équitation, chez moi.

– Très bien, dit Teresa avec un visage impassible. Tôt demain matin, pour qu'il ne fasse pas trop chaud, nous ferons un tour. Ensuite, nous irons faire du lèche-vitrines à Lisbonne.

– Est-ce qu'on peut faire tout ce qu'on veut? demanda Victoria. Je pensais que ta grand-mère nous surveillerait. C'est ce que mon père a dit.

– Elle reste au lit jusqu'au déjeuner, et ensuite elle voit ses amis. Elle se moque de ce que nous faisons.

Le lendemain matin, Victoria mit le costume d'équitation que sa mère lui avait envoyé, et se présenta, très anglaise et très guindée, avec bombe, jodhpurs et redingote noire. Teresa montait en jean. Elle sauta sur Porto avec l'aisance de ceux qui montent depuis qu'ils savent marcher. Victoria avait beaucoup moins d'expérience, et on lui tint la jambe pour qu'elle enfourche Ziana. Sans se retourner, Teresa partit vers les champs. Dès que Ziana posa le pied sur la terre labourée, elle fila. Victoria perdit tout contrôle et s'affola. Elle cria sa détresse, mais comme il n'y avait personne pour venir à son secours, elle reprit ses esprits et tenta d'arrêter la jument. A sa grande surprise, ce fut facile, parce que Ziana avait été parfaitement dressée. Victoria descendit et attendit que Teresa revienne avec Porto.

– Tu as raison. Je ne peux pas la monter, dit-elle calmement. On échange?

Cet incident compensa pour Teresa le fait que Victoria était plus grande, plus jolie et même plus élégante qu'elle. Petite, mais avec un grand courage physique, Teresa pouvait se permettre de laisser Victoria briller.

La liberté! Jamais Victoria n'en avait fait l'expérience auparavant. Les plus jeunes enfants étaient aux soins d'une équipe de nurses, mais Teresa échappait à leur contrôle. A condition qu'elles ne se mettent pas en travers du chemin de Raoul Pereira, personne ne commentait leurs actions. Si elles souhaitaient aller à Lisbonne, il suffisait qu'elles s'assurent que le chauffeur n'avait pas d'autres engagements, et elles pouvaient partir. Elles avaient à leur disposition une piscine et des chevaux, elles passaient des heures à s'échanger des vêtements, et elles eurent même accès au grenier où elles trouvèrent des parures du temps passé qu'elles revêtirent un soir pour dîner : mantilles de dentelle et robes à arceaux en soie dans lesquelles la courte silhouette brune de Teresa était un peu comique, mais qui donnaient une allure folle à Victoria. Raoul Pereira eut du mal à détacher les yeux de la poitrine blanche mise en valeur par la dentelle noire, mais le regard furieux de sa fille le ramena à la raison. Pas Jaime. Il rentrait juste d'un séjour chez des amis et découvrit Victoria ce soir-là – pour ne jamais vraiment s'en remettre.

Le soir, les filles rirent dans leur lit du coup de foudre de Jaime.

– Tu le laisserais te le faire? demanda Teresa. Tu le laisserais monter sur toi et mettre ses mains partout et...

– Arrête! Je n'en sais rien. Peut-être.

– Vraiment? s'étonna Teresa en s'asseyant pour allumer la lumière. Tu le ferais vraiment?

– Je n'en sais rien.

Victoria tenta d'imaginer la scène. Il était grand. Les cheveux bruns de Teresa s'illuminaient chez lui de reflets dorés. C'était excitant, que des hommes la regardent comme le faisaient les Pereira, qu'ils lui touchent la main comme si ce simple geste les inondait de bonheur. Raoul était répugnant, sa fille avait raison. Il aimait venir et lui parler quand elle prenait son bain de soleil en bikini, et une fois il avait pris la crème solaire et lui en avait passé sur les jambes, montant de plus en plus, jusqu'à ce qu'elle lui reprenne le tube et s'asseye, les genoux sous le menton.

– Merci, monsieur Pereira, dit-elle sèchement.

– Tu m'excites, Victoria, murmura-t-il avant de lui lancer un baiser.

Mais Jaime était plus timide, plus doux, moins expansif. Il montait avec elles, et parfois les suivait de boutique en boutique à Lisbonne, portant leurs paquets avec un air moqueur qui ne dissimulait pas totalement son adoration. Victoria repensa à Paul dans la voiture. Tout avait été si rapide, si déplaisant! Mais les femmes aussi y prenaient du plaisir; Teresa disait que Cristine était en extase quand Raoul le lui faisait. « Comme en transe, comme si elle avait une vision mystique », avait-elle dit.

Les jeunes filles n'arrivaient pas à imaginer comment on atteignait cet état. Victoria avait tout dit à Teresa au sujet de Paul, et combien cela lui avait fait mal, mais cela n'avait fait qu'attiser la jalousie de son amie. Elle était décidée à perdre sa virginité, pour défier son père, pour conquérir le statut d'adulte, pour rattraper Victoria. Parfois, les filles s'asseyaient au café et spéculaient sur les hommes qui passaient. Au moins, se disait Victoria, je sais ce que c'est. Mais si c'est tout, pourquoi en fait-on une telle histoire?

Le filles commençaient à s'ennuyer des activités qu'on leur proposait.

– On devrait travailler, dit Teresa. On pourrait tenir une boutique et essayer tous les vêtements!

Pour elle, ce n'était que velléité, parce que les filles Pereira, naturellement, ne travaillaient pas dans des boutiques. Mais Victoria trouva l'idée excellente.

– On va chercher du travail, déclara-t-elle. Tu devras faire les travaux d'approche, parce que mon portugais n'est pas encore assez bon. Il faut trouver quelque chose pour nous deux.

Elles partirent donc pour Lisbonne en limousine conduite par le chauffeur, qu'elles abandonnèrent bientôt pour parcourir à pied les quelques rues animées et élégantes de cette capitale un peu provinciale, parce qu'elle n'est pas trop grande. Teresa s'arrêtait souvent pour acheter des beignets tout chauds ou des glaces aux échoppes, et Victoria se dit qu'elle serait grosse dans peu d'années.

– On cherche un travail! lui dit-elle.

Mais pour Teresa, ce n'était qu'un jeu. Elles proposèrent leurs services deux ou trois fois, mais on regarda avec incrédulité ces deux filles en vêtements de marque très élégants, dont elles ne réussissaient guère à changer le ton en y ajoutant foulards, ceintures et chaînes.

– Allons boire un verre! dit Teresa, qui se lassait déjà de leur projet.

Plus déterminée, Victoria entraîna son amie chez une modiste.

– On va essayer ici, dit-elle d'un ton sans réplique.

C'était un magasin de luxe conçu pour attirer les mères des futures mariées et les mariées elles-mêmes. Le propriétaire sortit de l'arrière-boutique et s'avança vers elles avec une attitude légèrement hostile dans la mesure où il sentait qu'elles ne seraient pas acheteuses. Teresa pensait à autre chose, si bien que ce fut Victoria, dans un portugais hésitant, qui expliqua ce qu'elles voulaient.

– Vous êtes américaine? demanda l'homme avec un fort accent.

– Anglaise. J'ai été élevée aux Etats-Unis. Mon amie est portugaise...

– Je connais Mlle Pereira, dit-il en inclinant la tête vers Teresa.

Elle cessa de faire l'idiote. Si cet homme connaissait sa famille, elle devait se tenir.

– Venez, dit l'homme en conduisant Victoria jusqu'à une chaise.

Elle s'assit parce qu'il le voulait, mais elle insista :

– C'est un travail que nous voulons... Peut-être que je me suis mal expliquée... Nous ne voulons pas de chapeau.

– Vous allez en essayer quelques-uns.

Il en choisit plusieurs dont il coiffa Victoria, rassemblant sa magnifique chevelure sur le sommet de sa tête ou sur la nuque, la nouant en chignon, la dissimulant complètement dans la coiffe d'un chapeau. Victoria renonça à protester, elle cessa même de s'exclamer poliment à chaque chapeau, puisqu'il ne l'écoutait pas. Teresa la regardait, retenant difficilement un rire moqueur. L'homme s'arrêta enfin.

– Je m'appelle Joseph Montado. Vous allez servir de mannequin pour mes clientes de seize à dix-huit heures trente les lundi, mercredi et vendredi. Vous porterez une robe simple, blanche ou bleu marine, avec des chaussures à talons. Vos cheveux doivent être propres mais lâchés sur les épaules : je les arrangerai moi-même en fonction des chapeaux que nous devrons montrer.

– Mais... et Teresa?

Joseph Montado leva la tête et laissa glisser son regard au-delà de son long nez, avec des yeux qui avaient vu et méprisé plus de jeunes filles qu'aucune d'elles ne pouvait l'imaginer.

– Une jeune fille intéressante, mais trop petite pour être mannequin. Je suis certain qu'elle trouvera ailleurs une occupation lui convenant.

Les filles ressortirent du magasin. Teresa, offensée, cachait sa colère sous la moquerie.

– Mannequin! Défiler pour ce vieux type! Je jurerais qu'il aime les garçons. Tu n'iras pas, bien sûr!

– Mais si, dit Victoria. Les chapeaux sont adorables, surtout ceux à voilette. Jamais je n'ai porté de chapeau.

– Ils sont faits pour les grosses vieilles dames.

Elles allèrent s'asseoir à une table de café et prirent un café arrosé, bien que ni l'une ni l'autre ne fût habituée à l'alcool. Teresa regardait la foule d'un air morose. Quand deux jeunes gens passèrent, puis repassèrent, Victoria les ignora, mais Teresa leur fit un sourire encourageant. Ils entrèrent et demandèrent s'ils pouvaient se joindre à elles. Teresa accepta tandis que Victoria lui murmurait vigoureusement en anglais :

– Non! Ils sont horribles!

Les jeunes gens s'installèrent à leur table, l'un très brun, les avant-bras couverts de poils noirs, le corps court et puissant dégageant une légère odeur de sueur. Il alluma une cigarette, ce que Victoria n'aima pas, et se mit à les déshabiller du regard. Victoria se détourna. L'autre était plutôt gentil, timide, et ils engagèrent lentement la conversation. Il l'aidait patiemment à s'exprimer en portugais pendant que l'autre garçon et Teresa parlaient comme des mitraillettes. Teresa se leva soudain.

– On part. Tu viens?

– Où ça? Où vas-tu?

– Dans un appartement. Viens, on y va, ce n'est pas loin.

Victoria posa un regard affolé sur Teresa, puis sur l'homme qui lui tenait le bras, la hanche collée à la sienne, sa braguette gonflée.

– Tu ne dois pas faire ça! dit-elle d'un ton désespéré. Tu ne le connais pas. Mon père dit qu'on ne doit jamais aller avec des gens qu'on ne connaît pas.

– Oh, petite Victoria! ironisa Teresa. Je pars. Tu peux venir, si tu veux.

Tout en elle voulait dire non. Mais elle ne pouvait laisser Teresa seule avec cet homme, si bien qu'elle les suivit, toujours accompagnée de l'autre qui lui parlait sentencieusement du soleil et du vent. L'appartement n'étais pas si proche, en dehors du centre, au milieu d'un quartier aux maisons basses où du linge séchait à des balcons roses ou bleus. De vieilles guimbardes rugissaient dans les rues étroites et des femmes les regardaient passer, le visage ridé et sans expression. Victoria saisit le bras de Teresa.

– Rentrons à la maison.

– Non. Vas-y, si tu veux.

Mais Victoria était perdue, et elle ne pouvait partir. Ils finirent par entrer dans un immeuble à l'étroite cage d'escalier en béton qui sentait l'ail, l'huile et l'urine, passèrent une porte et furent assaillis par une nuée de mouches. Tout près, une femme en colère criait. C'était un appartement misérable aux meubles bon marché et délabrés. Une image de la Vierge Marie, découpée dans un magazine, avait été punaisée au mur entre deux bougies. L'homme brun se mit à embrasser Teresa, sa main plongea dans son soutien-gorge pour en sortir un sein bien gros pour une si petite femme. Quand il l'eut mise torse nu, il appela son ami pour qu'il apprécie le spectacle. Teresa rit nerveusement et, d'un air bravache, secoua sa poitrine. Victoria sortit précipitamment sur le balcon. Le jeune homme timide la suivit et lui donna de petites tapes de consolation sur l'épaule.

Dans la pièce, Teresa, allongée sur le sol, cria soudain, triomphalement. Au bout d'un moment, Victoria se retourna. L'homme se relevait, le sexe toujours énorme, ruisselant. Il remit difficilement son pantalon puis s'approcha de la table et se servit un verre de vin qu'il vida d'un coup. Victoria sortit de l'appartement en courant, dévala l'escalier et alla vomir dans le caniveau.

Plus tard, Teresa la rejoignit.

– Ça va ? demanda-t-elle.

Victoria hocha la tête.

– Cet homme était horrible. Il t'a sûrement donné une maladie.

– Je dois le revoir mercredi, affirma Teresa avec satisfaction. Quel homme ! Quelle puissance ! Quelle taille ! Quand tu iras faire le mannequin, je viendrai voir mon amant. Tu te rends compte ? J'ai un amant ! C'est merveilleux !

Elle fit un pas de danse. Elle avait sur elle l'odeur de l'homme, de sa sueur. Victoria frissonna.

6

Victoria s'observait d'un regard critique dans le grand miroir. Ses épais cheveux noirs étaient séparés en deux par une raie et tirés en arrière en un chignon augmenté d'un postiche. Cela la vieillissait joliment – ce qu'on ne peut dire que de très jeunes filles – et mettait en valeur la pâleur de sa peau et la ligne marquée de sa mâchoire et de ses sourcils. Quand elle posa le large chapeau de velours noir sur sa tête et enroula les plis du voile autour de son cou, l'effet fut stupéfiant. M. Montado entra.

– C'est bien, dit-il sans émotion. Souviens-toi que pour le chapeau de paille blanche, tes cheveux doivent être détachés.

– Je ne peux le faire aussi vite, se plaignit Victoria. C'est impossible.

– Cela doit être possible. Tu seras payée en conséquence.

– Aucune somme d'argent ne retirera des épingles à cheveux aussi vite, rétorqua-t-elle. Vous ne devez pas me bousculer, je ne le supporterai pas. Tout est gâché, finalement, quand on se hâte trop. Si vous me bousculez, j'arrête.

M. Montado lui prêta attention, pour une fois. Depuis que Victoria montrait les chapeaux, ses ventes avaient doublé, même s'il ignorait dans quelle mesure elles resteraient à ce niveau. Ce n'était pas parce que les chapeaux étaient ravissants sur le délicieux visage de Victoria qu'ils produiraient le même effet sur les acheteuses. Mais il vendait des rêves, et même à la lumière du jour, les rêves peuvent garder leur charme. Sa clientèle était enchantée par ses chapeaux « Victoria ».

Il changea de sujet, ce qui, pour Victoria, prouvait qu'il capitulait.

– Pourquoi travailles-tu pour moi? demanda-t-il. Ce n'est pas pour l'argent.

– Je n'en ai pas besoin, en effet. Mes parents sont riches. Mais j'aime ça, c'est amusant.

– Plus amusant que les jeux de Mlle Pereira?

Victoria le regarda, interloquée. Il la regardait aussi, comme un vieux lézard, pas forcément hostile. Elle se passa la langue sur les lèvres, pas très sûre de ce qu'elle devait dire.

– Je suis certaine qu'elle ne se rend pas compte de ce qu'elle fait, dit-elle enfin calmement. Je veux dire... Il pourrait lui faire du chantage, ou...

– Je pense que tu devrais le dire à ton amie. Mais nous faisons attendre ces dames. En piste, Victoria!

Le soir, Victoria et Teresa allèrent se promener dans les jardins. Des cigales chantaient dans l'herbe sèche et la brise agitait les buissons de lavande. Victoria referma les doigts sur une tige et imprégna sa peau de cette odeur. Elle regarda Teresa.

– M. Montado sait, dit-elle enfin, et je suppose qu'il n'est pas le seul.

– C'est toi qui leur as dit! s'écria Teresa avec rage. Tu n'es pas mon amie, j'aurais dû le savoir!

– Tu sais bien que je n'ai rien dit.

Elles restèrent silencieuses.

– Qu'est-ce que je ferai si mon père l'apprend? demanda enfin Teresa sans attendre de réponse.

La chasteté, ou du moins la discrétion, était exigée d'une Pereira. Même à notre époque, on prévoyait pour Teresa un bon mariage, au sein de sa classe sociale, et des enfants de cette union qui perpétueraient les valeurs de la famille. Après les enfants, elle pourrait s'encanailler un peu, travailler, boire avec excès, manger un peu trop, se laisser aller. Si le secret de Teresa était dévoilé, cet avenir serait anéanti à jamais.

– Dis-lui que tu ne veux plus le revoir, conseilla Victoria.

– Je ne peux pas, murmura Teresa en secouant la tête. Il peut se mettre très en colère, tu sais.

Victoria l'imaginait sans peine. Le machisme de l'homme à la poitrine velue l'avait effrayée dès le premier jour. Il était du genre à piétiner les femmes en considérant que c'était son dû.

– Il n'oserait jamais venir ici, dit Victoria. Et il ne sait peut-être pas qui tu es.

– Il sait, dit Teresa dont le visage se crispa.

Le mercredi, Victoria alla comme d'ordinaire chez le modiste, mais Teresa resta à la maison. Il faisait très chaud. Victoria emportait une lettre de Harriet dans son sac. Elle avait l'intention de la lire dans la voiture, au retour, pour en savourer chaque phrase. Le temps passant, sa mère lui manquait de plus en plus, de même que le jugement prosaïque et le contrôle absolu de soi dont elle était capable. Jamais de doutes, jamais d'incertitudes. Une fois une décision prise, elle avançait sans faiblir. Comme Victoria l'enviait !

Elle réussit une bonne présentation devant les clientes et les quelques hommes qui prenaient place, maintenant, sur les chaises dorées, pour la regarder – maris, fils ou frères des clientes, et qui parfois lui faisaient passer leur carte avec des messages en portugais qu'elle ne pouvait lire. Plutôt que d'interroger quelqu'un sur ce qu'ils disaient, elle les ignora, et en conséquence on la trouva hautaine.

Elle se changea et se brossa les cheveux pour partir par la porte de service. Dehors, une silhouette qu'elle distinguait à travers la vitre cathédrale l'inquiéta. C'était lui. Elle s'approcha de la fenêtre et regarda par le bord, où la vitre était plus claire. Il était au coin, surveillant les deux entrées à la fois. Elle ne pouvait se tromper sur l'identité de cette silhouette massive, puissante. Des poils noirs recouvraient même le dos de ses mains, bouclant sur des bagues vulgaires. Victoria s'écarta de la porte et revint vers la boutique, toujours pleine de clientes. Il la vit à travers la vitrine et se retourna pour mieux la regarder. Victoria en laissa tomber son sac, s'accroupit pour ramasser peigne, argent, lettre de sa mère, pourchasser un tampon hygiénique qui roulait joyeusement sur le parquet... Quelqu'un se baissa et le lui ramassa. Une main masculine très soignée le lui tendit, et l'homme lui murmura quelque chose. Victoria, rouge d'embarras, n'osa regarder le visage penché vers elle.

– Cet homme, dit son sauveur, est-ce qu'il vous ennuie ?

Elle leva alors les yeux vers un visage mince au nez large, la trentaine, probablement français. Il portait une cravate en soie et un costume crème immaculé.

– Il connaît mon amie, qui ne veut plus le voir. Elle a peur. Je ne...

– Je vais vous accompagner, dit-il devant son regard désespéré.

Il lui prit le bras et la conduisit hors de la boutique. Des pas les suivirent. Si l'homme ne l'avait pas fermement tenue, Victoria se serait mise à courir.

– C'est un moins que rien. Un mécanicien, peut-être ?

– Je ne sais pas. Oh, regardez, voilà ma voiture. Je dois y aller. Merci !

Elle se libéra et fila vers le véhicule qui l'attendait. Ce n'est qu'en sécurité sur le siège arrière qu'elle osa se retourner. Deux hommes la regardaient. Elle tira le rideau.

Raoul Pereira était à la maison, ce soir-là. La famille dîna, comme à l'ordinaire, dans la vaste salle ornée de dorures, sous des lustres nettoyés une fois par an quand les maîtres étaient absents. La légère brise qui pénétrait par la fenêtre ouverte faisait tinter les pendeloques de cristal comme les clochettes du paradis.

– Et comment va ta mère, Victoria? demanda Raoul qui savait, comme tous les autres, qu'elle avait reçu une lettre.

– Très bien, je crois. Elle part en voyage dans les îles. Elle cherche un site pour un nouvel hôtel.

– Quelle femme remarquable! dit Raoul en levant un sourcil. J'aimerais beaucoup la rencontrer.

– Une chance pour elle qu'elle soit si loin, persifla Teresa.

La bouche de son père se tordit légèrement. On entendit alors le son d'une motocyclette qui approchait rapidement.

– Raoul, dit la comtesse, tu dois demander aux hommes de ne pas venir ici sur ce genre d'engin. C'est intolérable.

Mais avant qu'elle eût terminé sa phrase, le moteur s'arrêta et on entendit sonner la cloche de la porte.

– Un visiteur tardif, dit Pereira en se levant.

Teresa et Victoria échangèrent des regards inquiets.

– On monte, dit Teresa en pliant sa serviette.

– Reste assise, Teresa, ordonna son père. Notre repas n'est pas terminé.

Du hall leur parvinrent des voix trop fortes, des voix d'hommes qui criaient en portugais. Pereira sortit et referma la porte derrière lui. Les filles restèrent immobiles, le visage d'un calme étudié. La comtesse demanda qu'on remette de la glace dans le seau, car la chaleur risquait de gâcher l'excellent vin blanc. Personne ne bougea.

Soudain, la porte s'ouvrit toute grande et il entra, ivre, furieux, pas du tout impressionné par ce qui l'entourait. Dès qu'il vit Teresa, il cria et la montra du doigt. Teresa ne bougea pas un muscle.

– Connais-tu cet homme? demanda son père. Est-ce un de tes amis?

L'homme se pencha en travers de la table, écrasant quelques verres sans prix, renversant du jus de fruit et de la soupe sur la nappe de lin, et saisit le poignet de Teresa qui, incapable de se libérer, se mit à crier. Il la tira jusqu'au milieu de la table, lui saisit les cheveux de sa main libre, lui releva la tête et lui cracha au visage.

Pereira le frappa et d'autres hommes se précipitèrent pour le contenir. Plus tard, la police arriva pour l'emmener, et on appela le médecin pour la comtesse qui, sous le choc, avait eu un malaise. Vers une heure du matin, les deux filles furent convoquées dans le bureau de Pereira.

– Je souhaite savoir ce qui s'est passé, dit-il calmement.

Les filles ne dirent rien, et Pereira reprit la parole.

– Il en sait trop sur toi, Teresa. Il a dit des choses que je n'aurais jamais cru entendre sur ma fille dans la bouche d'un homme. Lundi, mercredi, vendredi.

– Elle venait à la boutique... avec moi, dit Victoria.

– Je n'ai que faire de tes mensonges! dit Pereira en se tournant vers elle. Je sais qui l'a conduite à cela, avec sa morale américaine laxiste. Je sais qui est à blâmer! Un chauffeur de taxi! Une Pereira couchant avec un homme qui conduit un taxi!

– Et Pereira lui-même couchant avec la femme d'un autre homme, dit Teresa. Qu'est-ce que tu attendais donc?

Et ce fut soudain une explosion en portugais, Pereira giflant le petit visage provocant de Teresa, la frappant comme s'il voulait la tuer, sa main se levant et s'abattant en un balancement interminable.

Victoria saisit la lampe de bureau et le frappa au dessus de l'oreille. Son cuir chevelu se fendit comme une tomate mûre et du sang gicla par terre. Personne ne bougea. On n'entendait plus que les respirations devenues pénibles.

Le lendemain, la maison était d'un calme irréel. Les enfants restèrent à la nursery, Raoul et Teresa dans leur chambre. Victoria descendit l'escalier comme une voleuse et sursauta quand Jaime apparut devant elle dans le hall.

– Tu vas aussi me crier après? demanda-t-elle à bout de nerfs.

Elle était d'une pâleur mortelle, et avait les yeux cernés de noir.

– Ce n'est pas ta faute, dit Jaime. Mon père te met tout sur le dos parce qu'il ne peut s'avouer ses erreurs. Viens boire quelque chose.

Il l'entraîna vers la salle du petit déjeuner où les plats auxquels personne n'avait touché s'alignaient sur la desserte. Il lui versa du café bien chaud et Victoria se sentit revivre.

– Je dois partir, finit-elle par dire. Mais je ne peux rejoindre mes parents. Ils sont en voyage. Je ne sais pas quoi faire.

– J'ai décidé que tu dois m'épouser, dit Jaime en lui prenant la main.

Elle le regarda, stupéfaite. Elle le connaissait à peine. Il était gentil, certes, mais elle ne l'aimait pas plus que son cheval Porto.

– Je n'ai pas l'âge de me marier, dit-elle d'une voix hésitante. Mon père ne m'y autoriserait certainement pas.

Jaime retourna sa main et lui embrassa le poignet en un long geste sensuel. Elle se sentit réagir si violemment qu'elle comprit soudain.

– Tu seras comme ton père quand tu auras son âge, dit-elle d'une voix tremblante en lui retirant sa main.

– Pas avec toi dans mon lit. Oh, Victoria, je rêve de ton corps, je brûle de m'enfoncer dans ta chair!

– Tu ne me connais pas.

Elle détourna la tête et son cou si jeune, si tendre, sous son adorable profil, si proche, si disponible, agit sur lui comme un alcool. Il se mit à lui caresser le cou.

– Je sais ce que j'ai besoin de savoir, murmura-t-il. Je t'aime tant, tu es si belle! Quand nous serons mariés, nous vivrons seuls dans une des maisons de mon père, et je te ferai l'amour sans arrêt, jour et nuit...

La vague attirance qu'elle avait ressentie pour lui s'évanouit à la chaleur de sa passion. Ne voyait-il pas qu'elle ne voulait pas cela? Elle avait besoin d'un ami, pas d'un amant, pas d'un mari.

– J'ai mal à la tête, dit-elle soudain en le repoussant.

A cet instant, Jaime lui sembla indiscutablement étranger, totalement aveugle à ses pensées et à ses sentiments.

– Viens dans ma chambre.

Il tenta de lui caressser la poitrine et elle le repoussa, presque hystérique.

– Laisse-moi!

Elle sortit en courant de la pièce. Pourquoi ne pouvait-il être son ami?

Ce jour-là, elle n'était pas censée se rendre à la boutique, mais elle pensa à la paix fraîche et ordonnée qui y régnait, et y fut attirée comme par l'eau dans un désert. Sans même aller chercher son sac, elle courut au garage et demanda au chauffeur somnolent de l'y conduire. Alors qu'ils s'éloignaient, elle entendit Jaime qui criait son nom.

M. Montado leva les sourcils d'au moins un millimètre quand il la vit. Elle aurait aimé se jeter dans ses bras et sangloter, mais elle ne savait pas comment il prendrait de tels débordements. Elle s'assit donc sur une des chaises dorées.

– Je crois que j'ai besoin d'un conseil, dit-elle.

Il replaça plus parfaitement une plume d'autruche sur un canotier rose que seule Victoria pouvait porter. Il y avait un problème quand on employait un mannequin avec une « tête à chapeaux » aussi parfaite : elle faisait naître des espoirs impossibles.

– On dit que Pereira a été tué, dit-il, mais ce genre d'exagération est habituel.

– Il a juste une entaille à la tête, c'est tout. Mais il a cassé le nez de Teresa, et deux de ses dents. Je ne sais pas ce qui va arriver!

Elle ne put retenir davantage ses larmes et M. Montado lui chuchota entre ses dents :

– S'il te plaît, Victoria, je ne peux tolérer cela dans ma boutique!

Elle se ressaisit et se redressa, inspirant longuement par le nez, splendide silhouette tragique qui ravit les goûts théâtraux de Montado tout en révoltant ses aspirations commerciales.

– Pourquoi ne rentres-tu pas chez toi? demanda-t-il.

– Mes parents sont en voyage. Je ne peux les joindre. Et mon père ne m'a pas donné assez d'argent pour l'avion du retour. Ils vont avoir tellement honte de moi!

– On peut penser qu'ils auraient bien plus honte d'être les parents de Teresa Pereira, déclara Montado. Mais bien sûr, ils ont leur propre moisson de soucis. Victoria, tu dois aller à Paris.

– Pourquoi?

– Pourquoi pas? dit-il avec un haussement d'épaules. Le monsieur qui t'a accompagnée à ta voiture hier te propose un travail dans son salon. Chapeaux, et peut-être plus tard, couture. Il m'a laissé sa carte pour toi.

Montado lui tendit une carte étonnamment grande, aux lettres argent.

« Jaques Parnasse, couturier, place des Victoires, Paris », lut Victoria. De l'autre côté, il avait griffonné : « Permettez à cette jeune fille de prendre contact avec moi pour défiler dans mon salon. »

Les pensées de Victoria tourbillonnèrent un moment dans sa tête avant de se fixer sur la seule chose importante.

– Je ne peux payer l'avion.

– Et alors? Prends le train.

M. Montado la regarda partir sans curiosité. Il ne savait pas si elle suivrait son conseil, et cela le laissait indifférent. La profondeur de ses désillusions formait un tel gouffre qu'il n'allait pas s'émouvoir pour une jeune fille, même innocente, même aussi prometteuse que Victoria.

Elle décida qu'il valait mieux demander l'argent du vol de retour à Raoul. Il voulait se débarrasser d'elle, et elle voulait partir, ils pourraient s'entendre pour arriver à ce but commun. Mais elle tremblait de devoir l'approcher car elle savait très bien ce qu'il allait lui dire. Et c'était compter sans Jaime.

Comme elle, Jaime Pereira était habitué à ce que tout se passe selon ses désirs, et il avait décidé d'avoir Victoria. La posséder assouvirait tous ses besoins : l'émulation, mais aussi la concurrence avec son père, la gloire d'avoir conquis une belle femme étrangère et la possibilité de vivre une passion qui ne pouvait s'exprimer par des relations sexuelles banales. Il voulait être violemment amoureux, et Victoria était adorable, dans le besoin. Il était amoureux de son besoin d'elle, et ne pouvait croire que des sentiments d'une telle intensité ne fussent pas partagés. Il dit à son père qu'il voulait l'épouser, ce qui ne fit que renforcer l'opinion de Raoul que Victoria était un serpent introduit dans sa famille pour la pervertir. Quand elle rentra de la boutique, Raoul était au pied de l'escalier, la tête bandée, vert de rage.

– Je veux que tu quittes ma maison, lui dit-il dès qu'il la vit.

Elle hésita, cherchant ses mots pour demander de l'argent. Soudain, Jaime arriva en courant du jardin, sentant le cheval et le savon à cuir. Il s'approcha de Victoria et lui passa le bras autour des épaules, la protégeant de son père.

– Victoria doit rester. J'insiste.

– S'il te plaît..., tenta Victoria.

Elle n'arriverait pas à se dégager, et en plus personne ne s'intéressait à ce qu'elle avait à dire. Raoul se mit à arpenter la pièce et instinctivement elle se pelotonna contre Jaime.

– Tu n'es pas le maître dans cette maison, rugit le père. Tu t'es bêtement entiché de cette fille du diable qui a corrompu Teresa et qui t'a ensorcelé. Je veux m'en débarrasser!

Il abattit ses mains sur une petite table délicate, un vase en porcelaine tomba et se cassa.

– Elle brise mon foyer, cria Raoul comme s'il était au bord des larmes.

L'eau du vase coulait sur le tapis.

– Je veux vraiment partir, commença Victoria.

Mais Jaime la fit taire.

– Nous allons nous marier, insista-t-il. Je l'aime. Un homme comme toi ne peut pas savoir ce que cela signifie! Elle est innocente, et je la vénérerai à jamais!

Il l'attira vers lui et lui déposa des baisers brûlants dans les cheveux. Victoria réfléchit. Le monde est devenu fou, se dit-elle, ils sont étrangers, je ne les comprends pas. Je veux seulement rentrer chez moi. La discussion continua sans elle, et finalement Jaime l'emmena hors de la pièce.

– Ma douce, mon amour, mon ange, murmura-t-il en se pressant contre elle. N'aie pas peur. Je ne le laisserai pas te faire du mal.

– Je ne peux pas... Je ne veux pas...

Elle n'arrivait pas à le lui dire. Cela suffisait que Raoul la haïsse, que Teresa repose dans une chambre sombre où elle sanglotait, sans que Jaime se retourne contre elle, lui aussi. Personne ne pouvait être son ami. Alors elle le laissa l'embrasser, elle le laissa lui caresser les seins, comme si c'était un rêve, comme si rien de tout cela n'arrivait vraiment. Ce n'était pas désagréable, mais bientôt elle s'écarta de lui et dit qu'elle allait prendre un bain.

Allongée dans la mousse, écoutant le silence menaçant qui régnait dans la maison, elle comprit qu'il ne lui restait plus qu'à s'enfuir. Plus elle resterait, plus cela irait mal, et comme elle ne pouvait prendre que le train pour Paris, c'est ce qu'elle allait faire. Elle se souvint avec un haut-le-cœur de tout ce que Jake avait dit qu'il lui arriverait si elle voyageait seule en Europe. Le vol n'était qu'un moindre mal. Meurtre, enlèvement, viol, tout pouvait survenir au cours d'un voyage, et une fois arrivée, si elle arrivait jamais, Jacques Parnasse l'aurait peut-être oubliée, ou regretterait sa proposition, ou penserait qu'elle serait mieux dans son lit que dans son salon... L'optimisme qui naît d'une éducation douce et protégée faisait place au visage grimaçant de la réalité. Déprimée et larmoyante, elle prépara un unique sac, y mit un jean et une chemise et se faufila hors de la maison. Le soir tombait. Cette fois, elle n'appela pas le chauffeur et prit le bus sur la route poussiéreuse qui longeait la propriété.

Enfant, Victoria avait adoré les voyages, les transitions indolores entre un lieu et un autre, et toutes les nouveautés qui l'attendaient : la nourriture, les jouets, les compagnons. Ce n'est que ce soir-là qu'elle comprit vraiment ce que c'était de voyager, combien c'était fatigant, sale, inquiétant et très inconfortable. Le premier soir, elle avait attendu quatre heures un train, assise à la gare contre un pilier en redoutant l'arrivée de Jaime Pereira parti à sa recherche.

Quand elle se dit enfin qu'elle ne risquait plus rien, elle le vit dans la foule, comme un jeune dieu doré, le chef de gare sur ses talons expliquant qu'il ne pouvait pas dire si oui ou non une jeune fille était venue, ou repartie, que c'était une gare, qu'il avait beaucoup à faire; est-ce que peut-être le senhor Pereira voudrait boire quelque chose?

Victoria glissa derrière son pilier et chercha désespérément un moyen de fuir. Un omnibus allait partir, allant elle ne savait où. Elle prit son sac et changea de quai, voûtant les épaules pour que sa haute taille ne la trahisse pas. Elle se retrouva dans un wagon plein de gens. Ils poussèrent leurs paniers pour lui faire une place, rempaquetèrent la nourriture qu'ils étaient en train de manger. Quelqu'un lui proposa de ce détestable pain portugais gris et elle l'accepta, le mâchant jusqu'à ce qu'il ne soit plus qu'une pâte collante dans sa bouche, puis se força à l'avaler. Le train démarra.

Pendant deux jours, elle passa de tortillard en tortillard, tout le monde lui suggérant de retourner à Lisbonne et d'y prendre le train direct; mais elle refusa obstinément. Elle zigzagua donc de ligne en ligne, remontant lentement vers le nord, écœurée par les toilettes et la nourriture, les membres douloureux à force de dormir assise. Une fois, par chance, elle voyagea en première classe, et bien que l'air conditionné eût été trop froid, elle trouva au moins des toilettes propres. Plus jamais, se dit-elle avec désespoir, elle ne mépriserait le confort.

Mais le train suivant fut en retard, et arriva plein de soldats. Il faisait une chaleur étouffante dans le wagon, et la seule place disponible était à côté d'un gros homme sentant l'ail. Elle aurait aimé rester debout à la fenêtre dans le couloir, mais son sac était dans le filet, et elle avait peur qu'on le lui vole. Finalement, elle sortit quand même dans le couloir, mais là, les soldats lui frottaient les fesses à chaque passage et la harcelaient de propositions. Elle resta toute la nuit dans le train. Les soldats faisaient hurler leurs postes à transistor et frappaient la mesure, et quand ils passaient dans un tunnel, ils jetaient des bouteilles contre le mur. Elles explosaient comme des bombes.

Le lendemain, ayant franchi la frontière espagnole vers deux heures du matin, elle atteignit enfin Madrid. A demi anesthésiée par le manque de nourriture et de sommeil, elle comprit cependant qu'elle devait changer de gare. Dehors, dans le monde réel, loin des rails et des wagons, le soleil brillait assez pour faire mal aux yeux. Elle s'effondra à une table de café et se fit apporter un Coca-Cola et du poisson avec du riz. Son argent fondait, et elle était encore loin de Paris et trop près des Pereira. Le trajet en première classe lui avait coûté cinq fois plus que les autres, et on faisait payer très cher la nourriture achetée en gare. Il valait mieux, lui avaient dit les autres passagers, acheter à manger en ville avant de prendre le train. Elle passa dans une épicerie et mit des oranges, du pain, des biscuits et de l'eau minérale dans un sac en plastique. Soudain elle se vit dans un miroir, près de la caisse : une gitane sale au visage blême. Et alors, sans savoir pourquoi, elle se sentit heureuse!

Tout le monde la croyait incapable, démunie, et elle était là, à Madrid, sans ses parents, sans amis, sans même une hôtesse pour la guider. Victoria Jakes, voyageuse indépendante, femme indépendante.

Une fontaine chantait dans un jardin derrière elle, et d'un café sortait de la musique flamenco. Elle enfonça son argent dans une poche de devant de son jean, pris ses sacs et partit vers la gare.

7

Harriet s'ennuyait. Allongée sur la terrasse de la grande maison, à Corusca, elle résistait à la tentation de rentrer se resservir un punch, parce que ces derniers temps, elle avait un peu trop bu. Elle buvait par périodes, séparées par de longues phases de sobriété. Au fil des ans, elle avait compris qu'elle buvait quand elle était contrariée ou malheureuse, ou bien quand elle s'ennuyait, comme aujourd'hui, et qu'elle ne buvait pas quand la vie se montrait clémente envers elle.

Elle se leva et s'enveloppa de son drap de bain parce que le soleil donnait des rides. Aujourd'hui, elle avait l'impression d'en avoir déjà assez. Pourquoi ne se passait-il rien d'amusant? Elle avait sans enthousiasme choisi le site de l'hôtel, sur une île où l'on était ravi d'un tel développement. Jadis, elle aurait été tout absorbée par la création d'un nouvel hôtel, mais elle s'était habituée à ce genre de défi.

Même le procès ne l'intéressait plus, alors que pour une fois tout allait bien. Les avocats l'avaient informée que Gareth ne s'était pas opposé à temps à sa revendication d'une part de la collection au nom de Nathan. Prendre fait et cause pour Nathan avait été un coup de génie. Orphelin, du sang des Hawksworth et portant leur nom, c'était à lui que les tableaux devaient revenir; si Harriet elle-même ne pouvait les avoir, lui était en position de force. De plus, cela montrait de la part de Harriet un altruisme louable, et Gareth apparaissait égoïste et avide s'il refusait la demande. Si bien que maintenant, sauf événement imprévu, Nathan avait toutes les chances de se retrouver en possession de ce qui pouvait rester de la collection, ce qui méritait certainement une petite célébration.

Mais à sa grande surprise, elle s'en moquait, maintenant. Elle trouvait beaucoup plus intéressante la vie de Victoria à Lisbonne – mais elle en était exclue. Elle décida d'appeler son bureau. Victoria lui avait peut-être écrit.

– Oh, madame Hawksworth ! s'exclama Maud avec soulagement. J'ai essayé de vous joindre ! On a appelé hier soir, mais vous étiez sortie pêcher.

– Oui, en effet, je suis sortie sur une barque pour pêcher au lamparot. Personne ne m'a dit que vous aviez appelé. Je dois tirer cela au clair... Y a-t-il un problème, Maud ?

– Il semblerait qu'il y en ait un du côté de Victoria. Un M. Pereira nous appelé en racontant de drôles de choses, et ensuite M. Jaime Pereira, qui semble être de la même famille... Madame Hawksworth, Victoria s'est enfuie de chez eux !

– Oh, mon Dieu ! Qu'est-il arrivé ? Savent-ils où elle est ?

Harriet regretta, ô combien !, de ne pas avoir bu ce punch. Le monde tourbillonnait autour d'elle.

– Eh bien, ce Jaime Pereira semble penser qu'elle revient ici, mais je n'ai pas eu de nouvelles. J'ai appelé les compagnies d'aviation, et il n'y a aucune réservation à son nom. Il semble penser aussi que Victoria va l'épouser, alors que M. Pereira, qui je crois est son père, rend Victoria responsable d'une aventure de sa fille avec un chauffeur de taxi et dit qu'elle a séduit son fils !

Harriet rit nerveusement, et Maud en fit autant, mais aucune des deux ne trouvait la situation vraiment drôle.

– Mais où peut bien être Jake ? Pourquoi ne puis-je jamais le joindre quand j'ai besoin de lui ?

– Il est à Nassau, madame. Il a laissé un message hier pour dire qu'il y resterait quelques jours, au cas où on voudrait le contacter. Il espère vous rencontrer, je crois.

– Pourquoi personne ne m'a-t-il prévenue ? Oh, Seigneur ! Je ne peux donc même pas compter sur mon propre bureau pour comprendre quand il y a une urgence ?

Ses mains tremblaient encore plusieurs minutes après qu'elle eut raccroché. Nassau... Il fallait qu'elle aille à Nassau, mais son esprit refusait de réfléchir aux modalités pratiques du voyage. Où était Victoria ? Toute seule en Europe, sans personne pour s'occuper d'elle, peut-être en danger, morte ! Comment ces Pereira osaient-ils accuser son enfant ! Si par leur faute il lui arrivait malheur, Harriet les écharperait de ses propres mains !

La colère lui donna assez d'énergie pour entrer en action. Elle appela son domestique, David, qui s'occupait de la maison de Corusca avec une nonchalance qu'en temps normal elle trouvait apaisante. Mais ce jour-là, elle l'accusa d'inutilité et d'inefficacité, et bien qu'elle eût remarqué qu'il en était blessé, elle ne retira rien de ses paroles. Elle exigea un bateau sur l'instant. Elle prendrait un avion d'une des îles possédant un terrain d'atterrissage, car jamais elle n'avait voulu en faire construire un sur Corusca. Elle aurait tout ce qu'elle demandait, parce que personne ne discutait avec Mme Hawksworth quand elle parlait sur ce ton. Une servante alla faire les bagages, mais cela lui prit trop longtemps. Harriet l'écarta de son chemin et enfourna elle-même des brassées d'affaires dans des valises.

Alors que le bateau l'emmenait, elle se retourna et regarda l'île en se demandant pourquoi elle lui semblait toujours aussi étrange. Maintenant, c'était presque sa création, le XXe siècle s'y était introduit doucement. Finalement, il n'y avait pas eu d'hôtel, et il n'y en aurait pas, parce que Corusca était la retraite privée de Harriet et qu'il lui arrivait de haïr les hôtels. Mais il y avait un petit hôpital, le téléphone, et les gens des collines pouvaient vendre leurs récoltes. Une douce prospérité pénétrait lentement dans les baraques des coins les plus reculés. On distribuait gratuitement aux enfants des vitamines et du lait, et on dispensait des soins bon marché aux plus vieux.

Malgré l'accès maintenant possible au monde extérieur, les habitants restaient timides et sans esprit d'aventure. Quand un marin se risquait sur l'île, les portes se fermaient et personne ne lui parlait. On ne pouvait bannir la peur en une demi-génération – la spécificité du lieu et ses secrets pesaient encore trop lourd. Les insulaires étaient des créatures de la nuit aux yeux blessés par la lumière vive. Harriet regarda les collines sombres et les épaisses forêts de Corusca que la brume recouvrait comme un voile percé par le chant des oiseaux. Après tout ce temps, elle ne comprenait toujours pas les mystères de son île.

Jake étira ses jambes et regarda par-delà la baie, s'émerveillant qu'une telle perfection puisse exister sur la même planète que la vieille Angleterre pluvieuse. S'asseoir à cette terrasse le soir, avec un verre, pour regarder les gens passer dans le soleil couchant, c'était un avant-goût du paradis, sauf que le bateau avait été livré, qu'il n'arrêtait pas de rencontrer des gens qui ne pouvaient s'en offrir un mais qui voulaient exactement le même – il ne les fabriquait pas à la chaîne, nom de Dieu ! – que Mac était reparti tout de suite par avion parce qu'il avait du travail au chantier, et que, comme d'habitude, il n'arrivait pas à joindre Harriet.

Il se sentit soudain déprimé. Ça n'allait pas depuis le matin, et il avait lutté pour l'ignorer, mais maintenant, le vieux chien noir l'avait rattrapé. Il avait rendu visite à Natalie, dans sa boutique mal tenue qui ne survivait que parce qu'il achetait la moitié des marchandises pour les distribuer autour de lui. Elle était jaune, maigre et comme consumée de l'intérieur, cet après-midi.

– C'est terrible, tu sais, lui avait-elle dit, quand tu as toujours envie de faire l'amour mais que personne ne veut t'aimer. Pourquoi sommes-nous si horriblement seuls, Jake?

Il s'était vexé qu'elle le mette dans le même sac. La solitude était le prix de l'indépendance, à n'en pas douter, mais l'indépendance ne comptait-elle pas? Il prit une gorgée et ressassa ses idées de solitude, de bonheur, d'insatisfaction... Quoi qu'il fasse, quels que soient ses succès, ce n'était jamais assez bien. Tout ne reposait que sur des sables mouvants – l'amitié, les affaires, les habitudes... Ces dernières années il avait réussi en quelque sorte à organiser son instabilité, il l'avait tissée dans les fibres de sa vie. Mais finalement, que pouvait-il espérer? Il avait tout essayé, et rien ne lui convenait.

Une femme montait le chemin en courant, luttant contre la pente de la colline. Sa poitrine se balançait dans son chemisier en soie, et ses pieds, bêtement chaussés d'escarpins, glissaient et trébuchaient sur les pierres. Il sentit le désir monter en lui. Oui, c'était bien une femme comme celle-là dont il avait envie à cet instant, une femme voluptueuse, toute poisseuse de sueur. Seigneur! C'était Harriet! Il se leva d'un bond et cria :

– Harriet! Mais où étais-tu donc?

Elle s'arrêta, hors d'haleine, le cherchant des yeux. Il avait envie de rire. Toutes ces années, tous ces changements, et elle était toujours la même Harriet, cherchant nerveusement quelqu'un à qui parler. Les autres ne voyaient que son prestige, il voyait Harriet. Il dévala la pente à sa rencontre et la prit dans ses bras, pressant ses seins si doux contre lui, léchant la sueur sur ses joues.

– Oh, que c'est bon de te voir, jolie dame!

Pendant une minute, Harriet resta contre lui, reprenant son souffle pour pouvoir articuler la nouvelle :

– Victoria... Elle s'est enfuie!

– Quoi?

Il sursauta et s'écarta d'elle pour la regarder. Harriet fondit en larmes.

– Il faut que tu fasses quelque chose! Ils veulent la marier à un chaufeur de taxi, parce que leur fille a couché avec lui, et tu as dit que tu ne lui avais pas laissé beaucoup d'argent, alors elle est probablement allée travailler dans un bordel et on l'a tuée et jetée dans un fossé!

Jake ouvrit et referma la bouche plusieurs fois, puis il dit :

– Oh, Seigneur! Je suis désolé, Harriet. Tout est ma faute.

Elle s'accrocha à son bras, sanglotant toujours.

– Non, c'est la mienne. Je l'ai trop protégée. De nos jours, on doit les laisser faire leurs erreurs. Elle détestait cette pension, mais je n'ai pas voulu l'écouter...

– Tu ne pouvais pas savoir, dit Jake en la serrant contre lui.

Je ne sais pas ce que nous aurions dû faire, mais nous ne l'avons pas fait. J'ai besoin d'un verre.

– Moi aussi.

Ils regagnèrent la table de Jake et commandèrent deux boissons chacun. Harriet se sentait totalement effondrée, et s'accrochait toujours à la main de Jake.

– Redis-moi ce qui s'est passé, demanda-t-il enfin.

– Je n'en sais rien! Je crois que c'est leur fille qui a eu une aventure avec un chauffeur de taxi, à moins que ce ne soit leur fils. Tu ne penses pas qu'elle est enceinte, hein?

– Victoria? Elle n'a pas intérêt! Je lui ai fait un cours d'une heure et demie sur la contraception, avec photos à l'appui. Ça m'a assez coûté!

– Tu as fait ça?

– Oui. Et elle m'a demandé, puisque j'en savais tant, comment elle avait pu naître hors du mariage.

– Et tu lui as répondu quoi?

– Comme tout homme raisonnable, je lui ai dit de ne pas être aussi impertinente, et que je lui expliquerais ça quand elle serait plus grande. Je suis désolé, Harriet, mais j'ai été un père exécrable. J'ai tout raté.

– Eh bien, si on veut en croire Victoria, je n'ai pas si bien réussi en tant que mère. Mais j'ai essayé, Jake! J'ai fait tout ce que j'ai pu.

– Elle ne s'en est pas si mal sortie. Elle est plus capable que tu le crois.

– Vraiment? Je me souviens de l'époque où elle n'arrivait pas à lacer ses chaussures. Parfois, j'ai du mal à me rendre compte qu'elle a grandi.

Ils terminèrent leur verre et entamèrent le suivant.

– Tu te souviens de cette fois où on s'est bagarrés? demanda Harriet.

– Quelle fois? grimaça Jake.

– La nuit de l'incendie.

Jake grogna. Depuis cette nuit-là et cette dispute, Harriet et lui ne s'étaient jamais vraiment retrouvés. L'intimité qu'ils partageaient ce soir, ils ne l'avaient plus connue depuis des années. Mais il ne voulait pas en parler parce qu'il se sentait affreusement vulnérable.

– Ce n'était pas vrai, dit-il précipitamment. Ou du moins, ce n'était pas vrai à jamais. Tu sais que j'étais jaloux, n'est-ce pas? Je voulais que tu aies davantage besoin de moi. Je voulais que tu aies envie de moi. Mais tu n'avais pas besoin de moi, ni au lit ni ailleurs.

– Je n'ai pas besoin de toi pour que tu fasses des choses, dit-elle, surprise. J'ai juste besoin de toi en tant que personne.

Il avait envie de pleurer. Il regarda autour de lui pour se reprendre.

– Je dois appeler ce salaud de Pereira, dit-il. Nous ne devrions pas rester ici à ne rien faire d'autre que nous soûler.

– Tu loges ici ? On pourrait appeler de ta chambre.

Ils montèrent donc dans la chambre, et Jake chercha le numéro pendant que Harriet s'allongeait un instant sur le lit.

Il demanda son correspondant et raccrocha pour attendre que la liaison soit établie. Harriet agitait ses jambes en l'air comme pour dénouer ses muscles. Une impression d'irréalité imbibait toute la chambre baignée d'une lumière rose. Le monde s'était arrêté de tourner, et il faudrait du temps pour qu'il reparte. Ils étaient dans l'espace immobile, leurs sens exacerbés par l'angoisse, tous deux avides de réconfort.

– Je dois faire ces exercices pour que mes chairs ne s'affaissent pas, confia Harriet. Est-ce que je deviens flasque, Jake ?

Il s'assit sur la commode pour la regarder.

– J'en sais rien. Fais voir ta poitrine.

– Oh, elle, elle tombe. Le médecin dit que je devrais la faire rétrécir.

Elle s'assit et retira son chemisier. Une odeur de sueur, d'alcool et de parfum flotta à travers la pièce. Jake n'arrivait pas à croire qu'il soit excité à ce point.

– Retire ton soutien-gorge, sinon je ne peux pas juger.

Elle libéra ses seins et baissa la tête pour les regarder.

– Ils sont gros. Qu'est-ce que tu en penses ?

Il s'accroupit près du lit et elle le regarda. S'il se penchait, sa bouche serait juste à la hauteur de ses seins. Il se pencha et se mit à les sucer d'un air songeur.

– Et toi, Jake, est-ce que tu t'affaisses ? Est-ce que ça arrive aux hommes ?

– Juge par toi-même, dit-il en la lâchant pour déboutonner son pantalon.

– Toujours aussi ferme, dit-elle.

– On ne peut pourtant pas savoir si ça va durer. Je veux dire par là que nous vieillissons chaque jour.

– Que faut-il que nous fassions, alors ? dit Harriet très doucement.

Elle retira son pantalon et l'envoya voler d'un coup de pied, comme une nageuse qui tourne dans l'eau. Il se jeta sur le lit, sur elle.

– Il faut que nous prenions de l'exercice, conseilla-t-il.

Il se demanda ensuite pourquoi ils prétendaient toujours que cela n'avait pas d'importance. Ils jouaient un jeu, ils cachaient leur émotion sous le rire. Quand le téléphone sonna, il avait oublié qu'il l'attendait, et quand une voix étrangère dit : « Le Senhor Pereira est en ligne », il demanda : « Qui ? »

Harriet traversa le lit pour placer son oreille tout près du combiné.

– Jake? dit une voix. C'est toi, Jake?

– C'est moi, Raoul. Qu'as-tu fait de ma fille?

– Ce que *j'*ai fait? *Moi?* Ta fille a détruit ma famille, complètement détruit. Mon fils me déteste et refuse de continuer à vivre sous mon toit. Victoria nous a couverts de honte, elle a corrompu Teresa, une jeune fille de dix-sept ans!

– Dois-je te rappeler que Victoria n'en a que seize? Où est-elle partie, Raoul? J'exige de le savoir.

– Comment veux-tu que je le sache? Une fille comme ça, qui prend un travail dans une boutique! Elle a dû s'enfuir avec un gigolo, sans doute. Je sais bien quel genre de gens vous êtes. Je mourrai plutôt que mon fils l'épouse!

– Ne t'en fais pas, je vous aurai tous tués avant le mariage. Quel emploi avait-elle pris?

Pereira soupira. La colère qui l'habitait depuis des jours l'épuisait.

– Dans une boutique. Elle servait de mannequin. Le patron a dit à Jaime qu'elle était partie pour Paris, mais elle n'avait pas d'argent, selon Teresa, juste le peu qu'elle avait gagné et ce que tu lui avais laissé. Alors elle ne peut pas être partie, et Jaime est allé à la morgue, et dans les collines, et il s'est renseigné dans les bordels...

– Et ce type n'a même pas été voir par lui-même! s'indigna Harriet avant de se lever pour arpenter la pièce. Elle est à Paris, continua-t-elle à haute voix. Forcément. Victoria fait toujours ce qu'elle a décidé de faire.

– Tais-toi, Harriet! Dis-moi, Raoul, qu'est-ce qui est arrivé à Teresa?... Et alors, qu'est-ce que ma fille a à voir avec ça? Ce n'est pas elle qui a couché avec le chauffeur de taxi! Et ce n'est sûrement même pas elle qui a appelé le taxi! Pour l'amour de Dieu, mon vieux, tu débloques! Oh, et tu peux oublier ton bateau. Je ne construis pas pour des gens qui égarent ma fille.

– Ce n'est pas drôle, dit Harriet quand il eut raccroché.

Jake se leva et leur servit un verre à chacun.

– Dieu merci, ce n'est pas Victoria qui a eu cette aventure! Je me demande jusqu'où elle est allée avec le fils.

– Le fils de cet homme? Je préfère encore le chauffeur de taxi! Qu'est-ce qu'on fait, Jake?

– On va à Paris, dit-il en haussant les épaules. Si le consulat n'a pas entendu parler d'elle, on sera au moins sur place pour alerter la police.

– Et si elle était morte? gémit Harriet.

Ses yeux s'emplirent de larmes. Jake sentit les muscles de son dos se durcir comme de la pierre.

Quand Victoria passa sa langue sur ses dents, elle sentit un dépôt épais et rugueux. Elle ne les avait pas lavées depuis des jours, parce que dans les toilettes des trains, il n'y avait pas d'eau potable.

Un Suédois, grand, mince et professoral, offrit à Victoria une de ses nombreuses oranges. Pour Victoria ce fut une bénédiction, parce qu'elle n'avait presque plus rien à manger, et plus guère d'argent. Les heures passées ensemble permirent aux passagers de faire connaissance, et ils eurent vite l'impression de tout savoir les uns sur les autres. Le Suédois, un archéologue, parlait six langues.

Alors que Victoria avait pris un bébé sur ses genoux pendant que sa mère préparait son biberon, l'enfant la regarda avec un sérieux impressionnant, comme pour dire : « Je ne pense pas que vous ayez la moindre idée de ce que nous faisons ici, je me trompe? »

– Regardez son visage, dit Victoria aux autres. Il trouve que nous sommes tous fous.

– Qu'est-ce qu'un esprit sain? s'interrogea le Suédois. La folie est une question de degré. On ne devrait pas demander qui est sain d'esprit, mais qui est moins fou. La santé mentale, c'est l'ignorance. On peut en déduire que l'homme qui en sait le moins est le moins fou. La connaissance est folie.

– Tout à fait, dit Victoria.

Le train arriva à Paris dans la soirée. La santé mentale, c'est l'ignorance, se disait Victoria. Comme je ne sais rien de cet endroit, je suis donc encore saine d'esprit.

Les liens tissés au long du voyage se défirent à la seconde où chacun posa le pied sur le quai. Ils se sentaient tous sales et fripés. Victoria se surprit à chercher un visage familier. Sa mère, ou Jake... Comment allait-elle trouver la place des Victoires? Et que ferait-elle si Jacques Parnasse ne voulait pas d'elle?

Elle passa changer en francs tout ce qui lui restait. La ville bruissait autour d'elle, voitures, bus, foule indifférente et fermée. Jamais Victoria n'avait tant souhaité être chez elle, en sécurité, avec quelqu'un pour lui dire quand aller se coucher, quand se lever, quand manger, que porter. Un agent de police la regarda de haut quand elle lui demanda sa route et lui dit de prendre un bus. Elle s'éloigna humblement.

L'idée de passer la nuit dans cette grande ville l'effrayait beaucoup. Elle eut une bouffée de colère contre ses parents, parce qu'ils n'étaient pas là pour l'aider alors qu'elle avait tant besoin d'eux. La semaine prochaine, ce serait son anniversaire; est-ce qu'ils s'en souciaient? Pas le moins du monde. Ils avaient leurs propres préoccupations, jamais une pensée pour l'enfant qu'ils avaient mise au monde. Ils ne m'aiment pas, se dit-elle. En tout cas, Jake ne m'aime pas. Ma mère... Elle avait du mal à oublier les soins constants reçus dans son enfance. Mais c'étaient des soins impersonnels, se dit-elle. Elle ne voulait pas que j'aime d'autres gens, pas même Leah. Penser à Leah faillit la faire pleurer, parce que le temps qu'elles avaient passé ensemble restait dans sa mémoire comme une époque de chaleur et de bonheur. Elle comprit soudain combien cela avait dû être difficile pour Leah, laissée seule à New York, loin de ses amis et de sa famille, chargée d'une très jeune et très riche petite fille. Pourtant Leah ne lui avait jamais laissé entrevoir ses problèmes. Aujourd'hui, Victoria devait se montrer aussi courageuse qu'elle.

La place des Victoires était calme et harmonieuse, loin des grands axes. Victoria trouva facilement la porte, mais resta dehors un moment, intimidée par l'élégance et la grandeur du lieu, alors qu'elle était si sale. Une petite vitrine montrait un chapeau et un gant unique, à côté d'une porte en acajou orné de cuivre brillant. Rassemblant tout son courage, elle poussa la porte et posa le pied sur l'épaisse moquette couleur crème, si immaculée qu'on se disait que ceux qui entraient ici passaient de leur merveilleux appartement à leur voiture conduite par un chauffeur, et de là dans la boutique, sans jamais salir leurs chaussures. Les chaussures de sport fort chères de Victoria étaient maintenant avachies. Comment Harriet se conduirait-elle en de telles circonstances ? se demanda soudain sa fille. Elle redressa les épaules et le menton et sourit avec assurance à la réceptionniste.

– M. Parnasse, s'il vous plaît, dit-elle en tendant la carte.

Elle remarqua ses ongles sales. La femme derrière le bureau, si bien maquillée qu'on aurait difficilement pu dire son âge, prit la carte et la tourna plusieurs fois entre ses doigts. Puis elle regarda Victoria, d'une telle façon que la pauvre enfant perdit toute confiance et leva sur la femme des yeux de chien battu.

La réceptionniste décrocha le téléphone et parla si vite que Victoria ne put comprendre un mot. Elle avait envie de s'asseoir, mais pensa que le canapé crème pâtirait d'une rencontre avec son jean, si bien qu'elle resta debout, son sac à ses pieds, comme une hippy égarée. Elle avait toujours le même air très jeune, très fatigué, quand Jacques Parnasse arriva. Cependant on ne pouvait éviter de remarquer la qualité d'être, la profondeur dans l'expression, l'émotion que dégageait la jeune fille.

– Victoria...

Le mot était presque une caresse. Elle tenta de prononcer les mots qu'elle avait répétés dans sa tête, mais sa gorge se serra sur eux. Ses yeux se remplirent de larmes et elle éclata en sanglots.

8

L'hôtel était luxueux, mais Harriet était habituée au luxe. L'époque où elle s'extasiait sur un peignoir gratuit ou un lit ancien était bien révolue. Maintenant, elle considérait que c'était la moindre des choses, de même qu'un service efficace et un grand bureau.

– Tu te souviens de ce bouge où l'on a atterri quand on s'est fait débarquer du *Fidèle Sheila*? demanda Jake.

– Oh, oui! Un très mauvais souvenir.

Elle sortait de son sac de toilette une brosse et un peigne à dos en argent, une extravagance qu'elle s'était permise pour le Noël précédent.

– Tu as toujours détesté être pauvre.

Elle regarda autour d'elle, la chambre, la vue, le bar bien garni. Elle pouvait avoir la même chose n'importe où dans le monde.

– Cela n'a plus autant d'importance qu'avant, dit-elle. Pour l'instant, rien n'a d'importance tant que je ne sais pas où est Victoria.

– Qu'est-ce qui te rend heureuse? demanda soudain Jake.

– Quelle étrange question, dit Harriet qui ne put poser son regard sur lui plus d'une fraction de seconde. Les tableaux, peut-être. Corusca. Je ne sais pas.

Comment admettre qu'elle n'était presque jamais heureuse, qu'elle pouvait au mieux ne pas être malheureuse, et qu'il fallait que cela suffise?

– Toi, en tout cas, continua-t-elle, on sait ce qui te rend heureux : le sexe et tes foutus bateaux.

– C'est tout ce que j'ai, dit Jake d'un air pensif en s'allongeant sur le lit, les yeux au plafond. Mais je ne suis pourtant pas certain que c'est ce que je veux.

– Il faut faire avec ce qu'on a, dit Harriet en accrochant deux manteaux dans la penderie. C'est une des petites leçons de la vie. Quoi qu'on ait, ce n'est jamais exactement ce qu'on voudrait. C'est impossible.

– Tu n'étais pas aussi cynique, avant.

– Je n'étais pas grand-chose, avant.

– Je veux essayer à nouveau. Tu le sais, non?

– Oui. Ça ne marchera pas. Ce n'est pas parce qu'on s'entend au lit que tout ira bien. Non.

– Pourquoi pas? demanda Jake en s'asseyant.

– Parce que je ne peux pas donner, dit Harriet en se tournant vers lui. Avant, c'était toi qui retenais tes sentiments, maintenant, c'est moi. Je ne peux pas... aimer... comme il faudrait, et en fin de compte nous souffririons tellement tous les deux que nous perdrions ce que nous avons. Alors, tu vois, c'est impossible.

Il ferma les yeux et avala péniblement sa salive.

– J'ai besoin d'aide, Harriet, j'ai besoin que tu m'aides. Ma vie a mal tourné et je ne sais pas quoi faire.

– Désolée, je ne peux pas, dit Harriet d'une voix cassante.

Victoria s'étira et bâilla, heureuse de sentir sur sa peau le coton propre des draps. La circulation matinale augmentait régulièrement; dans la rue, les voitures rugissaient comme des lions à l'heure du repas. Mais aujourd'hui, elle était en sécurité, elle était sortie de la fosse et grimpait les barreaux d'une échelle bien au-dessus des fauves menaçants. Quelle chambre austère était la sienne! Murs blancs, lit blanc, tapis blanc sur un sol ciré...

Les bruits provenant de la cuisine la poussèrent hors du lit. Elle enfila une robe de chambre que Parnasse lui avait prêtée et traversa le salon, grand espace vide ponctué de chaises blanches, sur lequel donnaient toutes les autres pièces de l'appartement. Vêtu seulement d'un slip minuscule, Parnasse faisait du café. Victoria se percha sur un tabouret de cuisine si beau qu'il en était à peine fonctionnel, et tenta de ne pas regarder son hôte. Des poils blonds frisés le couvraient presque entièrement, comme de la mousse. Il avait les muscles du ventre plats et durs, et un bronzage parfait qui faisait ressortir ses yeux bleus. Elle le trouva incroyablement séduisant.

– Tu as bien dormi? demanda-t-il d'une voix délicieuse.

– Merci, merveilleusement. Je n'avais pas dormi depuis des jours, alors pouvoir simplement m'allonger aurait suffi à mon bonheur.

– Et maintenant, tu as faim.

Il posa sur la table du café, des croissants, du beurre et de la confiture, et Victoria se jeta dessus avec un appétit sauvage, tout en essayant de garder la tenue qu'on attendait sans doute d'elle. Parnasse s'assit face à elle et la regarda en fumant des Camel. Victoria se souvint qu'elle n'aimait pas les gens qui fumaient pendant qu'elle mangeait, mais dans ce cas précis, elle était prête à faire une exception.

– Tu vas travailler pour moi?

– Oui. M. Montado m'a dit que vous vouliez que je présente vos chapeaux.

– C'est vrai. Et je ne pensais pas pouvoir te prendre aussi pour les modèles de couture, parce que je te trouvais un peu trop ronde, mais je vois que tu as perdu du poids pendant ton voyage.

– Je n'ai rien mangé pendant des jours, dit tristement Victoria en reposant son croissant plein de confiture d'un air penaud. Pas de vrai repas, en tout cas.

– Je surveillerai ton alimentation. Tu resteras ici et tu travailleras pour moi, ce sera une organisation parfaite.

– Je ne crois pas que ma mère approuverait.

– Qu'est-ce que ta mère a à voir avec ça? Tu es une grande fille. Je ne connais pas ta mère, je n'emploie pas ta mère.

– Mais... peut-être vaudrait-il mieux que j'habite seule. Je sais qu'elle préférerait, dit Victoria qui redoutait d'avoir à avouer son âge.

– Tu ne peux pas te le permettre. Tu resteras avec moi et je prendrai soin de toi.

Il se leva et vint saisir les épais cheveux de la jeune fille entre ses mains pour lui secouer la tête comme on ferait de celle d'un chien. Le cœur de Victoria dansait dans sa poitrine. Cet homme exhalait un attrait sexuel comme on exhale un parfum, et, oh! comme elle avait envie de lui! En comparaison, Jaime Pereira était un enfant!

Mais il ne fit rien de plus. Ils utilisèrent la salle de bain à tour de rôle puis se retrouvèrent dans le salon, Victoria vêtue de la robe bleue qu'elle mettait à la boutique, Parnasse d'un de ses nombreux et très beaux costumes. Arrivée place des Victoires, Victoria passa devant la réceptionniste sans s'arrêter et, guidée par le patron, monta tout droit à l'étage. Les conversations cessèrent brutalement à leur entrée dans une vaste pièce entourée de miroirs, avec des canapés, des fauteuils et d'élégantes chaises Louis XV. Les énormes arrangements de fleurs fraîches étaient si parfaits qu'on les aurait crus artificiels.

– Tu ne dois pas venir ici, sauf à la demande de la directrice ou de moi-même, dit Parnasse. Viens, Victoria.

Il la fit passer devant la très correcte et élégante directrice en question pour gagner les ateliers. Là s'arrêtait le luxe et commençait le monde du travail, avec des armées de machines à coudre, des tables de coupe et des cintres supportant des rangées interminables de vêtements abrités par des housses de coton immaculé. Des femmes en tablier bleu fabriquaient des robes qui coûtaient plusieurs mois de leur salaire. Les fers à repasser sifflaient, les ventilateurs ronronnaient. Dans la chapellerie, un homme façonnait du feutre à la vapeur sur une forme en bois.

– Maurice, on va essayer la plume rose.

Maurice posa son petit fer à vapeur et émit un juron. Parnasse et lui eurent une conversation animée dont Victoria comprit plus qu'ils ne l'auraient voulu.

– Je ne suis pas sa petite amie, déclara-t-elle. Je suis ici pour travailler. Je présente des chapeaux.

Maurice leva les sourcils.

– Inutile de mettre Maurice au courant de tout, ma chère, expliqua Parnasse.

Il aime que les autres pensent qu'on couche ensemble, se dit Victoria. Elle se demanda si cela l'embarrasserait que ce soit vrai. On apporta le chapeau rose, avec un bord droit ingrat et une plume ridicule. Victoria rassembla ses cheveux en un chignon haut et prit une épingle dans une coupelle que lui présentait Maurice. Puis elle mit le chapeau.

– Tu vois? dit Parnasse, triomphant. Victoria!

Il la prit par la main et la promena partout en la faisant virevolter et en criant : « Voilà Victoria! » comme s'ils étaient au cirque. Trois ou quatre filles, si grandes et minces qu'elles ne pouvaient être que mannequins, la regardèrent avec des yeux de reptile. Une d'elles, une très belle femme au long nez busqué, lui tourna même délibérément le dos.

– Qui est-ce? demanda Victoria.

– Personne, répondit Parnasse avec un sourire paternaliste. Elle s'appelle Francine.

Le salon fermait deux heures pour le déjeuner. Parnasse, lui, ne prit pas de pause, et Victoria se retrouva oisive. Elle alla se promener un peu et regarder les si belles vitrines. Elle se sentait mal habillée. A Paris, on ne suivait pas les règles; pour avoir l'air intéressant, on les établissait soi-même. Il ne suffisait pas de porter des vêtements chers, encore fallait-il que les étoffes soient bien assorties. Elle croisa une jeune fille qui avait rentré dans des bottes à talons plats un pantalon en velours, bouclé une large ceinture sur un gros pull, et qui portait de grands pendants d'oreilles. Victoria décida de l'imiter. Puis elle vit une fille en collants, jupe et haut écrus, des chaussures et un blouson rouge vif assortis à son sac. Elle aussi était fantastique, et valait d'être imitée. Les vêtements sombres de Victoria semblaient infiniment ennuyeux en comparaison.

– Tu vois, tu fais tache, dit une voix près d'elle.

C'était Francine. Elles firent un bout de chemin dans une atmosphère tendue; Francine était nerveuse et agitée.

– Tu es si jeune..., dit-elle. Mais il les aime jeunes.

– Je n'ai pas de liaison avec lui.

– Ça viendra. Et il se lassera de toi, très vite, comme toujours.

– Il s'est lassé de vous? demanda Victoria en redressant le menton.

C'était la première fois qu'elle défiait une femme sur son propre terrain. Quelques semaines plus tôt, elle était une enfant qui se serait faite toute petite devant une telle créature. Francine rit comme si cela lui faisait mal.

– Il s'est lassé, je me suis lassée, qui sait? Je me suis fatiguée de l'interminable défilé de filles. Je me disais que ça m'était égal, que c'était moi qu'il avait épousée. Mais finalement, j'en suis arrivée à le mépriser, à me mépriser moi-même. Je ne te parle que parce que tu es très jeune.

Elle effrayait presque Victoria. Il y avait de la haine dans les yeux de Francine, pas contre elle, contre la jeunesse. La jeune fille intelligente et racée que Parnasse avait épousée était devenue en peu de temps un mannequin sans attrait, maigre, amère et seule. Pas étonnant que Jacques ne l'aime pas! se dit Victoria. Qui pourrait l'aimer? Et l'idée d'être quelqu'un dont personne ne voulait lui parut soudain si triste... Pendant un moment, elle se projeta dans l'avenir.

Francine et elle retournèrent au salon. Francine parlait sans arrêt de son existence déprimante : s'empêcher de manger pour garder la ligne, lutter contre les rides, ne pas penser à cette fille qui s'était suicidée parce qu'elle commençait à perdre ses cheveux...

– Ce n'est pas une vie, répétait-elle sans cesse. Une femme devrait avoir plus que ça.

– Pourquoi ne partez-vous pas? demanda Victoria.

Francine la fixa de ses immenses yeux pitoyables. Comment pourrait-elle partir, maintenant que ses plus belles années étaient derrière elle, alors qu'elle ne savait rien faire d'autre, quand partir signifierait ne plus se torturer pour Jacques et savoir ainsi qu'elle était encore en vie?

L'après-midi, Victoria essaya quelques-unes des robes qu'elle devait présenter. Ses jambes finirent par trembler, épuisées par une trop longue station debout, et quand elle se plaignit, on l'insulta en français. Lever les bras, baisser les bras, aller là, revenir ici, trop de poitrine, les jambes pas assez longues – tu es sûr qu'il veut cette fille? Victoria avait l'impression d'être à l'étal d'un marché. Puis on plaqua ses cheveux sur son crâne et on lui essaya des chapeaux, les uns après les autres, en faisant la moue.

Parnasse finit par la ramener à la maison, à pied, par des rues nauséabondes où se pressait la foule de l'heure de pointe. Victoria n'en pouvait plus.

– Ne boude pas, dit Parnasse. Je ne veux pas que tu boudes.

– Je suis seulement fatiguée.

Il marchait trop vite pour elle, et elle devait courir pour rester à sa hauteur. L'idée qu'elle allait finir dans son lit fusionna avec celle qu'elle entretenait depuis toujours : être considérée pour ce qu'elle était. Dans n'importe quel milieu, Victoria se voyait différente, parce qu'elle avait toujours été traitée ainsi. Jake lui avait donné un avant-goût d'humilité, qu'elle n'avait pas aimé.

– Je ne peux pas marcher aussi vite, dit-elle. Ralentissez, s'il vous plaît !

– Je suis pressé.

– D'accord, dit-elle en ralentissant.

Au bout de quelques pas il se retourna et revint vers elle.

– Victoria, qu'y a-t-il ? Est-ce Francine ?

Elle leva les yeux vers lui. Il avait un long nez bulbeux, un visage maigre... Elle essaya en vain de se souvenir du visage de Paul. Elle ne se souvenait que de la fin brutale du plaisir, quand il avait commencé à pousser quelque chose d'invisible et d'énorme dans son corps. Elle se souvint de Teresa après un de ses après-midi, assise tremblante dans la voiture, les yeux trop brillants. « Tu ne sais pas ce que c'est, avait-elle murmuré, il continuait, il n'arrêtait pas, j'ai cru mourir ! Et à la fin j'ai crié de joie, j'ai crié, Victoria ! Jamais je n'ai connu un tel plaisir. »

Victoria avait méprisé le chauffeur de taxi. Elle détestait le souvenir de Paul. Maintenant, elle savait qu'elle n'aimait pas Jacques Parnasse.

– J'ai faim, dit-elle.

Parnasse la prit par le bras et la força à rester à sa hauteur, se contentant de ralentir parfois le pas.

– On va préparer quelque chose à la maison.

– Non. On va sortir.

Ils sortirent.

Ils ne revinrent à l'appartement que vers vingt-trois heures. A la demande de Victoria, Parnasse lui avait fait faire le tour de Paris, des ruelles pittoresques de Montmartre jusqu'aux lumières reflétées dans la Seine et à la tour Eiffel qui se dressait vers le ciel comme un arbre de Noël permanent, en passant par la masse imposante de Notre-Dame, dominant silencieusement le tourbillon de la grande ville. Parnasse commençait à se dire qu'il avait payé dix fois le prix de Victoria, mais c'était sans compter avec l'idée que Victoria se faisait de sa valeur. Et puis, enfin, en arrivant dans le hall de l'immeuble, ils trouvèrent Jake et Harriet.

Un détective privé leur avait fourni l'adresse moins de six heures après qu'ils l'eurent engagé, mais au fil de la soirée, l'euphorie initiale s'était évaporée. Jake ne tenait pas en place et il avait trop bu, dans l'espoir d'endiguer la marée grise qui menaçait de l'engloutir. Vautré sur les marches de l'escalier, il essayait de ne pas penser au lendemain. Qu'allait-il faire, où irait-il? Deux ou trois fois, Harriet avait parlé de ses affaires; il était clair que son esprit revenait déjà à son entreprise, maintenant qu'ils avaient presque retrouvé Victoria. Pourquoi cela suffisait-il pour elle, alors que pour lui cela ne suffisait pas? Seigneur! se disait-il, comment puis-je conseiller Victoria sur la façon de mener sa vie? Qu'ai-je fait?

Harriet se leva, lissant sa jupe. Parnasse hésita, pas très sûr de la façon dont il devait réagir devant cet homme râblé et mal rasé qui accompagnait une femme dont l'élégance indiquait la richesse. Harriet tendit les bras.

– Oh, Victoria! Victoria!

Elle pleurait, et Victoria fondit en larmes à son tour en la serrant dans ses bras. Jake s'appuya au mur et ferma un instant les yeux. Il émit un long soupir de soulagement, puis il posa ses yeux gris si clairs sur Parnasse.

– Bonjour! dit-il d'un ton menaçant. Peut-être pourriez-vous m'expliquer ce que vous faites avec ma fille?

Ils montèrent, Parnasse dissimulant son embarras sous son charme. Harriet ne voulait même pas le regarder. Jake gardait un visage de pierre.

– Tu vas bien, ma chérie? demanda à nouveau Harriet. Je me suis fait tellement de souci! Et ce Pereira nous a dit tant de choses affreuses! Dis-moi que tu n'as pas vraiment promis d'épouser ce garçon...

– Ne t'égare pas, Harriet, dit Jake. Que fais-tu ici, Vic? Pourquoi habites-tu avec cet individu? Il doit avoir deux fois ton âge.

– Peut-être, oui, dit Victoria avec un regard plein de regret pour Parnasse.

Elle n'avait pas l'intention de coucher avec lui ce soir, et maintenant il n'en était plus question. Elle s'autorisa un moment de nostalgie indulgente.

– Il a été très gentil, déclara-t-elle. J'avais prévu de déménager dès que je me serais organisée. On n'a pas fait l'amour, maman.

– Victoria! s'exclama Harriet en rougissant.

– Vous voyez, embraya rapidement Parnasse à l'intention de Jake, j'ai pris soin d'elle. Elle a un travail dans mon salon, sa propre chambre. Je lui ai donné de l'argent. Victoria pourrait faire une grande carrière de mannequin, je vous assure.

– Comme c'est gentil! ironisa Jake.

– Elle ne peut être mannequin, dit Harriet, elle doit rentrer à la maison. J'ai acheté ses bougies d'anniversaire.

Victoria se rendit soudain compte que sa mère ne se contrôlait plus. De toute sa vie, elle ne se souvenait pas d'un instant où elle n'ait pas été calme, dominant tellement ses émotions que Victoria ne pouvait jamais les deviner. Et là, elle hoquetait entre deux sanglots et disait des choses idiotes. Victoria se sentit faiblir.

Jake traversa la pièce et entoura les épaules de Harriet de son bras. Cela aussi, c'était nouveau; Victoria ne se souvenait pas de les avoir vus se toucher depuis des années. Le visage de Jake était rigide, son expression étrange. Victoria se demanda s'il était malade.

– Je n'ai pas de temps à perdre avec les problèmes d'un seul de mes mannequins, s'irrita Parnasse.

– Ta gueule, dit Jake si férocement que Parnasse s'exécuta.

Harriet enfouit son visage dans le cou de Jake, presque comme une enfant.

– Pourquoi ne rentreriez-vous pas tous les deux à votre hôtel? dit précipitamment Victoria. Nous reparlerons de tout cela demain matin. Je suis en sécurité ici, je vous le promets.

Elle ne s'expliquait pas bien l'envie qu'elle ressentait de se débarrasser d'eux. Elle avait assez de ses propres problèmes. Ceux de ses parents l'embarrassaient. Jake la regarda par-dessus la tête de Harriet.

– Tout est ta faute, accusa-t-il.

– Je suis désolée de t'avoir ennuyé, dit Victoria en se tordant les mains. Emmène maman, on ne peut pas parler comme ça.

Jake arborait un visage sinistre, et Victoria se demanda fugitivement quel désespoir l'habitait; il semblait confronté à quelque chose qu'il ne pouvait supporter. Et il avait autant envie de partir qu'elle de se débarrasser d'eux, elle n'en doutait pas.

Quand ils furent partis, Parnasse alla préparer du café.

– Que vas-tu faire, maintenant, Victoria?

Elle était très pâle. Elle s'adossa au mur, le visage caché sous le rideau formé par ses cheveux noirs.

– Je vais rester. Je vais trouver un appartement peut-être. Je ne... Je veux me libérer de ma mère. De tous les deux.

– Eh bien, alors, dit-il en s'approchant d'elle pour lui prendre le menton, on est une grande fille, à ce que je vois.

– Plus grande que vous croyez. Je ne suis pas vierge, Jacques.

Il se pencha et l'embrassa. Il sentait le tabac et le cognac qu'il avait bu après le dîner. Le désir de coucher avec lui monta soudain en Victoria, mais tout aussi soudainement, elle pensa à Francine.

– Pas ce soir, dit-elle en s'écartant de lui.

– Pourquoi pas ce soir? Qu'est-ce qui nous en empêche?

Mais Victoria avait compris une autre grande vérité : le sexe n'était pas distinct de la vie, il ne pouvait être une expérience séparée du reste. Bien des douleurs pourraient être épargnées si c'était le cas, mais l'acte, la sensation, propageaient leurs ondes de choc dans les relations avec les autres, dans le travail, à la maison, partout. L'amour libre n'existait pas, tout acte d'amour avait un prix. Si elle couchait avec Jacques Parnasse, elle perdrait probablement son emploi. Les autres filles, ses anciennes conquêtes, l'intégreraient alors dans leur club de rejetées. Elle ne voulait pas être membre de ce club. Celles qui restaient dans les faveurs de cet homme, c'étaient celles qui n'avaient pas – pas encore – partagé son lit.

– Un autre soir, dit-elle avec un sourire.

Elle ne souriait pas souvent. Comme son père, elle posait plutôt un regard gris clair de défi sur le monde. Mais quand elle souriait, son visage devenait infiniment séduisant. Et pour la première fois de sa vie, Parnasse se demanda s'il n'était pas en train de se ridiculiser.

Jake s'assit sur un banc près de Harriet. L'air nocturne était froid, et elle tremblait sans pouvoir se contrôler.

– Je t'avais dit qu'elle irait bien, dit-il.

– Oui, mais elle est si différente, tellement plus vieille...

– Nous sommes tous plus vieux.

Il se leva et, s'approchant du fleuve, prit un caillou qu'il jeta violemment dans l'eau luisante.

– Nom de Dieu, Harriet, il y a des jours où je te déteste! dit-il d'une voix sourde.

– Ne commence pas ce soir! dit-elle en frissonnant, incapable de supporter une bataille.

– Et quel soir est-ce que je peux commencer? Ou finir? Quand tu seras de retour dans ton bureau de luxe? Dans un de tes innombrables hôtels de luxe? Quel sera le bon moment?

– Ce n'est pas ma faute si tu es seul.

– Bien sûr que si!

Il la souleva sur ses pieds et la ramena très vite à l'hôtel. Il était tard, et les gens dans la rue les observaient d'un air curieux. Deux policiers se consultèrent même du regard avant de décider de ne pas s'inquiéter.

« Le gangster et sa victime en larmes, dit Jake à haute voix.

Peu après deux heures du matin, un homme à la vie brisée entraînait sa vieille maîtresse vers leur chambre d'hôtel. Depuis des années, la femme l'avait rabaissé en exigeant de lui ce qu'il ne pouvait offrir et en refusant ce qu'il voulait lui donner... »

– Je voulais seulement ta tendresse, murmura-t-elle, ce n'était pas beaucoup.

– C'était trop, beaucoup trop.

Dans leur chambre, chaude et calme, il se recroquevilla sur le lit. Harriet s'allongea contre lui et le prit dans ses bras. Elle berça sa tête en se disant que Victoria détesterait assister à ce genre de scène. Tout le monde était tellement habitué à la force de Jake... Il fallait le connaître depuis très longtemps avant de découvrir ses faiblesses.

Il reprit l'avion pour l'Angleterre dès le lendemain et Victoria, en déjeunant avec sa mère, s'en montra extrêmement blessée.

– Il aurait pu me dire au revoir, insista-t-elle. J'avais besoin qu'on discute.

– Il n'a pas été très heureux, ces derniers temps, dit Harriet qui avait retrouvé son calme habituel. De toute façon, il n'est pas très porté sur ces situations chargées d'émotions. Aucun de nous deux ne l'est, en fait. Nous nous ressemblons de bien des façons.

– Non, ce n'est pas vrai, protesta Victoria. Avant, je pensais que c'était ta faute si vous n'étiez pas restés ensemble, mais ce n'est pas le cas. Vous n'auriez pas pu être heureux, vous êtes trop différents. Il est sale, désordonné, débauché. On ne peut absolument pas lui faire confiance.

– Tu te trompes, objecta Harriet. Il a du mal à aimer les gens, c'est tout. Il ne sait pas comment introduire l'amour dans sa vie. Il fait ce qu'il veut, et c'est ce qu'il a toujours fait. Il ne promet jamais ce qu'il ne fera pas. Et il est plus courageux que moi, beaucoup plus.

– Tu ne devrais pas le voir. Il ne te fait pas de bien.

Harriet la regarda sans un mot. Elle ne savait pas comment parler à une fille moralisatrice, à une fille... Elle se ressaisit.

– Nous n'avons pas encore parlé de toi. Que veut cet homme?

Victoria la regarda sous ses épais sourcils noirs.

– Eh bien... ce que tu peux penser. Je ne suis plus une petite écolière, maman.

– Oh, mon Dieu! dit Harriet qui avait l'air de ne plus savoir où se mettre.

– Tout va bien, dit Victoria d'une voix apaisante. Je sais ce que je fais. Paris est exactement ce dont j'ai besoin pour le moment, je crois. Si tu m'aides à trouver un appartement, ce sera parfait.

– Ma chérie, tu ne peux pas vivre seule en Europe, tu n'as même pas dix-sept ans, quelqu'un doit veiller sur toi.

– Je peux veiller sur moi. J'envisage de rester ici et de travailler un moment. C'est pénible, d'être mannequin dans un salon, avec les essayages, et tout ça, et quand une cliente entre et veut voir une robe, tu dois venir la lui présenter. Si je me débrouille bien, je pourrai travailler dans les grandes maisons. Parnasse n'est que de la petite bière, même s'il ne veut pas l'admettre.

– Comme ta tante Simone, dit Harriet d'un air songeur. Tu aimes bien Simone, n'est-ce pas?

– Ça va, dit Victoria. Mais toi, tu ne l'aimes pas. Ton visage se raidit toujours quand tu dois parler d'elle à quelqu'un, et quand tu la vois, tu souris trop.

– Eh bien, dit Harriet en grimaçant, nous avons eu une terrible dispute il y a quelques années. Elle s'est alliée un temps à Gareth à cause d'une chose qu'elle m'accusait d'avoir faite. Un retour à la normale dans nos relations ne pouvait que prendre du temps.

Elles buvaient lentement leur café. Victoria se demandait ce que sa mère avait fait pour tant contrarier Simone. Il se pouvait que Harriet fût innocente, mais c'était toujours ce qu'elle prétendait et ce n'était pas souvent vrai.

– Je vais lui parler, dit Harriet. Je voulais te dire... Jake et moi avons discuté. Nous avons décidé que j'étais beaucoup trop intervenue dans ta vie, que je t'avais étouffée... par amour. Je ne pense pas vraiment que tu devrais être mannequin, mais si c'est ce que tu souhaites... Ma chérie, ne préférerais-tu pas faire des études supérieures?

Tout à coup, Victoria se rendit compte que si, elle le souhaitait vivement. Elle voulait retourner dans le chaud cocon qu'elle n'avait quitté que peu de temps auparavant. Mais elle s'était déclarée adulte, elle avait causé des ennuis à tout le monde, et maintenant on lui donnait la liberté et les responsabilités qu'elle avait demandées. Ce qu'elle avait vaguement conçu comme un interlude se transformait en ligne de vie. Elle ne pouvait reculer.

– Je pourrai faire d'autres choses plus tard, dit-elle avec un sourire si large que Harriet s'inquiéta. Tout ira bien. Mes amies vont être tellement jalouses!

9

La petite maison dans un quartier pas très chic en disait long sur Simone. Elle avait tenté de dissimuler la modestie des lieux par des fioritures, alors qu'elle aimait la simplicité. Mais dans ses murs, elle était l'épouse que voulait Georges, douce et obéissante, en dépit du fait qu'il trompait régulièrement cette femme à son goût. Elle impatientait Harriet. Pourquoi une femme si forte ne se montrait-elle pas sous son vrai jour? Si Georges n'aimait pas la véritable Simone, il aurait au moins dû la respecter.

Les deux femmes sirotaient un verre de vin au salon. Harriet se félicita de ne pas avoir vu l'appartement de Simone avant de lui confier la décoration des hôtels. Quant à Simone, elle regarda les chaussures et le sac de luxe de Harriet et trouva tout cela très injuste. Mais en apparence, elles simulèrent calmement une amitié qui aurait perduré malgré leur querelle.

– As-tu vu Gareth? demanda Harriet.

– Même si je l'avais vu, je ne te le dirais pas, dit Simone. Enfin, Harriet, pourquoi le détestes-tu encore autant? Tu as gagné, ce n'est plus nécessaire.

– J'ai perdu, dit Harriet. Il a eu la collection.

– Il a presque tout vendu, à ce que je sais. Il n'aurait pas laissé courir la revendication de Nathan s'il restait quelque chose à céder.

– C'est sans doute vrai.

Harriet n'avait pas pensé à cela. Pour Gareth, la collection n'était que de l'argent en banque. Il ne la désirait pas de la même façon qu'elle. Ces tableaux représentaient pour Harriet l'accomplissement total. Les posséder signifierait qu'elle aurait fait payer les Hawksworth pour tout ce qu'ils lui devaient. Si elle les possédait, il n'y aurait plus de place pour la haine dans son cœur, plus de terreurs nocturnes, plus de sursaut si quelqu'un la rattrapait par-derrière dans la rue.

– Que fait-il, maintenant? demanda-t-elle. Il n'était pas au Japon?

– En Chine. Il voyage à nouveau, je crois. J'ai reçu une lettre de Hong Kong le mois dernier. Il avait vu deux de nos robes dans une exposition, là-bas. Il m'a dit qu'il avait demandé au tribunal d'échanger l'acte de propriété de Corusca contre des parts de la compagnie.

– Il a déjà essayé, et cela ne l'a mené nulle part, dit Harriet qui avait du mal à garder son calme. On n'a jamais pu établir que mon mari possédait l'île; il n'y a pas de documents pour le prouver. Il n'y a que la maison et le parc qui l'entoure, et c'est mon domicile conjugal.

– Il m'a dit qu'il avait trouvé les documents... derrière un tableau.

Dans le silence qui suivit, Harriet entendit son cœur battre.

– Ce seront des faux. Il a eu le temps de les fabriquer.

– Peut-être. Tu étais d'accord pour ce partage, non? Mais tu n'as rien écrit...

– Bien sûr que non.

Cette lettre idiote, écrite naïvement il y avait si longtemps! Les avocats de Harriet avaient suffisamment brouillé la question de la propriété au cours des diverses procédures pour que la lettre ne puisse être produite comme preuve, mais elle existait, maillon faible de sa défense. Si l'affaire était à nouveau jugée, le titre ayant été retrouvé, l'accord qu'elle avait imprudemment signé pourrait bien être considéré comme valable.

Harriet dut faire un gros effort pour détourner son esprit vers un autre sujet. Elle vivait avec ce problème angoissant depuis des années, et ce ne n'était pas terminé.

– Je voulais te demander, Simone, commença-t-elle d'une voix ferme, si tu pourrais garder un œil sur Victoria.

– Harriet, ma chère, je suis tellement occupée! dit Simone d'un air las. Un voyage en Amérique, puisque tu m'as demandé de redécorer le Hawksworth de Los Angeles, mon travail au salon, Georges... Je n'ai pas le temps de courir après une adolescente. Je dois pourtant admettre que je ne serais pas rassurée de la laisser aux bons soins de Jacques Parnasse, ajouta-t-elle avec une grimace significative.

– Elle n'a pas besoin de beaucoup de présence, juste d'un endroit où vivre, en fait. Je me demandais...

Simone sentit la colère monter en elle, mais la dissimula sous un sourire. Non seulement Harriet s'était approprié leur affaire, et, en dépit de toutes leurs tentatives, n'avait pas rétrocédé les parts qui lui assuraient la majorité dans l'entreprise; non seulement elle trouvait normal que Simone laisse tout tomber pour se précipiter à Los Angeles afin de réparer des dégâts causés par une nuit de guerre entre quatre équipes de hockey sur glace et leurs supporters; elle prétendait maintenant installer sa fille chez eux!

Si seulement Simone avait été assez riche pour le lui jeter à la figure! Si seulement elle pouvait revivre le jour de leur rencontre, quand Harriet s'était assise près du trou dans le plancher! Quel soulagement ce serait de la pousser dedans! Mais le salon perdait à nouveau de l'argent. Beaucoup de fauteuils étaient restés vides lors de la présentation de la dernière collection... Et Georges coûtait cher quand il était déprimé.

– Je ne sais pas, Harriet, dit-elle. Peut-être avec un petit accord?

Après quelques paroles banales et un marchandage hypocrite, elles étaient montées à l'étage voir la chambre pleine de falbalas destinée à Victoria. La jeune fille allait la détester, se dit Harriet, mais du moins ne serait-elle pas à une porte du lit de Jacques Parnasse. Simone et Harriet se séparèrent avec ces baisers de convenance où les visages ne se touchent pas.

Maudite soit-elle, se dit Simone en sentant le parfum de luxe et en remarquant le discret maquillage des yeux de Harriet. Elle est beaucoup plus belle maintenant que lorsqu'elle était jeune. Assurance et grâce ont remplacé timidité et maladresse.

Il arrive que quelqu'un, quelque part, s'insère si parfaitement dans une humeur, un moment, un mode de pensée collectif, l'air du temps, que sans effort apparent ni ambition, cette personne se trouve hissée vers la célébrité. Harriet l'avait en partie compris quand elle s'était retrouvée à la tête de Hawksworth Corporation, à une époque où le monde avait besoin de femmes brillantes pour prouver que le mystère et l'allure pouvaient cohabiter avec une froide efficacité. A Paris, Victoria répondait à une autre mode. Parmi les mannequins, les grandes maigres sans aucune forme, portées aux nues pendant un temps, étaient apparues du jour au lendemain aussi tristes qu'une salade de trois jours. Les vêtements s'adoucissaient, et on avait besoin de femmes plus douces pour les porter. Qui correspondait à cette nouvelle mode? Les blondes pâles et les petites rousses s'élevèrent et retombèrent en deux mois. Puis arriva... Victoria!

Quelqu'un la remarqua chez Parnasse, puis Simone eut besoin d'une photo pour un ensemble, et elle la choisit, elle qui avait une si grande intuition en matière de style. Grâce au bouche à oreille et à cette photo d'une jeune fille aux épais cheveux noirs, sensuelle mais innocente, avec de la poitrine, une taille et la plus belle peau claire qui soit, en une semaine, chacun eut tôt fait de la connaître. Elle était trop jeune pour mesurer l'engouement dont elle faisait l'objet, mais Simone, la vraie Parisienne, sentit dans ses os le tintement du tiroir-caisse. A l'occasion d'une des rares soirées que Georges passa à la maison, elle alluma des bougies, prépara une mousse de poisson et des cailles aux raisins et attendit qu'il pose des questions.

– Qu'as-tu à me dire, Simone?

Marié depuis si longtemps qu'il n'avait plus d'illusions, il savait qu'elle avait mijoté autre chose qu'un bon dîner.

– Victoria.

La jeune fille, une fois de plus, était sortie avec Jacques Parnasse, et cela ne manquerait pas de faire jaser, parce que jamais Parnasse n'avait succombé au charme d'une autre personne que lui-même. Mais cette jeune fille le menait par le bout du nez. On l'avait vu, tout gêné, à une fête foraine, en train de regarder Victoria manger une barbe-à-papa. Harriet avait suggéré qu'on décourage leurs relations, mais Simone n'avait pas l'intention d'intervenir. Elle était consciente de son profond désir que la jeune fille se retrouve enceinte ou tombe en disgrâce, mais heureusement, l'appât du gain l'emportait sur ces pensées funestes – ce que Harriet avait peut-être prévu.

– On ne peut pas l'utiliser au salon, dit Georges d'un air sombre. Son style nouveau ne cadre pas avec notre tradition.

– Non.

Une fois encore, ils avaient raté le coche, en quelque sorte, craignant qu'un changement radical leur fasse perdre leurs quelques clientes fidèles : les dames mûres qui aimaient les coupes classiques. Simone aurait été capable de mener les deux styles de front, mais Georges n'avait jamais su prendre une décision en temps opportun.

– Nous devons passer un contrat, dit Simone, non avec Victoria, mais avec une agence de photo. Que penses-tu de Henri Colin? Jamais Victoria n'aura besoin de savoir que nous touchons une commission – qui sera de toute façon justifiée si je prends sa carrière en main.

Georges toussota. Il aimait bien Victoria, parce qu'elle était polie avec lui et agréable à regarder. Il aimait ses affaires dans la salle de bain, et les changements qu'elle imposait dans la vie monotone de son foyer. Les choses auraient-elles été différentes si Simone avait pu avoir des enfants? Certainement. Ils seraient passés des occupations stériles d'esprits égoïstes à une expansion mutuelle. Simone, vulnérable, le regardait nerveusement. Demain, il sortirait avec ses amis, ou sa maîtresse, et s'amuserait. Pourquoi ne prenait-elle donc pas un amant? Il y avait eu des hommes, autrefois; un d'entre eux, même, avait cru qu'elle divorcerait pour lui.

– C'est une gentille fille, dit-il.

– Gâtée, naturellement. Harriet n'avait aucune discipline. Alors c'est décidé ? On en parle à Henri ?

– Comme tu voudras, ma chère.

Il se leva de table et vint déposer un baiser sur le front de sa femme.

– Nous devons prendre soin d'elle, ajouta-t-il.

– Mais bien sûr, Georges ! dit Simone, qui n'était pas remise de ce geste.

Simone était mal à l'aise. Gareth avait voulu la retrouver dans un obscur restaurant, mais il n'en demeurait pas moins un risque qu'on les voie. Harriet était devenue tellement puissante ces dernières années que Simone réussissait à se persuader qu'elle avait des espions partout. Aujourd'hui, elle se sentait vieille et nerveuse. Pourquoi Victoria était-elle si rétive, pourquoi n'acceptait-elle pas les conseils qu'on lui prodiguait ? Elle avait tout de suite conçu une violente antipathie envers Colin, le directeur de l'agence. Elle lui trouvait un goût mièvre et jugeait qu'on ne pouvait lui faire confiance. Pis encore, Georges avait ri et lui avait donné raison. Et la gamine avait persuadé Parnasse de lui organiser des séances de photos, lui, directeur d'une petite maison qui n'était rien quand Simone avait six mannequins à temps plein ! Elle s'adossa un instant au mur. Il ne servait à rien de s'énerver. Parnasse était en pleine ascension, et elle plongeait. Maudite Victoria !

Gareth l'attendait à une table du fond. Comme toujours, le début de leur rencontre fut assez froid. Il semblait à Simone que son demi-frère était un homme superficiel jusqu'au plus profond de lui-même – si cela existait. Le Gareth public était vindicatif, plutôt cruel, et caustique en certaines occasions. Le Gareth caché était impénétrable. Simone se rendit compte qu'elle n'avait aucune idée de la façon dont il passait son temps. Il possédait un yacht quelque part, louait des villas ici ou là, et bien sûr voyageait, du Pakistan à la Bolivie, pour un prétendu commerce de tissus.

– Comment vas-tu ? demanda-t-elle par automatisme.

La question était inutile : il était visiblement prospère et en bonne santé. Il arborait une nouvelle chevalière en or avec des diamants en triangle. Il avait pris du poids, aussi, ce qui lui donnait une autorité dont il manquait par le passé.

– Tu as l'air fatiguée, Simone.

– Je le suis. Cette petite peste rentre tard ! Elle suit Parnasse partout et laisse ses vêtements en tas pour que la femme de ménage s'en occupe. Elle sort tous les soirs. Ce serait bien fait pour Harriet si elle se retrouvait enceinte.

– Jamais Harriet n'aura assez de malheurs, dit-il en buvant son apéritif.

– Tu bois trop.

Ils mangèrent presque en silence, Simone mâchant nerveusement un poulet trop sec, Gareth se risquant à prendre des crustacés.

– Le vieux aimait les crevettes, dit-il d'un air songeur. J'aurais dû l'empoisonner. Quelles fautes n'avons-nous pas commises dans notre jeunesse! Si j'avais réussi à le tuer, tout aurait été différent.

– Tu m'aurais évincée de l'héritage. Je n'aurais rien eu.

– Tu me sous-estimes, ma chère, dit-il en posant sa main sur celle de sa sœur. Et Harriet aussi.

– Que veux-tu? demanda Simone en posant sa fourchette. Est-ce Victoria? Elle ne fera rien de ce que je lui demande, j'ai essayé. Je me moque de ce qui pourrait lui arriver, mais il y a Harriet.

– Ne t'en fais pas. Je vais donner un ordre de virement à ma banque. Je m'en sors assez bien en ce moment.

Simone inclina la tête et sourit. Mais intérieurement, elle bouillait. Pourquoi était-elle toujours la seule à manquer d'argent? Les autres, qui le méritaient pourtant bien moins, en avaient toujours plus qu'elle.

– Victoria est très jolie, et tout le monde la regarde. Presque tous les magazines ont publié des photos d'elle. Ces petits seins innocents..., dit-il avec un sourire de sultan choisissant son harem. Tu dois nous présenter, Simone.

La femme leva la tête et rit méchamment.

– Si Harriet n'a enseigné qu'une seule chose à sa fille, c'est de se méfier de toi! Ça ne marchera jamais, tu peux me croire.

– Ne sois pas idiote, Simone. Présente-nous.

Elle le regarda, les lèvres entrouvertes et elle sentit ce qu'il pensait : de tout ce qu'on pouvait faire à Harriet, toucher à sa fille serait la pire des choses.

Comme Georges détestait cordialement Gareth, Simone choisit un soir où il n'était pas à Paris. En fait, naturellement, il passait simplement la nuit chez sa maîtresse, mais son excuse était pratique. Victoria arriva en coup de vent du salon et mit des bas noirs et des chaussures à talons, une robe de cocktail courte en satin bleu si serrée qu'on distinguait son nombril, et, par-dessus, un volant noir en tulle, comme une collerette de tarte. Elle compléta l'ensemble par des boucles d'oreilles d'un bleu électrique et un châle scintillant. Elle avait une allure stupéfiante.

Elle descendit pour dire quelques mots à Simone. Parnasse devait venir la prendre dans une vingtaine de minutes. Ils allaient à une réception où Victoria serait photographiée. Après, ils iraient peut-être dans un club ou une boîte, et Jacques se soûlerait pour bien lui montrer qu'elle lui brisait le cœur. Ce pouvoir qu'elle exerçait sur lui l'excitait autant que l'homme lui-même.

Gareth était assis, un verre à la main, et bavardait avec Simone. Victoria hésita à la porte. Il lui semblait familier d'une certaine façon, mais elle ignorait pourquoi.

– Victoria, ma chérie, voici mon frère, Gareth.

On aurait aussi bien pu lui présenter Belzébuth en personne. Toute son enfance, Victoria avait entendu dire du mal de Gareth, le fourbe, le voleur. Paralysée d'horreur, elle n'en regarda pas moins cet homme ordinaire et décida que c'était ridicule. Sa mère avait cette manie d'exagérer, et les testaments polarisaient toujours les rivalités.

Elle tendit la main poliment.

– Bonsoir, je suis très contente de vous rencontrer enfin.

– Moi de même, ma chère petite. Bien que j'aie l'impression de déjà vous connaître à force de voir votre photo dans les magazines. Vous êtes très belle, Victoria.

– Merci.

Elle s'assit, sa jupe remontant très haut sur ses cuisses.

Gareth la couvait d'un regard paternel.

– Je suis désolé que votre mère n'ait jamais voulu que nous fassions la paix, dit-il. Nous vieillissons tous. Mon père est mort voici très longtemps, et cette querelle ne doit pas continuer de génération en génération. Pourrions-nous être amis, Victoria?

– Euh... Je l'espère.

Elle avait été surprise. Si sa mère apprenait qu'elle était amie de Gareth, elle entrerait dans une colère historique, mais il était impossible de le dire ici, tandis que Simone servait à boire à cet homme gentil et ordinaire qui tentait de faire amende honorable.

– Je ne peux rester longtemps, ajouta-t-elle. Jacques vient me chercher.

– Jacques Parnasse? J'ai connu sa femme. Votre mère sait-elle que vous sortez avec lui, Victoria? Il semble un peu âgé pour vous.

Il la prenait pour une gamine, lui aussi. Comme les autres, il croyait qu'elle ne savait pas ce qu'elle faisait.

– Il est très gentil, dit-elle avec raideur. Je l'aime bien.

– Je n'en doute pas, dit-il avec un regard profond. Vous semblez un peu mince, mon petit, un peu fatiguée, dit-il en se levant soudain. Mangez davantage, et dormez aussi davantage, c'est un conseil que je vous donne. Je dois partir. Je suis ravi d'avoir pu vous rencontrer.

Il se pencha et lui toucha la joue de ses doigts glacés. Simone l'accompagna à la porte. Ils parlèrent une minute à voix basse, puis il partit.

Simone revint dans la pièce, alluma une cigarette et envoya des volutes de fumée vers le plafond.

– Il a raison, tu n'as pas l'air en forme. Tu devrais prendre quelque chose.

– Quoi ? Des vitamines ?

Victoria brûlait peut-être la chandelle par les deux bouts, mais elle n'avait pas l'intention d'arrêter avant de s'écrouler. Elle prit une gorgée de gin au citron.

– Tu ne devrais pas boire, c'est mauvais pour la peau.

– Cela me tient éveillée, rétorqua Victoria. J'en ai besoin.

– Qu'y a-t-il de mal à se coucher tôt ? demanda Simone avec un petit rire sec. Je sais, je sais, tout cela est si excitant ! Mais, ma chérie, si tu veux de belles photos de toi, bois de l'eau minérale, et prends de ça. Ce sera bien meilleur pour toi. Crois-moi, je le sais. C'est ce que je fais avec toutes mes filles.

Elle lui tendit une petite boîte métallique avec un dessin vieillot de fleurs sur le couvercle. Une boîte de bonbons pour la toux. Intéressée, Victoria la prit.

C'était une grande réception, très prestigieuse. Victoria avançait à petits pas sur le sol de marbre, incapable de faire de vraies enjambées à cause de sa jupe serrée et de ses talons dangereusement hauts. Elle se voyait réfléchie mille fois dans les miroirs tapissant les murs, et au-dessus d'elle, le haut plafond bleu ciel aux moulures dorées était soutenu par des piliers décorés de fleurs. Parnasse lui posa la main sur les hanches.

– Pourquoi ne bois-tu pas ?

– Je bois, dit-elle en lui montrant son verre d'eau minérale. Ma tante m'a dit que ma peau commence à perdre son éclat à cause de l'alcool. Elle m'a donné des pilules à prendre.

– Quel genre de pilules ?

– Je n'en sais rien. Des vitamines.

Elle ouvrit son sac et fit crépiter le contenu de la petite boîte à ses oreilles. Puis elle l'ouvrit et se lança une pilule dans la bouche.

– Maintenant je vais rayonner comme une rose anglaise.

– Si tu étais une rose, je m'insinuerais dans ton cœur comme une abeille et je te percerais de mon dard, dit-il d'une voix de gorge. Oh, Victoria, tu m'excites tellement !

La réception dura des heures, mais pour Victoria, elle passa comme un rêve. Elle se sentait légère et très heureuse. Quand Jacques lui posait la main sur le bras, elle en avait des frissons. Un chroniqueur passa son bras autour de ses épaules et lui caressa la poitrine sous son châle, et elle le laissa faire. C'était bon d'être touchée, elle en avait grand besoin.

– Allons au salon! dit-elle quand ils partirent.

– Pourquoi? s'étonna Jacques. Il n'y a personne, là-bas.

– C'est pour ça que je veux y aller.

Il ouvrit la porte avec sa propre clé et la referma derrière eux. Il faisait froid. Tout était silencieux. Pourtant Victoria se sentait en ébullition. Jacques la regardait, incrédule.

– Que veux-tu, Victoria?

Ils étaient dans le salon de réception. Au centre du tapis, elle retira son châle et le tint au-dessus de sa tête.

– Je veux que tu m'électrises, murmura-t-elle. Je ferai tout ce que tu voudras, mais tu dois m'électriser!

Elle laissa son châle tomber par terre. Il scintillait comme une étoile égarée. Une de ses fines bretelles avait glissé. Elle en sortit un bras et tira sa robe jusqu'à la taille. Parnasse retira sa veste et desserra sa cravate. Il la regardait. Ses seins étaient fermes. Il s'approcha d'elle et les prit dans ses mains. Elle renversa la tête en arrière et le laissa la caresser.

Il eut du mal à la dégager de sa robe, de son collant. Des flashes pourpres et vert émeraude traversaient la tête de la jeune fille. Pourquoi me suis-je refusé cela jusqu'à maintenant? se demandait-elle. Puis elle ne fut plus en état de penser. Elle resta sur le sol, la respiration pénible, le sang battant à ses oreilles, incapable de bouger. Jacques ne put attendre davantage. Tout fut terminé en quelques secondes.

10

Victoria était malade, sa tête la faisait terriblement souffrir, elle avait l'impression qu'elle allait mourir.

– C'est à cause de ces pilules, dit-elle à Simone, elles me font du mal.

– Seulement parce que tu as bu avant de les prendre, dit Simone en allumant une autre cigarette. Tu es rentrée très tard.

– Oui.

Elle ne supportait pas la pensée de la veille au soir. Profondément honteuse, terrifiée à l'idée d'être enceinte, elle sentait pourtant briller tout au fond d'elle une petite flamme de triomphe – stupéfiantes et délicieuses sensations! Jamais elle ne laisserait Jacques le refaire, c'était trop dangereux. Elle avait tellement mal à la tête!

– Tu as de l'aspirine? demanda-t-elle à Simone.

Mais sa tante alla prendre dans le sac abandonné par terre à son retour la petite boîte à fleurs, et elle y préleva une pilule.

– Celle-là ne te fera que du bien. Et tu as une séance de photos, ce matin, en plus du salon. Je t'ai donné ça parce que je te croyais assez grande pour les utiliser, mais si tu es trop jeune, je vais les reprendre.

– Elles m'ont rendue malade.

– Tu es malade parce que tu manques de sommeil et d'une alimentation correcte. Dépêche-toi, tu es en retard!

Obéissante, Victoria avala une pilule.

Les jours suivants furent étranges. Entraînée dans un tourbillon qui la menait du salon aux photographes et de là aux soirées, Victoria ne semblait jamais capable de se remettre. Jacques ne lui fut d'aucune aide : pour lui, leurs relations étaient maintenant sur des rails familiers. Puisqu'il avait profité une fois de son corps, elle ne se refuserait plus à lui et il y aurait accès chaque fois qu'il le voudrait. Alors elle prenait une pilule pour aller au travail le matin, et Jacques l'ignorait jusqu'au soir, quand il pouvait enfin l'emmener dans son bureau et fermer la porte. Toute capacité de résistance était morte en elle. Tandis qu'elle était allongée sous lui, les bruits du salon arrivant à travers les murs trop légers, un courant d'air glacial rampant sur la moquette, une partie de son cerveau se demandait ce qui lui arrivait, pourquoi elle agissait ainsi. Le plaisir de la première fois ne revenait jamais, une sorte d'engourdissement avait remplacé le paroxysme de sensations qu'elle avait éprouvé et qui restait sans suite.

De retour chez elle, elle se sentait horriblement mal. Elle avait envie de dormir, mais ne parvenait pas à se reposer. Elle avait l'impression que sa peau était à vif et que même l'ébauche d'une pensée était impossible. Simone dit qu'elle avait un refroidissement et lui donna d'autres pilules. Pendant un ou deux jours, elle se sentit mieux, bien qu'étrangement en dehors de ce qui se passait autour d'elle.

Un soir, après le travail, elle alla au vestiaire et s'assit sur une chaise, le cœur battant. Francine était là, appuyée au miroir, et elle pleurait en se regardant. Victoria savait qu'elle devrait lui parler, mais elle était tellement hors d'haleine, comme affolée au plus profond d'elle-même, qu'elle ne pensait pouvoir rester entière qu'en gardant le silence. Francine faisait rouler sa tête sur la surface lisse, maculant le miroir et ses joues de mascara. C'était comme si les deux femmes habitaient deux capsules de misère distinctes. Au bout d'un moment, Victoria se leva et rentra chez elle.

Le lendemain, coupée du monde par la pilule du matin, elle ne comprit pas à son arrivée le chaos qui régnait sur la place. La police accueillait une ambulance. Elle se fraya un chemin dans l'immeuble, et elle s'apprêtait à retirer son manteau, comme d'habitude, pour gagner le salon d'essayage quand elle passa devant le vestiaire. La porte était ouverte, et bien qu'elle n'eût aucune curiosité, elle ne put éviter de voir le visage couvert de mascara, le visage mort de Francine.

Seule dans sa chambre, Victoria se peignait le visage. Elle prenait ses pots les uns après les autres et dessinait de grandes volutes vertes ou pourpres autour de ses yeux, tachait ses joues de rouge, comme une poupée. Le rouge à lèvres écrasé jusqu'à son nez et loin vers les oreilles rappelait les coupures aux poignets de Francine. La mort hantait son esprit comme l'idée d'une île bénie où elle pourrait se réfugier. Après tout, qu'était donc la vie sinon un cauchemar d'épuisement, de terreur, et d'horribles visages de gargouilles qui vous regardent dans le noir?

La porte s'ouvrit derrière elle. Elle se retourna, s'attendant à voir Simone, mais c'était Georges. Il regarda son visage peinturluré.

– Mon Dieu, dit-il doucement, que t'est-il arrivé?

La chambre dégageait une odeur de renfermé. Il regretta de ne pas avoir terminé son dessin et apaisé le chaos qui régnait au salon, tout cela pour rentrer chez lui dans l'espoir d'une tasse de café au calme. Il s'avança dans la pièce et les yeux de Victoria le suivirent, des yeux de poupée, sans vie.

Jake était en réunion. Ils discutaient du nouveau bateau qu'il avait conçu et qui s'écartait radicalement de la tendance actuelle.

– Mettons les choses au pire, disait Mac, si c'est un échec, et c'est possible, nous serons fichus. On devrait construire un prototype moitié moins grand.

– On a déjà construit trois maquettes, rétorqua Jake. Elles ne peuvent pas se comporter comme le vrai bateau, et rien d'autre ne le fera. Pour l'amour de Dieu, Mac, avec les simulations sur ordinateur, les projections graphiques... On n'avait rien de tout ça quand on a construit le premier, et voilà que tu nous emmerdes pour un petit risque de rien du tout!

– On n'avait rien à perdre, quand on a commencé, dit Mac. Peut-être que tu te moques de cet endroit, Jake, mais pas moi. Regarde un peu autour de toi : si cette entreprise se casse la figure, tu ne seras pas le seul à en souffrir. Il y a des types dont les fils travaillent ici, dont les filles sont au bureau et dont les épouses s'occupent de la cantine. On ne joue pas à pile ou face avec des familles entières.

Jake soupira et posa ses pieds sur la table. Les cinq autres hommes présents s'agitèrent sur leur siège d'un air gêné, parce que Jake et Mac ne débattaient que rarement de leurs désaccords en public et que personne ne savait comment se comporter.

– La sécurité n'est qu'une illusion, dit patiemment Jake. Nous valons ce que vaut notre dernier bateau, et notre dernier bateau n'était pas assez bon. Nous avons bâti notre renom sur le fait que nous étions des novateurs, et sans innovation, nous ne sommes rien. Il ne suffit pas de faire un bond et de s'accrocher au territoire conquis, il faut faire un bond après l'autre. Sur ce chantier, nous sommes des experts de qualité exceptionnelle. Si nous n'utilisons pas nos qualités parce que nous avons peur, nous n'avons qu'à aller travailler dans d'autres chantiers.

– Tout ce que j'essaie de dire..., continua Mac.

Mais le téléphone sonna. Quelqu'un répondit et tendit le combiné à Jake.

– Un monsieur français pour vous, patron. Il dit que c'est urgent.

Jake prit l'appareil.

– Monsieur Jakes? Georges Lalange à l'appareil. Victoria est malade, il faut que vous veniez tout de suite. Je ne sais pas ce qu'elle a. Je crois qu'elle a pris de la drogue. Elle est dans sa chambre en ce moment et je n'arrive pas à lui parler... Non, non, je veux dire qu'elle ne me comprend pas. Une fille s'est suicidée au salon, et elle en a été bouleversée, mais pourtant... Oui, le docteur est là, il va l'emmener à l'hôpital. On vous attend.

Jake raccrocha et regarda les hommes autour de lui, comme étonné qu'ils soient encore là. Il n'arrivait à penser qu'à Harriet, réaction ridicule puisque c'était Victoria qui était malade. Que dirait Harriet de ce bateau? se surprit-il à se demander bêtement.

– Je dois partir pour Paris. Victoria est malade.

– Cette sale gamine, dit Mac en jetant son crayon sur la table.

Il se leva et regarda la silhouette de Jake qui s'éloignait. Les autres commencèrent à rassembler leurs papiers.

– Au moins, c'est pas Harriet, murmura Mac. Ça, il le supporterait pas. Et il dit que c'est moi qui veillis!

Jake eut du mal à trouver l'hôpital et découvrit cet étrange mélange d'efficacité et de désordre français que jamais un Britannique ne pourra comprendre. Il ne faisait confiance à personne.

– Elle n'a pas l'air de me reconnaître, dit-il au docteur. Elle est comme absente. Est-ce que ça va s'améliorer?

– Qui peut le dire? répondit le médecin en soupirant. Elle a pris un hallucinogène puissant, nous ne savons pas lequel. On a trouvé des pilules dans sa chambre et l'analyse n'est pas claire. C'est une sorte de cocktail de drogues à base de cocaïne, croyons-nous. Le cerveau risque d'être atteint.

– Le cerveau? Vous avez perdu la tête!

– Malheureusement, monsieur, c'est votre fille qui risque d'avoir perdu la sienne.

Jake retourna voir Victoria. Elle gisait sur son lit, absolument immobile, ses yeux gris regardant le monde sans le voir. Peur et rage montèrent en lui en quantités égales. Il avait envie de tuer quelqu'un, n'importe qui, de préférence celui qui avait donné ce poison à sa petite fille. Georges lui toucha le bras. Jake ne le reconnut pas tout de suite.

– Oh, c'est vous! Que lui est-il arrivé? Qui a fait ça?

Le visage mince et amer de Georges avait perdu toute couleur.

– Je ne peux rien vous dire, murmura-t-il.

Jake ressentait le besoin incontrôlable de condamner quelqu'un.

– Est-ce que c'est ma faute? demanda-t-il à Georges. Qu'est-ce qui a mal tourné? C'est Parnasse?

– Non, non... Je ne sais pas. Il n'a rien fait pour l'aider. Tout s'est passé si vite.

Quand Georges rentra, Simone était en train de fumer cigarette sur cigarette.

– Alors? demanda-t-elle.

– Le cerveau risque d'être atteint.

– Oh, mon Dieu!

– C'est fini, Simone. Je te le dis pour pouvoir apprendre la vérité de ta bouche. Le salon est fini, et ce mariage aussi. Est-ce que c'est ton frère?

Simone le regarda, la bouche ouverte et molle. Elle avait les dents maculées de rouge à lèvres.

– Ce n'est pas moi! Je ne savais pas, je te jure que je ne savais pas! Il a dit que c'étaient de simples pilules pour la remettre en forme. Je t'en supplie, Georges, ne tire pas de conclusions aussi rapides, elle peut s'en remettre!

Elle écrasa sa cigarette et tenta d'en allumer une autre, mais ses mains tremblaient trop.

– Combien t'a-t-il payée? Ne me dis pas que tu ignores qu'il trafique de la drogue, que c'est comme ça qu'il vit! Bien sûr, que tu le sais. J'ai vécu toutes ces années avec toi sans savoir que j'avais épousé une salope! Et moi qui me prenais pour le méchant du couple, avec mes petites fautes, mes petites infidélités! Je ne peux plus supporter de te voir chez moi. Sors d'ici, va-t'en! Prends ton sale fric et sors d'ici, vite!

Il la saisit par le bras et la propulsa vers la porte. Elle sanglotait, suppliait :

– Non, Georges! Je ne savais pas! Je te promets que je ne voulais pas lui faire de mal. S'il te plaît, Georges, je t'en supplie!

Dans la rue, elle se retourna vers la porte qui venait de claquer sur elle et la frappa des poings, deux, trois fois. Personne ne vint lui ouvrir. Elle se rendit compte que des gens la regardaient, ceux-là mêmes qui la saluaient poliment depuis des années, et qui la voyaient ce soir dans la rue, avec son chemisier sortant de sa jupe, sans sac ni manteau, sous la pluie. Georges ne la laisserait pas rentrer. Où pouvait-elle aller? Que pouvait-elle faire? Titubante, Simone descendit la rue.

La frustration étouffait Jake. Il fallait qu'il bouge. Désespéré, il se rendit au salon de Parnasse et entra sans frapper. Pendant une seconde, avant de remettre son masque de charme et d'inquiétude, Parnasse dévoila sa peur.

– Vous le saviez? demanda Jake.

– Mon cher monsieur, comment aurais-je pu?

Il écarta les mains, dans une posture d'étonnement. Jake le frappa aussi fort qu'il put. Il sentit les dents de l'homme se briser sous son poing et regarda le sang couler à flots de son long nez.

– Je ne sais pas pourquoi je vous fais ça, dit Jake dans un souffle, mais je suis certain que vous, vous le savez.

Parnasse gisait dans un coin, le visage fracassé. Jake aurait voulu que ce fût pire encore.

Il sortit en passant devant tout le personnel qui était accouru. Quelque part, quelqu'un applaudit.

Victoria restait en vie mais inerte. Jake décida d'attendre une journée avant d'annoncer la nouvelle à Harriet, puis deux jours, trois, quatre... Il ne supportait pas l'idée de lui parler. Il arriva une lettre d'elle pour Victoria, que Georges apporta à l'hôpital. Dans le couloir, Jake l'ouvrit et il entendit la voix de Harriet :

> *Ma chérie,*
>
> *C'est ton tour d'écrire, mais comme je ne crois pas que tu vas te décider à le faire, je m'y mets! Je t'ai vue en couverture de* Elle, *et tu étais fantastique. J'ai acheté vingt exemplaires que je laisse traîner dans le bureau pour que tous ceux qui viennent me demandent : « Qui est-ce? » et alors je réponds d'un air dégagé : « Ma fille, Victoria. » C'est merveilleux!*
>
> *As-tu reçu ce que je t'ai envoyé pour ton anniversaire? Je ne pense pas que Simone ait fêté l'événement. Je sais qu'elle peut être bizarre, mais elle n'est pas aussi mauvaise qu'elle en a l'air. En revanche, ma chérie, il faut que j'insiste sur un point : j'ai entendu dire que Gareth est en Europe. Je t'en supplie, ne l'approche pas, non pour moi, parce que mes querelles ne sont pas les tiennes, mais parce que ce n'est pas un homme bien. On dit qu'il est un des barons de la drogue dont tout le monde parle*

mais que personne ne connaît. Il voyage en tout cas beaucoup, et il a énormément d'argent. Je suis certaine que Simone ne sera pas assez bête pour te présenter à lui, elle sait ce que j'en penserais, mais s'il croise ta route, FAIS DEMI-TOUR!

C'était délicieux de te parler au téléphone l'autre jour. Ecris-moi!

Je t'embrasse.

Maman.

Jake était malade de désespoir.

– Ces foutus salauds de Hawksworth! murmurait-il pour lui-même. Oh, Seigneur, Harriet, qu'est-ce que je vais bien pouvoir te dire?

Il tenait la lettre froissée dans sa main. Etait-ce Gareth? Etait-ce possible? Georges était resté près de lui, avec un air soucieux qui n'était pas entièrement feint. Cet homme méprise tous ceux qui n'appartiennent pas à son cercle d'intimes, se dit Jake. Il me méprise probablement aussi, mais pas Victoria. Il l'aime bien.

Ils allèrent sans un mot jusqu'à la cafétéria et commandèrent deux cafés.

– Est-ce que c'est Gareth? demanda enfin Jake quand ils furent assis à une table. Est-ce que Simone le lui a présenté?

Georges était immobile, à l'exception de ses doigts, qui tremblaient légèrement.

– Simone... le nie, dit-il enfin.

– Alors je veux lui parler, dit Jake sans parvenir à croiser le regard du Français.

– J'aimerais que vous compreniez, dit-il, que je n'ai eu aucune part à tout cela. Je me dois d'être loyal envers mon épouse, bien que je considère mon mariage comme terminé. Je crois que c'était bien Gareth. Je ne l'ai pas vu depuis des années. C'est un homme profondément mauvais.

– Votre femme n'est pas adorable non plus, dit calmement Jake.

Mais la rage le saisit soudain, et il balaya la table d'un violent revers du bras.

– Elle était sous votre responsabilité! hurla-t-il. Une gamine de seize ans, et cette salope l'a empoisonnée!

– Vous n'aiderez pas Victoria ainsi, dit Georges.

Il sortit un mouchoir immaculé pour essuyer les gouttes de café sur son costume, et posa un regard impérieux sur les autres consommateurs pour les dissuader de le prendre comme point de mire.

– Où est Gareth? demanda Jake presque à voix basse.

– Je suggère que vous le demandiez à Harriet. Ma femme a

toujours prétendu que Harriet avait un sixième sens en ce qui concerne Gareth, ou plus simplement des détectives à ses trousses en permanence.

Jake se leva et ses pieds broyèrent les morceaux de tasse par terre.

– J'aurais dû boire ce café, dit-il.

– Non, il valait mieux pas.

Ils sortirent. Jake se dit que Georges était un type courageux. Il avait eu très peur, à la cafétéria, et il l'avait dissimulé. Jake aurait aimé se contrôler aussi bien.

Le problème, avec les affaires, se disait Harriet, c'était que certains jours on s'endormait d'ennui, et d'autres on devenait fou devant tant d'activités – et le matin, en se levant, on ne savait jamais quel genre de journée on allait vivre. Parfois l'orage éclatait alors qu'on avait prévu de réorganiser les bureaux à l'étage inférieur, ou d'apporter sa contribution au journal d'entreprise, et le changement sans transition vous laissait terrassé. Aujourd'hui, par exemple, il n'y avait eu que quatre lettres de réclamations, toutes, soupçonnait Harriet, de la part de gens qui tentaient de profiter de son offre d'« une nuit gratuite si vous n'êtes pas satisfait », et pratiquement rien d'autre. Maud envisageait de consulter pour ses varices, et Harriet se demandait si elle ne devrait pas faire un saut en Europe pour voir Jake ou Victoria, bien qu'elle fût presque certaine qu'aucun des deux ne souhaitait sa venue : Victoria était trop occupée et Jake trop en colère.

Au milieu de cette morne journée arriva un visiteur. La réception avait téléphoné en catastrophe pour annoncer qu'un homme, en bas, jurait de connaître personnellement Mme Hawksworth – fallait-il appeler la police ? On le lui décrivit comme très grand, noir, mal habillé et plutôt étrange. Harriet prit l'ascenseur pour regarder, cachée derrière les plantes vertes du hall, et elle vit Jérôme, qui posait autour de lui le regard méprisant d'un faucon capturé.

Elle s'avança lentement. Le portier, un vieil homme en uniforme qui se croyait en présence d'un assassin, déclara nerveusement :

– Remontez, madame, nous nous occuperons de cette personne.

– C'est bien, dit Harriet. Je le connais. Bonjour, Jérôme.

– Harriet, nous devons parler.

Il avait l'air d'un prisonnier, les cheveux courts et le teint gris plutôt que noir. Elle l'emmena à l'étage.

– Cela me fait plaisir de vous revoir ! dit-elle d'un ton dégagé, une fois assise derrière son bureau.

– J'en suis heureux. Je suis venu pour mon île, Harriet.

– Votre île? s'étonna Harriet. Je ne crois pas qu'elle soit à quiconque. La maison et le parc autour sont à moi, et le reste... eh bien, des gens y vivent, cultivent la terre. C'est à eux qu'elle appartient.

– Ils sont mon peuple.

– Il y a eu beaucoup de changements, répondit Harriet après un temps de réflexion, un hôpital, des routes, les enfants sont scolarisés. J'ai beaucoup fait pour eux.

– C'est vrai. Je vous ai sauvée, alors c'était votre devoir. Je savais que vous le feriez. Et maintenant, je suis de retour, et c'est à moi. Vous n'étiez que la gérante.

– Et qu'êtes-vous? Le roi?

– Oh, mais regardez-la! dit Jérôme en renversant la tête en arrière pour rire. Tellement puissante! Toute seule dans ce grand bureau! Qu'est-ce qui est arrivé à votre homme, Harriet? Vous n'avez pas su le garder?

– Non, je ne l'ai pas gardé. Mais j'ai une bonne affaire et je m'occupe de l'île. Les temps ont changé, Jérôme, il n'y a plus de place sur l'île pour un seigneur tout-puissant. Je vous en prie, retournez-y! Je peux vous trouver un travail. Mais ce n'est pas votre île. Elle n'est à personne.

– A personne, sauf vous. Vous croyez connaître Corusca? Vous croyez la comprendre? Je vais vous dire, ma petite dame, vous ne savez rien de rien!

Elle se leva et alla regarder par sa fenêtre, qui ne donnait pas sur le panorama de la ville, comme on aurait pu l'attendre du bureau d'un grand chef d'entreprise, mais sur un petit parc.

– J'ai tant donné à cette île! dit-elle doucement. La maison est magnifique, tout à fait magnifique, et je n'ai pas construit d'hôtel, je n'ai pu m'y résoudre, pour ne pas tout gâcher. Il y a un hélicoptère pour emporter les malades en urgence. Auriez-vous pu leur donner ça? Vous ne feriez que les ramener en arrière, vers la peur, la suspicion, et... le vaudou!

– Ça n'est pas votre affaire, Harriet.

– Et ce n'est pas votre empire! dit-elle en lui faisant brusquement face. Ce n'est pas non plus celui de Gareth, même s'il cherche à y reposer ses sales pattes. On me l'a léguée, et je la garde.

– Pourquoi?

Elle n'en savait rien. Sauf que Corusca était un lieu hors des tourments et des déceptions qui l'accablaient partout ailleurs. Quand elle s'y trouvait, elle n'avait plus à se souvenir qu'elle était seule en ce monde, qu'au fil de toutes ces années elle n'avait jamais réussi à forger un seul lien indestructible. Les enfants luttent pour vous échapper, les amants vous quittent, furieux et amers. Mais sur Corusca, cette île magique et solitaire, elle vivait dans un rêve sous le soleil.

Jérôme partit sans dire où il allait. Elle tenta de lui proposer de l'argent, mais il la regarda et rit. Oh, Seigneur, se dit-elle, que va-t-il se passer maintenant ?

Quand elle rentra à la maison, Nathan l'y attendait.

Il était la dernière personne qu'elle aurait voulu voir. La bonne l'avait laissé entrer et il était affalé sur un canapé de satin pastel en train de boire un verre tout en regardant les tableaux au mur.

– Que veux-tu ?

– Dure journée, tante Harriet ? demanda Nathan sans relever l'agressivité de son hôtesse.

– Oui, et je parie que tu sais pourquoi. Tu me l'as envoyé, n'est-ce pas ? De quel côté es-tu, Nathan ?

– Du mien. J'ai déposé mon sac dans la chambre d'amis. Il faut que je redéménage ?

– Non, bien sûr que non, je suis désolée, dit Harriet en allant se servir un verre. Tu n'as pas eu de nouvelles de Victoria, par hasard ?

– Non. Elle ne m'écrit pas. Je le regrette.

– Pas moi. Et que fais-tu, en ce moment ?

– Je navigue un peu. Mais je suis venu te montrer quelque chose. C'est là.

Quatre paquets entourés de papier kraft étaient posés contre le mur, derrière un fauteuil.

– Ce sont des tableaux ?

– Oui. Gareth me les a envoyés. J'ai pensé que tu voudrais les voir.

Harriet déballa les paquets. Un frisson la parcourut, de ses mains à ses bras, son torse, son cœur... Dans chaque paquet, trois tableaux avec leur cadre, chacun lacéré en rubans. Sur le dernier, où l'on distinguait difficilement un Titien, il y avait un mot coincé dans le cadre. Elle le prit et le lut :

Mon cher Nathan,

Les restes de la collection, en souvenir du bon vieux temps. Je suis en fonds, et je n'en ai pas besoin. En préparant ces tableaux pour te les envoyer, j'ai eu la surprise de trouver les papiers originaux établissant la propriété de l'île de Corusca au nom de Josiah Hawksworth et de ses descendants, à perpétuité. Fais savoir à ta tante Harriet que si elle souhaite garder l'île, je suis prêt à accepter la Corporation en échange. Sinon, je me contenterai de l'île, à son choix. Bien à toi,

Gareth.

Harriet refoula ses larmes.

– Pourquoi cela m'arrive-t-il à moi? gémit-elle. J'ai travaillé si dur, pendant tant d'années, et jamais je n'ai connu la sécurité! Il me poursuit toujours, il veut toujours me prendre ce que j'ai! Et ces tableaux, ces merveilleux tableaux!

C'en était trop. Elle pleura, caressant les lanières de toile comme si elle pouvait les rassembler, ramassant chaque miette de peinture à l'huile pour la sauvegarder.

– L'île est à Jérôme, dit Nathan.

– Elle est à moi! affirma Harriet. Je suis la seule à la mériter, la seule à m'en soucier. Pour Jérôme, ce n'est qu'un royaume magique, pour Gareth une plaque tournante de la drogue. Tout ce que je souhaite, c'est une vie décente pour ses habitants, rien d'autre.

– L'île s'est emparée de toi comme elle s'empare de tout le monde, dit Nathan en se versant un autre verre. C'est un gigantesque papier tue-mouche. Tu vois bien : elle t'a gâché la vie, et tu l'aimes encore.

– Elle n'a rien gâché.

Harriet, d'un air rêveur, assemblait des lambeaux de toile qui formaient un bras, ou une chaise.

– Mais tu y retournes pour te rassurer. Tu te tournes vers elle quand tu devrais te tourner vers d'autres gens.

Harriet se leva doucement et rempaqueta les débris des tableaux.

– Est-ce que tu les veux? Je peux les envoyer chez un restaurateur qui arrivera peut-être à en faire quelque chose. Si tu vas te changer pour le dîner, assure-toi qu'à ton retour tu n'auras pas de conseil style Café du Commerce à me servir, parce que je n'ai pas besoin qu'un gamin me rappelle mes erreurs. Je les vois très bien toute seule.

– Mais tu ne les regardes pas, tante Harriet, n'est-ce pas? dit Nathan en passant la porte.

Au petit déjeuner, elle servit le café. La dentelle de son déshabillé lui retombait sur la main.

– Pourquoi ne prends-tu pas davantage d'amants? demanda Nathan.

– Parce qu'il y a une chose qu'on n'obtient pas d'un amant, c'est l'amour. Tu ne le sais pas encore, mais plus tu es riche, plus ton entourage pue. Tout le monde veut quelque chose, mais personne n'est prêt à donner. Et je n'aime pas les maris des autres femmes. OK, Nathan? Cela te suffit?

– Victoria ne te comprend pas du tout, dit-il en riant. C'est incroyable, tu es si facile à comprendre!

– Je suis ravie que tu le penses. Personnellement, je trouve Victoria incompréhensible. Tu es sûr que tu n'as pas de ses nouvelles? Tout est bien silencieux, à Paris.

– S'il y avait un problème, tu le saurais, dit Nathan en mordant dans son toast.

Victoria était assise dans un fauteuil, les mains sagement croisées sur les genoux.

– Victoria, cria presque Jake. Victoria!

– Oui, dit-elle en tournant très lentement la tête pour le regarder.

– Je veux que tu te lèves et que tu fasses le tour de la pièce, articula péniblement Jake. Allez, vas-y!

Obéissante comme une marionnette, elle se leva et fit le tour de la chambre en ayant un peu de mal à coordonner les mouvements de ses jambes.

– C'est mieux qu'on pouvait le craindre, dit Georges qui s'exerçait au cynisme pour cacher son émotion.

– C'est horrible, dit Jake. Victoria, assieds-toi. Il faut que je l'amène à sa mère, et je ne crois pas en avoir le courage.

– Maman? dit Victoria dont le visage sembla s'animer imperceptiblement.

– Oui, Maman, dit Jake. Tu veux ta maman, n'est-ce pas? Je vais t'amener à ta maman.

– Maman, répéta Victoria comme un disque rayé.

Ils prirent l'avion à Roissy. On avait coiffé Victoria d'un chapeau à large bord pour dissimuler son visage. La presse s'était intéressée à la maladie soudaine de la nouvelle jeune star, mais dans le monde de la mode, un visage remplaçait toujours ceux que les contraintes du travail avaient défaits. Pourtant, Jake ne voulait pas qu'on parle de sa merveilleuse fille comme d'un zombi.

Il avait répété cent fois la façon dont il allait annoncer la nouvelle à Harriet. Il regretta de ne pas lui avoir écrit, mais il l'avait imaginée en train d'ouvrir une lettre au petit déjeuner et lisant... quoi? Qu'aurait-il pu dire qui ne l'aurait pas détruite? Chaque journée où cette douleur lui était épargnée était une journée bénie.

Il regarda le visage de Victoria, immobile, sans expression, près de lui. Même sa beauté semblait ternie par le manque de vie. Pourtant, il n'arrivait pas à se persuader que l'enfant qu'il connaissait avait vraiment disparu. Parfois, brièvement, elle le regardait, et il la retrouvait, derrière les chaînes qui l'emprisonnaient. C'était plus pénible encore que de l'avoir vraiment perdue.

11

Cela faisait plusieurs années que Jake n'avait pas rendu visite à Harriet chez elle. Les rares fois où il avait vu Victoria, il l'avait prise à l'école ou l'avait retrouvée dans les îles, parce que, pour une raison qu'il n'était pas prêt à analyser, l'appartement de Harriet le mettait mal à l'aise. Maintenant, assis dans son élégant salon, il sut qu'il avait dû la frustrer dans le passé. Il avait condamné une femme qui aimait la beauté à vivre dans une petite maison hideuse, et pourtant, elle s'y était faite sans presque se plaindre. Peut-être aurait-elle dû se plaindre, se dit-il soudain. Si elle avait insisté pour avoir ce qu'elle voulait, avec moi elle aurait pu l'obtenir. Mais Harriet était tellement entière ! Avec elle, c'était tout ou rien, pas de compromis, pas de moyen terme.

– Il faut en discuter, dit Nathan.

Jake se leva et gagna la fenêtre, déraisonnablement irrité que le jeune homme prenne l'initiative.

– Il n'y a rien à discuter, certainement pas avec toi. Je ne sais pas pourquoi Harriet te supporte. Quand rentre-t-elle ?

– Elle va arriver, je crois. Vous n'êtes pas le seul à vous inquiéter pour Victoria.

– Ne te fous pas de moi ! Vous, les Hawksworth, vous êtes tous les mêmes : moi d'abord, et les autres peuvent crever !

Nathan sourit, bouche large sous la masse de ses cheveux blondis par le soleil.

– Je croyais que c'était vous, le diplômé en égoïsme, Jake.

– Tu as peut-être raison, dit Jake après un silence.

Son regard se porta sur Victoria, assise calmement les mains sur les genoux. Quand Nathan l'avait vue, son visage s'était transformé, exprimant un instant quelque chose que Jake n'avait pas reconnu. Douleur ? Compréhension ? Mais il s'était vite repris, et quand Jake avait tenté un début d'explication, il l'avait durement interrompu :

– Je sais. Je vois bien, vous n'avez rien à expliquer.

Et il donnait vraiment l'impression de savoir.

On ne voyait pas la rue de la fenêtre, et Harriet les surprit en ouvrant soudain la porte de l'appartement. Jake ferma les yeux. Il n'y arriverait pas, il ne pourrait pas le lui dire !

– Bonsoir ! Nathan ? appela Harriet.

Nathan sortit dans le couloir.

– Il y a un problème, dit-il calmement. Victoria est ici, et elle est malade.

Harriet se précipita dans la pièce et vit sa fille assise, immobile, sur le canapé, elle la vit tourner la tête lentement, elle vit ses yeux qui mettaient du temps à se fixer sur elle.

– Maman ? dit Victoria d'une voix rêveuse.

– Ils l'ont transformée en Madeline, s'exclama Harriet en se cachant la bouche de ses mains. Non ! Je ne veux pas ! C'est Madeline !

– Elle a été droguée, dit Jake. Elle peut guérir, Harriet !

Harriet se jeta sur le canapé et entoura le corps de Victoria de ses bras, en pleurant et en la berçant comme un bébé.

– Qu'est-ce qu'ils t'ont fait ? murmurait-elle sans fin. Qu'est-ce qu'ils t'ont fait ?

– Pourquoi ne le dis-tu pas ? cria Jake. Pourquoi ne m'accuses-tu pas ?

– Je me moque bien de toi, rétorqua Harriet, tu ne le vois donc pas ?

Il se détourna brutalement et se cogna contre une vitrine, lui, le moins maladroit des hommes ! Elle contenait une collection de petites tasses de porcelaine qui tombèrent les unes sur les autres en tintant comme des clochettes.

– On doit consulter des médecins, dit faiblement Harriet au bout d'un moment. Quelqu'un doit pouvoir la guérir.

– Ils n'ont pas guéri ma mère, dit Nathan.

Harriet le regarda. Elle eut soudain la conviction absolue qu'il souffrait, ce qui l'étonna, parce que jamais elle n'avait réussi à déceler les véritables sentiments du jeune homme. Il était pour elle un livre fermé.

– Tu n'es pas obligé de rester, dit-elle. Cela n'a rien à voir avec toi.

– Tu ne peux pas m'empêcher de m'inquiéter, dit-il doucement alors que ses yeux lançaient des flammes.

– Tu gardes tes sales pattes loin d'elle, cria Jake. Pour moi, tu es de mèche avec Gareth. Qu'est-ce que tu prends ? Ton cher oncle te fait des prix ?

– Ce n'est pas la faute de Nathan, dit faiblement Harriet. A quoi cela sert-il de se disputer ?

Elle prit les mains inertes de Victoria et tenta de leur redonner vie en les frottant dans les siennes. La jeune fille la regardait de ses grands yeux, sans ciller. Elle était comme Madeline aux pires moments. Curieusement, Harriet n'était pas surprise, comme si elle avait toujours su que cela arriverait un jour. Etait-ce la raison pour laquelle elle avait tant couvé la petite fille? Ou bien était-ce juste une façon de se justifier d'avoir stupidement donné sa liberté à une gamine de seize ans?

Jake s'approcha et tenta de l'enlacer, mais elle le repoussa. Cette fois, sa blessure était trop profonde pour qu'on puisse la réconforter. Il ne dit rien. Quand elle leva les yeux vers lui, il la regardait avec une infinie compassion.

– Je n'ai pas besoin de ta pitié, dit-elle.

– Laisse-moi ressentir ce que je veux.

Les opinions des médecins variaient. L'un d'eux déclara que les dommages étaient profonds et qu'il ne fallait pas espérer d'amélioration.

– Réjouissez-vous qu'elle ne soit pas totalement dépendante, dit-il brutalement. Pensez aux enfants qui naissent dans un état pire encore et qui ne peuvent ni se nourrir ni aller aux toilettes seuls. Elle n'est pas si mal.

D'autres voulaient tenter des électrochocs, encore des médicaments, le recours au stroboscope ou à des sons violents.

– Vous n'avez rien à perdre, disaient-ils.

Jake et Harriet se souvenaient des gosses qui ne savaient pas manger seuls et refusaient.

Nathan, lui, refusait de partir. Il restait et subissait leur froideur, leurs remarques agressives, attendant qu'ils soient au fond du désespoir. Finalement, au dîner, un soir, alors qu'il avait fallu rappeler à Victoria de porter chaque bouchée à sa bouche, il dit calmement :

– Pourquoi ne me laissez-vous pas l'emmener à Corusca? Je peux la guérir, j'en suis sûr.

– Et qu'est-ce que tu veux lui faire? rugit Jake. C'est comme ça que tu t'amuses? Tu prends des femmes qui ne peuvent pas te résister? Ton truc, c'est la nécrophilie pour débutants?

– Ne sois pas répugnant, Jake, dit Harriet en frissonnant.

Nathan posa la tête sur ses mains noueuses. Il respirait très vite, comme s'il luttait contre une pression insupportable.

– J'en sais plus que vous sur ces drogues. Quand j'étais petit, ma mère était comme ça. Pire, parfois. Jérôme s'occupait d'elle la plupart du temps. Il était bon pour elle. Elle allait mieux. Il lui donnait un médicament spécial, à base de feuilles. C'est un poison en grosses quantités, une drogue, mais qu'aucun chimiste ne peut reconnaître. Elle a un effet sur le cerveau. Ma mère ne voulait pas vraiment guérir, parce que alors elle se souvenait de trop de choses... Le vieux était tellement puissant qu'il faisait ce qu'il voulait. S'il avait voulu manger des gens, il l'aurait fait. Vous pensez que je suis le fils de Gareth. J'aurais pu l'être, mais ce n'est pas vrai. Mon père, c'était Henry Hawksworth.

– Tu n'en sais rien, dit Harriet. On ne pouvait faire confiance à ta mère pour dire la vérité.

– On peut faire confiance à Jérôme. C'est pour ça que Gareth a tiré sur le vieux. Une querelle à propos de ma mère. J'aurais dû être idiot, mais je ne le suis pas. Et ce que je sais peut guérir Victoria.

– Si tu crois que je vais te laisser poser tes sales pattes sur elle, explosa Jake, faire ce que tu veux, alors tu es loin du compte ! Sors de cette maison !

Il se pencha et saisit Nathan par les bras, le contraignant à se lever avec une force qui le surprit, parce qu'il n'était pas grand.

– Jake, non ! dit Harriet en le retenant. S'il peut la soigner, laissons-le faire ! Ne sois pas stupide !

– Mais est-ce que tu te rends compte de qui tu as en face de toi ? demanda Jake. Il a tout vu, tout entendu, Harriet. Tu veux mettre ta fille entre les mains de quelqu'un qui n'a aucun des tabous normaux du monde civilisé ? Il vient d'un monde où l'on peut faire tout ce qu'on veut tant qu'on ne se fait pas prendre. On s'est montrés assez irresponsable avec cette gamine sans la jeter maintenant aux loups, et en particulier à ce rejeton incestueux.

– On n'a rien d'autre, s'écria Harriet. Cela ne m'enchante pas non plus, mais il le faut !

Jake lâcha Nathan. Le visage du jeune garçon n'était qu'un masque blême dissimulant tout ce qu'il éprouvait.

– Jamais je n'ai fait de mal à Victoria, dit-il. Je n'ai jamais rien fait pour vous blesser, ni les uns ni les autres, mais ça ne vous empêche pas de me juger.

Jake soupira et vida le fond de la bouteille de vin dans son verre et dans celui de Nathan.

– Je te préviens, mon garçon, ton oncle Gareth n'a plus longtemps à vivre. Si tu fais le moindre mal à ma fille, quels que soient tes motifs, tu le rejoindras dans la mort. Je n'ai plus rien à perdre, mais toi, si.

Nathan regarda Victoria dont les yeux erraient à l'autre bout de la pièce.

– Vraiment ? demanda-t-il.

Corusca était délicieuse, au petit matin. La brume l'enveloppait comme une mousseline, adoucissant les falaises noires et éclaircissant les verts de la végétation. Nathan monta au mât avec l'agilité d'un gamin grimpant à un cocotier.

– Avant, c'était facile pour moi aussi, dit Jake. Je me demande si je pourrais encore le faire...

Harriet ne l'écoutait pas. Elle regardait fixement l'île, laissant ses pensées flotter dans le vent qui poussait les voiles. Comme toujours, immanquablement, Corusca l'emportait dans une existence différente. Cette île avait-elle tout gâché, ou bien Harriet ne serait-elle rien sans elle ?

Nathan cherchait l'épave d'un bateau de pêche qui signalait les eaux profondes de l'entrée du chenal. La vie n'était pas facile pour les pêcheurs, par ici, la mer toujours traîtresse, même si elle semblait paisible. Il cria et fit signe à Jake, qui hocha la tête et vira de bord. Le bateau s'inclina bêtement – ils avait loué ce rafiot conçu par un idiot. Un mouvement attira le regard de Harriet. C'était Victoria qui se levait pour regarder l'île. Harriet sentit son cœur bondir dans sa poitrine. Que n'aurait-elle pas donné pour que Victoria se rétablisse !

Ils mouillèrent le long de la nouvelle jetée en bois que Harriet avait fait construire. Le village était d'un calme étrange à cette heure, entre le retour des bateaux de pêche et l'ouverture des magasins et des écoles. Elle remarqua qu'on avait disposé, devant certaines maisons, des tables où l'on exposait des poteries – nouveau pas en faveur du commerce. Cela lui faisait-il plaisir ? Elle n'en était pas certaine. David était là avec la carriole. Harriet le salua brièvement. Ils gagnèrent la maison en silence, accompagnés par le chant des oiseaux et le martèlement des sabots du poney sur la terre sèche.

La chaleur augmenta au fur et à mesure de l'ascension du soleil. Dès midi, il devint impossible de marcher pieds nus sur le sable. Ils déjeunèrent sans goût et chez Harriet l'impatience le disputa à la léthargie provoquée par la chaleur. Ils étaient là, ils étaient venus. Et maintenant ?

– Je l'emmènerai cet après-midi, dit Nathan.

– Je viens avec vous, dit Jake.

– Moi aussi, ajouta Harriet.

– Non. On était d'accord. Je l'emmène seul.

Ils le regardèrent ; belliqueux et fier, il s'opposait à deux personnes qui n'avaient pas l'habitude de laisser à d'autres le soin de prendre les rênes, et qui n'avaient jamais rencontré quelqu'un de taille à leur imposer ses volontés.

Harriet hocha la tête et se leva. Elle partit vers la plage, les mains enfoncées dans les poches de sa robe. Il faisait si chaud ! Douloureusement chaud ! Où allait-il l'emmener, que ferait-il ?

Elle revint vers la maison en courant et trouva Jake, dans le hall, qui donnait des coups de pied dans un pilier, assez fort pour se faire mal.

– Il fait trop chaud, et il n'a sûrement pas pris son chapeau. Il faut qu'elle mette un chapeau.

– Il a pris son chapeau. Oh, Harriet, de tout ce que nous avons fait, est-ce la pire erreur?

– Peut-être, dit-elle en s'effondrant sur les marches du grand escalier. Je ne me souviens de rien d'autre que d'avoir mis ma mère dans une maison de retraite. Il ne me reste plus qu'à en faire autant avec Victoria.

– Ne sois pas idiote, dit-il en s'asseyant à côté d'elle pour lui prendre la main. Pour une fois, faisons face ensemble.

– Je crois que je suis trop glacée par la peur. Laisse-moi, Jake, s'il te plaît.

Une minute plus tard, il se leva et s'éloigna.

Nathan prit la main de Victoria et la traîna le long du sentier. Depuis son enfance, à l'époque où nombreux étaient ceux qui parcouraient ce même sentier, la végétation avait repris ses droits, et la progression était devenue plus ardue. Victoria respirait péniblement. Elle tirait sur sa main. Soudain, il eut un mouvement de cruauté impulsive. Personne ne pouvait le voir. Il l'attira vers lui et la secoua, fort.

– Marche, nom de Dieu, marche!

Elle ne portait qu'une fine robe d'été et une petite culotte. Sa poitrine tressauta contre lui, et pendant une seconde il ferma ses yeux que brûlaient la sueur. S'ils avaient su ce qu'il ressentait pour leur fille, jamais ils ne l'auraient laissé l'emmener. Il la désirait depuis aussi loin que remontaient ses souvenirs. Il n'avait vécu que pour les moments où il pouvait la voir, se promener avec elle. Il ouvrit les yeux et regarda son visage mort. Puis il lui reprit la main et l'entraîna à nouveau sur le sentier.

Ils grimpèrent dans la chaleur du jour, jusqu'au soir. Victoria gémissait d'épuisement et, par moments, il dut presque la porter.

– Depuis quand es-tu si geignarde? demanda Nathan. Un temps, tu étais prête à te tuer plutôt que de me laisser gagner.

Les yeux gris tout au fond desquels brillait encore cette lueur fascinante le regardèrent.

– Je veux ma maman, dit Victoria.

– Tu ne peux pas avoir ta maman, dit Nathan en la poussant. Tu ne peux pas l'avoir avant de te réveiller. Oh, Victoria, est-ce que tu ne me veux pas, moi?

– Je veux ma maman! s'écria Victoria en pleurant presque tant les ronces la blessaient.

– Fous-moi la paix, cria Nathan.

Il la dépassa sans se préoccuper des épines qui lui déchiraient la peau, puis il lui reprit la main et l'entraîna derrière lui. Il vit les lignes rouges apparaître sur ses jambes et ses bras nus, et se réjouit de sa douleur et de ses sanglots. Ils finirent pas s'effondrer ensemble sur une grande roche plate. Nathan regarda autour de lui le plateau sans arbres ni buissons, simple cercle herbu dans une clairière, sur la montagne.

– Ils ont raison, tu sais, murmura-t-il en serrant la main de Victoria. Il n'y a rien que je n'aie vu.

Puis il la lâcha et elle se recroquevilla en position fœtale, le pouce dans la bouche.

– Tu n'es pas morte, à l'intérieur; tu te caches. Tu n'as rien à cacher ici, il n'y a que moi.

Elle le suivit des yeux sans ciller. Si l'ancienne Victoria n'était plus là, il avait blessé une enfant effrayée. Il se leva et mit ses mains autour de sa bouche.

– Ho! cria-t-il.

Ho! Ho! répondit l'écho dans la forêt. Des oiseaux aux vives couleurs s'envolèrent, puis se posèrent de nouveau. La sueur lui coulait au coin de la bouche, salée comme de l'eau de mer.

Un homme sortit des buissons en bordure de la clairière, et Nathan alla à sa rencontre.

– Salut. Je craignais que tu n'aies renoncé.

– Tu lui as fait mal, dit Jérôme.

– Juste un peu. Elle ne voulait pas avancer.

Ils allèrent regarder la jeune fille et elle leva les yeux vers eux, sans expression, sans émotion.

– Ça me fait mal de la voir comme ça, dit Nathan. Ça me met en colère.

– Ça n'est pas nouveau pour toi, dit Jérôme.

Il se pencha, la dévisagea, agita les doigts devant ses yeux, souleva une de ses mains et la regarda retomber. Il sembla trouver intéressant que les seuls mouvements volontaires de Victoria soient un recroquevillement des doigts.

– Souviens-toi : elle est en sécurité maintenant, elle est loin de nous. Je peux la ramener, mais si elle ne veut pas revenir, elle ne restera pas. J'ai donné à Madeline tout ce qu'elle voulait, et je n'ai jamais pu la retenir. Je l'aimais, pourtant.

– Personne ne l'aimait vraiment, pas même moi, dit Nathan en secouant la tête mais sans quitter Victoria des yeux. Ma mère était un pion. Tous ceux qui l'avaient croyaient gagner la partie, et le vieux ne voulait jamais plus ce qu'il avait eu une fois.

Jérôme s'approcha de lui et lui entoura les épaules de son long bras noir.

– Viens, mon garçon, ne remue pas le passé! On va te donner une jolie fille à aimer, et tu pourras lui offrir le monde. Tu es fort, Nathan, tu l'as toujours été. Le seul plus fort que toi, c'est moi.

– Tu ne connais pas Jake, grimaça Nathan.

– Ce type! Harriet le mène par le bout du nez, même si elle ne le sait pas. Oui, il est assez costaud, mais il ne connaît pas Corusca! Comme cette île m'a manqué!

Il écarta les bras dans sa chemise blanche mouillée de sueur et fit le tour du plateau herbeux, comme s'il embrassait l'air qui enveloppait l'île.

Le soleil plongeait derrière les montagnes. Ils donnèrent à Victoria de l'eau d'une source qui semblait prendre naissance sous la roche plate. Victoria tremblait comme si elle avait de la fièvre.

– Elle ne doit rien manger, dit Jérôme. Veille à ce qu'elle ne picore pas de baies.

Ils repartirent à travers la forêt, toujours plus haut, sur une piste récemment tracée. Victoria gémissait et traînait en arrière. Nathan devait sans cesse la tirer, et il ne le faisait pas gentiment. Jérôme finit par s'arrêter.

Ils se trouvaient devant une hutte de branchages appuyée contre des arbres. Une pièce d'étoffe, comme celles dont les femmes de l'île enveloppent le poisson, servait de porte. Nathan poussa Victoria à l'intérieur et la suivit. Le sol de mousse était doux sous les pieds.

– Attendez! dit Jérôme.

Il rabaissa le tissu de la porte, plongeant la hutte dans une obscurité verte, la lumière de la forêt filtrant à peine à travers les feuilles et le tissu.

Victoria se mit à pleurer en appelant sa maman comme un bébé. Nathan la prit dans ses bras, mais elle ne réagit pas. Il se frotta contre elle, cherchant délibérément à s'exciter. Il pouvait la prendre, elle ne s'y opposerait pas. Il ne comprenait pas pourquoi il résistait à la tentation. Toutes ses aventures sexuelles avaient été dénuées d'émotion, que ce soit avec des putains blasées ou les filles faciles qui tournaient autour des yachts. Il arrivait qu'une fille semble bien l'aimer, mais il ne restait jamais assez longtemps avec elle pour s'en assurer. Ses sentiments étaient enfermés au fond de lui, et cette tristesse, cette tendresse, qu'il ne pouvait expliquer, s'étaient comme glissées sous une porte verrouillée à double tour.

Les yeux gris le regardaient sans comprendre, et il les regardait, tout aussi fasciné. Il avait envie d'elle, ô combien! Mais pas comme ça. Il voulait qu'elle l'aime.

– Pourquoi ne m'embrasses-tu pas? dit-il.

Bien qu'elle fût presque totalement obéissante, elle posa les mains sur ses genoux et détourna la tête. Nathan la frappa sur sa tête couverte de boucles noires. Victoria poussa un cri et tomba dans le coin de la cabane, les bras autour de la tête. Epouvanté par son geste, Nathan se précipita vers elle.

– Laisse-moi, murmura-t-elle en se recroquevillant.

Il lui prit les bras et la secoua.

– Tu comprends ce que je te dis! Victoria, écoute-moi!

Le rideau s'écarta et Jérôme entra.

– Elle sait ce qui se passe. Je le vois bien! explosa Nathan.

Jérôme ne perdit rien de son calme.

– Je te l'ai dit, elle se cache. Laisse-la tranquille, mon garçon.

Il avait rassemblé des plantes dans un petit bol. Lentement, délibérément, il écarta le rideau et alluma un feu devant la porte. Puis il se mit à déchiqueter les feuilles et l'écorce des plantes qu'il avait ramassées, et à jeter ce qu'il ne voulait pas dans le feu, qui projetait brièvement dans l'air une odeur forte.

– Amène-la près du feu, dit Jérôme.

Nathan essaya d'entraîner Victoria, mais elle lui résista. Quand il réussit à l'asseoir devant le feu, elle tendit les mains pour les réchauffer. Le froid s'était abattu d'un coup sur la forêt avec la nuit.

Jérôme écrasait les plantes dans le bol avec une pierre arrondie, transformant sa cueillette en un amas de fibres baignant dans un liquide visqueux. Il y ajouta de l'eau, puis filtra le contenu à travers une mousseline. Le liquide passait goutte à goutte.

– Pourquoi as-tu ajouté de l'eau? demanda Nathan. Ça en fait plus à filtrer.

– Ça ne coulerait pas si c'était trop épais.

Jérôme plongea le bout d'un doigt dans le jus récolté et le goûta.

– Il y a si longtemps que je n'en ai pas fait..., commenta-t-il.

– Essaie seulement de ne pas aggraver son état, dit Nathan.

Quand presque tout le liquide fut enfin passé dans le bol, Jérôme dégagea un espace dans les cendres, sur le côté du feu, et y posa le bol avec précaution. Le liquide mit un temps infini à bouillir et Nathan s'impatienta.

– Si on le rapprochait des flammes, ça irait plus vite, suggéra-t-il.

– Il faut que ce soit lent. Ce n'est pas seulement un médicament. C'est de la magie!

Nathan prit conscience de l'endroit où il se trouvait, de la petite hutte, si verte qu'on ne la distinguait pas de la forêt, de l'obscurité alentour qui cachait les créatures de la nuit et les serpents, du visage de Jérôme, illuminé par les flammes, de ses longues jambes pliées comme des pattes d'insecte tandis qu'il se penchait sur le breuvage qui chauffait.

D'énormes papillons de nuit venaient se brûler les ailes aux flammes, et quand l'un d'eux frôla la joue de Victoria, elle rejeta la tête en arrière et retint son souffle un instant. Ils étaient silencieux. Le liquide dans le bol épaississait en bouillonnant.

D'un geste rapide, Jérôme retira le bol du feu, le posa dans l'herbe pour qu'il refroidisse, le fit tourner trois fois dans un sens, trois dans l'autre. Cela signifiait peut-être quelque chose, ou peut-être rien. Il retourna dans la hutte et en ressortit avec une petite fiole de bois, dont il fit tomber deux gouttes du contenu dans le bol, et instantanément la mixture vira au rouge profond. Colorant alimentaire, se dit raisonnablement Nathan. Magie, insista son cœur.

– Victoria, bois! dit Jérôme accroupi près d'elle. Bois!

Il posa sa paume rose contre sa joue. Elle le regarda, presque suppliante.

– Ça ne sert à rien de se cacher, lui dit-il. Je ne te promets pas le bonheur, je ne te promets pas la joie. Mais je te le dis : la douleur et la peine sont comme des bêtes sauvages. Elles te mordent, ici ou là, et ça fait mal. Puis elles s'enfuient et retournent dans la forêt. Tu sais qu'elles sont toujours là, mais elles ne te mordent pas chaque jour. Et le soleil brille, et le poisson est bon, et ton homme s'allonge près de toi l'après-midi. Est-ce que ça ne vaut pas une petite morsure de temps en temps?

Il présenta le bol devant sa bouche et elle y trempa à peine les lèvres, comme si elle s'attendait à ce que le breuvage eût mauvais goût, puis elle but le tout. Nathan soupira longuement.

Jérôme la ramena dans la hutte et l'allongea sur la mousse.

– Dors, maintenant, lui dit-il.

Et il sortit du cercle de lumière autour du feu, les yeux brillant dans l'obscurité.

– Tu ne restes pas? demanda Nathan.

– J'ai d'autres tâches qui m'attendent. Elle va revenir à elle dans un moment. Si elle t'aime, elle restera avec toi. Sinon, je ne peux plus rien faire pour t'aider, mon gars.

Il tourna les talons et s'enfonça dans la forêt, avalé par la nuit.

Nathan s'assit dans l'embrasure de la hutte et regarda les ombres passer du noir au gris le plus sombre, puis au pourpre. La jeune fille gémissait de temps à autre dans son sommeil. Elle était de plus en plus agitée et il ne savait que faire. Soudain, elle cria. Elle avait les yeux grands ouverts, et la terreur se lisait sur son visage.

– Victoria! Tout va bien. Je suis là. C'est moi.

– Oh, mon Dieu, mon Dieu! Oh, mon Dieu!

Elle leva les mains et se mit à pleurer à chaudes larmes. Nathan la prit dans ses bras, la serra contre lui, cuisse contre cuisse, poitrine contre cœur, joue veloutée contre barbe naissante. Les sanglots de Victoria les secouaient tous les deux.

Il avait envie de s'éloigner d'elle, de s'éloigner de cette douleur qui semblait se transmettre à son propre corps, qu'il respirait à chaque inspiration, en bouffées sèches. Il crut exploser, il crut mourir. La boule de chaleur dans sa poitrine monta et sortit de lui en un gémissement d'agonie. Pour la première fois dont il eût le souvenir, Nathan pleura.

Victoria était aussi faible et misérable que si elle relevait d'une grippe. Elle avait mal à la tête, et quand Nathan écarta l'étoffe de la porte, la lumière qui entra à flots lui blessa les yeux.

– Pourquoi n'y a-t-il rien à manger, demanda-t-elle avec énergie. J'ai tellement faim!

Nathan fouilla dans ses poches et trouva une poignée de cacahuètes rances qui y dormaient depuis un bon bout de temps. Elle les mangea une à une.

– Je suis affreusement fatiguée! Mais si je dors, je risque de mourir. J'ai les nerfs à fleur de peau.

– Je vais te frotter les bras, proposa Nathan.

– Non, merci. Je suis trop sale. Je sens mauvais.

Le soleil inondait tout comme une pluie d'or. Victoria sortit de la hutte pour se soulager dans les buissons. A son retour, elle s'allongea dehors et laissa le soleil la réchauffer, extraire la drogue de son organisme, faire sourdre la sueur empoisonnée par tous ses pores. Sa robe trempée dessinait les contours d'un corps terriblement amaigri. Au bout d'un moment, elle se leva et tituba jusqu'à la hutte.

– J'aimerais bien me laver, gémit-elle.

– Viens à la chute d'eau, dit Nathan qui résistait à l'envie de la toucher. On pourra s'y laver.

– Quelle chute d'eau? Il n'y en a pas sur Corusca.

– Il y a bien des choses sur Corusca que personne ne connaît. C'est un secret, mais je vais t'y conduire. Tu peux marcher?

Elle hocha la tête et se mit en route, les bras serrés autour de la taille, comme quelqu'un de très malade.

Ils montèrent encore à travers la forêt, et une ou deux fois, Victoria s'effondra pour reprendre son souffle au flanc de la colline, la bouche grande ouverte pour capter l'air qui lui manquait. Nathan ne dit rien. Il attendit qu'elle récupère. Ils continuèrent, à travers des paysages dont il se souvenait à peine, pendant plus longtemps qu'il n'avait cru, et arrivèrent enfin en bordure d'une ravine, étroite fissure dans la montagne. Tout en haut, un filet d'eau se jetait des rochers jusqu'à un lac noir bordé de mousse et de fleurs rouges.

Victoria eut un vertige, mais elle ne chercha pas l'aide de Nathan.

– Je ne peux pas descendre, dit-elle.

– Il y a un sentier. On va longer le lac.

Elle haussa les épaules avec désespoir. Sa peau était presque verte. Nathan la précéda à travers les buissons sur un sentier extrêmement pentu. Il fallut qu'elle le laisse l'aider, lui tenir la main pour guider ses pas. Une fois, elle faillit tomber et elle cria en s'accrochant à lui.

– Tu vois, je ne te laisserai pas tomber, dit-il.

Quand ils arrivèrent au torrent, ils le suivirent jusqu'au lac. Ils ressentaient maintenant un besoin impératif d'y parvenir, alors qu'ils auraient facilement pu se laver n'importe où. Victoria regarda le dos de Nathan devant elle et se souvint du dos du chauffeur de taxi sur Teresa. Quand il se retourna pour l'aider, elle regarda sa braguette et pensa à Paul, et à Jacques Parnasse, et à son propre désir brûlant. Ils arrivèrent au lac.

– Je suis tellement sale, dit-elle.

– Moi aussi, dit Nathan. On va se faire tout propres.

La cascade tombait dans un grondement, remplissant d'écume la moitié du lac. Les fleurs rouges étaient arrosées continuellement par la bruine qui s'échappait de la chute, mais de petits oiseaux bravaient le danger pour venir se nourrir de leur nectar. Nathan se déshabilla. Victoria retira aussi ses vêtements et les mit à tremper dans une flaque entre deux rochers. Nathan se détourna pour qu'elle ne le voie pas.

– Ne t'en fais pas, lui dit-elle. Je ne suis pas choquée. J'ai déjà connu des hommes.

– Tu n'es pas obligée de m'en parler.

– Mais je le veux.

Pour un nouveau début, il ne devait subsister aucune vieille culpabilité. Elle se tenait immobile, ses épais cheveux noirs bouclés annonçant l'ombre à la base de son ventre. Nathan la regarda, sous le charme, presque timide. Elle ne semblait pas réelle.

– Le premier était un jeune Anglais, et il me plaisait beaucoup; pourtant, je ne voulais pas qu'il le fasse, et quand il l'a fait, ç'a été comme si on me fendait en deux. L'autre était un Français, et j'étais droguée. La première fois avec lui, j'étais surexcitée et je me suis conduite si bizarrement... Et j'ai eu du plaisir. Mais après ça... il m'utilisait comme un bout de viande. Je me méprisais, Nathan, je me haïssais.

C'était beaucoup moins qu'il ne l'avait craint, si bien qu'il rit en écartant ses cheveux blonds d'un coup de tête.

– Tu ressembles tellement à ta mère parfois, tu es tellement impitoyable ! Il n'y a aucune raison d'avoir honte.

Il prit de l'eau dans ses mains et la lança en pluie argentée.

– Même ma mère ne m'a pas aimé, dit-il précipitamment. Je n'ai jamais connu l'amour. Je suppose que c'est parce que je suis comme je suis. Je pense parfois que dès qu'on me connaît, on ne peut pas m'aimer à cause de ce que je suis. A une époque, j'ai cru que tu m'aimais. Je volais tes rubans et je les conservais dans une boîte. J'ai eu plein de filles... tellement... Faire l'amour, ce n'est pas ça.

– Peut-être ne devrions-nous jamais essayer. Si c'était pareil, tout serait gâché.

Ils entrèrent maladroitement dans le lac glacé. Le choc de l'eau froide sur sa peau fit frissonner Victoria et la contraignit à respirer par petites bouffées douloureuses. Quand elle s'y habitua, elle flotta dans une eau si verte qu'elle fut surprise, levant un bras, de voir tomber des gouttes incolores. Elle se mit sur le dos pour se mouiller les cheveux, ferma les yeux et s'enfonça sous la surface, ses cheveux comme des algues auréolant son visage. Nathan passa sous elle et la saisit par la taille. Ils remontèrent ensemble.

– Arrête ! s'écria Victoria, furieuse. Je ne nage pas très bien, tu vas me noyer !

– Je t'ai sauvée, je peux te noyer, dit Nathan en la retenant contre lui.

– Je ne veux rien te devoir, dit Victoria avec un grand calme. La gratitude gâche tout.

– Ne me hais pas, dit-il en la relâchant très lentement.

– Mais non !

– Victoria, ne me hais pas, je ne pourrais pas le supporter !

– Je t'assure que ça n'a rien à voir. Mais tu veux aller trop vite. Je ne sais pas qui je suis, je ne sais pas qui tu es.

Il nagea jusqu'aux rochers et sortit de l'eau.

– Moi, je sais une chose, c'est que je t'aime, dit-il simplement.

Elle nagea un moment en le regardant. Il était assis sur un rocher et il arrachait des poignées de mousse qu'il jetait dans le lac. Je ressemble tellement à ma mère ! se dit Victoria. Jamais elle n'a suivi son instinct, elle a toujours raisonné et planifié son chemin vers le malheur. Le froid la glaçait jusqu'à la moelle des os et elle gagna la rive à son tour. Nathan ne lui tendit pas la main pour l'aider à se hisser sur un rocher. Il continuait à arracher la mousse.

– Je te suis reconnaissante, dit-elle.

Le soleil l'enveloppa comme une cape chaude. Les oiseaux gazouillaient parmi les fleurs.

– Tu ne me possèdes pas. Tu ne me posséderas jamais, ajouta-t-elle.

Les longs doigts Hawksworth continuaient leur travail de destruction.

– Nathan! dit-elle en posant une main encore froide sur son épaule chauffée par le soleil. Tu fais partie de moi, depuis toujours. Enfant, je te vénérais. Quand j'ai grandi, c'était différent. Je ne voulais pas te connaître trop bien. J'ai toujours su que nous étions à part, mais je devais essayer d'autres choses, goûter la vie en dehors de toi... Je ne sais pas si cela durera toujours, mais à cet instant, ce que je ressens pour toi, c'est de l'amour.

– Je veux que ce soit pour toujours, dit-il en interrompant le travail frénétique de ses doigts.

– C'est peut-être le cas, murmura Victoria.

Elle embrassa son épaule hâlée, du long baiser sensuel d'une vraie femme.

Sur la falaise, au-dessus d'eux, Jérôme les regardait. Deux corps blancs mêlés dans ce qui ne pouvait être que l'acte d'amour. Il sourit intérieurement et hocha la tête.

– Tant d'histoires, murmura-t-il, tant d'histoires!

12

La mer, ce jour-là, avait pris une couleur métallique, et l'air était brumeux.

– Orageux, dit Jake en tournant son regard vers les collines vertes.

– Ils devraient revenir, dit Harriet en se plaçant plus près de lui qu'elle ne l'avait fait depuis des jours. S'ils ne reviennent pas, est-ce que tu iras à leur recherche?

– Peut-être, je ne sais pas.

Il descendit au port voir leur voilier. Harriet le regarda partir en se demandant ce qu'elle devrait faire ou dire. A cet instant précis, toute son énergie mentale se concentra sur son inquiétude pour Victoria. Même la colère ne parvenait pas à l'emporter sur l'angoisse. Elle se sentait rongée de l'intérieur, elle n'était plus entière. Et pourtant, pourtant... il était parfois si difficile de lutter seule, mais plus difficile encore d'abandonner cette habitude qui avait réglé sa vie. La vulnérabilité ne lui avait jamais apporté que de la douleur. Elle tenait à sa carapace comme un crabe.

Jake n'était pas encore rentré quand ils arrivèrent par le sentier de la colline. Même de loin, elle vit que Victoria était différente, qu'elle marchait comme avant, à grandes enjambées fières. Des larmes coulèrent sur ses joues et elle leur fit des signes en criant. Elle les vit s'arrêter, hésiter et reprendre leur marche.

Ils se retrouvèrent au milieu du jardin et Harriet prit sa fille dans ses bras, Nathan les regardant avec son jeune visage fermé et sans expression. Quand la mère et la fille s'écartèrent l'une de l'autre, il prit la main de Victoria. Harriet les regarda l'un et l'autre. Pour que les choses soient claires, Nathan attira Victoria contre lui et lui emprisonna la taille de ses bras.

– On n'a rien pour rien, dit amèrement Harriet. Une vieille coutume Hawksworth.

– Ne sois pas bête, dit Victoria. Cela n'a rien à voir. Nous nous aimons.

– Non, vraiment !

Harriet elle-même fut surprise de l'aigreur de son ton. Ce n'était pas qu'elle n'aimait pas Nathan, elle le connaissait à peine, et elle lui devait sans aucun doute de la gratitude pour ce qu'il avait fait pour Victoria. Elle se ressaisit.

– Quoi qu'il en soit, nous devons sortir le champagne. Oh, Victoria, c'est tellement merveilleux de te voir en colère contre moi ! Comme avant !

Jake revint alors qu'ils étaient tous plus que gais. Nathan parlait, les joues rougies par le champagne et l'excitation. Il ne cessait de caresser Victoria, comme s'il voulait bien marquer son territoire.

– J'ai toujours su que Victoria et moi étions faits l'un pour l'autre, j'ai toujours su que c'était bien ainsi. Quand elle portait ces jolies robes blanches à dentelles, je me disais qu'elle était l'image même de la pureté et de la bonté. Et j'étais le parent pauvre pour qui elle gardait des bonbons.

– Salut ! lança Jake.

Ils se tournèrent tous vers lui.

– Salut, dit Victoria en rougissant jusqu'à la racine des cheveux. Je vais mieux.

– Oui, oui.

L'émotion menaçait de l'étouffer et il fit demi-tour pour repartir. Harriet se leva et le saisit par le bras.

– Ne fais pas l'idiot, ne pars pas. Reste te réjouir avec nous.

Il ne voulait pas participer aux réjouissances générales, il ne pouvait le supporter. Mais Harriet s'accrochait à lui.

– S'il te plaît, Jake, il le faut. Que nous soyons une famille au moins quand il y a quelque chose à célébrer !

Mille mots lui montèrent à la gorge, mais il les ravala. Il y avait des choses qui devaient être dites, qui devaient être faites, mais ce n'était pas le moment.

Ils ouvrirent une autre bouteille de champagne et la fête reprit. Victoria et Nathan, étalés sur le canapé, se caressaient au point que Harriet finit par se sentir gênée.

– Arrêtez ! dit-elle enfin. J'espère que vous vous rendez compte que, quoi que vous ressentiez en ce moment, cela pourrait ne pas être réel. Corusca est un endroit étrange.

– Nous nous aimons, articula péniblement Nathan en promenant une main paresseuse sur la poitrine de Victoria. Nous allons vivre ici à jamais et nous aurons quatre enfants.

– Quarante-quatre, dit Victoria en attirant la tête de Nathan vers sa bouche.

Soudain, Jake ne put en tolérer davantage. Il avait supporté Nathan jusque-là, mais il n'irait pas plus loin. Il se leva et vint se placer près d'eux.

– Vous aurez une tribu d'idiots! dit-il méchamment pour les choquer et les blesser. Est-ce que tu te rends compte, Victoria, que Nathan constitue un amalgame de gènes aussi consanguins qu'on peut les rêver? De son propre aveu, il est le produit de l'inceste entre sa mère et son grand-père, et la seconde épouse du vieux, à en croire ce qu'on raconte ici, était sans doute sa demi-sœur. Je vois bien que vous êtes entichés l'un de l'autre, il faut l'admettre. Mais tu ne l'épouseras pas, et tu n'auras pas d'enfants avec lui.

Silence de mort. Harriet prit conscience des branches et du sable qui fouettaient les fenêtres.

– Le vent souffle fort, dit-elle doucement.

– Oui, on attend une tempête. Victoria, Nathan, vous feriez mieux d'aller vous changer, et nous ferions tous mieux de nous dégriser.

Il se dressait au-dessus d'eux, solennel et inflexible.

– Ce n'est pas ma faute, dit Nathan.

– Personne ne dit que c'est ta faute. Si tu l'aimes, tu verras que j'ai raison. Je suis désolé.

– Je ne sais pas quoi faire, murmura Victoria. Je ne savais pas!

Tout à coup, Nathan la repoussa et se jeta sur Jake.

– Espèce de salaud! Il a fallu que tu gâches tout, la seule bonne chose que j'aie jamais eue! Qu'est-ce qui te dit qu'il y aura un problème? C'est juste ce que tu souhaites!

Il envoya violemment son poing en direction de la tête de Jake, mais celui-ci, qui avait triomphé dans bien des bagarres, l'esquiva, recouvra son équilibre et frappa le jeune homme en pleine poitrine. Il tomba comme une pierre.

– Oh, Seigneur, Jake, qu'as-tu fait? s'écria Harriet. Pourquoi maintenant? Pourquoi ne peux-tu jamais rien faire comme il faut?

– Comme quoi? demanda-t-il en se retournant vers elle, fou de rage. Comme le laisser la mettre enceinte? Il n'y a pas de bon moment, et plus tu attends, pire c'est.

Victoria s'était assise, les bras repliés, et se balançait d'avant en arrière. Nathan se mit à quatre pattes et tendit la main vers elle.

– Tout ira bien. On va trouver une solution, lui dit-il.

– Mais..., commença-t-elle en le regardant de ses grands yeux, si on ne peut pas avoir d'enfants?

– Est-ce que ça compte tellement ? Est-ce que ça compte plus que moi ?

Elle aurait voulu lui dire que non, parce que c'était ce qu'il voulait entendre. Mais Nathan suffisait-il ? Remplirait-il sa vie à jamais ? Involontairement, elle évita son regard. Un gémissement prit naissance tout au fond de la poitrine de Nathan.

– Oh, Seigneur, le voilà qui va se mettre à chialer ! dit Jake.

– Ne sois pas aussi cruel ! s'écria Harriet en tenant ses cheveux à deux mains comme pour discipliner les pensées qui tournoyaient dans sa tête. Tu es toujours tellement cruel. Nathan ne t'a rien fait ! Pourquoi, pourquoi tous ces malheurs ne cessent-ils pas ? Tout est la faute de ce salaud de Gareth ! Sans lui, nous serions heureux.

– Tu ne peux lui reprocher tes propres manques, rétorqua Jake. Ce n'est pas lui qui te rend aussi rapace. Tu ne laisses rien à personne en propre. Il ne s'en est pris à Victoria que pour se venger de tes propres agissements ! Regarde un peu comment tu t'es battue pour la collection, comme si tu ne supportais pas l'idée qu'il lui revienne le moindre centime. Je te le dis, Harriet, c'était écœurant à voir.

Tant d'injustice la laissa sans voix. Etait-ce ainsi que ses actions étaient perçues de l'extérieur ?

– Ce n'était pas du tout ça, dit-elle faiblement. C'était sa faute. Il m'a blessée.

– Et cette blessure valait plusieurs millions de dollars ?

– C'est possible ! affirma-t-elle en relevant la tête. A combien évalues-tu un viol, et la mort d'un enfant à naître, et l'absence de tous les enfants que j'aurais pu avoir, que j'aurais dû avoir, que NOUS aurions dû avoir ? Combien cela vaut-il ? Combien de haine, de misère, de douleur ? Une quantité énorme, je peux te le dire !

Jake la regardait fixement. Il se lécha les lèvres.

– Mais au nom du ciel, pourquoi ne m'as-tu rien dit ? articula-t-il enfin.

Elle se mit à pleurer et se sentit ridicule.

– Je ne voulais pas que tu saches. Je me sentais... si sale. Comme si c'était ma faute. Je ne voulais pas que tu saches à quel point j'étais sale... La façon dont c'est arrivé était... J'ai cru que je pourrais faire comme si cela ne s'était pas passé. J'ai été malade, et après, tout était différent.

– Oui, tu étais différente. Plus dure.

– Tu aurais pu rester, alors, dit-elle pitoyablement. Je voulais que tu restes.

– Tu aurais pu me le dire. Mais tu ne l'as pas fait.

Il se sentait immensément fatigué. La tête de Nathan reposait sur les genoux de Victoria qui lui caressait le dos pour tenter vainement de le réconforter. A quel moment s'étaient-ils fourvoyés? En considérant les années passées, on pouvait presque se dire que les erreurs avaient commencé le jour où Harriet et lui s'étaient rencontrés. Dès ce jour, jusqu'à aujourd'hui, ils étaient passés l'un à côté de l'autre sans se comprendre. Comme il aurait voulu que tout fût différent!

La tempête fit rage toute la nuit. Un palmier tomba sur la serre, après quoi le vent s'y engouffra avec l'eau de pluie et les embruns arrachés à la mer. Une partie du toit fut soufflée peu avant l'aube et le dernier étage devint un terrain de jeu pour les rafales, qui fracassèrent les fenêtres et déchirèrent les rideaux en lambeaux, et ceux-ci se mirent à flotter et à battre dans l'obscurité, violemment éclairés par les éclairs fugitifs. Les quatre occupants de la maison se réfugièrent dans une pièce du rez-de-chaussée après avoir poussé un buffet contre la fenêtre. Ils gardaient les pieds en hauteur pour éviter l'eau qui courait sur le sol.

Harriet somnolait, mais elle sentait que Jake était tout à fait éveillé. Nathan et Victoria étaient enlacés sur un canapé; lorsque Victoria était allée s'allonger, Nathan l'avait suivie et s'était pressé contre elle. Sa détresse était pathétique et repoussante. Lorsque Victoria bougea, Harriet lui murmura :

– Allons regarder l'orage!

Elles quittèrent la pièce, s'arrêtèrent dans le hall balayé par le vent, et regardèrent à l'extérieur l'air chargé de débris qui volaient à l'horizontale vers une destination inconnue.

– Je n'aurai pas la force de tout reconstruire, soupira Harriet. Je suis trop fatiguée.

– J'aimerais être à New York, dit Victoria. J'ai toujours eu l'impression que tout pouvait s'arranger, là-bas.

– Quand tu étais petite, c'était ici, ton endroit préféré.

Harriet approcha dangereusement son visage d'une vitre déjà craquelée par la poussée du vent. Victoria l'en écarta.

– Non, maman!... Qu'est-ce que je vais faire?

– Je n'en sais rien. Ce que tu veux. Je ne suis pas bon juge. Jamais je ne me suis sentie aussi seule et aussi triste de ma vie.

– Si tu ne m'avais pas eue, est-ce que tu aurais été plus heureuse?

– Oh, non! répondit sa mère en lui entourant les épaules de son bras. Tu vaux toutes les peines, ma chérie, sincèrement. Je n'aurais pas voulu manquer un seul instant de ta vie.

– C'est bien ce que je pensais. Je déteste l'idée de blesser Nathan. Je l'aime vraiment. Mais je ne sais pas si je l'aime à ce point-là.

– Je ne peux rien te dire sur l'amour, dit tristement Harriet. La seule chose que j'aie apprise avec certitude dans cette vie, c'est qu'au bout du compte on doit prendre ses propres décisions et ensuite vivre avec leurs conséquences.

– Mais tu as toujours l'air si sûre de toi!

– Moi? Ma chérie, tu ne me connais pas du tout.

Au matin, Harriet se rendit au port avec Jake. Le vent n'était pas complètement retombé, mais le pire de la tempête était passé. Les gens ramassaient les morceaux de leur vie comme ils l'avaient déjà fait maintes fois, et comme ils le referaient bien des fois encore. Le bateau était couvert d'une vase venue d'on ne savait où, et un bout de clôture avait atterri sur le pont. Jake jeta les morceaux de bois dans les eaux épaisses du port.

– Nathan est dans un sale état, dit-il sombrement. Si on ne fait pas attention, ça fera un Hawksworth de plus à l'asile d'aliénés.

– Oh, Seigneur, tu ne penses pas ce que tu dis! Je crois que c'est seulement un amour de jeunesse. Tout fait très mal, à cet âge.

– Dis-moi quand ça s'arrête!

Jake sourit tristement. Harriet ne dit rien. Elle s'empara d'un balai et entreprit de nettoyer le pont de toute la vase.

– Je ne veux plus continuer, dit-elle soudain. Mais il y a Gareth.

– On peut en parler?

– Il y a si lontgtemps...

– Je devais être aveugle. Et tellement idiot. Je mérite un bon coup de pied aux fesses. Oh, Harriet, je suis désolé!

– Pas de quoi. Mais il ne s'arrêtera pas simplement parce que je me conduis en adulte. Après ce dernier coup, il me fait mourir de peur. Je crois qu'on devrait alerter la police.

– ... On ne peut rien prouver.

– On ne pourrait pas essayer?

Elle s'appuya sur son balai, l'air rêveur. Elle s'enrobait un peu, et Jake se dit que ça lui allait bien. Elle ressemblait à une rose épanouie.

– Et si on essayait vraiment. Si on montait un coup?

– Jake... On ne pourrait pas!

Il lui retira le balai des mains et s'en servit pour envoyer une cascade de vase dans la mer.

– Non seulement on peut, mais on va le faire. Maintenant, où est-ce que la prison serait la pire pour lui? Sûrement aux Etats-Unis. Ailleurs, il pourrait acheter sa liberté. Oui, je crois que Gareth va faire un petit voyage de santé en bateau.

– J'espère que tu sais ce que tu fais, s'inquiéta Harriet. Je ne veux pas te retrouver en prison.

Il grogna une réponse inintelligible. Soudain, il la regarda, les yeux brillants dans son visage hâlé.

– Pourquoi ne m'as-tu jamais laissé t'aider? Pourquoi es-tu toujours restée Mademoiselle Indépendance?

– Je ne pouvais te laisser m'aider, dit-elle après réflexion. J'aurais pu m'y habituer. Jamais je n'ai pu m'appuyer sur toi sans que tu bouges.

– Et jamais je n'ai pu t'aimer sans que tu m'envoies mon amour à la figure.

Jake prit la mer le soir même, avec Nathan. Cette nuit-là, Jérôme descendit de la montagne.

Devant une table de casino, sur la côte méditerranéenne, Mac regardait amèrement sa pile de jetons fondre devant lui. Il jouait pour perdre, et c'était douloureux, bien que remarquablement facile. Il s'interrogeait sur la stupidité des gens autour de lui à qui ce jeu idiot, apparemment, plaisait, et qui se moquaient d'être considérés comme des proies par les croupiers en smoking. Quand il eut perdu les cinq mille dollars prévus, il se leva de la table, ignorant la jeune femme qui lui proposait d'autres cartes. Elle était pourtant bien jolie, mais son professionnalisme la faisait paraître froide comme de l'acier.

Près de lui, un homme, qui avait joué à la même table les trois derniers soirs, repoussa aussi sa chaise.

– Ce n'était pas votre jour.

– Non. Je devrais m'en tenir aux chalutiers.

– Oui, j'ai entendu dire que vous aviez des bateaux.

Depuis quelques jours, Mac avait laissé raconter que sa flotte de chalutiers, une des plus grosses et des plus prospères d'Ecosse, devait en grande partie ses bénéfices au fait qu'elle ignorait les zones de pêche, les quotas et les filets des autres. Mac commanda à boire, pour lui seul, délibérément.

– Vous êtes flic? demanda-t-il.

– Qu'est-ce qui vous fait croire ça?

– La façon dont vous me collez aux basques. Mais vous êtes peut-être un peu trop chic. Qu'est-ce que vous voulez?

– Ça dépend, répondit l'homme en haussant les épaules. Une affaire, ça vous intéresserait?

– Illégale, j'imagine, dit Mac en fronçant son nez pointu.

– Ça vous gêne?

– Ça dépend du prix.

Ils quittèrent le casino, Mac veillant à rester dans la lumière.

– Vous pouvez me faire confiance, dit son compagnon.

– Ah oui? De la drogue?

– Je crois qu'on devrait parler de tout ça dans un lieu plus discret, pas vous? dit l'homme avec un sourire mou.

– On va aller sur mon yacht.

– Ce n'est pas vraiment un terrain neutre.

– Aussi neutre que je le veux. C'est à prendre ou à laisser.

Sans qu'il y ait eu acceptation, ils continuèrent leur route côte à côte jusqu'au port, leurs pas sonnant dans le silence de la nuit. Le yacht était ancré contre un ponton en eau profonde, emplacement de choix et très cher. Il dominait tous les bateaux alentour, splendide, spectaculaire. Tout le monde l'avait vu entrer dans le port, un vrai pur-sang, construit pour la course.

– C'est un très beau bateau, commenta l'homme.

– Oui.

Mac regarda autour de lui pour repérer qui pouvait les voir. C'était une nuit sans lune, et seules les lumières des bateaux ou les faibles ampoules suspendues le long des quais perçaient l'obscurité. Un chien laissait consciencieusement sa trace sur tous les bollards. Mac monta sur le bateau en un mouvement souple, et son compagnon le suivit plus maladroitement.

– Ici, dit Mac en s'écartant pour le laisser entrer dans la cabine.

Jake et Nathan étaient assis dans l'obscurité. Jake allongea une jambe : l'homme trébucha et s'affala sur le sol. Puis il alluma la lampe.

– Salut, Gareth, dit-il doucement, tu te souviens de moi?

– Nom de Dieu! s'exclama Gareth en tentant de se relever, plissant les yeux comme une chouette. C'est ridicule! Qu'est-ce que tu veux?

– Difficile à dire, en fait, dit Jake en le regardant longuement. Qu'est-ce que tu en penses, Nathan?

– On sait ce que tu as fait à Victoria, dit Nathan.

– Et à Madeline, ajouta Mac.

– Et à Harriet, termina Jake.

Gareth les regarda tour à tour. Soudain, il se précipita vers la porte, geste désespéré pour cet homme empâté. Jake l'attrapa et le frappa deux fois. La peau flasque s'écrasa sous son poing comme une baie trop mûre.

– Doucement, mon vieux, dit Mac. Le finis pas tout de suite. Il faut qu'il souffre.

Gareth leva les yeux vers lui.

– Pas de flotte de chalutiers? dit-il. C'est sans importance, ce yacht fera l'affaire. Vous deviendrez millionnaire. Juste quelques paquets de temps en temps. Ne voulez-vous pas être riche?

– Je le suis déjà bien assez, répondit Mac en allant se couper un bout de fromage.

– La marée, c'est dans combien de temps? demanda Nathan.

– Une heure, répondit Jake en s'accroupissant près de Gareth. Tu n'aurais pas dû faire de mal à Harriet. Je crois que c'est la plus grosse bêtise de ta vie – avec ce que tu as fait à ma fille. Mais tu vas avoir tout le temps de réfléchir à tes erreurs, et comme je ne veux pas que tu nous quittes, on va t'attacher.

Il prit un cordage.

– C'était il y a des années, dit Gareth. Elle a aimé ça!

Jake le frappa sur la bouche et sentit les dents céder sous le choc. Nathan prit le cordage. Gareth eut beau se débattre, ils le mirent complètement nu, révélant un corps blanc et sans poils. Ils lui plièrent les jambes en arrière et attachèrent ses chevilles à ses poignets dans son dos. Il se mit à geindre.

– Elle a tout pris! Elle n'a eu que ce qu'elle méritait, et les autres aussi! Les femmes ne sont rien, elles ne comptent pas. Elle sont là pour que les hommes les utilisent. Regardez un peu les ennuis qu'elles causent quand elles ont du pouvoir. Elles prétendent vous aimer, mais c'est un truc pour être plus fortes encore. C'était une putain; je l'ai eue quand je voulais; elle se laissait faire par n'importe qui. Et Madeline, c'était pareil. Elle ne voulait pas me laisser tranquille. C'était pas ma faute! Vous ne savez pas comment sont les femmes. Elles sont mauvaises!

Les trois hommes toisaient le corps tordu par terre. Jake s'approcha de la cuisinère et mit une broche à chauffer. Gareth hurla.

– Allumez la radio! dit Jake.

– Tu peux pas faire ça! murmura Mac. T'as perdu la tête, mon vieux!

– Si, il doit le faire, dit Nathan. Ce n'est que justice.

Jake éteignit le gaz et jeta la broche dans l'évier.

– Je savais que j'avais raison à ton sujet, dit-il à Nathan. Tu ne recules devant rien.

– Je ne ferai jamais de mal à Victoria.

Ils prirent la mer aux premières heures du matin en direction du détroit de Gibraltar. Les vents étaient faibles et instables, mais le yacht, perfection technique, avançait sans heurts.

– J'ai longtemps pensé que tu saurais jamais construire un bateau pour ce genre de vent, déclara Mac, mais je vois que t'as appris.

Jake grogna. Il lui était impossible de penser à autre chose qu'à l'homme dans la cabine, de plus en plus déséquilibré d'heure en heure. Ils l'avaient rhabillé et attaché à la couchette, mais il n'arrêtait pas de parler de son enfance, de fantasmes si terribles qu'ils avaient dû lui faire ingurgiter une demi-bouteille de whisky pour qu'il dorme et se taise.

– Rien n'est vrai, dit Nathan.

– A ce que je sais du vieux, tout est possible.
Le temps fraîchit quand ils passèrent dans l'Atlantique. Le bateau prit de la vitesse. L'homme dans la cabine pleurait et marmonnait derrière son bâillon.
Soudain, Mac retira son ciré.
– Ce pauvre type devrait être enfermé dans un endroit où il ne pourrait plus faire de mal, que ce soit aux autres ou à lui-même, dit-il.
– C'est là qu'il va, répondit Jake. J'ai tout organisé pour prendre un bateau et de la drogue à Nassau. Gareth y sera installé et on s'arrangera pour que les gardes-côtes mettent la main dessus.
– S'ils nous trouvent pas d'abord, grogna Mac.
– Ne t'en fais pas. J'ai pris mes précautions.
– On devrait le tuer, coupa Nathan. C'est tout ce qu'il mérite.
– Sois pas idiot, mon gars.
Mac n'aimait pas Nathan.
– Mais regardez un peu ce qu'il a fait à Victoria. Ce type est un animal!
– Ecoute, dit doucement Jake. Nous ne sommes ni des meurtriers ni des tortionnaires. Nous allons nous conduire en personnes correctes et civilisées. J'ai organisé sa capture pour qu'on le prenne en train de faire ce qu'il fait depuis des années.
– Mais je veux me venger! insista Nathan.
– Si ma fille t'entendait, elle se dirait que Gareth et toi êtes bien du même sang. Tais-toi et sois raisonnable!
Nathan était de garde cette nuit-là, dans le vent froid et un crachin sinistre qui tombait sans discontinuer. En bas, Jake et Mac dormaient, et Gareth marmonnait toujours.
Jake fut réveillé en sursaut par un cri. Il se redressa si vite qu'il se cogna au rebord de sa couchette.
– Qu'est-ce que c'est? Qu'est-ce qui se passe?
Mac se levait en titubant. Jake le poussa pour passer et sortit dans l'aube grise.
Nathan était en train de pousser Gareth par-dessus bord. L'homme avait toujours les mains liées, mais ses pieds luttaient pour s'accrocher au pont.
– Nathan! Pour l'amour de Dieu, non!
Jake bondit vers lui, et le jeune homme fournit un dernier effort. Jake attrapa le manteau de Gareth, mais ne put le retenir. L'étoffe lui glissa des doigts. Gareth bascula par-dessus le bastingage, disparut un instant puis remonta et flotta sur l'eau. Sa bouche s'ouvrit.
– A l'aide!
Puis elle se referma. Par réflexe, Jake lui lança une bouée,

puis se souvint qu'il avait les mains liées. Dans ces eaux, par cette température, il ne survivrait pas plus de cinq minutes.

– Il le fallait. Pour Victoria, dit Nathan.

Jake le repoussa d'un coup d'épaule.

– Ta gueule! Aide-moi à mettre le dinghy à l'eau, vite!

Mais Nathan ne bougea pas. Mac alluma l'éclairage du pont et dirigea le faisceau lumineux vers les vagues.

– Il a disparu. On le retrouvera pas.

– On peut essayer.

Mac et Jake firent faire demi-tour au bateau et revinrent à l'endroit où ils pensaient que Gareth était tombé. Il n'y avait plus trace de lui. Au bout d'un moment, ils retrouvèrent la bouée que Jake avait lancée et la remontèrent à bord. C'était sans espoir.

Dans la cabine, Nathan prépara du chocolat.

– Tu es fier de toi, hein? demanda Jake. Tu as eu ce que tu voulais? J'espère que tu es content.

Le jeune garçon le regarda à travers sa frange blonde.

– Vous ne comprenez pas. C'était un Hawksworth. Il n'y avait pas d'autre moyen.

La pluie reprit, plus fort qu'auparavant. Il hissèrent plus de voile pour prendre le vent d'est.

La maison, qui avait si longtemps résisté aux orages et aux tempêtes, semblait finalement renoncer. Harriet n'avait pas eu la force de demander qu'on retire le palmier tombé sur la serre et elle marchait sur le verre brisé en regardant l'écorce torturée de l'arbre. Que devait-elle faire? Elle entendit d'autres pas qui écrasaient du verre. Elle se retourna et vit Jérôme.

– L'île ne vous aime pas, dit-il.

– Elle ne vous aimera pas plus, rétorqua-t-elle sèchement. Allez-vous nous aider à tout nettoyer?

– Et pourquoi je le ferais? Je n'ai pas besoin de cette grande maison.

Epuisée, Harriet s'effondra sur le palmier.

– Pourquoi me traitez-vous ainsi? demanda-t-elle. J'ai fait du bon travail ici, et j'aime Corusca. Vous m'avez aidée dans le passé, et je vous en suis reconnaissante. Mais c'est mon île. Cela m'est égal que vous y viviez, mais elle m'appartient.

– J'ai sauvé votre fille, dit Jérôme. Nathan n'aurait pas su.

Elle hocha la tête. Tristement, elle cogna le tronc de son poing. Rien n'était jamais gratuit. Il fallait payer pour tout. Jérôme avait donné son prix, et c'était son île tant aimée.

– Que ferez-vous, ici? demanda-t-elle enfin.

– Ce que vous auriez dû faire. Un hôtel, une piste d'atterrissage, des maisons. L'île vous a servi de terrain de jeu. Les gens d'ici ont besoin de travail et de maisons solides qui résistent aux tempêtes.

– J'ai tant fait! protesta Harriet. Et j'ai gardé à l'île son caractère particulier, son côté secret.

– A votre façon. Nous le ferons à la nôtre.

Elle aurait voulu le combattre, mais n'en avait pas la force. Une pensée flottait vaguement dans sa tête : je lui dois Corusca et si je ne paie pas ma dette j'en souffrirai. Jérôme réclamait l'île, Nathan réclamait Victoria. L'île, oui, il fallait qu'elle y renonce, il était temps, mais Victoria déciderait elle-même de ce qu'elle devait faire.

Jérôme s'éloigna sur la plage, et elle le regarda s'en aller, brûlée par la rancœur. Quand il fut hors de vue, elle retourna à la maison, se remémorant tous les changements qu'elle avait introduits. S'était-elle complètement trompée? Même si c'était involontairement, cela ne suffisait pas pour l'excuser.

Victoria descendit l'escalier, trois morceaux de porcelaine cassée dans les mains.

– J'ai toujours adoré ce vase. Leah y gardait du pot-pourri.

– J'étais jalouse d'elle, dit Harriet. Tu l'aimais plus que moi.

– Pas plus. Mais je l'aimais.

– As-tu réfléchi à Nathan? demanda Harriet, qui avait évité la question depuis des jours.

– J'y ai réfléchi. Il ne peut pas s'en sortir sans moi, maman.

– C'est idiot! Il sera malheureux, bien sûr, mais il s'en remettra. Mon Dieu, tu devrais le savoir.

– Vraiment! enragea Victoria. Tu ne t'es jamais remise de ta séparation d'avec Jake, jamais! Tu as passé toute ta vie à te prouver que tu pouvais t'en sortir sans lui et à espérer qu'il vienne t'en empêcher.

– C'est faux! On se heurte et on se sépare, comme des boules de billard.

Elle prit les morceaux de porcelaine des mains de sa fille et tenta de reconstituer le vase.

– Que veux-tu faire? demanda-t-elle. Oublions Nathan. Est-ce que tu veux toujours être mannequin? Tu y as merveilleusement réussi.

– Non... Ça s'est trop mal terminé. Je crois que je ne retournerai jamais à Paris.

– Alors, des études supérieures? Tu le peux encore, ma chérie.

– Je crois..., dit Victoria en secouant la tête... Si j'avais le choix... J'aimerais diriger Hawksworth.

– Que veux-tu dire? C'est moi qui dirige Hawksworth!

– Bien sûr. J'ai seulement dit ce que j'aimerais faire.

Bouleversée, Harriet posa les morceaux de porcelaine. Elle sortit de la maison et partit sur la plage, dans la direction opposée à celle prise par Jérôme, à grands pas inégaux à cause de toutes les épaves que la tempête avait rejetées – morceaux de bateaux, boîtes de conserve, crabes morts par centaines. Jérôme pouvait l'avoir, cette île horrible, parce qu'elle lui avait fait du mal, elle lui faisait encore du mal. Elle s'arrêta et regarda la mer. Que lui restait-il?

C'était ainsi que l'île lui était apparue la première fois qu'il l'avait vue, longue ombre sur la mer. Sur une impulsion, Jake vira de bord et fit affaler les voiles. Ils glissèrent élégamment le long de l'île, de plus en plus près, fascinés par les montagnes qu'enserraient des plages blanches d'une parfaite symétrie.

– On va jeter l'ancre devant la maison, dit Jake.

– Sois pas idiot, dit Mac. On va finir sur un récif et ce bateau vaut une fortune.

– Le vent est tombé, dit Nathan.

Il était à la proue, blond, tendu, fixant l'île de son regard intense. Jake céda la barre à Mac et alla lui parler.

– Je veux que tu la laisses tranquille, dit-il sans préambule. Ne lui fais pas partager ta malchance.

Nathan ferma les yeux et serra les paupières en détournant la tête.

Ils jetèrent l'ancre au large et nagèrent jusqu'à la rive. Mac resta sur le bateau et, en jurant, les regarda s'éloigner. Ils firent la course comme si leur vie en dépendait. Il fallut à Jake un suprême effort de volonté pour gagner. Il se redressa sur le sable, hors d'haleine, tandis que Nathan le suivait comme un chien mouillé.

– Tu veux tout me prendre, et tu voudrais que je t'aide à le faire, dit Nathan.

– C'est à peu près ça. Je crois que si tu l'aimes vraiment comme tu le dis, comme je crois que tu l'aimes, tu la laisseras te quitter.

Ils marchèrent en silence vers la maison. Victoria en sortit, puis Harriet. Elles coururent à leur rencontre.

– On a vu le bateau! On n'a pas fait les lits, ni rien! s'écria Victoria.

Elle portait une robe blanche ample qui ondulait autour d'elle. Elle courut jusqu'à son père et se jeta contre lui. Nathan attendait, les bras ballants, mais quand Jake relâcha sa fille, elle ne bougea pas, croisant les doigts dans une attitude gênée.

– Pourquoi n'iriez-vous pas discuter un peu, tous les deux? proposa Harriet qui, pour éviter les embrassades, prit une noix de coco qu'elle fit tourner entre ses doigts.

– Tu veux qu'on discute? demanda Nathan.

Il avait cru que Jake parlerait, mais il ne dit rien.

– Oui, répondit Victoria, je crois qu'il vaudrait mieux.

– Viens, Jake!

Harriet tourna les talons et revint dans la maison avec sa noix de coco. Jake la suivit jusqu'à la salle à manger. Harriet posa violemment le fruit sur la table luisante.

– Qu'est-il arrivé? demanda-t-elle. On n'a rien entendu dire.

– Ça n'a pas marché comme prévu.

– Alors, où est-il? demanda Harriet d'une voix tremblante de terreur.

– Il s'est noyé, dit Jake. Nathan l'a noyé.

– Nathan? gémit Harriet. C'est Nathan? Est-ce qu'il l'a fait exprès?

– Tout à fait. Et... je ne sais pas quoi dire à Victoria. Si elle en a terminé avec Nathan, ça n'a pas d'importance, mais dans le cas contraire, je pense qu'elle doit savoir, et je veux qu'il le lui dise lui-même.

Harriet soupira très lentement et se laissa tomber sur une chaise.

– Je suis heureuse qu'il soit mort, murmura-t-elle.

– J'aurais aimé que tu me parles quand c'est arrivé. Ça explique tant de choses!

– Je ne pouvais pas, mais j'aurais voulu que tu le saches sans que j'aie à le dire. Ç'aurait été le mieux. J'ai tout gâché.

Jake s'assit sur la table, et Harriet vit sur sa cuisse musclée la cicatrice de son opération, toujours nette malgré les années passées.

– Pas tout. Des milliers de personnes te doivent beaucoup, des milliers de personnes sont prospères grâce à toi. J'aimerais pouvoir en dire autant.

– Tu le peux... Presque.

– Tu ne donnes jamais rien, hein?

– Jérôme aura l'île. Je la lui donne.

Ces mots mirent un moment à pénétrer jusqu'à la conscience de Jake.

– Dieu merci, dit-il enfin. Je n'ai jamais compris ce qu'on pouvait aimer dans cet endroit. Les gens se ferment à toi, tu as remarqué?

– Oui, dit Harriet en posant la main sur la jambe de Jake. Que vas-tu faire?... En France, quand tu étais inquiet, je voulais te dire... Je voulais t'aider. Mais je ne pouvais pas. Et ça t'a passé. Et pour Victoria, tu voulais m'aider, et je voulais que tu m'aides, mais à nouveau... je n'ai pas pu. Et je m'en suis sortie. Mais j'aurais aimé que ce soit différent.

Il lui prit la main et la tint si légèrement que c'était un contact presque impersonnel.

– Oui, c'est comme ça. Au fait, je laisse l'affaire à Mac. Le chantier va construire quelques bateaux ordinaires pour changer, pour assurer plus de régularité dans le travail. Ils pensent là-bas que c'est trop risqué de faire selon mes désirs chaque fois. Dès que ton entreprise grossit, tu n'en es plus le maître.

– Je sais. Tu me l'as dit il y a des années, et je ne t'ai pas cru. Il vient un temps où il vaut mieux s'écarter et laisser les autres faire leurs preuves. Mais c'est dur.

Jake la regarda d'un air bizarre. Elle portait un chemisier coupé dans ce coton épais de l'île qui grattait, et une jupe en toile de jean délavée. Cela faisait des années qu'il ne l'avait vue que sur son trente-et-un.

– Tu as l'air d'avoir vingt-cinq ans, dit-il. Tu parais plus jeune que lors de notre rencontre.

– Je me suis fatiguée d'être Mme Hawksworth. Je l'ai été si longtemps que j'ai oublié d'être moi. Au fait, tu n'es pas le seul au chômage : Hawksworth Corporation a quelqu'un de nouveau à sa tête.

– Mon Dieu, tu ne vas pas laisser Victoria diriger la Corporation! C'est la faillite assurée en une semaine!

– Pas Victoria, non. C'est une entreprise Hawksworth, et elle doit appartenir à un Hawksworth. Nathan.

– C'est juste. Plus que généreux. Je ne t'en savais pas capable.

– Je crois qu'on doit frôler le désastre pour voir ce qui importe réellement, dit-elle d'une voix douce. J'ai failli perdre Victoria, et ça m'a fait une peur folle. Mais je me suis rendu compte que j'avais encore plus peur de te perdre, toi.

– Ne sois pas idiote! On s'est perdus il y a plus d'années que je ne peux en compter.

– Vraiment? Je l'ai cru, mais plus maintenant. La plupart des gens ont des cordons qui les relient, beaucoup, beaucoup de cordons. Il semble que nous n'ayons que Victoria – mais même elle n'était pas vraiment un cordon. Nous n'avions pas besoin de cordons. Tu comptes pour moi, Jake, tu as toujours compté.

– Je le sais, dit Jake en la prenant dans ses bras. Nous avons été liés dès notre rencontre, et jamais nous ne nous sommes libérés. Mais à quoi cela sert-il? Nous ne pouvons pas vivre ensemble.

– Nous n'avons vraiment essayé qu'une fois, et nous n'avons pas fait beaucoup d'efforts, dit Harriet d'une voix étouffée.

– ... Chaque fois que je l'ai proposé, tu as dit non.

– C'est que tu n'as jamais fait la bonne proposition au bon moment. En tout cas, tu m'as repoussée aussi souvent que je t'ai repoussé.

– Tu as compté? demanda Jake en riant. Ecoute, je ne suis

pas vraiment certain de vouloir m'encombrer d'une chômeuse au passé douteux...

– Et sans domicile fixe, dit Harriet en posant la tête sur sa poitrine. Je laisse l'appartement de New York à Victoria.

– Et moi, je laisse le cottage à Mac, il en rêve depuis des années. Il ne me reste plus qu'un bateau, pour le moment.

– Est-ce qu'il fuit ? Je n'aime pas les bateaux qui fuient.

– Pas que je sache. Mais on peut le promener un peu pour voir s'il tient le coup, si tu veux.

Main dans la main, ils allèrent sur la terrasse pour regarder le yacht porté par les vagues, à l'ancre au-delà du récif. Sur la plage, deux silhouettes étaient en pleine conversation, têtes baissées.

– J'ai toujours cru lui assurer la sécurité, explosa Harriet. Jamais je n'ai pensé que cela pourrait lui arriver.

Jake prit son visage entre ses mains.

– Je suis aussi fautif que toi. Tout aurait dû être différent, mais on ne peut pas changer le passé.

– Tous nos œufs sont dans le même panier, dit Harriet en entourant de ses bras la taille de Jake, et le panier refuse de faire ce qu'on lui dit. C'est bien la fille de son père !

– Et la fille de sa mère, rétorqua Jake.

Ils partirent ensemble sur la plage, s'approchant lentement des silhouettes lointaines.

– Je voudrais qu'elle se trouve un gentil garçon, un avocat, ou quelqu'un dans ce genre, qu'elle se marie et qu'elle ait trois gosses. Elle pourrait ouvrir une boutique de mode.

– J'aurais bien aimé qu'on ait trois enfants, répondit Harriet en riant. J'aurais bien aimé ouvrir une boutique de mode.

– Moi aussi. Et j'imagine qu'elle fera ce qu'elle veut, dit-il avec un soupir. Tu sais, je crois qu'il serait temps qu'on se marie.

– Eh bien... pourquoi pas... La fin de l'épisode Hawksworth.

– Il est grand temps. Est-ce que tu me quitteras quand je serai vieux et chenu ?

– Je n'ai jamais envisagé de te quitter, à aucun moment.

Harriet caressa le sable blanc. Elle ramassa un coquillage encore mouillé et luisant, rose comme une aube de printemps anglais. Comme il était étrange que du chaos, des trahisons et du désespoir puisse encore naître l'espoir ! Peut-être sortiraient-ils tous triomphants de ce nouveau voyage qui commençait pour eux.

Impression réalisée sur CAMERON par
BRODARD ET TAUPIN
La Flèche

pour le compte des Éditions Belfond
en mai 1994

Imprimé en France
Dépôt légal : mai 1994
N° d'édition : 3195 – N° d'impression : 1710J-5